ATLAS
compact

UNIVERSEL

FRANCE LOISIRS
123, boulevard de Grenelle, Paris

Sommaire

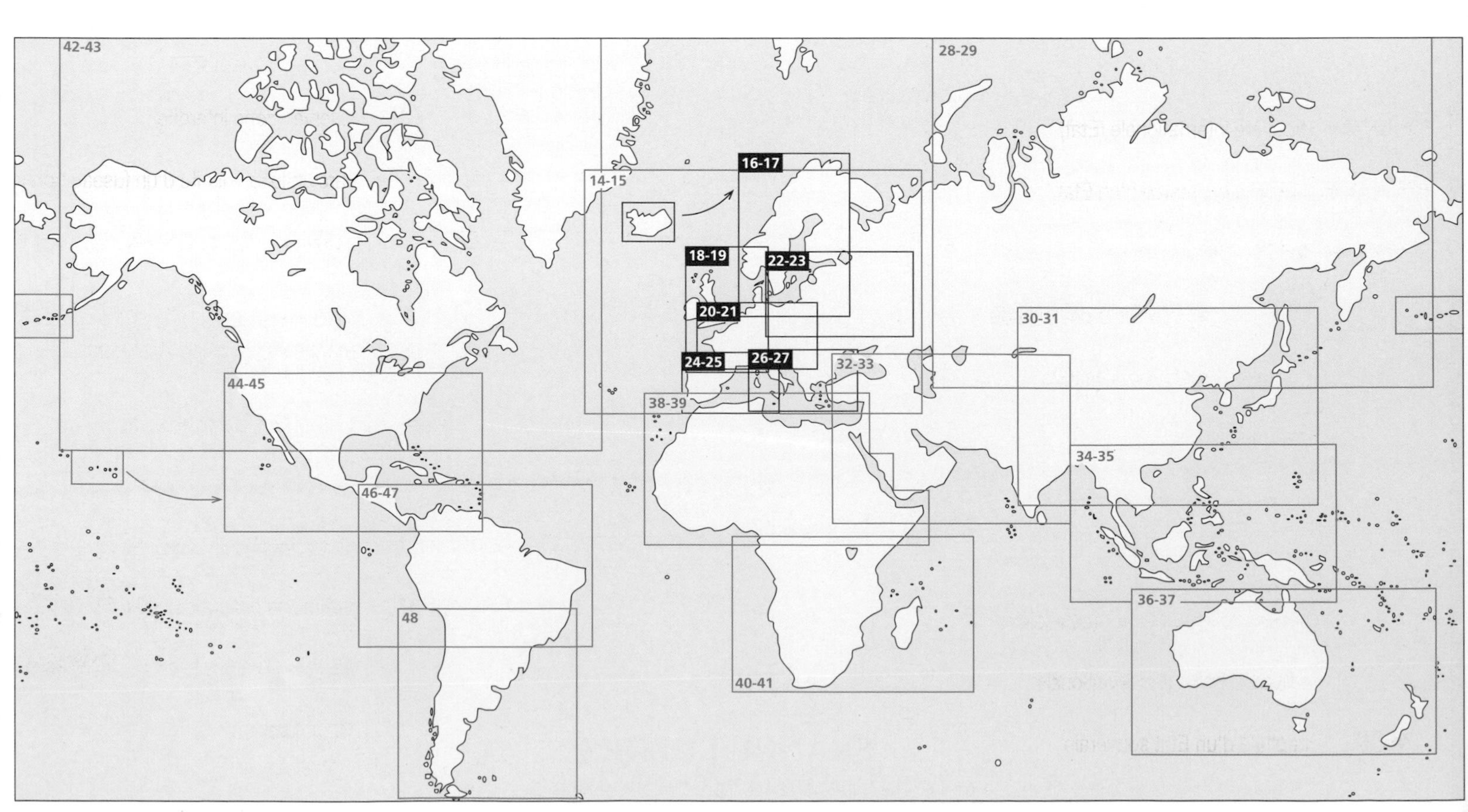

Toutes les échelles

	lac d'eau douce
	lac temporaire
	lac à rives mouvantes
	lac salé
	cours d'eau permanent
	cours d'eau temporaire
	canal navigable
	canal non navigable
	limite moyenne du pack en été
	limite moyenne du pack en hiver
	plate-forme glaciaire
	marais, marécages
	zones de submersion
	marais salé
	récif corallien
	fontaine, source
	lac de retenue et barrage
	chute d'eau, rapides
	frontière internationale (État)
	frontière contestée d'un État
	frontière administrative
1365	sommet avec indication de l'altitude
)(1014	col avec indication de l'altitude
	train-ferry
	ferry
	route maritime
	aéroport d'importance internationale
	aéroport d'importance nationale
PARIS	capitale d'un État souverain

Échelle 1:15 000 000

	autoroute
	voie prioritaire
	route secondaire
	ligne ferroviaire principale
	ligne ferroviaire secondaire
■	plus de 5 000 000 d'habitants
□	1 000 000 - 5 000 000 d'habitants
◉	500 000 - 1 000 000 d'habitants
∘	100 000 - 500 000 habitants
∘	50 000 - 100 000 habitants
∘	10 000 - 50 000 habitants
·	moins de 10 000 habitants
	réserve
	parc national
	zone interdite
★ *Chichén Itzá*	monument
★ *Devils Tower N. M.*	site naturel

Échelle 1:5 000 000/1:850 000

	autoroute
	voie prioritaire - en construction
23	route à grande circulation
	route secondaire - chemin carrossable
	ligne ferroviaire principale
	ligne ferroviaire secondaire
259 130 129	distances en kilomètres
	zone urbaine
□	plus de 5 000 000 d'habitants
□	1 000 000 - 5 000 000 d'habitants
○	500 000 - 1 000 000 d'habitants
∘	100 000 - 500 000 habitants
∘	50 000 - 100 000 habitants
∘	10 000 - 50 000 habitants
∘	5 000 - 10 000 habitants
∘	moins de 5 000 habitants
·	habitat isolé, base expérimentale (occupation temporaire)
	réserve - zone interdite
	parc national - limite d'un fuseau horaire
Camino de Santiago	patrimoine culturel de l'UNESCO
★ *Trakošćan*	monument particulièrement intéressant
A CORUÑA	agglomération particulièrement intéressante
TOURS	agglomération intéressante
★ *Rock of Cashel*	monument
∴ *Milet*	site ou fouilles archéologiques
La Scandola	patrimoine naturel de l'UNESCO
★ *Gullfoss*	site naturel particulièrement intéressant
★ *Riisitunturin kans. puisto*	site naturel

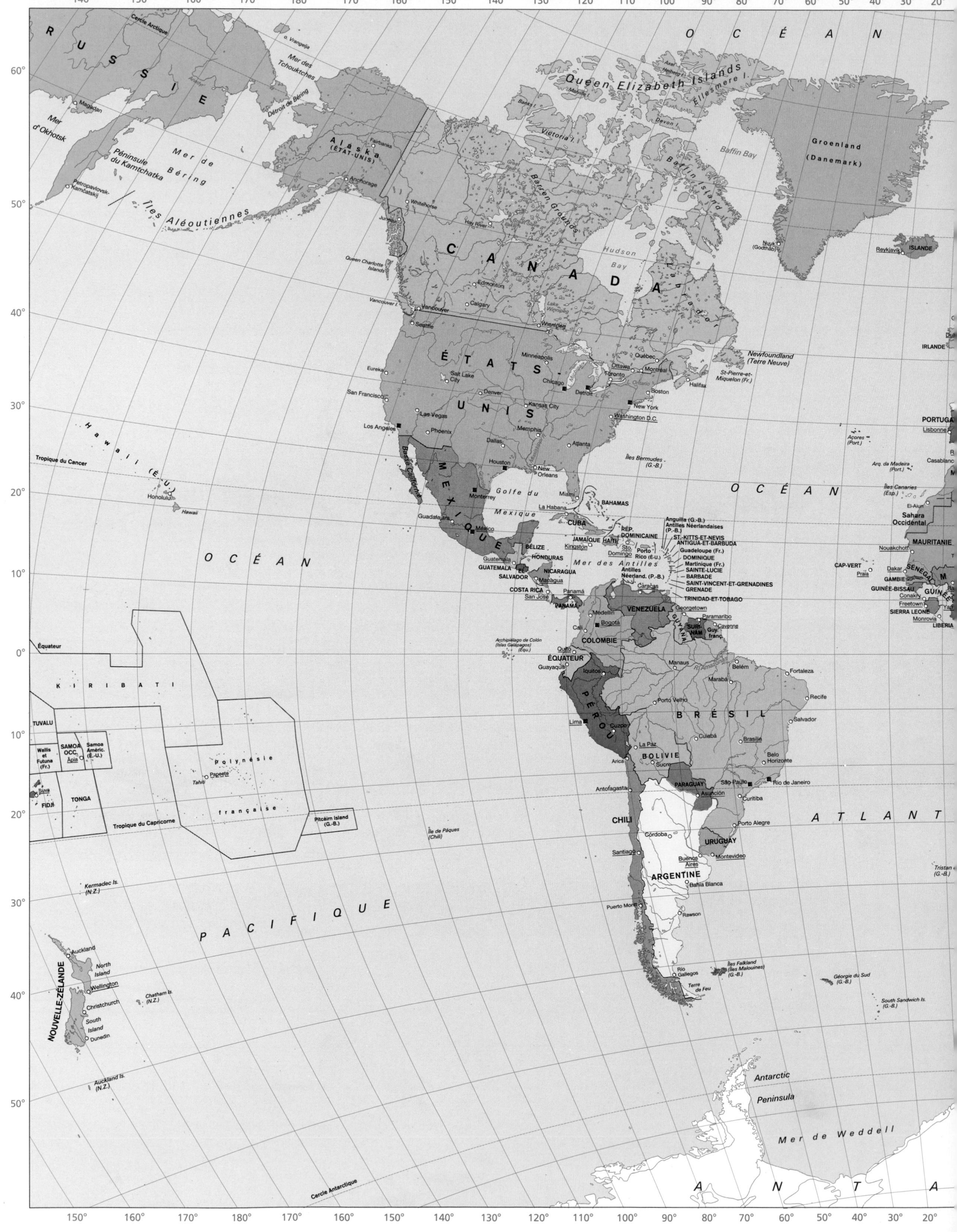

Échelle à l'équateur 1: 90 000 000

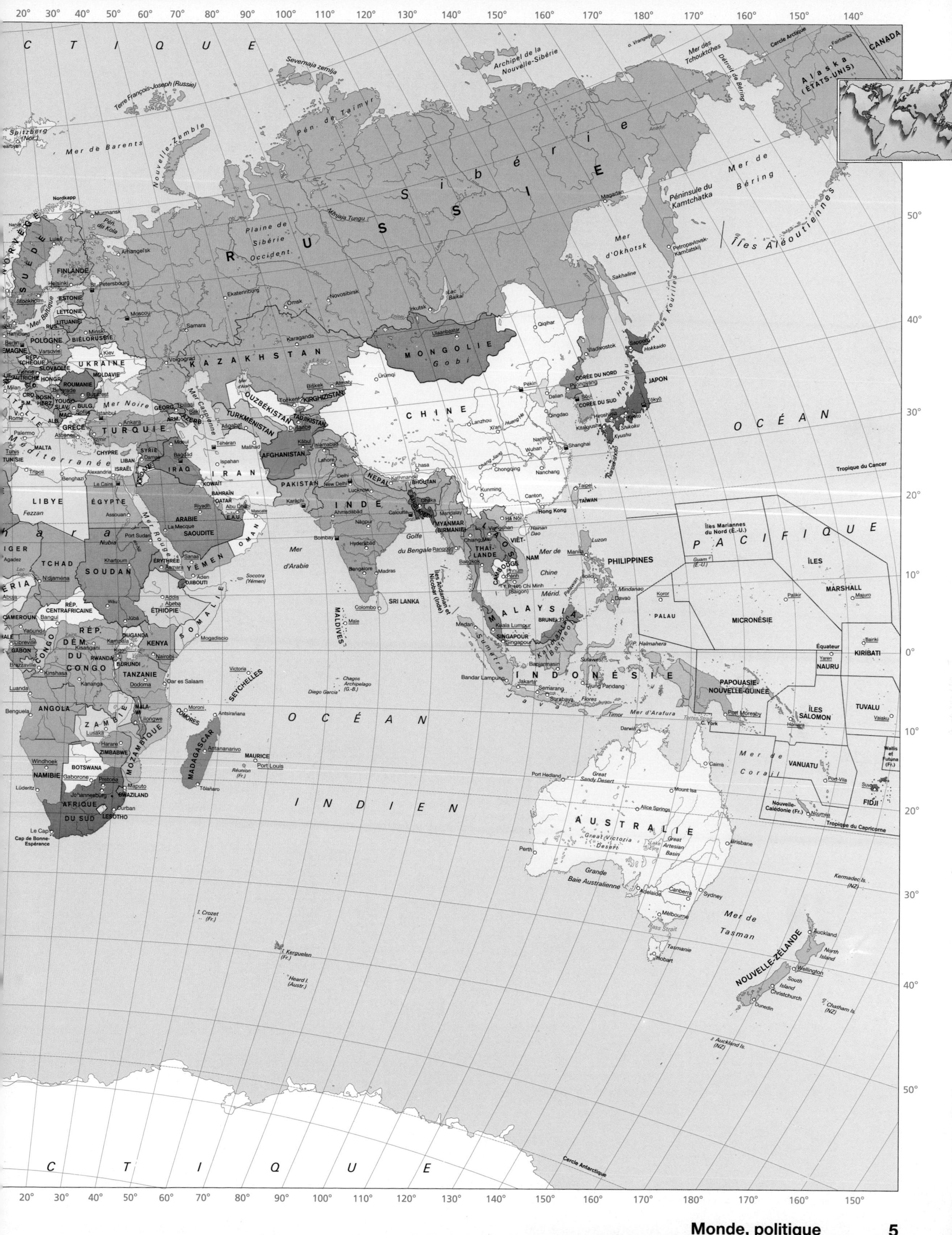

C T I Q U E
Severnaja zemlja
Archipel de la Nouvelle-Sibérie
Mer des Tchouktches
Détroit de Béring
Cercle Arctique
CANADA
Alaska (ÉTATS-UNIS)
Terre François-Joseph (Russie)
Spitzberg (Nor.)
Mer de Barents
Nouvelle-Zemble
Pén. de Taïmyr
Sibérie
RUSSIE
Péninsule du Kamtchatka
Mer de Béring
Îles Aléoutiennes
Magadan
Mer d'Okhotsk
Petropavlovsk-Kamčatskij
Sakhaline
Îles Kouriles
Plaine de Sibérie Occident.
Nordkapp
Murmansk
Pén. de Kola
NORVÈGE
SUÈDE
FINLANDE
Helsinki
St-Pétersbourg
Arhangel'sk
Stockholm
ESTONIE
LETTONIE
LITUANIE
Mer Baltique
Moscou
Ekaterinbourg
Omsk
Novosibirsk
Irkutsk
Lac Baïkal
Samara
POLOGNE
BIELORUSSIE
Minsk
Varsovie
Berlin
Kiev
UKRAINE
MOLDAVIE
Volgograd
Karaganda
KAZAKHSTAN
MONGOLIE
Ulaanbaatar
Gobi
Qiqihar
Vladivostok
Sapporo
Hokkaido
CORÉE DU NORD
Pyongyang
CORÉE DU SUD
Séoul
JAPON
Tôkyô
Honshu
Hiroshima
Shikoku
Kyushu
Kitakyushu
Osaka
Dalian
Pékin
Qingdao
Nanjing
Shanghai
Wuhan
Nanchang
CHINE
Ürümqi
Lanzhou
Xi'an
Huang He
Chang Jiang
Chongqing
Kunming
Canton
Hong Kong
Taipei
TAIWAN
Lhasa
ROUMANIE
Bucarest
BULG.
Sofia
Mer Noire
GÉORG.
Tbilissi
ARM.
AZERB.
Bakou
Mer Caspienne
TURQUIE
Ankara
Istanbul
GRÈCE
Athènes
Izmir
Rome
Belgrade
MALTA
Tunis
TUNISIE
Tripoli
Méditerranée
CHYPRE
SYRIE
LIBAN
ISRAËL
JORDANIE
Damas
Bagdad
IRAQ
Mossoul
Téhéran
IRAN
Mashad
Ispahan
KOWEÏT
BAHREÏN
QATAR
Riyadh
Abu Dhabi
Mascate
ARABIE SAOUDITE
La Mecque
OMAN
YÉMEN
Sanaa
Aden
OUZBÉKISTAN
TURKMÉNISTAN
Tachkent
Bichkek
Almaty
KIRGHIZISTAN
TADJIKISTAN
Douchanbe
AFGHANISTAN
Kaboul
Islamabad
PAKISTAN
Lahore
Karachi
New Delhi
Delhi
Lucknow
NÉPAL
Kathmandou
BHOUTAN
INDE
Ahmadabad
Nagpur
Calcutta
Dhaka
Bombay
Hyderabad
Bangalore
Madras
Mer d'Arabie
Golfe du Bengale
SRI LANKA
Colombo
MALDIVES
Malé
Mandalay
MYANMAR (BIRMANIE)
Rangoon
Chiang Mai
THAÏLANDE
Bangkok
LAOS
Vientiane
Hà Nôi
VIÊT-NAM
Hainan Dao
CAMBODGE
Phnum Pénh
T.P. Hô Chi Minh (Saigon)
Mer de Chine Mérid.
Manila
Luzon
PHILIPPINES
Mindanao
Davao
Palawan
Îles Andaman et Nicobar (Inde)
MALAYSIA
Kuala Lumpur
SINGAPOUR
Singapour
BRUNEI
Kalimantan (Bornéo)
Medan
Sumatra
Banjarmasin
Sulawesi
P. Halmahera
Bandar Lampung
Jakarta
Semarang
Surabaya
Java
Ujung Pandang
Flores
Timor
INDONÉSIE
LIBYE
Fezzan
ÉGYPTE
Le Caire
Alexandrie
Benghazi
Assouan
Sahara
Nubie
Port Sudan
Mer Rouge
Khartoum
SOUDAN
TCHAD
N'djaména
ÉRYTHRÉE
Asmara
DJIBOUTI
Socotra (Yémen)
Addis Abeba
ÉTHIOPIE
SOMALIE
Mogadiscio
Jûbâ
Wâw
RÉP. CENTRAFRICAINE
Bangui
CAMEROUN
Yaoundé
Abuja
Libreville
GABON
CONGO
Brazzaville
Kinshasa
RÉP. DÉM. DU CONGO
Kisangani
Kananga
OUGANDA
Kampala
KENYA
Nairobi
RWANDA
Kigali
BURUNDI
TANZANIE
Dodoma
Dar es Salaam
Luanda
ANGOLA
Benguela
ZAMBIE
Lusaka
MALAWI
Lilongwe
MOZAMBIQUE
Harare
ZIMBABWE
Windhoek
NAMIBIE
BOTSWANA
Gaborone
Pretoria
Maputo
Johannesburg
SWAZILAND
Durban
LESOTHO
Lüderitz
AFRIQUE DU SUD
Le Cap
Cap de Bonne-Espérance
COMORES
Moroni
Antsiranana
MADAGASCAR
Antananarivo
Tôlanaro
SEYCHELLES
Victoria
MAURICE
Port Louis
Réunion (Fr.)
Chagos Archipelago (G.-B.)
Diego Garcia
OCÉAN INDIEN
I. Crozet (Fr.)
I. Kerguelen (Fr.)
Heard I. (Austr.)
OCÉAN PACIFIQUE
Tropique du Cancer
Îles Mariannes du Nord (É.-U.)
Guam (É.-U.)
ÎLES MARSHALL
Majuro
Palikir
MICRONÉSIE
Koror
PALAU
Équateur
Bairiki
KIRIBATI
Yaren
NAURU
PAPOUASIE-NOUVELLE-GUINÉE
Port Moresby
ÎLES SALOMON
Honiara
TUVALU
Vaiaku
Wallis et Futuna (Fr.)
VANUATU
Port-Vila
Suva
FIDJI
Nouvelle-Calédonie (Fr.)
Nouméa
Tropique du Capricorne
Mer de Corail
Mer d'Arafura
Torres Strait
C. York
Darwin
Cairns
Port Hedland
Great Sandy Desert
Mount Isa
Alice Springs
AUSTRALIE
Great Victoria Desert
Lake Eyre
Great Artesian Basin
Brisbane
Perth
Grande Baie Australienne
Adelaide
Canberra
Sydney
Melbourne
Bass Strait
Tasmanie
Hobart
Mer de Tasman
Kermadec Is. (NZ)
NOUVELLE-ZÉLANDE
Auckland
North Island
Wellington
South Island
Christchurch
Dunedin
Chatham Is. (NZ)
Auckland Is. (NZ)
Cercle Antarctique

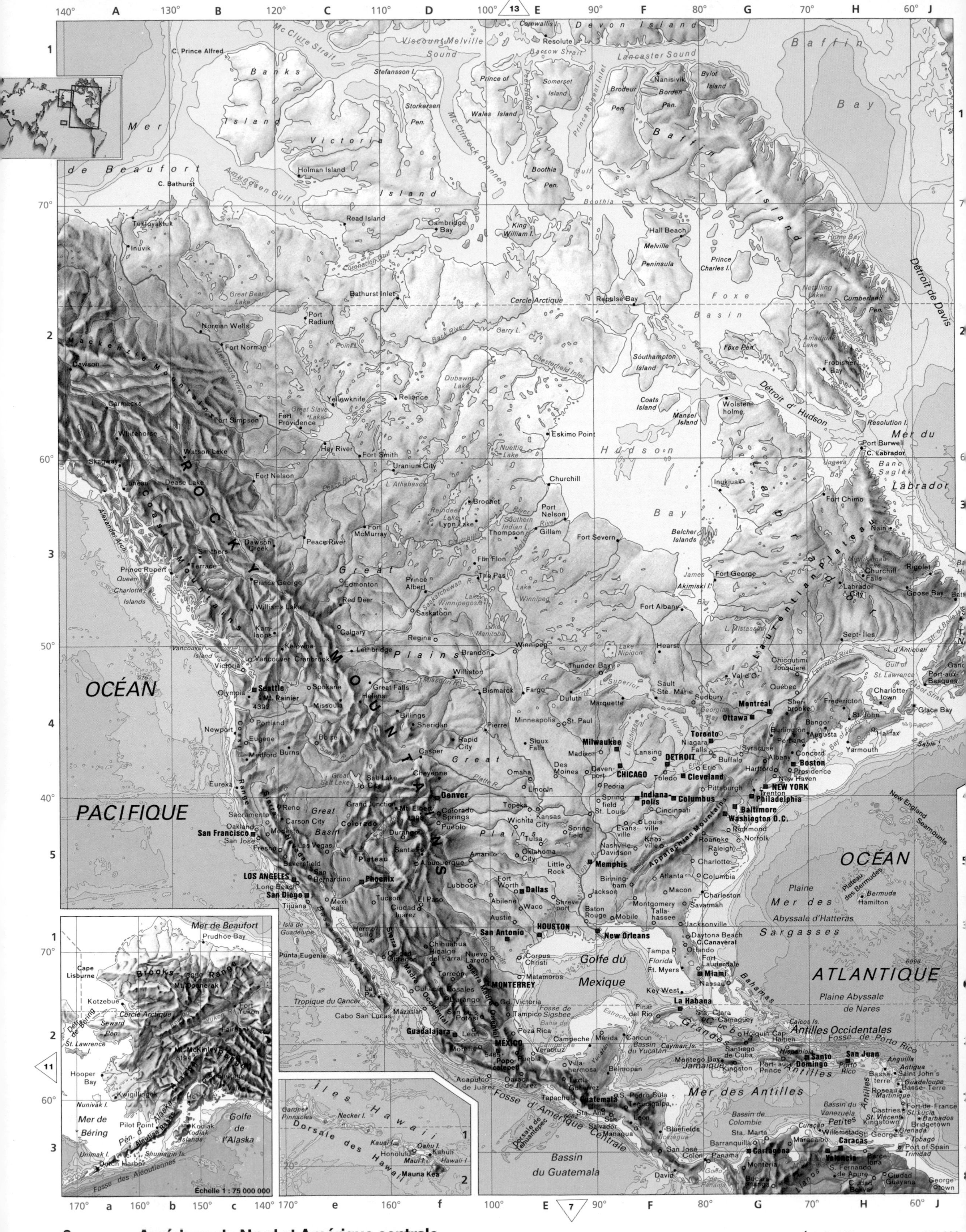

Échelle à l'équateur 1 : 44.500.000

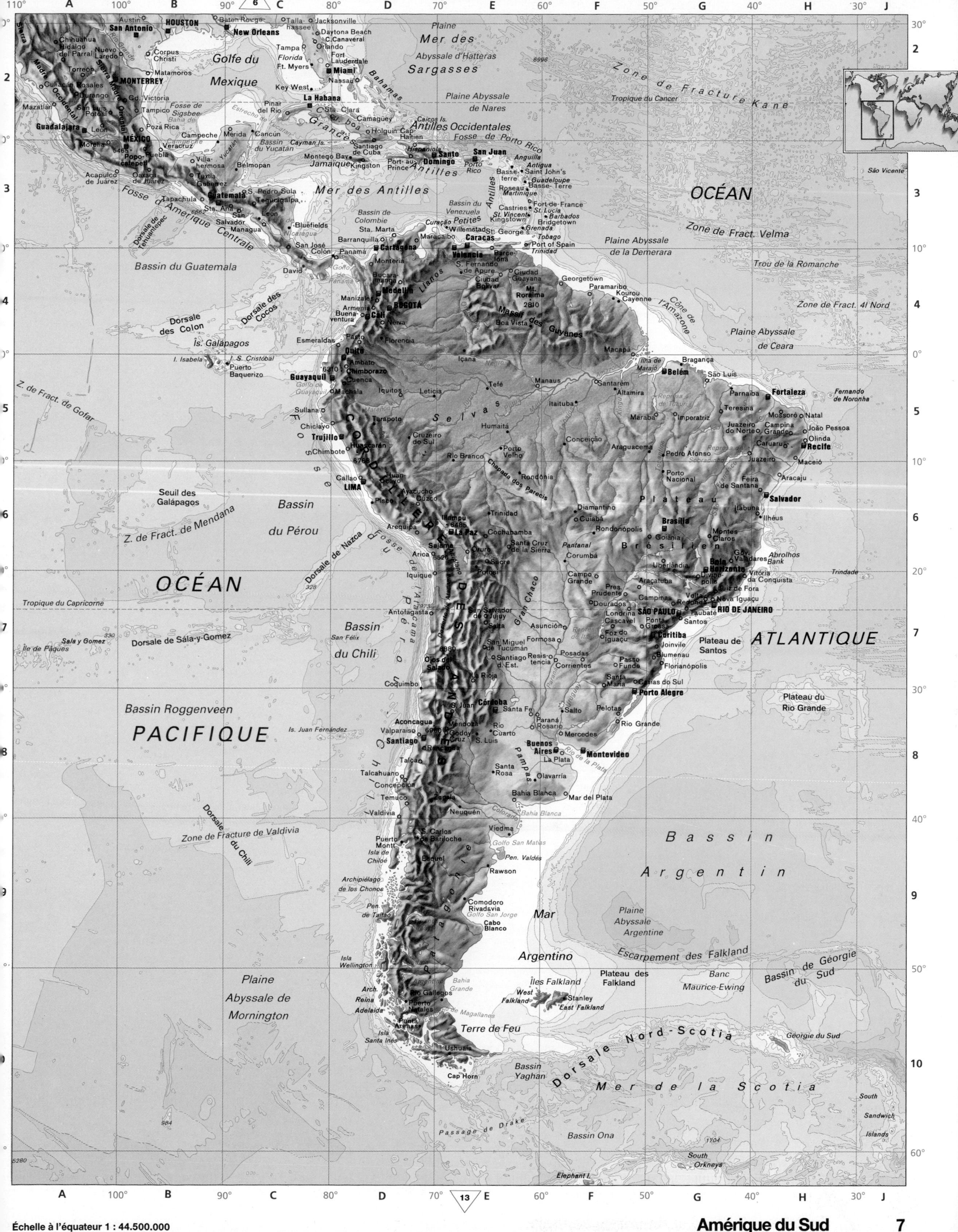

OCÉAN PACIFIQUE
OCÉAN ATLANTIQUE
Golfe du Mexique
Mer des Sargasses
Mer des Antilles
Antilles Occidentales
Tropique du Cancer
Tropique du Capricorne
Zone de Fracture Kane
Zone de Fract. Velma
Zone de Fract. 4l Nord
Trou de la Romanche
Plaine Abyssale de la Demerara
Plaine Abyssale de Ceara
Plaine Abyssale de Nares
Abyssale d'Hatteras
Fosse de Porto Rico
Fosse de Sigsbee
Bassin du Yucatán
Bassin de Colombie
Bassin du Venezuela
Fosse d'Amérique Centrale
Dorsale de Tehuantepec
Bassin du Guatemala
Dorsale des Cocos
Dorsale des Colon
Îs. Galápagos
Seuil des Galápagos
Z. de Fract. de Gofar
Z. de Fract. de Mendana
Bassin du Pérou
Dorsale de Nazca
Fosse du Pérou
Dorsale de Sala-y-Gomez
Île de Pâques
Bassin du Chili
Bassin Roggenveen
Is. Juan Fernández
Zone de Fracture de Valdivia
Dorsale du Chili
Plaine Abyssale de Mornington
Passage de Drake
Cap Horn
Terre de Feu
Bassin Yaghan
Dorsale Nord-Scotia
Mer de la Scotia
Bassin Ona
South Orkneys
Elephant I.
South Sandwich Islands
Géorgie du Sud
Bassin de Géorgie du Sud
Banc Maurice-Ewing
Plateau des Falkland
Escarpement des Falkland
Îles Falkland
Plaine Abyssale Argentine
Mar Argentino
Bassin Argentin
Plateau du Rio Grande
Plateau de Santos
Trindade
Abrolhos Bank
Fernando de Noronha
São Vicente
Cône de l'Amazone
Llanos
Massif des Guyanes
Selvas
Cordillère des Andes
Chapada dos Parecis
Plateau Brésilien
Pantanal
Gran Chaco
Pampas
Patagonie
Mt. Roraima 2810
Chimborazo 6310
Huascarán 6768
Illampu 6485
Sajama 6520
Aconcagua 6960
Ojos del Salado 6880
HOUSTON
San Antonio
New Orleans
Miami
MONTERREY
Guadalajara
MÉXICO
La Habana
Santo Domingo
San Juan
Guatemala
Caracas
Cartagena
Medellín
BOGOTÁ
Cali
Quito
Guayaquil
Trujillo
LIMA
La Paz
Belém
Fortaleza
Recife
Salvador
Brasília
Belo Horizonte
SÃO PAULO
RIO DE JANEIRO
Curitiba
Porto Alegre
Córdoba
Montevideo
Buenos Aires
Santiago
Manaus
Asunción
Iquitos
Cuzco
Arequipa
Antofagasta
Valparaíso
Mendoza
Rosario
Mar del Plata
Bahía Blanca
Puerto Montt
Comodoro Rivadavia
Río Gallegos
Punta Arenas
Ushuaia
Stanley
Georgetown
Paramaribo
Cayenne
Macapá
São Luís
Natal
João Pessoa
Maceió
Aracaju
Vitória
Santos
Florianópolis
Rio Grande

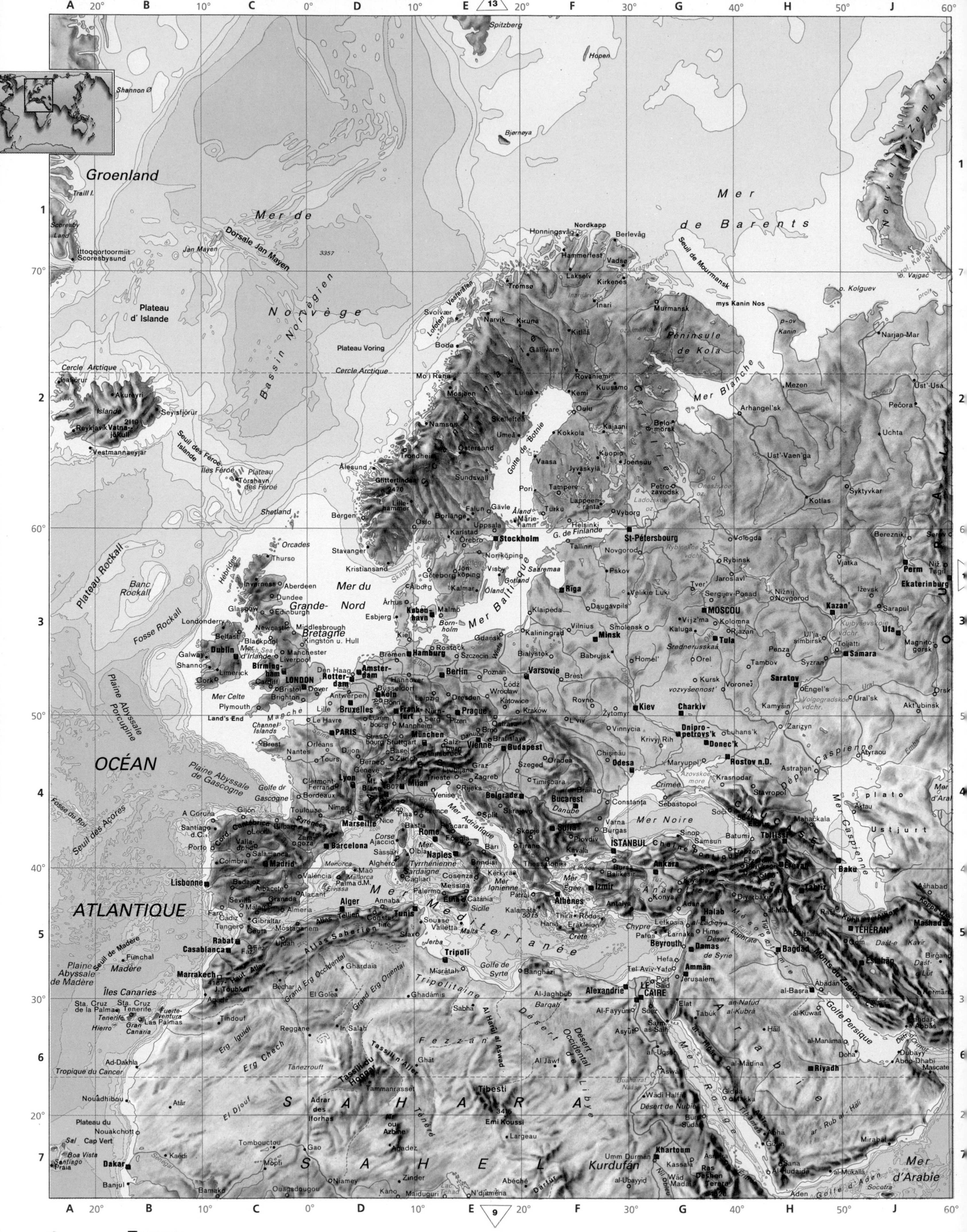

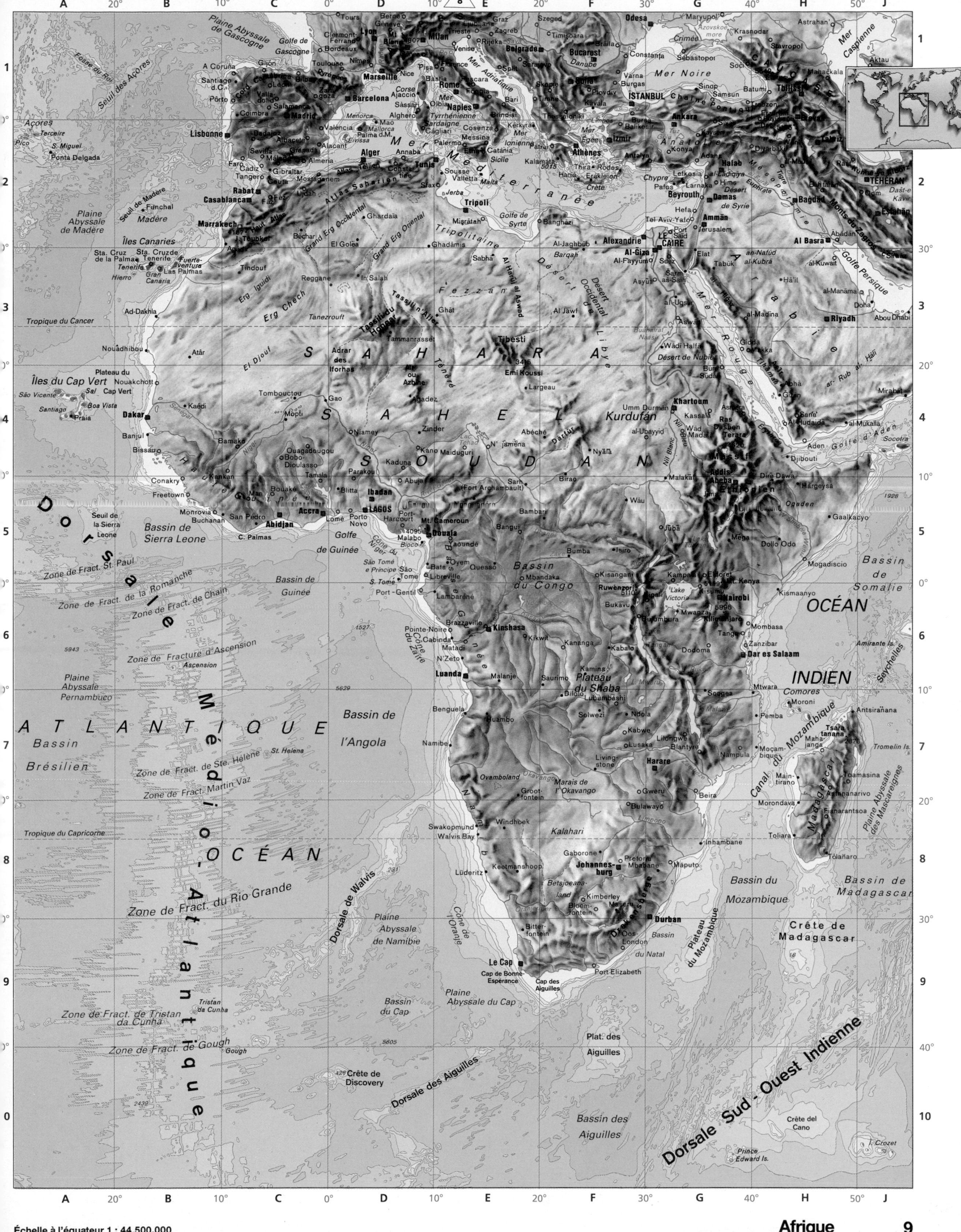

Afrique

9

Échelle à l'équateur 1 : 44.500.000

B
D
G
J
8
Plaine Abyssale de Gascogne
Golfe de Gascogne
Fosse du Roi
Seuil des Açores
Açores
Terceire
Pico
S. Miguel
Ponta Delgada
Lisbonne
Madrid
Barcelona
Marseille
Milan
Lyon
Rome
Naples
Belgrade
Bucarest
Sofia
Odesa
İSTANBUL
Ankara
Mer Noire
Mer Caspienne
Tbilissi
Athènes
Izmir
Alger
Tunis
Tripoli
Mer Méditerranée
Rabat
Casablanca
Marrakech
Plaine Abyssale de Madère
Seuil de Madère
Funchal
Madère
Îles Canaries
Alexandrie
LE CAIRE
Al-Giza
Beyrouth
Damas
Bagdad
Ammân
Jérusalem
Al Basra
TÉHERAN
Golfe Persique
Riyadh
Tropique du Cancer
Ad-Dakhla
Nouâdhibou
Tamanrasset
Tibesti
Emi Koussi
S A H A R A
S A H E L
S O U D A N
Plateau du Nouakchott
Îles du Cap Vert
Tombouctou
Niamey
Dakar
Banjul
Bamako
Ouagadougou
Kurdufân
Khartoum
Ras Dashen
Addis Abeba
Mer Rouge
Golfe d'Aden
Djibouti
Mogadiscio
Conakry
Freetown
Monrovia
Abidjan
Accra
LAGOS
Ibadan
Mt. Cameroun
Douala
Golfe de Guinée
Bassin de Sierra Leone
Seuil de la Sierra Leone
Bassin de Guinée
Zone de Fract. St. Paul
Zone de Fract. de la Romanche
Zone de Fract. de Chain
Zone de Fracture d'Ascension
Ascension
Bassin du Congo
Kinshasa
Brazzaville
Nairobi
Mt. Kenya
Kilimanjaro
Lake Victoria
Dar es Salaam
Luanda
Plateau du Shaba
Bassin de l'Angola
OCÉAN INDIEN
ATLANTIQUE
OCÉAN
Dorsale Médio-Atlantique
Bassin Brésilien
Plaine Abyssale Pernambuco
Zone de Fract. de Ste. Hélène
St. Helena
Zone de Fract. Martin Vaz
Tropique du Capricorne
Zone de Fract. du Rio Grande
Lusaka
Harare
Canal du Mozambique
Madagascar
Antananarivo
Comores
Moroni
Seychelles
Windhoek
Kalahari
Walvis Bay
Johannesburg
Pretoria
Maputo
Durban
Bassin du Mozambique
Bassin de Madagascar
Crête de Madagascar
Plateau du Mozambique
Dorsale de Walvis
Plaine Abyssale de Namibie
Le Cap
Cap de Bonne-Espérance
Cap des Aiguilles
Port Elizabeth
Plaine Abyssale du Cap
Bassin du Cap
Tristan da Cunha
Zone de Fract. de Tristan da Cunha
Zone de Fract. de Gough
Gough
Crête de Discovery
Dorsale des Aiguilles
Plat. des Aiguilles
Bassin des Aiguilles
Dorsale Sud-Ouest Indienne
Crête del Cano
Prince Edward Is.
I. Crozet

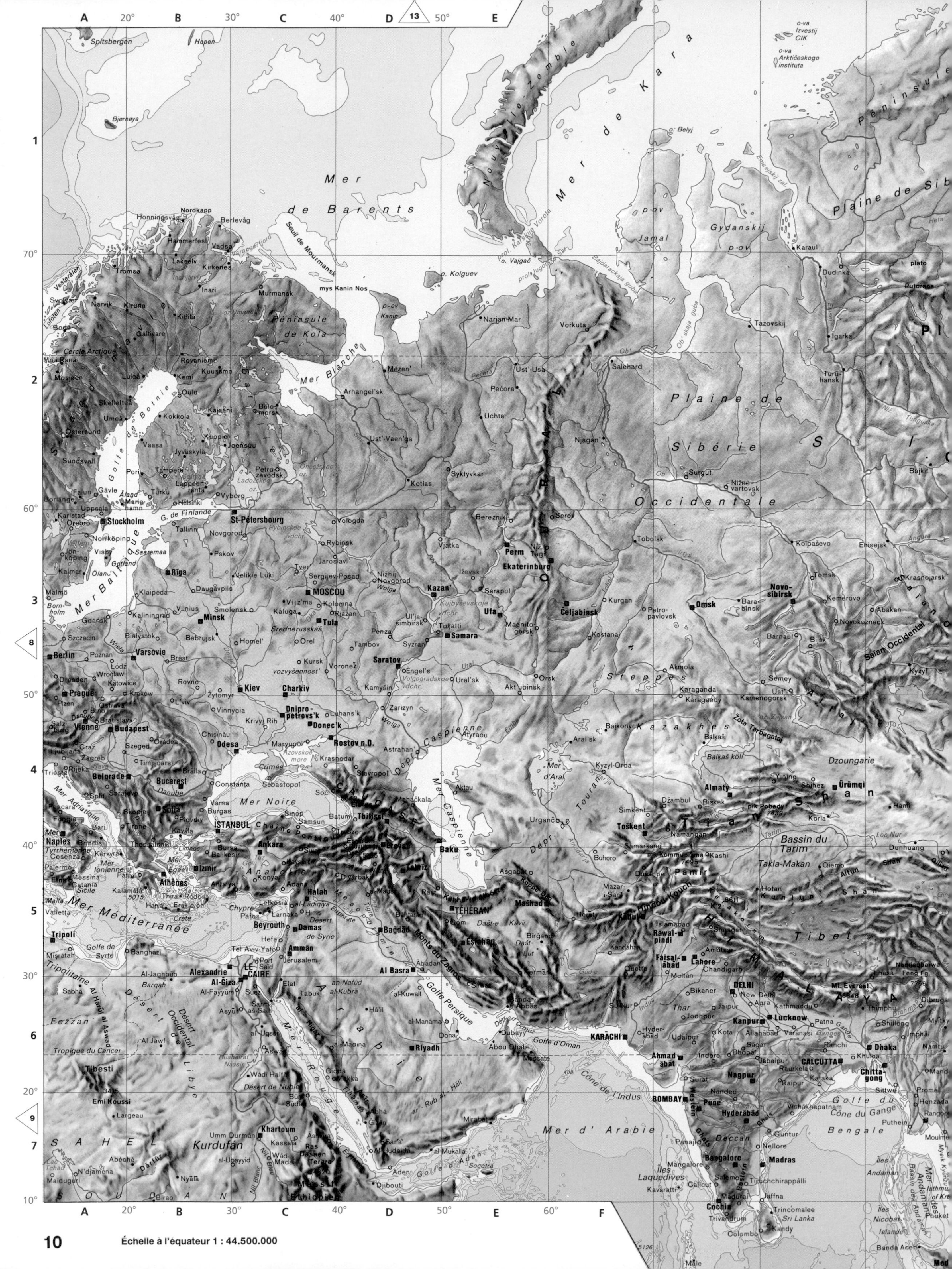

A 20° B 30° C 40° D 13 50° E
Spitsbergen
Hopen
Bjørnøya
Mer de Barents
Nouvelle-Zemble
Mer de Kara
o-va Izvestij CIK
o-va Arktičeskogo instituta
o. Belyj
Péninsule
Plaine de Sibérie
Nordkapp
Honningsvåg
Berlevåg
Hammerfest
Vadsø
Seuil de Mourmansk
p-ov Jamal
Gydanskij p-ov
Karaul
Tromsø
Lakselv
Kirkenes
o. Vajgač
o. Kolguev
Dudinka
plato Putorana
Narvik
Kiruna
Inari
Murmansk
mys Kanin Nos
p-ov Kanin
Kittilä
Péninsule de Kola
Narjan-Mar
Vorkuta
Tazovskij
Gällivare
Igarka
Cercle Arctique
Mo i Rana
Rovaniemi
Mer Blanche
Salehard
Mosjøen
Luleå
Kemi
Kuusamo
Mezen'
Ust'-Usa
Turuhansk
Oulu
Pečora
Skellefteå
Kokkola
Kajaani
Belomorsk
Arhangel'sk
Uchta
Plaine de Sibérie Occidentale
Umeå
Golfe de Botnie
Östersund
Kuopio
Ust'-Vaen'ga
Njagan'
Vaasa
Joensuu
Sundsvall
Jyväskylä
Petrozavodsk
Syktyvkar
Surgut
Nižnevartovsk
Bajkit
Pori
Tampere
Lappeenranta
Kotlas
Falun
Gävle
Åland
Turku
Mariehamn
Helsinki
Vyborg
60°
Borlänge
Uppsala
G. de Finlande
St-Pétersbourg
Karlstad
Örebro
Stockholm
Tallinn
Vologda
Berezniki
Serov
Tobolsk
Kolpaševo
Enisejsk
Novgorod
Rybinsk
Norrköping
Visby
Saaremaa
Pskov
Jaroslavl'
Vjatka
Perm
Nižnij Tagil
Jönköping
Gotland
Ekaterinburg
Kalmar
Öland
Riga
Velikie Luki
Tver'
Sergijev-Posad
Nižnij Novgorod
Iževsk
Tomsk
Krasnojarsk
Mer Baltique
Daugavpils
MOSCOU
Kazan'
Sarapul
Malmö
Klaipėda
Novosibirsk
Kemerovo
Vilnius
Smolensk
Vijz'ma
Kolomna
Kurgan
Omsk
Barabinsk
Abakan
Bornholm
Kaliningrad
Minsk
Kaluga
Rjazan
Tula
Ul'janovsk
Ufa
Čeljabinsk
Petropavlovsk
Gdańsk
Toljatti
Magnitogorsk
Novokuzneck
Szczecin
Białystok
Babrujsk
Penza
Samara
Kostanaj
Barnaul
Bijsk
Berlin
Poznań
Varsovie
Homel'
Orel
Tambov
Syzran'
Saian Occidental
Brest
Kursk
Saratov
Łódź
Wrocław
Voronež
Engel's
Ural'sk
Akmola
Kyzyl
Dresden
Katowice
Rovno
Kiev
Charkiv
Kamyšin
Orsk
Semey
50°
Prague
Kraków
Žytomyr
Aktjubinsk
Steppes
Karaganda
Plzen
L'viv
Dnipropetrovs'k
Zaporižžja
Kamenogorsk
Brno
Vinnycia
Krivyj Rih
Luhans'k
Bratislava
Doneck
Volgograd
Vienne
Budapest
Chişinău
Bajkonyr
Kazakhes
Balkaš
Atyrau
Dépr. Caspienne
Graz
Odesa
Rostov n.D.
Aral'sk
Ljubljana
Szeged
Oradea
Maryupol'
Astrahan'
Zagreb
Timişoara
Krasnodar
Balkaš köli
Dzoungarie
Rijeka
Brăila
Crimée
Mer d'Aral
Kyzyl-Orda
Trieste
Belgrade
Bucarest
Constanța
Sébastopol
Stavropol
Yining
Shihezi
Ürümqi
Mer Adriatique
Split
Sarajevo
Soči
Mer Caspienne
Aktau
Almaty
Varna
Mer Noire
Mahačkala
Džambul
Bišek
pik Pobedy
Skopje
Sofia
Burgas
Sinop
Batumi
Tbilissi
Šimkent
Hami
Plovdiv
Urganč
Korla
Bari
Tirane
ISTANBUL
Samsun
Toškent
Tian Shan
Naples
Brindisi
Kavala
Namangan
Bassin du Tarim
Lop Nur
Thessalonique
Ankara
Erevan
Baku
Dunhuang
Mer Tyrrhénienne
Cosenza
Bursa
Samarkand
Kashi
Kerkyra
Balikesir
Buhoro
pik Kommunizma
Takla-Makan
Qiemo
Palermo
Mer Ionienne
Izmir
Tabriz
Dušanbe
Pamir
Messina
Catania
Patras
Athènes
Konya
Antalya
Adana
Diyarbakir
Ašgabat
Mazar-i-Šarif
Hotan
Kunlun Shan
Sicile
Malte
Kalamata
Thira
Rodos
Halab
Rašt
Valletta
Mer Méditerranée
Haniá
Iraklion
Chypre
Lefkosia
Pafos
Larnaka
Hims
TÉHÉRAN
Mashad
Herat
Kabul
Hindou Kouch
Crete
Beyrouth
Damas
Désert de Syrie
Qom
Dašt-e Kavir
Islamabad
Srinagar
Tripoli
Golfe de Syrte
Haifa
Tel Aviv-Yafo
Ammān
Bagdad
Eşfahān
Birgand
Rāwalpindi
Tibet
Jérusalem
Port Saïd
Kandahar
Faisalābād
Lahore
Amritsar
Misrātah
Banghazi
Alexandrie
LE CAIRE
Al Basra
Chandigarh
Tripolitaine
Al-Jaghbub
Al-Gīza
Abadan
Kerman
Multān
Lhasa
30°
Barqah
Al-Fayyūm
Suez
Elat
Tabūk
an-Nafūd al-Kubrā
Monts du Zagros
Quetta
DELHI
Mt. Everest
Sabhā
Désert Occidental
al-Kuwait
Golfe Persique
New Delhi
Agra
Kathmandu
Thimphu
Dibrugarh
Arabie
Ha'il
Širāz
Bikaner
Fezzan
Asyūt
Bandar Abbās
Sukkur
Thar
Jaipur
Kanpur
Lucknow
Patna
Shillong
Imphāl
al-Manāma
Doha
Dubayy
Jodhpur
Allahābād
Varanasi
6
Al Jawf
Désert de Libye
Riyadh
Abou Dhabi
Golfe d'Oman
KARĀCHI
Hyderābād
Udaipur
Kota
Sāgar
Ranchi
Dhaka
Tropique du Cancer
Mer Rouge
al-Madīna
Masqate
Ahmadābād
Indore
Bhopāl
Jabalpur
CALCUTTA
Khulna
Tibesti
Wādi Halfa
Désert de Nubie
Djeddah
La Mecque
Cône de l'Indus
Surat
Nagpur
Raurkela
Chittagong
20°
Emi Koussi
Port Sudan
Rub al-Hālī
Nanded
Raipur
Sittwe
BOMBAY
Pune
Golfe du Bengale
Cône du Gange
Largeau
Mirbat
Visakhapatnam
Henzada
Rangoon
Hyderābād
Pathein
Khartoum
Kassalā
Umm Durmān
Asmara
Mer d'Arabie
Deccan
Kurdufān
Wād Madanī
Sana'a
al-Mukalla
Panaji
Guntur
Bengale
Moulmein
Abéché
Ras Dashen Terara
al-Hudaidah
Nellore
Aden
Golfe d'Aden
Socotra
Bangalore
Madras
Mangalore
Îles Andaman
N'djamena
Darfur
al-Ubayyid
Îles Laquedives
Calicut
Salem
Maiduguri
Nyālā
Djibouti
Kavaratti
Madurai
Tiruchchirāppalli
Jaffna
Nil Blanc
Nil Bleu
Trincomalee
Sri Lanka
Cochin
Trivandrum
Îles Nicobar
Phuket
Kandy
Colombo
Banda Aceh
10°
A 20° B 30° C 40° D 50° E 60° F
1
2
3
4
5
6
7
8
9
70°
40°
Échelle à l'équateur 1 : 44.500.000

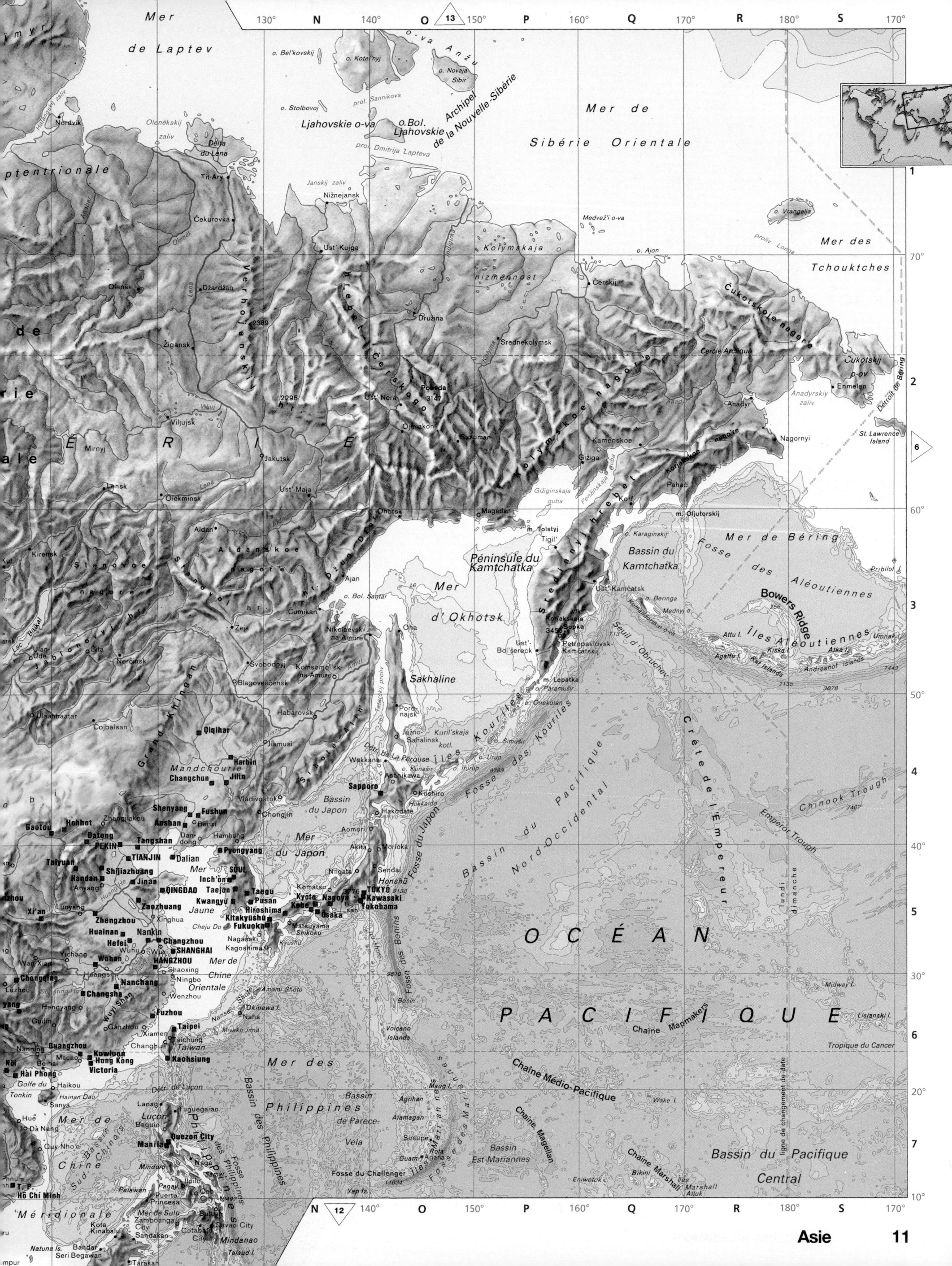

Mer de Laptev

o-va Anžu

o. Bel'kovskij

o. Kotel'nyj

o. Novaja Sibir'

prol. Sannikova

o. Stolbovoj

Ljahovskie o-va

o. Bol. Ljahovskie

Archipel de la Nouvelle-Sibérie

prol. Dmitrija Lapteva

Mer de Sibérie Orientale

Janskij zaliv

Nižnejansk

o. Vrangelja

proliv Longa

Mer des Tchouktches

Olenëkskij zaliv

Delta du Lena

Tit-Ary

Kolymskaja nizmennost

Cerskij

Cukotskoie nagorie

Cercle Arctique

ptentrionale

Nordvik

Ust'-Kujga

o. Ajon

70°

Cukotskij p-ov

Olenëk

Džardžan

Žigansk

2389

Družina

Srednekolymsk

Enmelen

2295

Ust'-Nera

Pobeda 3147

Anadyrskiy zaliv

Anadyr

Détroit de Béring

2

6

St. Lawrence Island

rie

Viljuj

Vilujsk

Ojmiakon

Susuman

Kamenskoe

Nagornyj

Jakutsk

Gižiga

Korjakskoe nagorie

Mirnyj

Lensk

Ust'-Maja

Aldan

Ohotsk

Gižiginskaja guba

Pahaci

Kirensk

Olëkminsk

Stanovoe nagorie

Aldanskoe nagore

Péninsule du Kamtchatka

Koni

m. Tolstyj

Tigil'

Mer de Béring

Lac Bajkal

Stanovoj hr

Ajan

o. Bol. Šantar

16

Mer d'Okhotsk

Ust'-Kamčatsk

o. Karaginskij

m. Oljutorskij

Bassin du Kamtchatka

Fosse des Aléoutiennes

Ulan-Ude

Cita

Cumikan

Beringa

Nerčinsk

Zeja

Nikolaevsk-na-Amure

Korjakskaja Sopka 3456

Medny

Bowers Ridge 956

Îles Aléoutiennes

Ulaanbaatar

Svobodnyj

Oha

Petropavlovsk-Kamčatskij

Seuil d'Obručev

Attu I.

Umnak I.

Cojbalsan

Komsomol'sk-na-Amure

Ust'-Bol'šereck

Crête de l'Empereur

Agattu I.

Kiska I.

Atka I.

Andreanof Islands

7443

Blagoveščensk

Sakhaline

m. Lopatka m. Paramušir

7135

Rat Islands

3078

Qiqihar

Habarovsk

Poronajsk

Onekotan

Chinook Trough

Harbin

Jiamusi

Juzno-Sahalinsk

Kuril'skaja kotl.

50°

Mandchourie

Jilin

Simušir

Fosse des Kouriles

Bassin du Pacifique Nord-Occidental

7402

Changchun

Vladivostok

Wakkanai

Kunašir

Iturup

4

Shenyang

Fushun

Chongjin

Asahikawa

Sapporo

Crête de l'Empereur

Emperor Trough

Baotou

Hohhot

Zhangjiakou

Anshan

Benxi

Dandong

Hamhung

Okushiro

Hakodate

Datong

Tangshan

Pyongyang

Morioka

PEKIN

TIANJIN

Dalian

Akita

TIANJIN

Dalian

Mer du Japon

Sendai

40°

Taiyuan

Handan

Shijiazhuang

Jinan

SÖUL

Inch'ön

Niigata

Bassin du Japon

TOKYO

Anyang

QINGDAO

Taejön

Taegu

Kyöto Nagoya Kawasaki

Zhengzhou

Zaozhuang

Jauné

Pusan

Kobe Osaka

Yokohama

Xi'an

Luoyang

Xinghua

Cheju Do

Kitakyushu Hiroshima

Fukuoka

Matsuyama Shikoku

Nagasaki

Kyushu

Kagoshima

Huainan

Nankin

Hefei

Changzhou

SHANGHAI

Wuhan

Yichang

Wuxi

HANGZHOU

Mer de Chine Orientale

Chongqing

Huangshi

Shaoxing

Ningbo

Amami Shoto

Nanchang

Wenzhou

Bonin

30°

Changsha

Wu Shan

Fuzhou

Okinawa I.

Naha

Nanteng

Guilin

Ganzhou

Taipei

Xiamen

Taichung

Taiwan

Miyako Jima

Volcano Islands

Chaîne Mapmakers

Nanning

Guangzhou

Kowloon

Hong Kong

Kaohsiung

Mer des Philippines

Tropique du Cancer

6

Macao

Victoria

Hai Phong

Beihai

Dét. de Luçon

Chaîne Médio-Pacifique

Wake I.

Lisianski I.

Golfe du Tonkin

Hainan Dao

Sanya

Haikou

Laoag

Tuguegarao

20°

Hué

Dà Nang

Mer de Chine

Luçon

Baguio

Bassin des Philippines

Bassin de Parece Vela

Agrihan

Alamagan

Midway I.

Quy Nhon

Manille

Quezon City

Susupe

Guam

Rota

Bassin Est-Mariannes

Bassin du Pacifique Central

Hô Chi Minh

Mindoro

Naga

Iloilo

Fosse du Challenger 11034

Yap Is.

Eniwetok

Bikini

Marshall

Ailuk

Méridionale

Palawan

Puerto Princesa

Méridionale

Mer de Sulu

Zamboanga

Davao City

Mindanao

Talaud I.

Natuna Is.

Bandar Seri Begawan

Kota Kinabalu

Sandakan

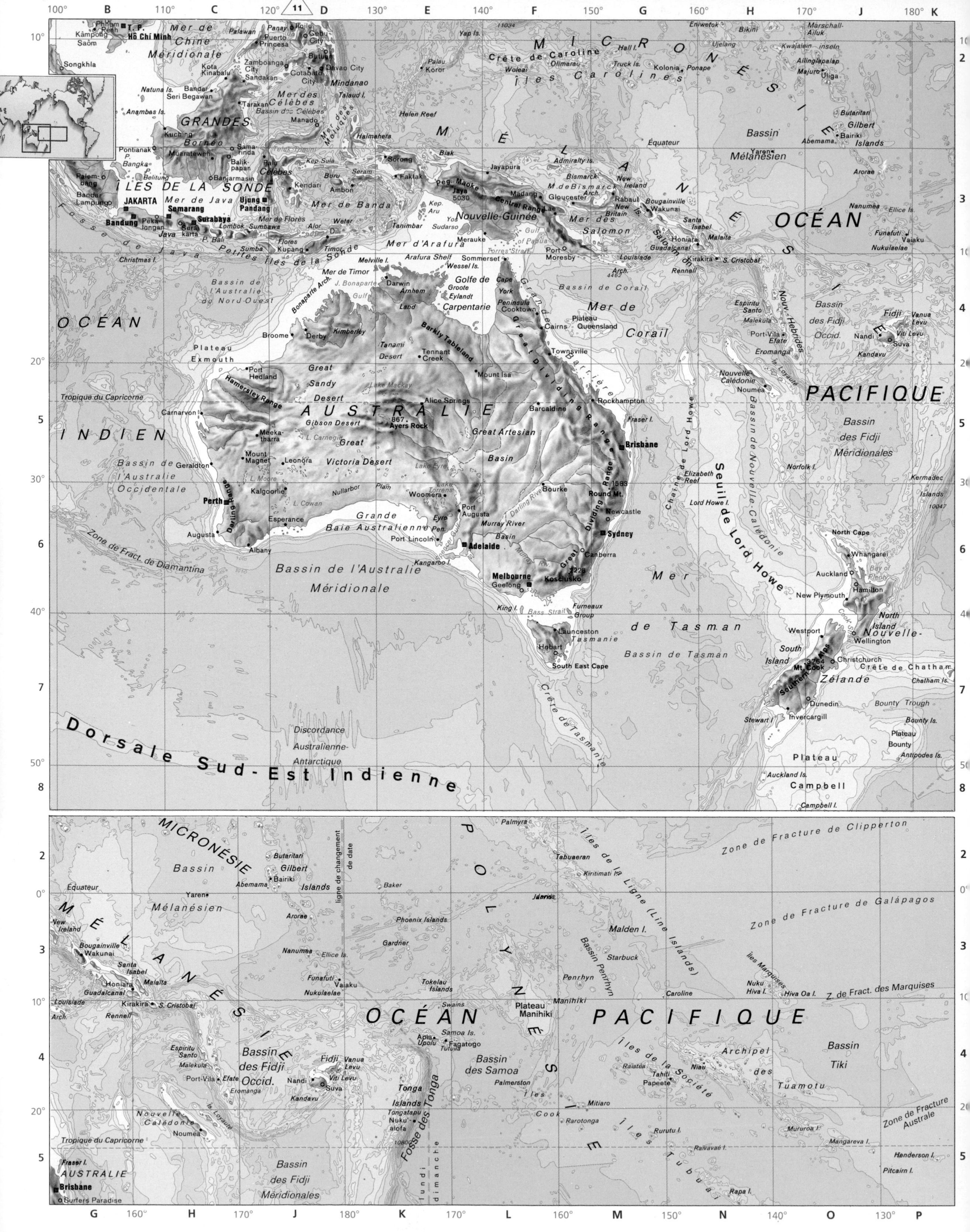

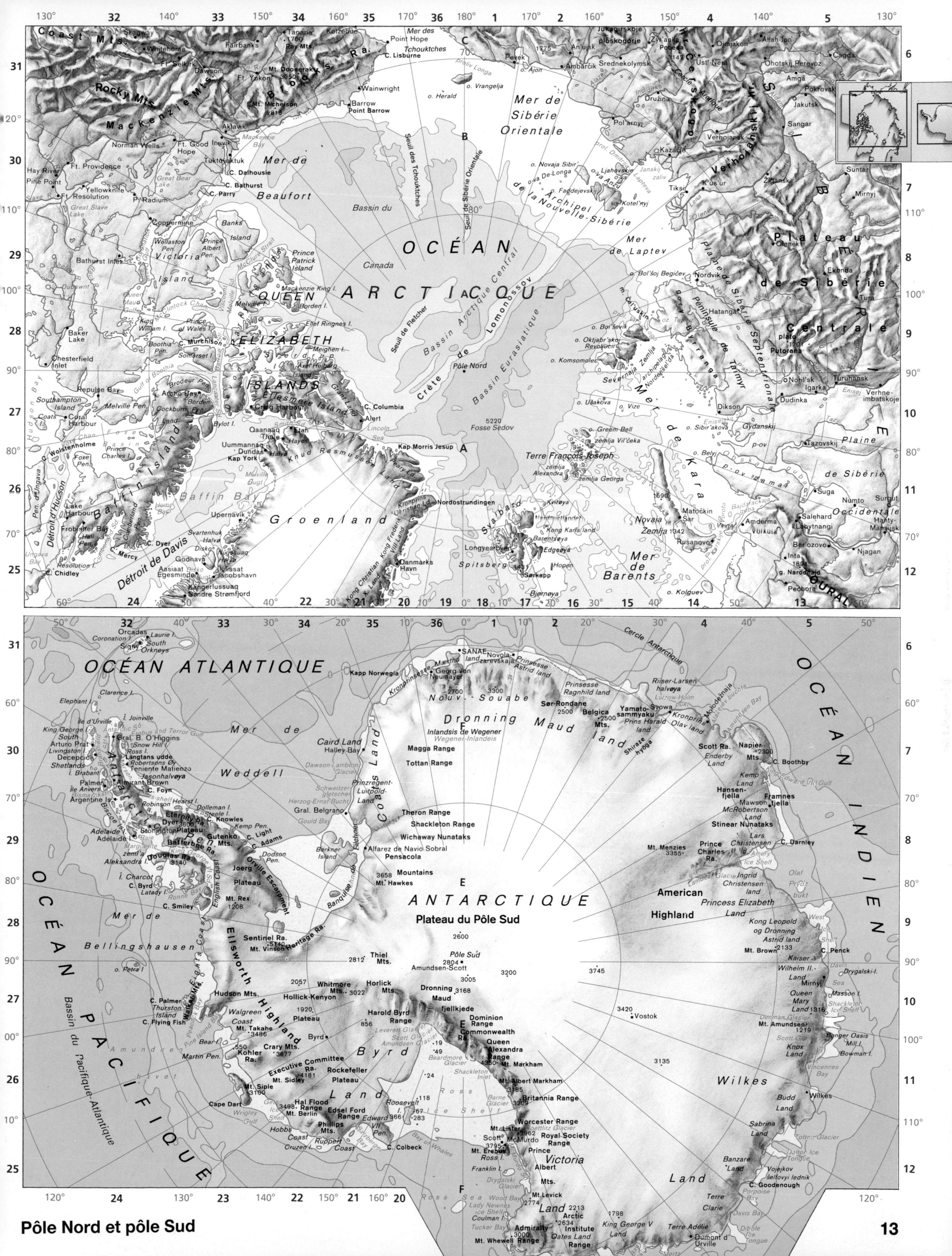

Pôle Nord et pôle Sud

13

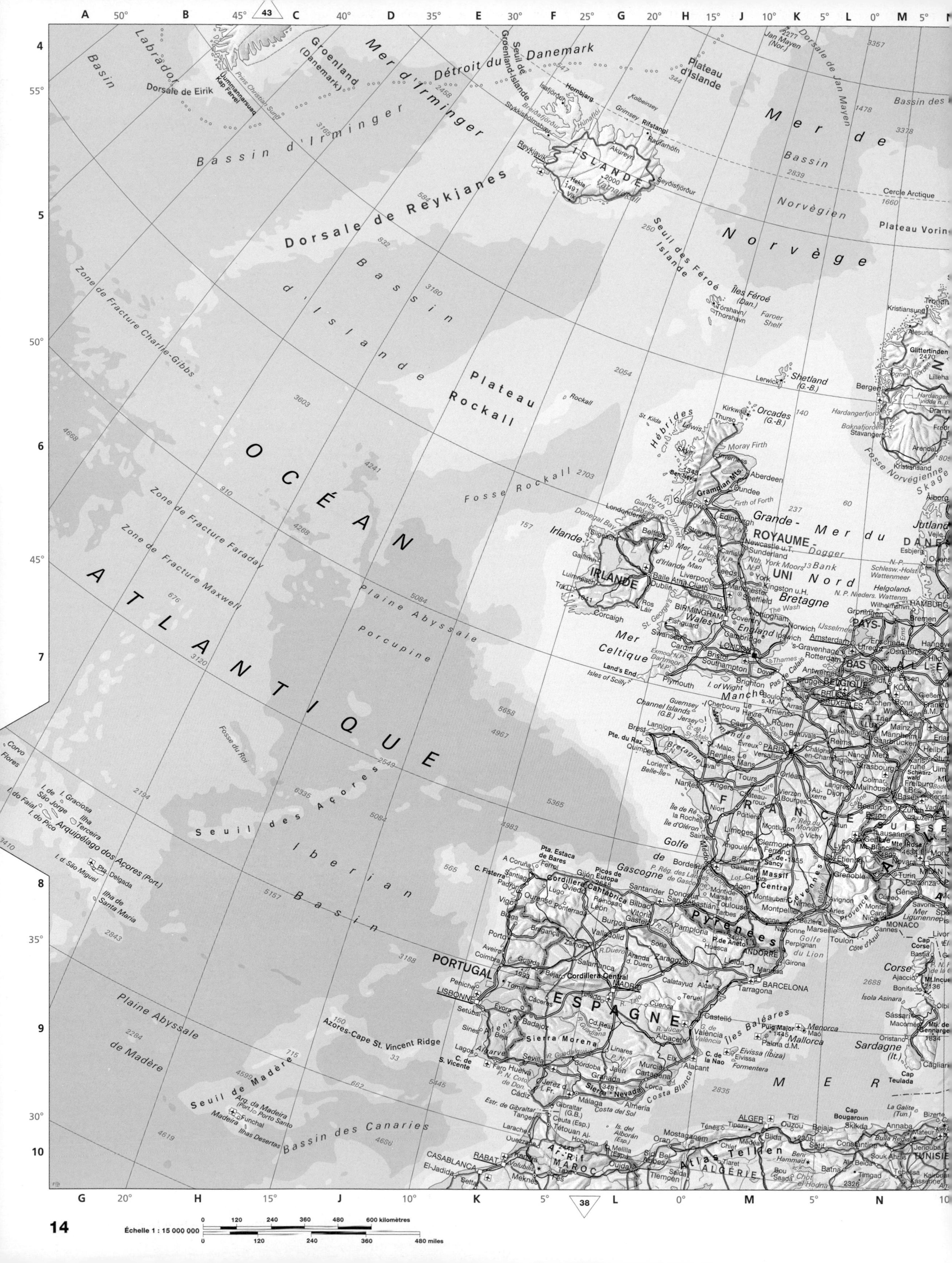

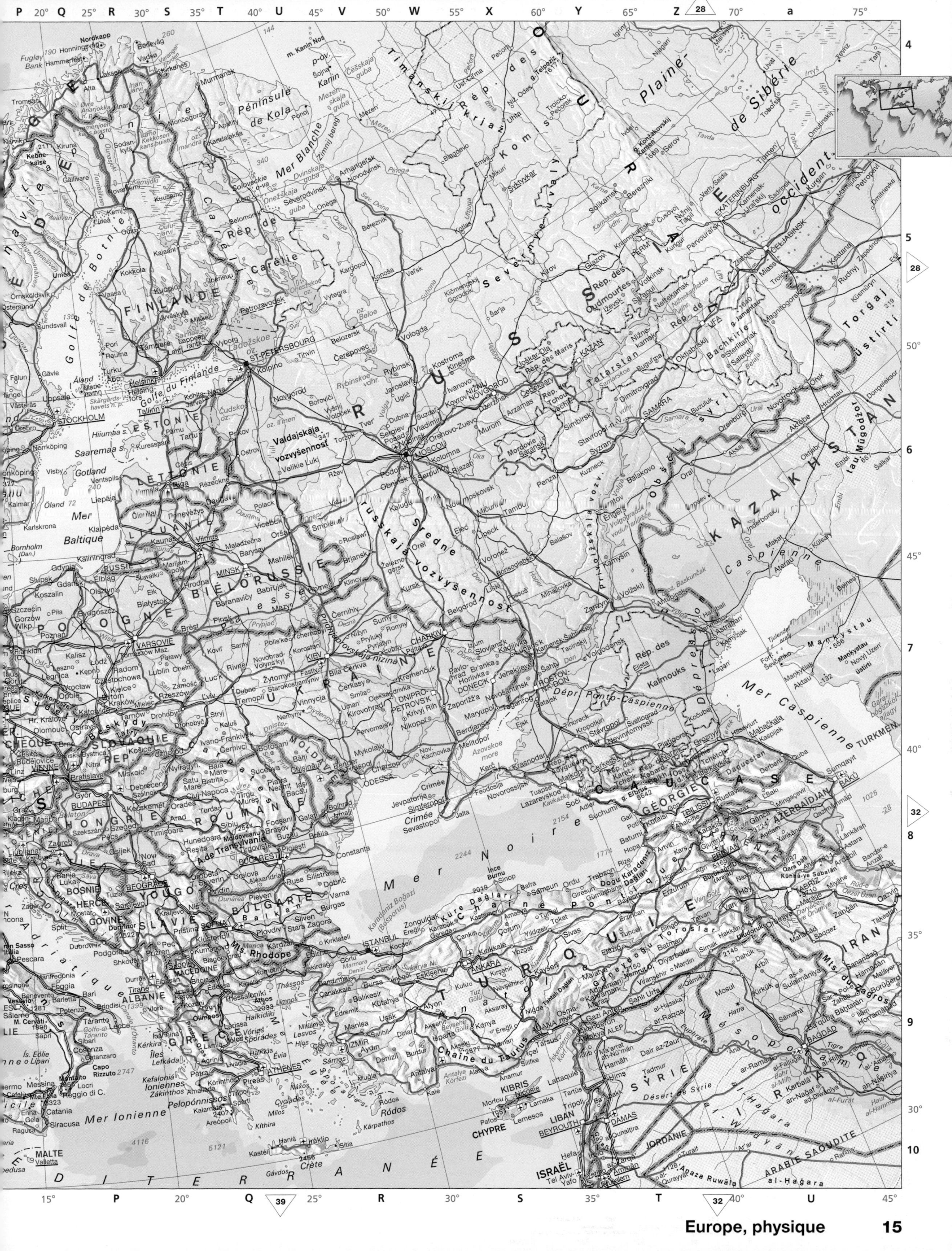

Europe, physique   **15**

P 20° Q 25° R 30° S 35° T 40° U 45° V 50° W 55° X 60° Y 65° Z 70° a 75°
28
Nordkapp
Péninsule de Kola
Mer Blanche
Timanskij krjaž
Rép. des Komis
Plaine de Sibérie occidentale
OURAL
Rép. de Carélie
FINLANDE
Golfe de Botnie
Golfe de Finlande
ST-PETERSBOURG
STOCKHOLM
Helsinki
Tallinn
ESTONIE
LETTONIE
Riga
LITUANIE
Vilnius
Mer Baltique
Gotland
Saaremaa
Valdajskaja vozvyšennost
MOSCOU
Rép. des Oudmourtes
Tatarstan
Rép. de Bachkirie
KAZAN'
SAMARA
Syrt
Torgaj
Ustirt
KAZAKHSTAN
Dépr. Caspienne
Mer Caspienne
Mangystau
TURKMÉN.
BIÉLORUSSIE
MINSK
POLOGNE
VARSOVIE
Srednerusskaja vozvyšennost
Polesie
Pripjat
UKRAINE
KIEV
CHARKIV
Dnepr
Volga
Don
Rép. des Kalmouks
Dépr. Ponto-Caspienne
CAUCASE
GÉORGIE
TBILISSI
ARMÉNIE
EREVAN
AZERBAÏDJAN
BAKU
Daguestan
MOLDAVIE
Kichinev
RÉP. TCHÈQUE
SLOVAQUIE
Bratislava
VIENNE
HONGRIE
BUDAPEST
ROUMANIE
BUCAREST
Alpes de Transylvanie
BULGARIE
SOFIA
Balkan
Mts. Rhodope
YOUGOSLAVIE
BEOGRAD
BOSNIE-HERZÉGOVINE
Sarajevo
Zagreb
Ljubljana
MACÉDOINE
Skopje
ALBANIE
Tirane
GRÈCE
ATHÈNES
Péloponnèse
Mer Ionienne
Mer Adriatique
MALTE
Valletta
Crète
MÉDITERRANÉE
Mer Noire
Crimée
Azovskoe more
ISTANBUL
ANKARA
TURQUIE
Anatolie
Chaîne Pontique
Chaîne du Taurus
KIBRIS
CHYPRE
Nicosie
SYRIE
Désert de Syrie
LIBAN
BEYROUTH
DAMAS
ISRAËL
Tel Aviv-Yafo
JORDANIE
Amman
ARABIE SAOUDITE
IRAK
BAGDAD
Mésopotamie
Euphrate
Tigre
IRAN
Mts. du Zagros
TABRIZ
15° P 20° Q 25° R 30° S 35° T 40° U 45°
39
32

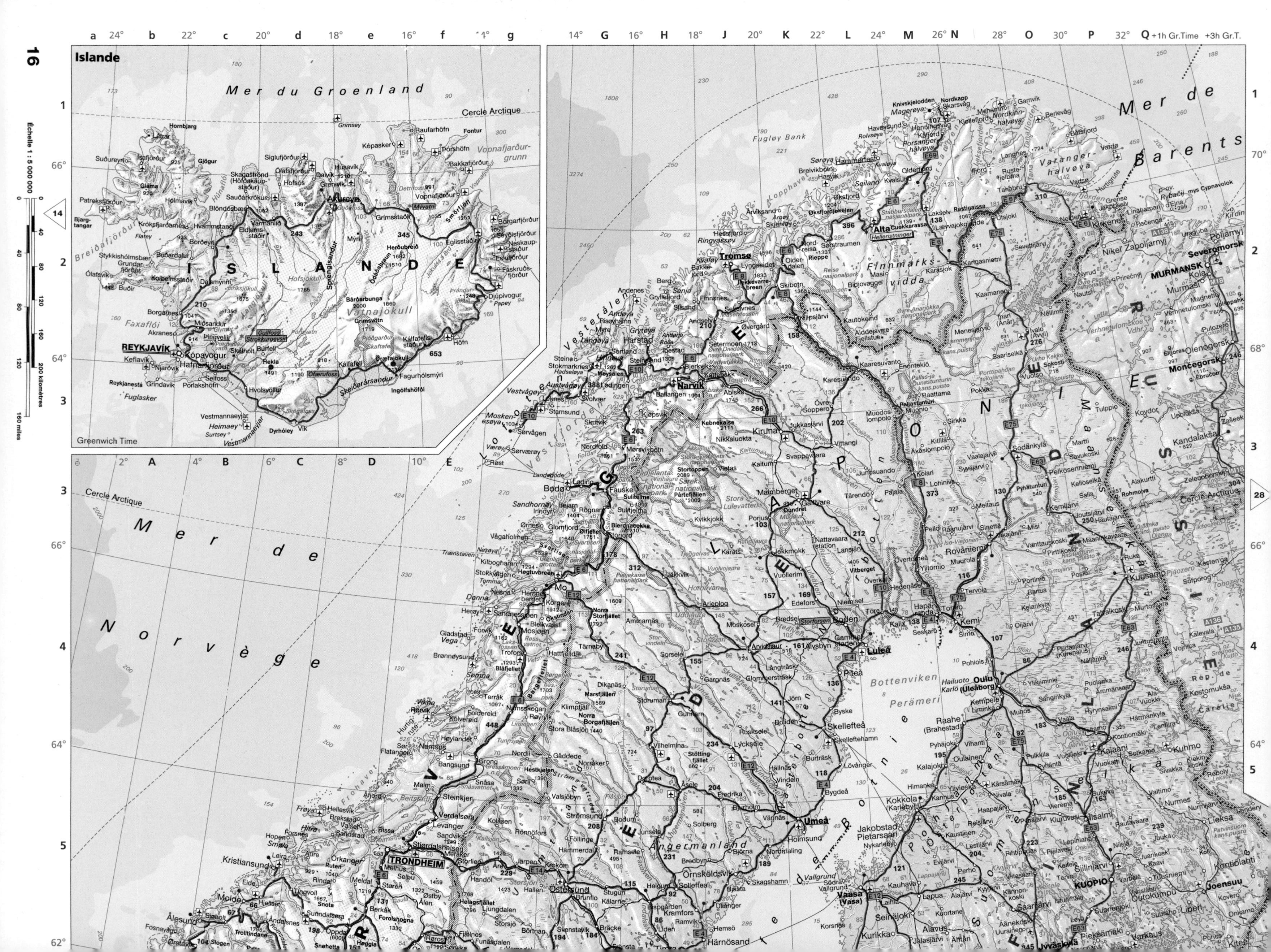
Islande
Mer du Groenland
Cercle Arctique
ISLANDE
REYKJAVÍK
Akureyri
Vatnajökull
Greenwich Time
Mer de Barents
Mer de Norvège
+1h Gr.Time
+3h Gr.T.
MURMANSK
Tromsø
Narvik
Kiruna
Luleå
Oulu
Umeå
Vaasa
TRONDHEIM
Bodø
Östersund
KUOPIO
Joensuu
Bottenviken
Perämeri
Échelle 1 : 5 000 000
0 40 80 120 160 200 kilomètres
0 40 80 120 160 miles

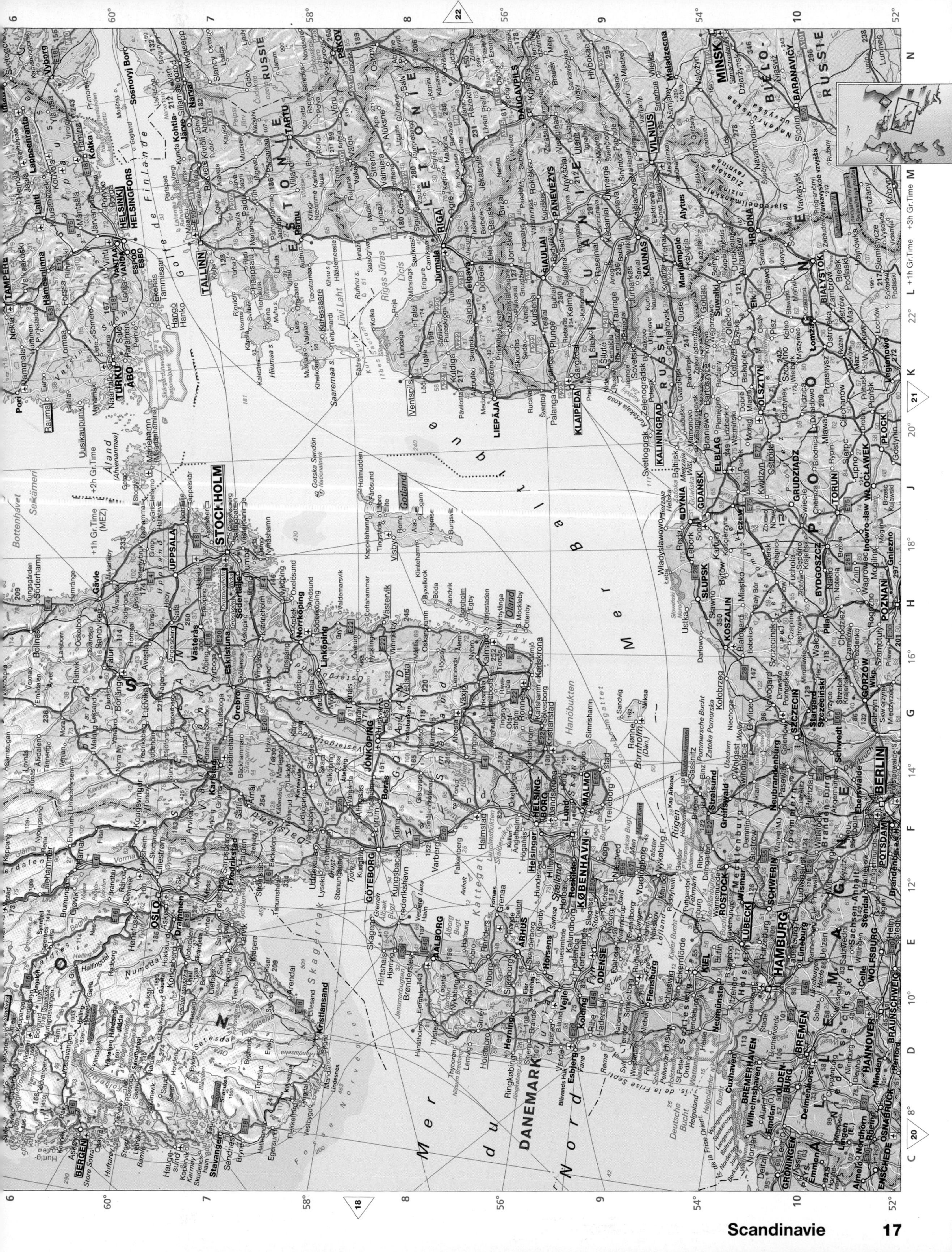

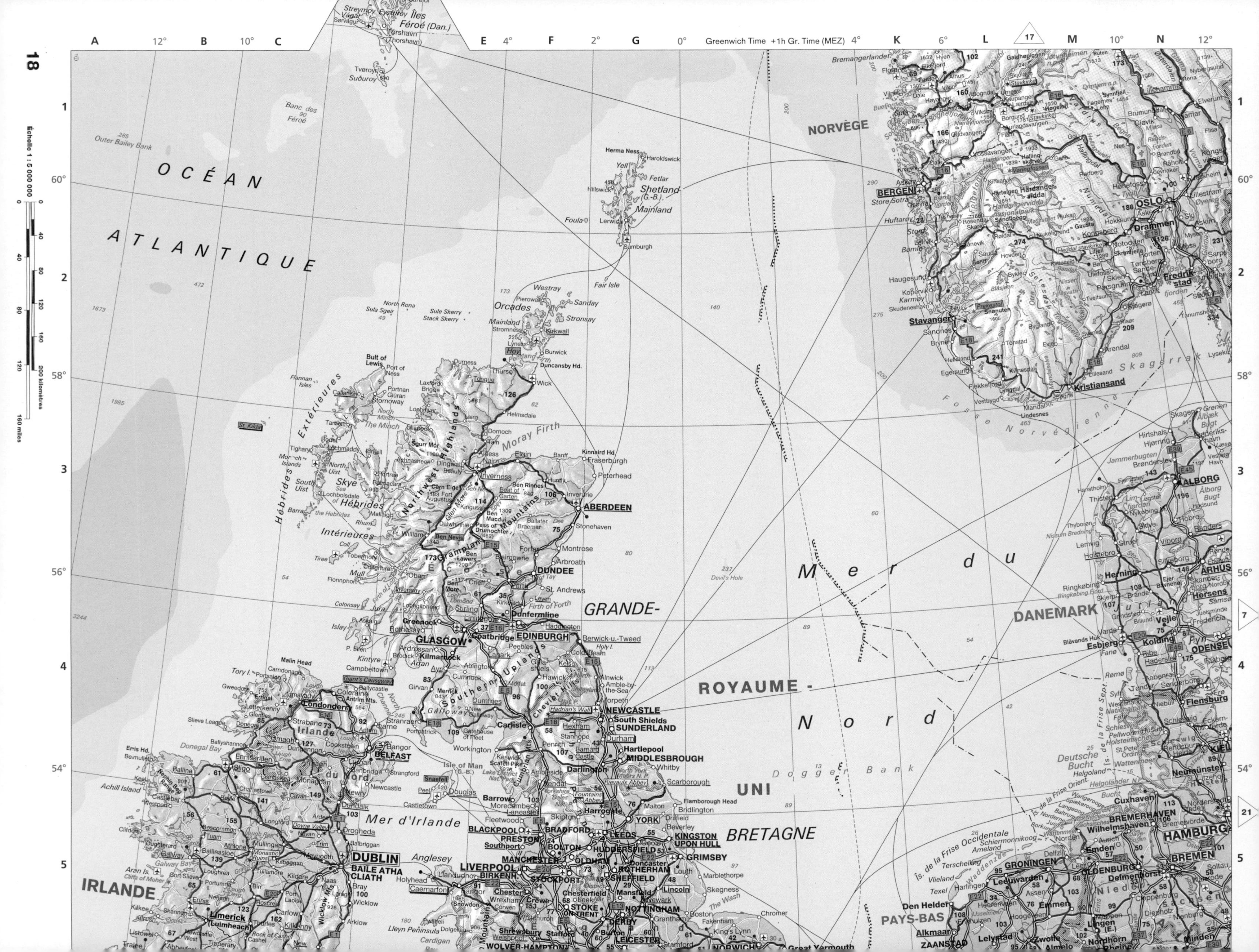

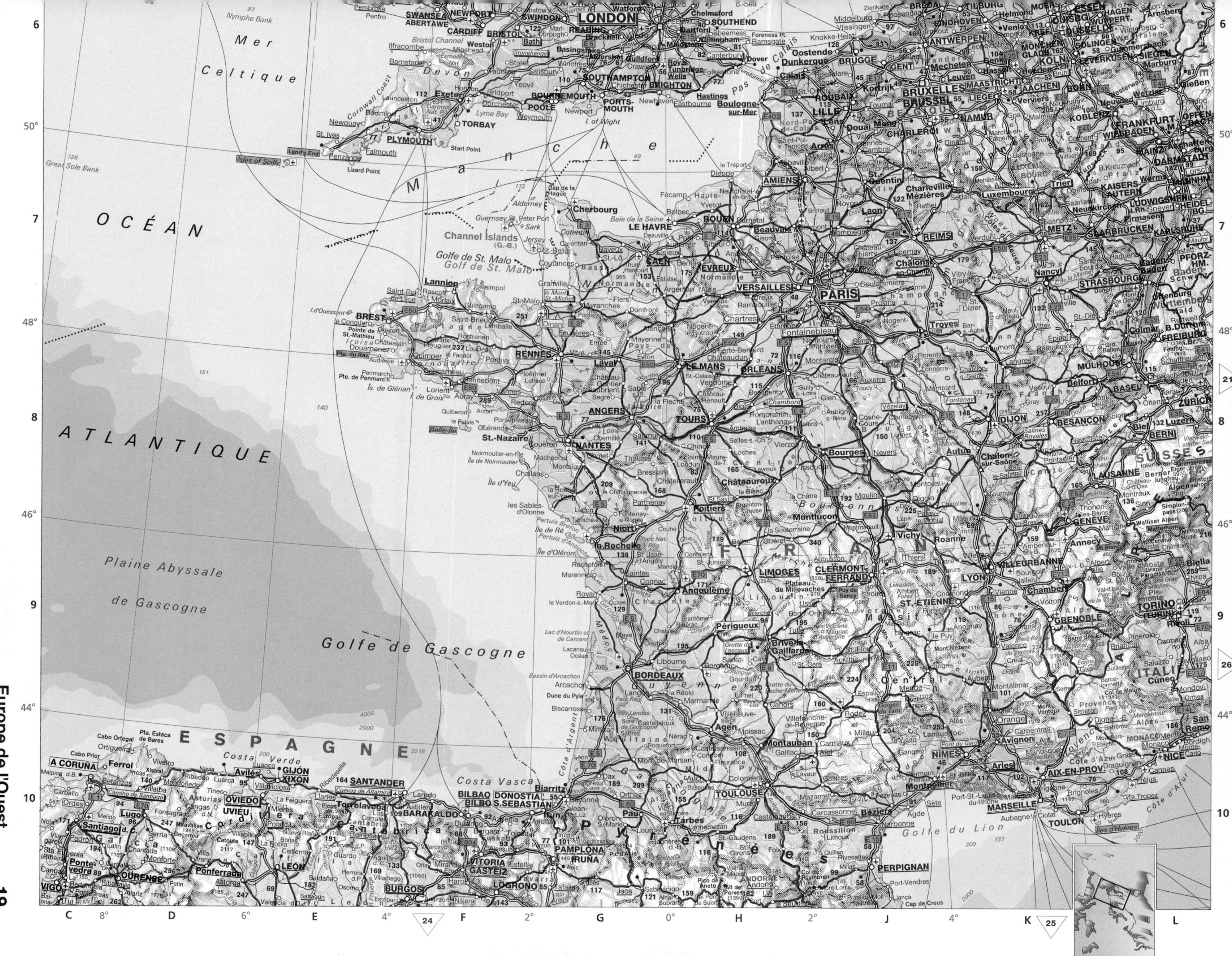
OCÉAN
ATLANTIQUE
Mer Celtique
Manche
Golfe de Gascogne
Plaine Abyssale de Gascogne
ESPAGNE
PARIS
LONDON

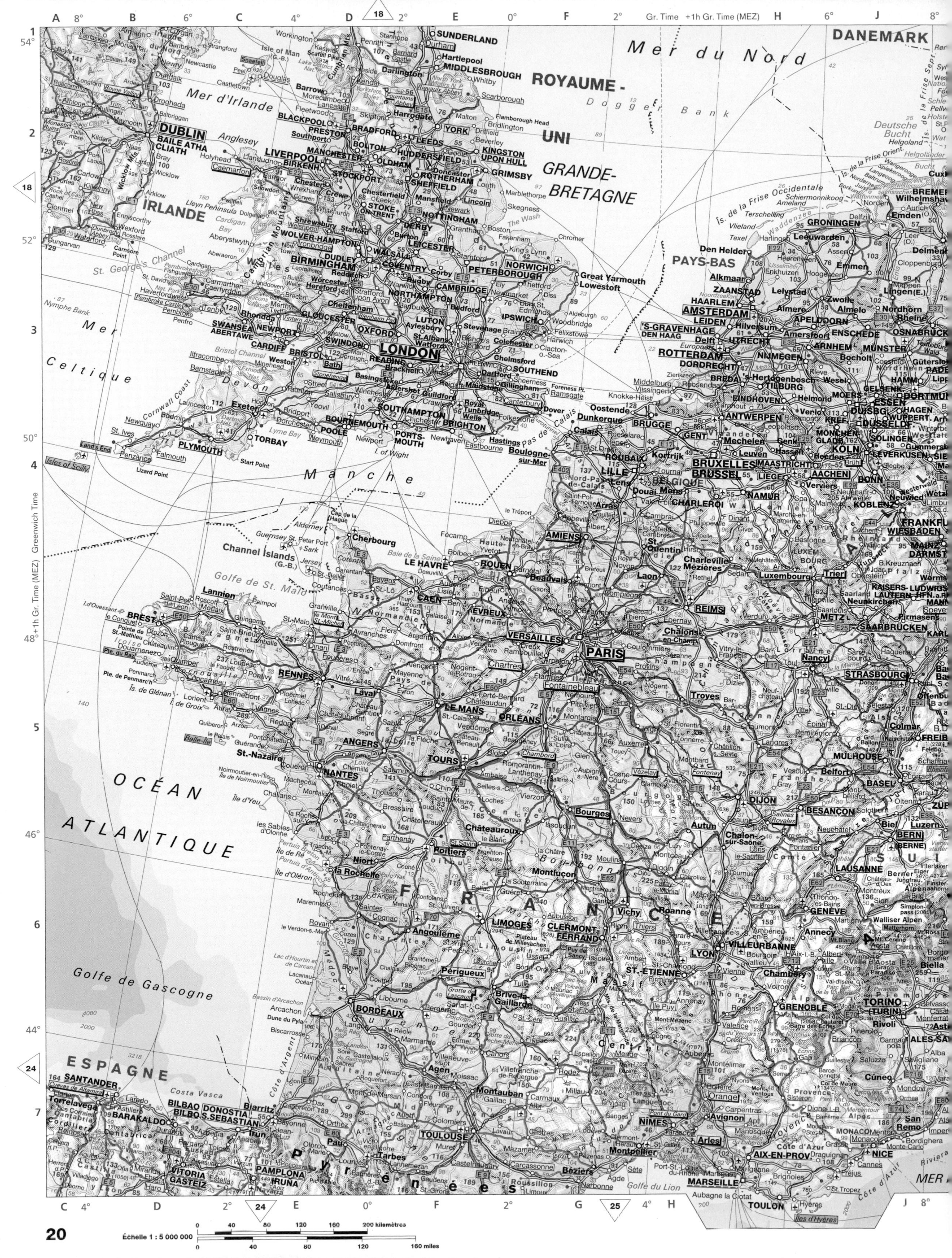

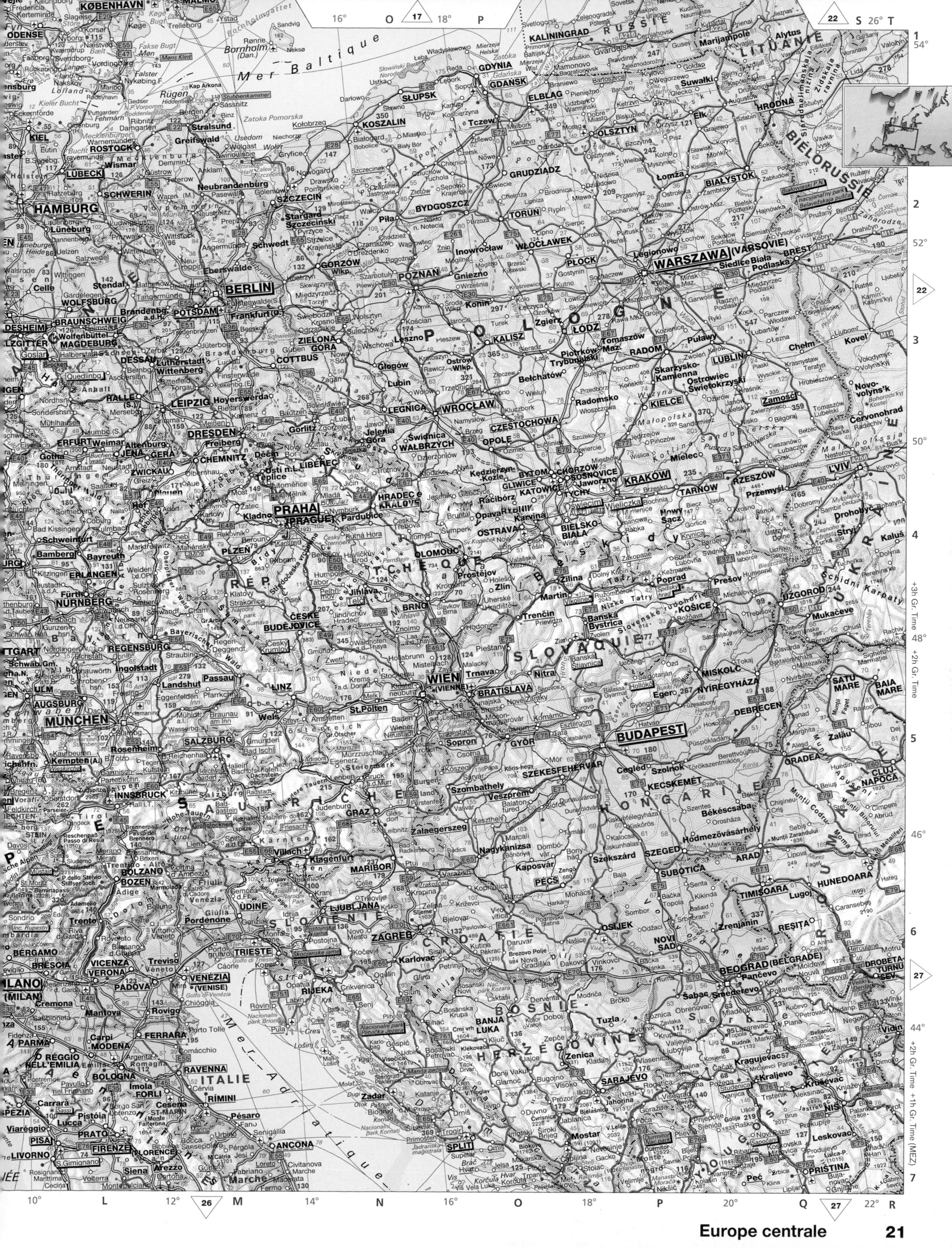
Mer Baltique
RUSSIE
LITUANIE
BIÉLORUSSIE
POLOGNE
RÉP. TCHÈQUE
SLOVAQUIE
AUTRICHE
HONGRIE
SLOVÉNIE
CROATIE
BOSNIE-HERZÉGOVINE
ITALIE
ROUMANIE
UKRAINE
Mer Adriatique
KØBENHAVN
MALMÖ
KALININGRAD
GDAŃSK
GDYNIA
SZCZECIN
HAMBURG
BERLIN
POTSDAM
POZNAŃ
WARSZAWA (VARSOVIE)
ŁÓDŹ
WROCŁAW
KRAKÓW
LVIV
LEIPZIG
DRESDEN
PRAHA (PRAGUE)
BRNO
WIEN (VIENNE)
BRATISLAVA
BUDAPEST
MÜNCHEN
SALZBURG
INNSBRUCK
GRAZ
LJUBLJANA
ZAGREB
TRIESTE
VENEZIA (VENISE)
MILANO (MILAN)
BOLOGNA
FIRENZE (FLORENCE)
BEOGRAD (BELGRADE)
SARAJEVO
SPLIT
NOVI SAD
TIMIŞOARA
CLUJ-NAPOCA
DEBRECEN
MISKOLC
KOŠICE
+3h Gr. Time
+2h Gr. Time
+1h Gr. Time (MEZ)
10°
12°
14°
16°
18°
20°
22°
26°
44°
46°
48°
50°
52°
54°
17
22
26
27

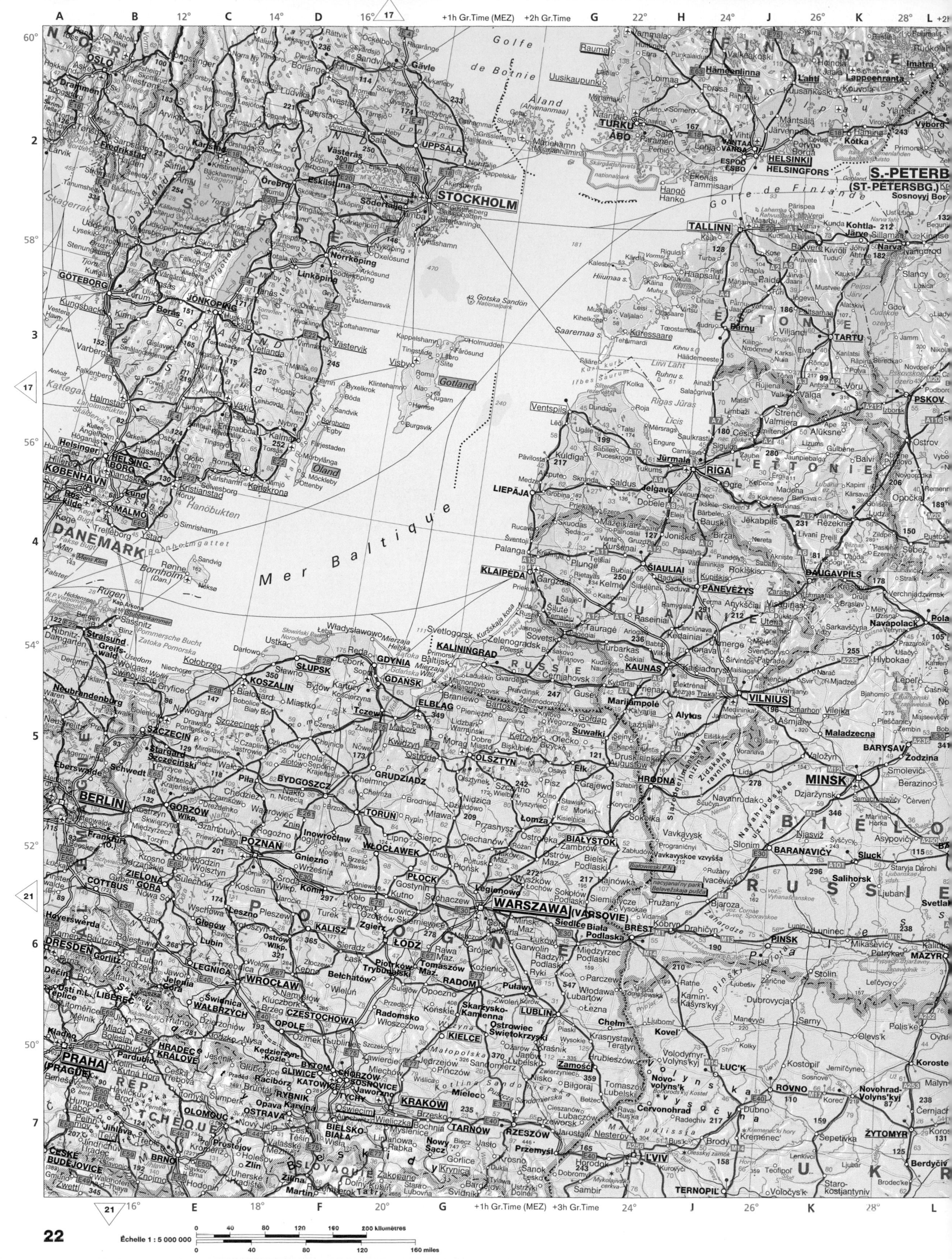

+1h Gr.Time (MEZ) +2h Gr.Time
+1h Gr.Time (MEZ) +3h Gr.Time
Golfe de Botnie
Åland (Ahvenanmaa)
Golfe de Finlande
Mer Baltique
Skagerrak
Kattegat
Hanöbukten
Bornholmsgattet
Pommersche Bucht
Zatoka Pomorska
Rigas Jūras Līcis
Gotland
Öland
Saaremaa s.
Hiiumaa s.
Bornholm (Dan.)
DANEMARK
SUÈDE
FINLANDE
ESTONIE
LETTONIE
LITUANIE
RUSSIE
POLOGNE
BIÉLORUSSIE
RÉP. TCHÈQUE
SLOVAQUIE
UKRAINE
OSLO
STOCKHOLM
HELSINKI
HELSINGFORS
S.-PETERB
(ST-PETERSBG.)
TALLINN
RIGA
VILNIUS
MINSK
WARSZAWA (VARSOVIE)
BERLIN
PRAHA (PRAGUE)
KØBENHAVN
KALININGRAD
GÖTEBORG
UPPSALA
TURKU ÅBO
TARTU
KAUNAS
GDAŃSK
GDYNIA
POZNAŃ
WROCŁAW
KRAKÓW
ŁÓDŹ
LUBLIN
BRĚST
HRODNA
L'VIV
DRESDEN
SZCZECIN
MALMÖ
Ventspils
LIEPĀJA
KLAIPĖDA
ŠIAULIAI
PANEVĖŽYS
DAUGAVPILS
PSKOV
22
Échelle 1 : 5 000 000
0 40 80 120 160 200 kilomètres
0 40 80 120 160 miles

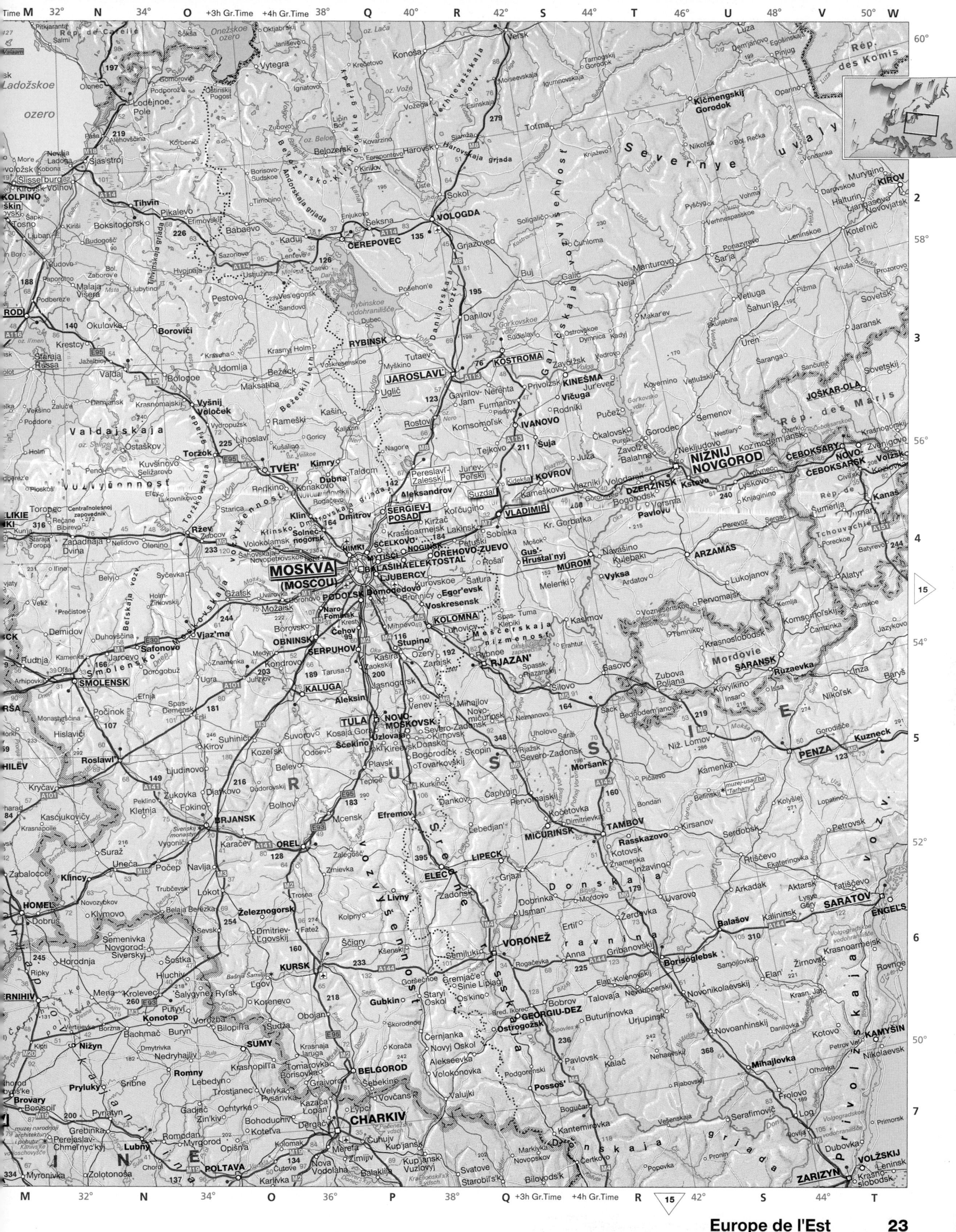

Time M 32° N 34° O +3h Gr.Time +4h Gr.Time 38° Q 40° R 42° S 44° T 46° U 48° V 50° W
60°
58°
56°
54°
52°
50°
2
3
4
5
6
7
15
Rép. de Carélie
Onežskoe ozero
Ladožskoe ozero
Rép. des Komis
Severnye uvaly
Rép. des Maris
Mordovie
Tchouvachie
Valdajskaja
vozvyšennost
Smolensko-Moskovskaja
Srednerusskaja vozvyšennost
Meščerskaja nizmennost
Donskaja ravnina
Privolžskaja
Donskaja grjada
Galičskaja
R U S S I E
MOSKVA (MOSCOU)
NIŽNIJ NOVGOROD
VOLOGDA
ČEREPOVEC
RYBINSK
JAROSLAVL'
KOSTROMA
KINEŠMA
IVANOVO
VLADIMIR
KOVROV
DZERŽINSK
ARZAMAS
MUROM
TVER'
SERGIEV-POSAD
PODOL'SK
KOLOMNA
RJAZAN'
SERPUHOV
OBNINSK
KALUGA
TULA
NOVO-MOSKOVSK
SMOLENSK
BRJANSK
OREL
KURSK
BELGOROD
CHARKIV
LIPECK
ELEC
VORONEŽ
TAMBOV
MIČURINSK
SARANSK
PENZA
SARATOV
ENGELS
KAMYŠIN
VOLŽSKIJ
ZARIZYN
ČEBOKSARY
NOVO-ČEBOKSARSK
JOŠKAR-OLA
KIROV
KOLPINO
HOMEL
ČERNIHIV
SUMY
POLTAVA
Kičmengskij Gorodok
Borisoglebsk
Balašov
Michajlovka
M 32° N 34° O 36° P 38° Q +3h Gr.Time +4h Gr.Time R 15 42° S 44° T

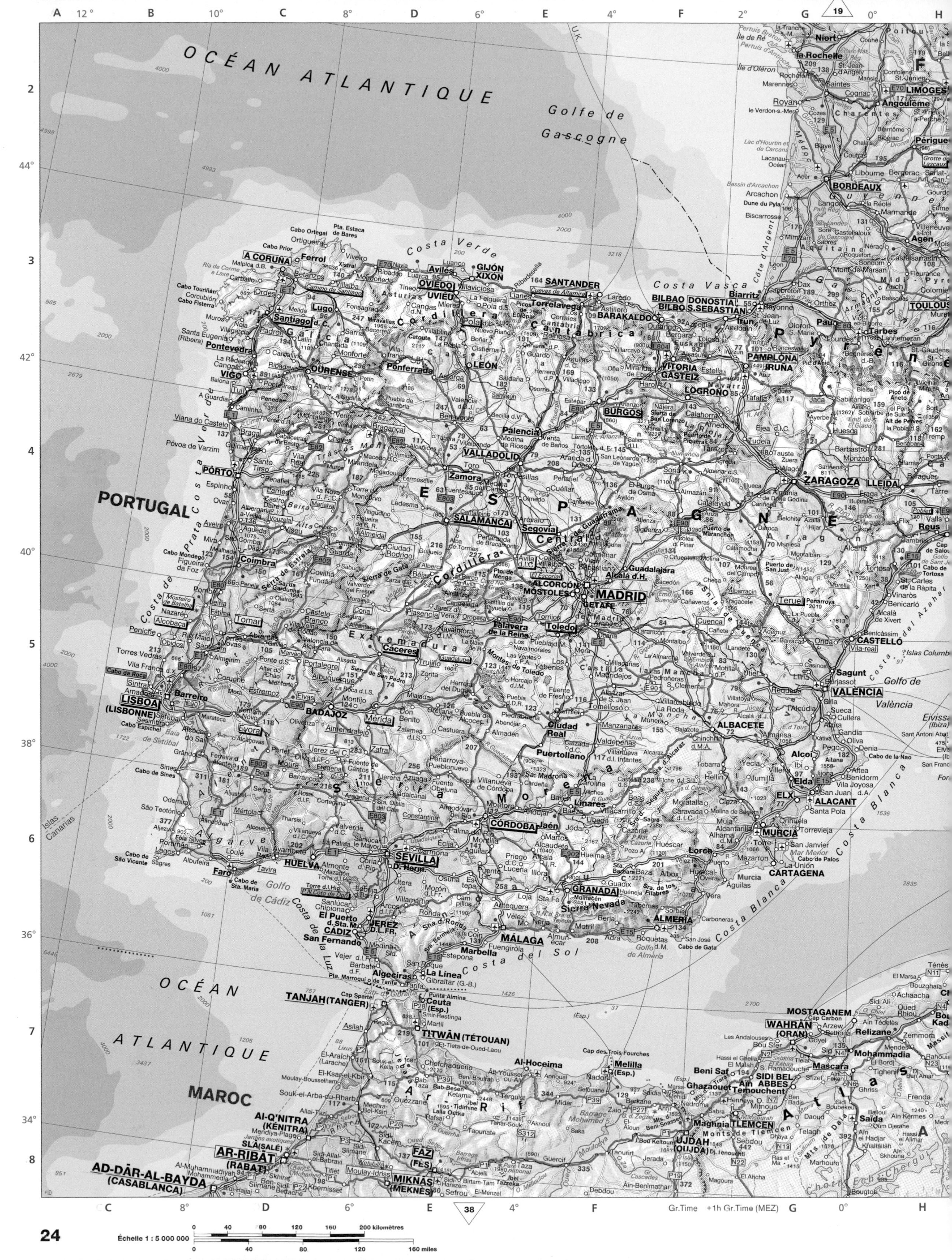
OCÉAN ATLANTIQUE
Golfe de Gascogne
PORTUGAL
ESPAGNE
MAROC
Cordillera Cantabrica
Cordillera Central
Sierra Morena
Sierra Nevada
Costa Verde
Costa Vasca
Costa Blanca
Costa del Sol
Costa de la Luz
Costa del Azahar
Golfe de València
Golfe de Cádiz
A CORUÑA
Santiago d. C.
Lugo
OVIEDO
UVIEU
GIJÓN
XIXÓN
SANTANDER
BILBAO
BILBO
DONOSTIA
S.SEBASTIÁN
VITORIA
GASTEIZ
PAMPLONA
IRUÑA
LOGROÑO
BURGOS
LEÓN
OURENSE
VIGO
Pontevedra
VALLADOLID
Palencia
Zamora
SALAMANCA
Segovia
MADRID
ALCORCÓN
MÓSTOLES
GETAFE
Guadalajara
Toledo
ZARAGOZA
LLEIDA
Reus
CASTELLÓ
VALÈNCIA
ALBACETE
Ciudad Real
Puertollano
Cáceres
BADAJOZ
Mérida
CÓRDOBA
Jaén
Linares
SEVILLA
HUELVA
JEREZ
CÁDIZ
MÁLAGA
Marbella
GRANADA
ALMERÍA
MURCIA
CARTAGENA
ELX
ALACANT
Alcoi
LISBOA
(LISBONNE)
PÔRTO
Coimbra
Braga
Faro
Algeciras
La Línea
Gibraltar (G.-B.)
Ceuta (Esp.)
Melilla (Esp.)
TANJAH (TANGER)
TITWÂN (TÉTOUAN)
FAS (FÈS)
MIKNÂS (MEKNÈS)
AR-RIBÂT (RABAT)
AD-DÂR-AL-BAYDA (CASABLANCA)
WAHRÂN (ORAN)
MOSTAGANEM
TLEMCEN
UJDAH (OUJDA)
BORDEAUX
LIMOGES
TOULOUSE
Biarritz
Bayonne
Niort
la Rochelle
Pyrénées
Échelle 1 : 5 000 000
200 kilomètres
160 miles
Gr.Time +1h Gr.Time (MEZ)

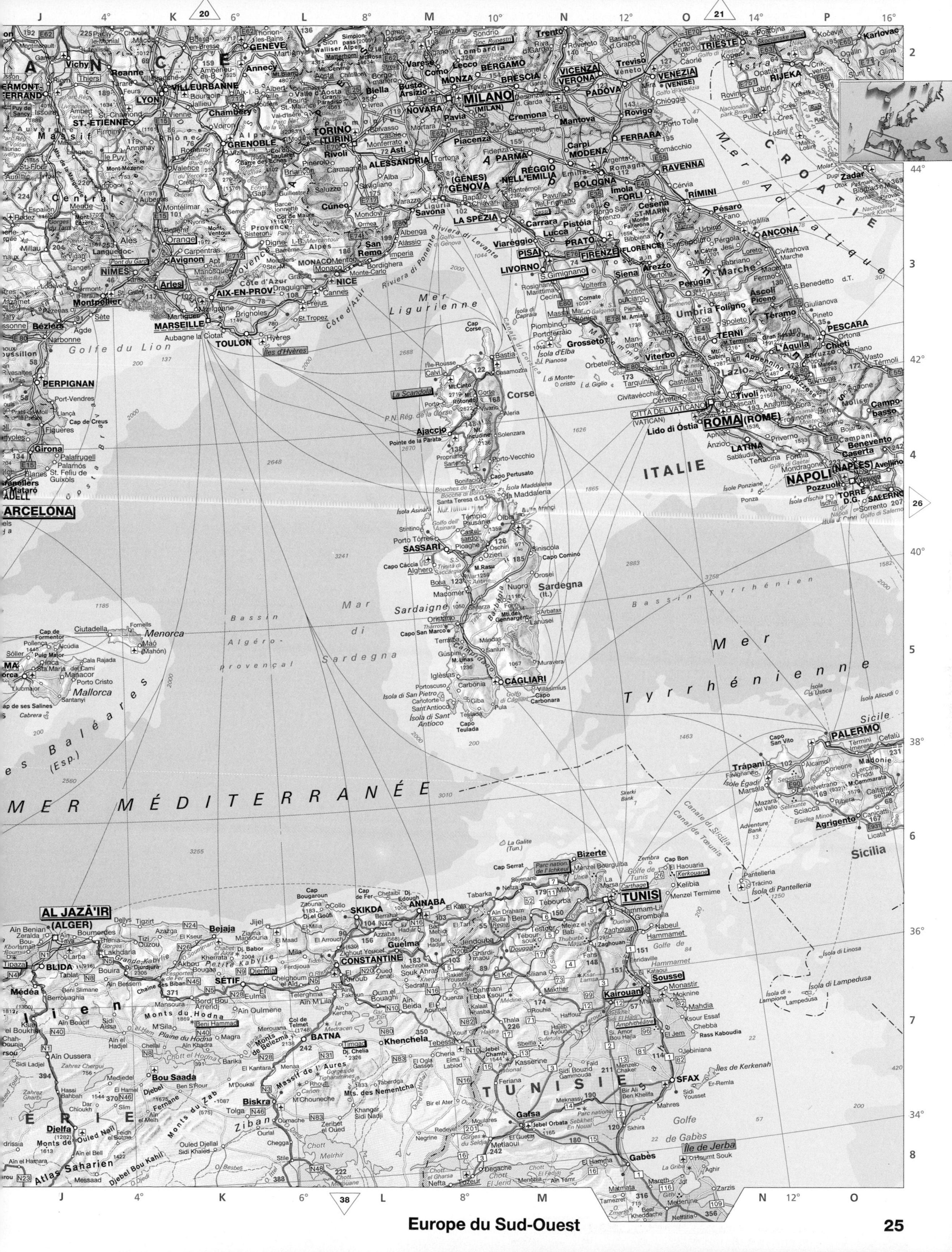

MER MÉDITERRANÉE
Mer Ligurienne
Mer Tyrrhénienne
Mer Adriatique
Mar Sardaigne
Mar di Sardegna
Bassin Algéro-provençal
Bassin Tyrrhénien
Golfe du Lion
Golfe de Gabès
Golfe de Hammamet
Canale di Sicilia
Canal de Tœunis
ITALIE
TUNISIE
CROATIE
Corse
Sardegna (It.)
Sicilia
Menorca
Mallorca
Baléares (Esp.)
AL JAZĀ'IR (ALGER)
TUNIS
ROMA (ROME)
NÁPOLI (NAPLES)
MILANO (MILAN)
TORINO (TURIN)
GENOVA (GÊNES)
FIRENZE (FLORENCE)
VENEZIA (VENISE)
BOLOGNA
PALERMO
CÁGLIARI
SASSARI
MARSEILLE
TOULON
NICE
MONACO
LYON
GRENOBLE
MONTPELLIER
PERPIGNAN
BARCELONA
CONSTANTINE
ANNABA
SFAX
Bizerte
Kairouan
Sousse
Gabès
Île de Jerba
Isola di Pantelleria
Isola di Lampedusa
Ajaccio
Bastia
Bonifacio
Livorno
Pisa
Ancona
Pescara
Trieste
Rijeka
Zadar

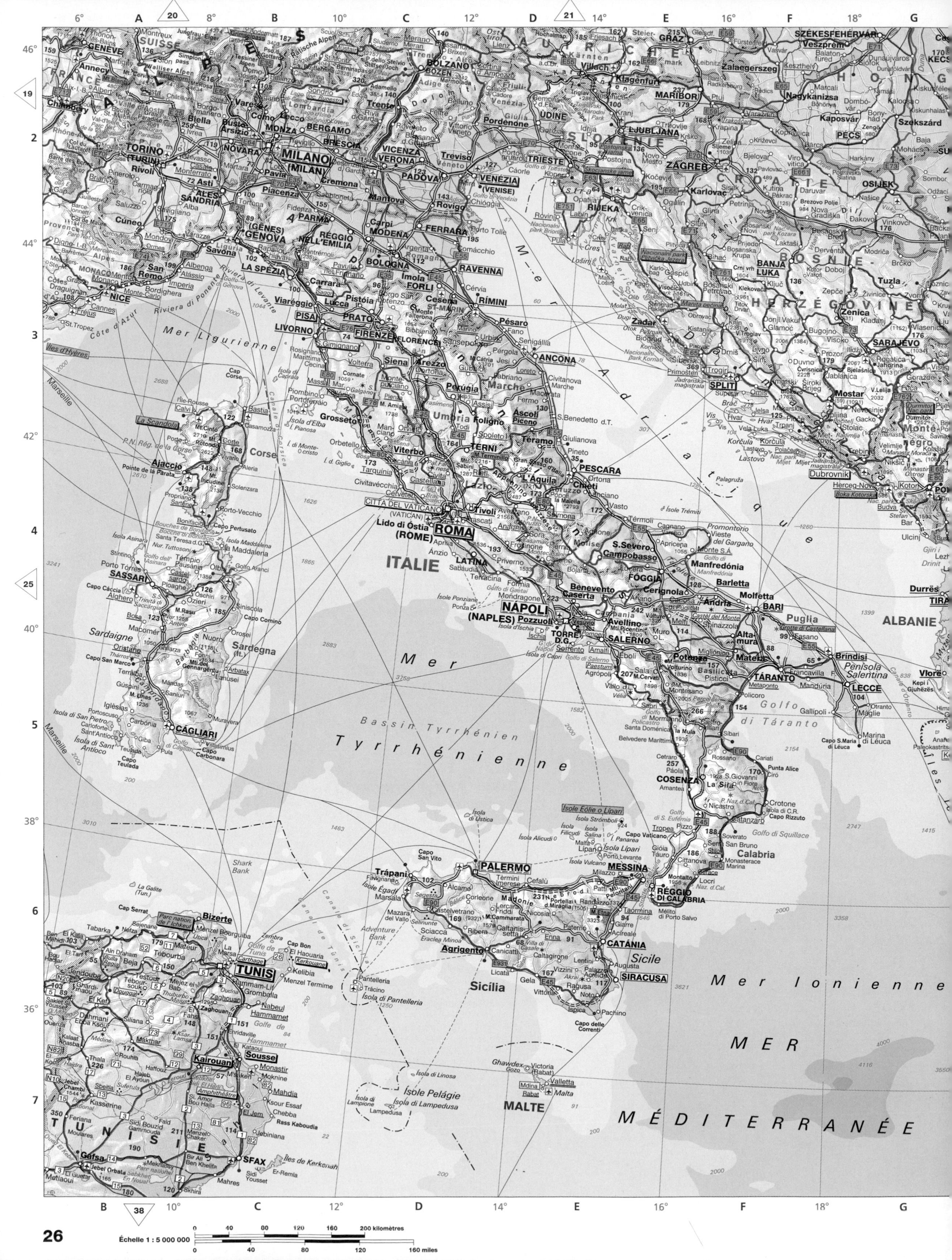

ITALIE
FRANCE
SUISSE
AUTRICHE
SLOVÉNIE
CROATIE
HONGRIE
BOSNIE-HERZÉGOVINE
Monténégro
ALBANIE
TUNISIE
MALTE
Corse
Sardaigne
Sardegna
Sicile
Sicília
Calabria
Puglia
Mer Ligurienne
Mer Adriatique
Mer Tyrrhénienne
Bassin Tyrrhénien
Mer Ionienne
MER MÉDITERRANÉE
Golfo di Táranto
ROMA
(ROME)
CITTÀ DEL VATICANO
(VATICAN)
MILANO
(MILAN)
TORINO
(TURIN)
GENOVA
(GÊNES)
VENÉZIA
(VENISE)
NÁPOLI
(NAPLES)
FIRENZE
(FLORENCE)
BOLOGNA
PALERMO
MESSINA
CATÁNIA
SIRACUSA
REGGIO DI CALÁBRIA
BARI
TÁRANTO
BRINDISI
LECCE
PESCARA
ANCONA
TRIESTE
CÁGLIARI
SASSARI
Ajaccio
Bastia
TUNIS
Bizerte
Sousse
Kairouan
SFAX
Valletta
LJUBLJANA
ZAGREB
SARAJEVO
SPLIT
Zadar
Dubrovnik
GENEVE
GRAZ
Échelle 1 : 5 000 000
0 40 80 120 160 200 kilomètres
0 40 80 120 160 miles

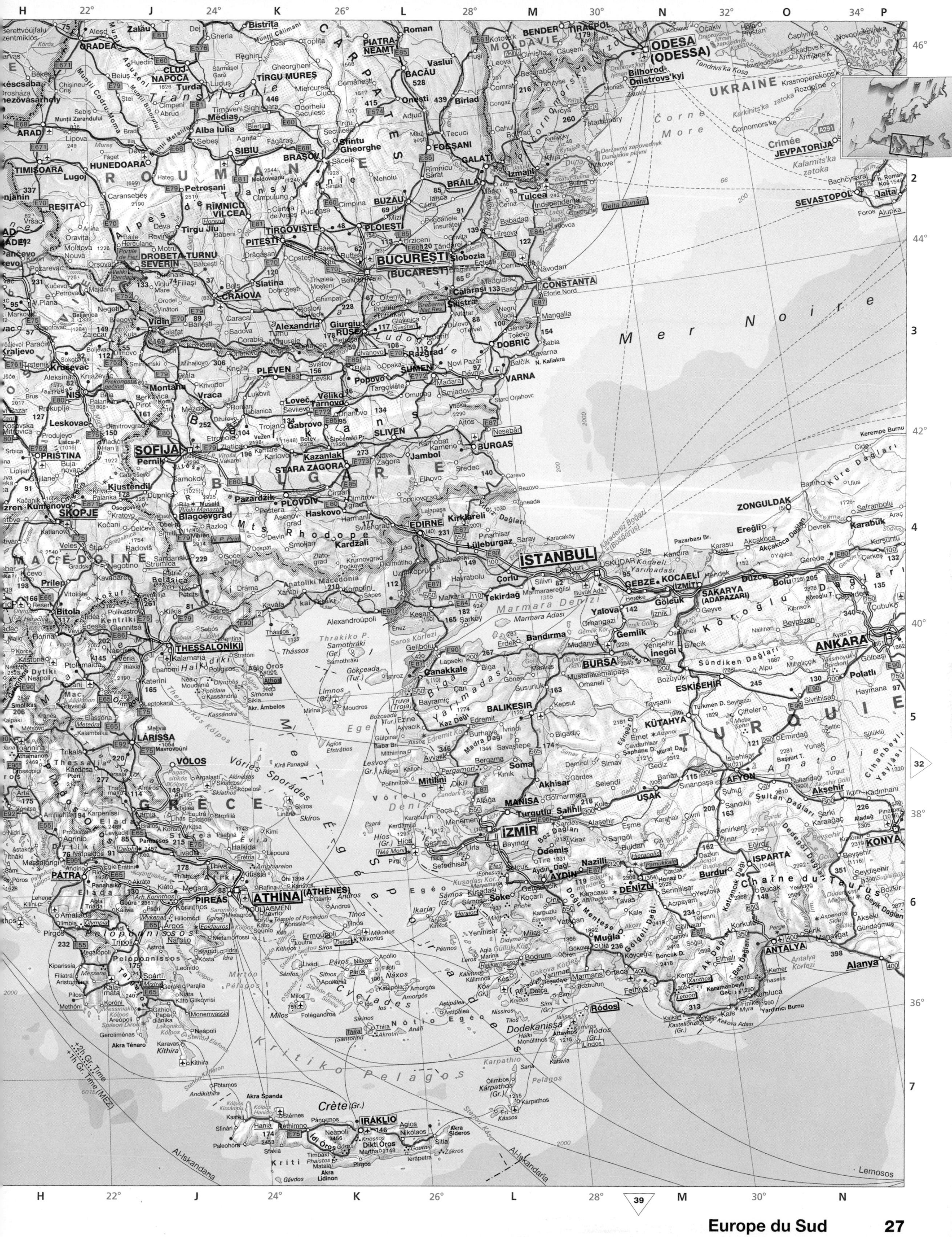

ROUMANIE
BULGARIE
GRÈCE
TURQUIE
MACÉDOINE
UKRAINE
Mer Noire
Mer Égée
Kritiko Pelagos
Marmara Denizi
Carpates
Alpes de Transylvanie
Balkans
Mts Rhodope
Chaîne du Taurus
Anatolie
Dodekanissa
Cyclades
Péloponnissos
Crète (Gr.)
BUCUREŞTI (BUCAREST)
ATHINA (ATHÈNES)
ISTANBUL
ANKARA
SOFIJA
SKOPJE
ODESA (ODESSA)
THESSALONIKI
IZMIR
BURSA
CONSTANŢA
VARNA
BURGAS
PLOVDIV
CLUJ-NAPOCA
ORADEA
ARAD
TIMIŞOARA
CRAIOVA
GALATI
BRĂILA
PLOIEŞTI
EDIRNE
ESKIŞEHIR
KONYA
ANTALYA
AFYON
PÁTRA
LÁRISSA
IRÁKLIO
SEVASTOPOL
Europe du Sud

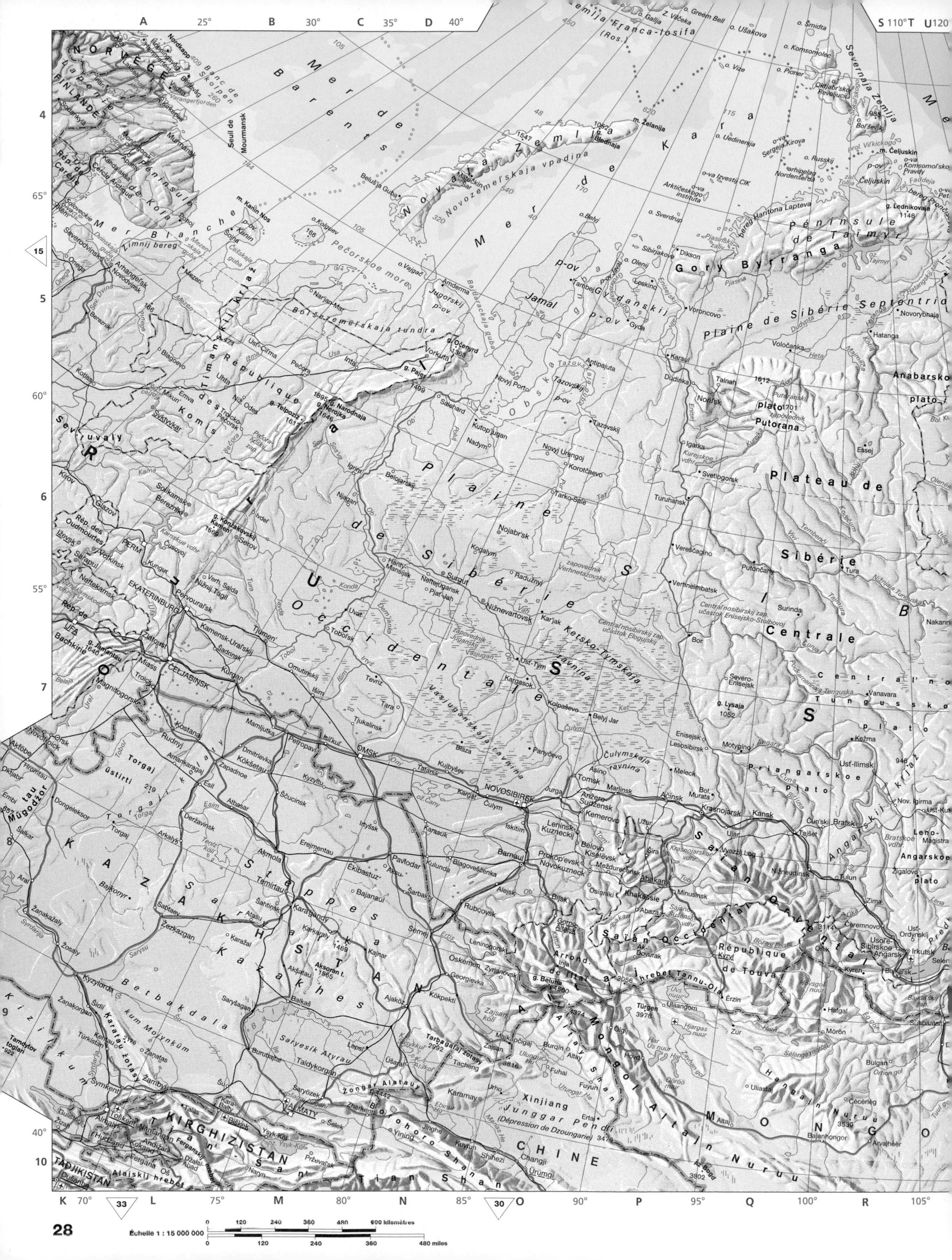

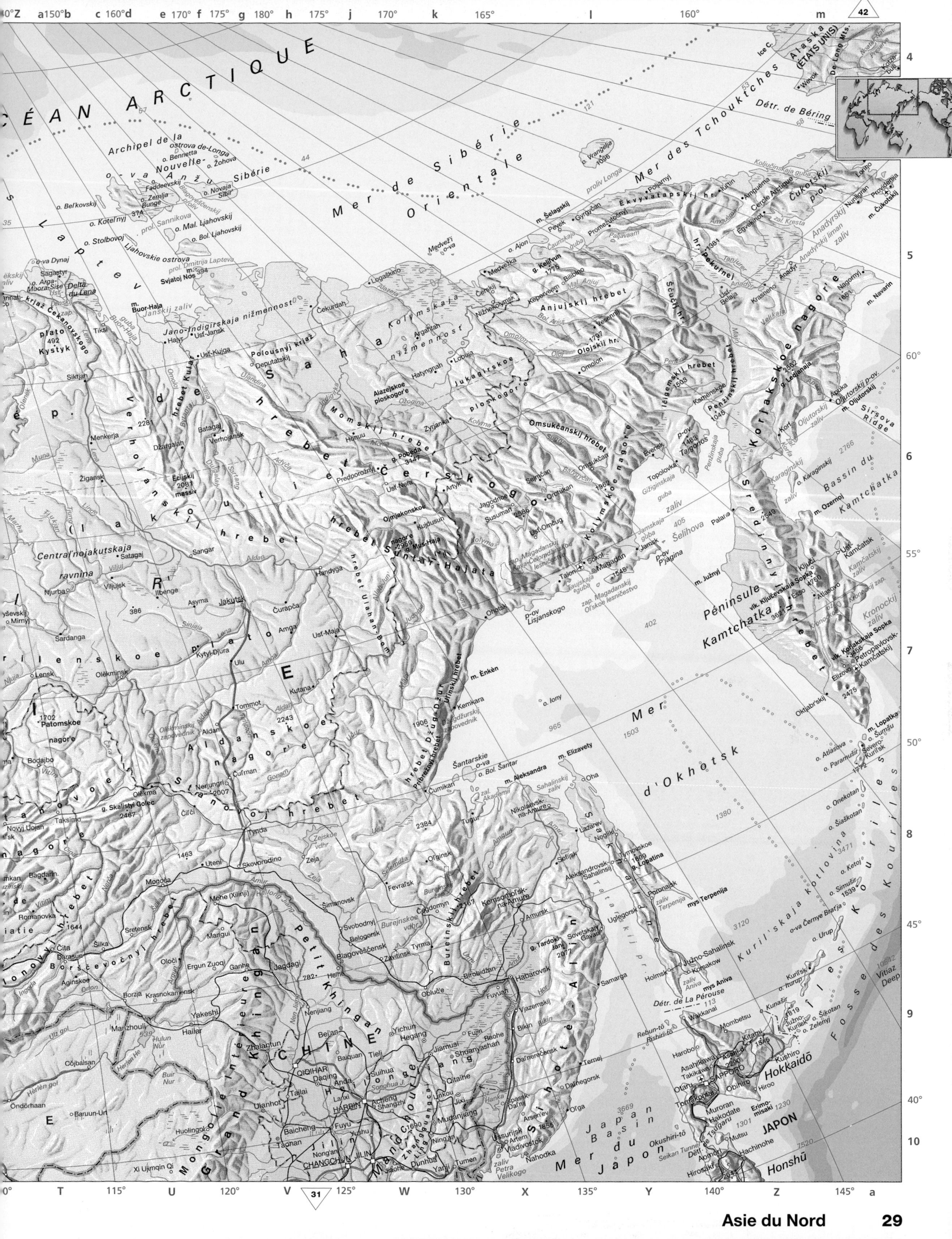

OCÉAN ARCTIQUE
Archipel de la Nouvelle-Sibérie
ostrova de-Longa
o. Bennetta
o. Žohova
o-va Anžu
o. Faddeevskij
o. Novaja Sibir
o. Kotel'nyj
o. Bel'kovskij
o. Stolbovoj
o. Mal. Ljahovskij
o. Bol. Ljahovskij
Ljahovskie ostrova
prol. Sannikova
prol. Dmitrija Lapteva
m. Svjatoj Nos
Mer de Sibérie Orientale
Mer des Tchouktches
Détr. de Béring
Alaska (ÉTATS-UNIS)
o. Vrangelja
proliv Longa
Koljučinskaja guba
Čukotskij p-ov
Anadyrskij zaliv
Anadyrskij liman
m. Navarin
Korjakskoe nagor'e
m. Šelagskij
Pevek
Anjujskij hrebet
Kolymskaja nizmennost'
Jano-Indigirskaja nizmennost'
Janskij zaliv
Delta du Lena
m. Buor-Haja
Tiksi
Kystyk plato
Ust'-Jansk
Ust'-Kuiga
Polousnyj krjaž
Deputatskij
hrebet Kulary
Saha
Verhojanskij hrebet
Verhojansk
Batagaj
Menkerja
Žigansk
Sangar
Central'nojakutskaja ravnina
Jakutsk
Viljujsk
Momskij hrebet
g. Pobeda 3147
Čerskogo hrebet
Jukagirskoe ploskogor'e
Alazejskoe ploskogor'e
Ojmjakonskoe nagor'e
Suntar-Hajata
hrebet Ulahan-Bom
Magadan
Ohotsk
Omsukčanskij hrebet
Kolymskoe nagor'e
Penžinskaja guba
Gižiginskaja guba
zaliv Šelihova
p-ov Tajgonos
p-ov P'jagina
Péninsule Kamtchatka
Sredinnyj hrebet
Bassin du Kamtchatka
vlk. Ključevskaja Sopka 4750
Petropavlovsk-Kamčatskij
Kronockij zaliv
m. Lopatka
Mer d'Okhotsk
o. Iony
Šantarskie o-va
Aldanskoe nagor'e
Aldan
Nerjungri
Stanovoj hrebet
Tynda
Skovorodino
Patomskoe nagor'e
Olëkminsk
Lensk
Kurl'skaja kotlovina
Île des Kouriles
Fosse des Kouriles
Sahalin
Južno-Sahalinsk
Détr. de La Pérouse
Komsomol'sk-na-Amure
Habarovsk
Blagoveščensk
Bureinskij hrebet
Sihote-Alin'
Petit Khingan
Grand Khingan
CHINE
Hailar
Manzhouli
QIQIHAR
HARBIN
CHANGCHUN
JILIN
Vladivostok
Mer du Japon
Japan Basin
Hokkaidō
SAPPORO
JAPON
Honshū
Mongolie-Intérieure

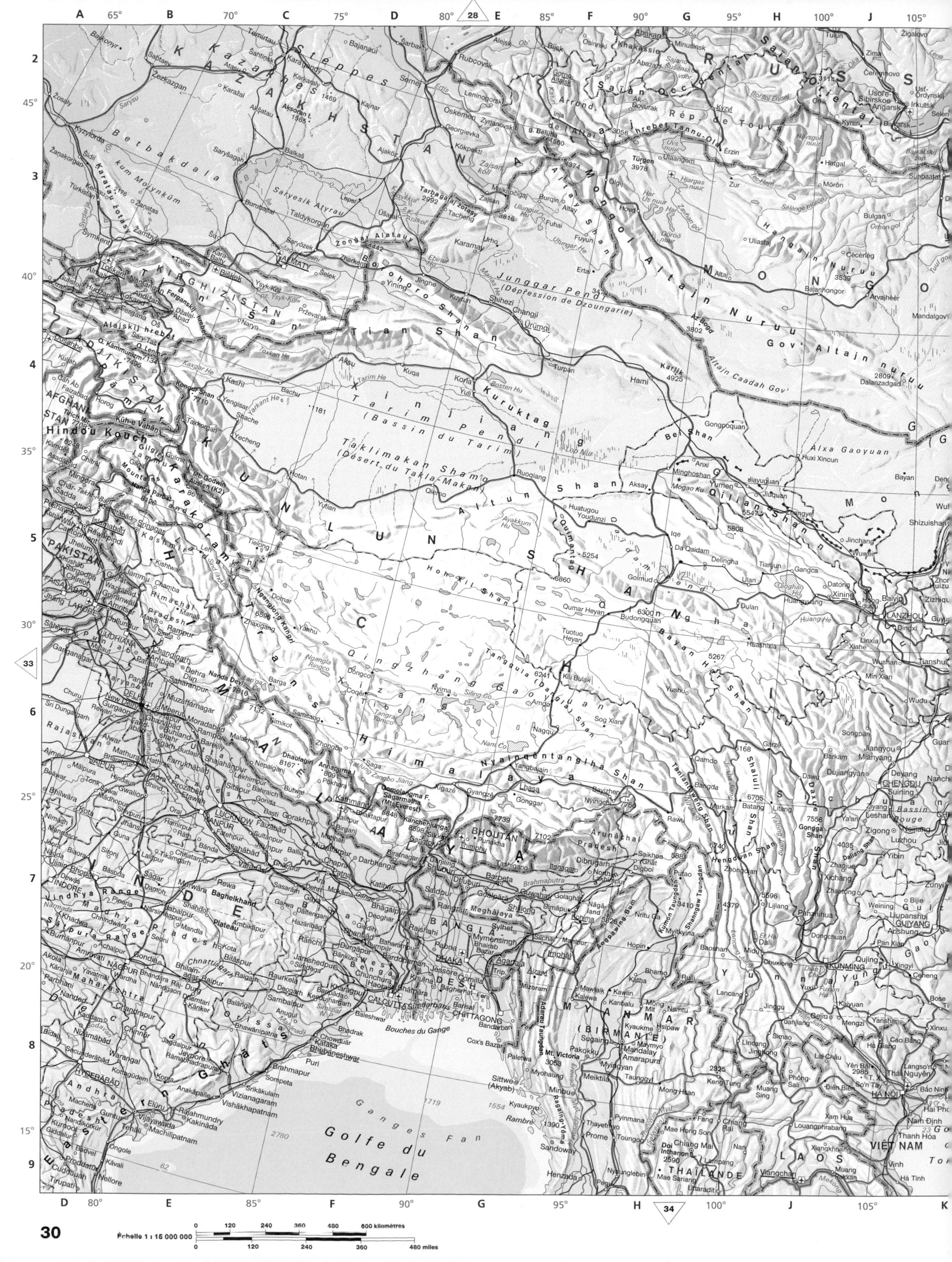

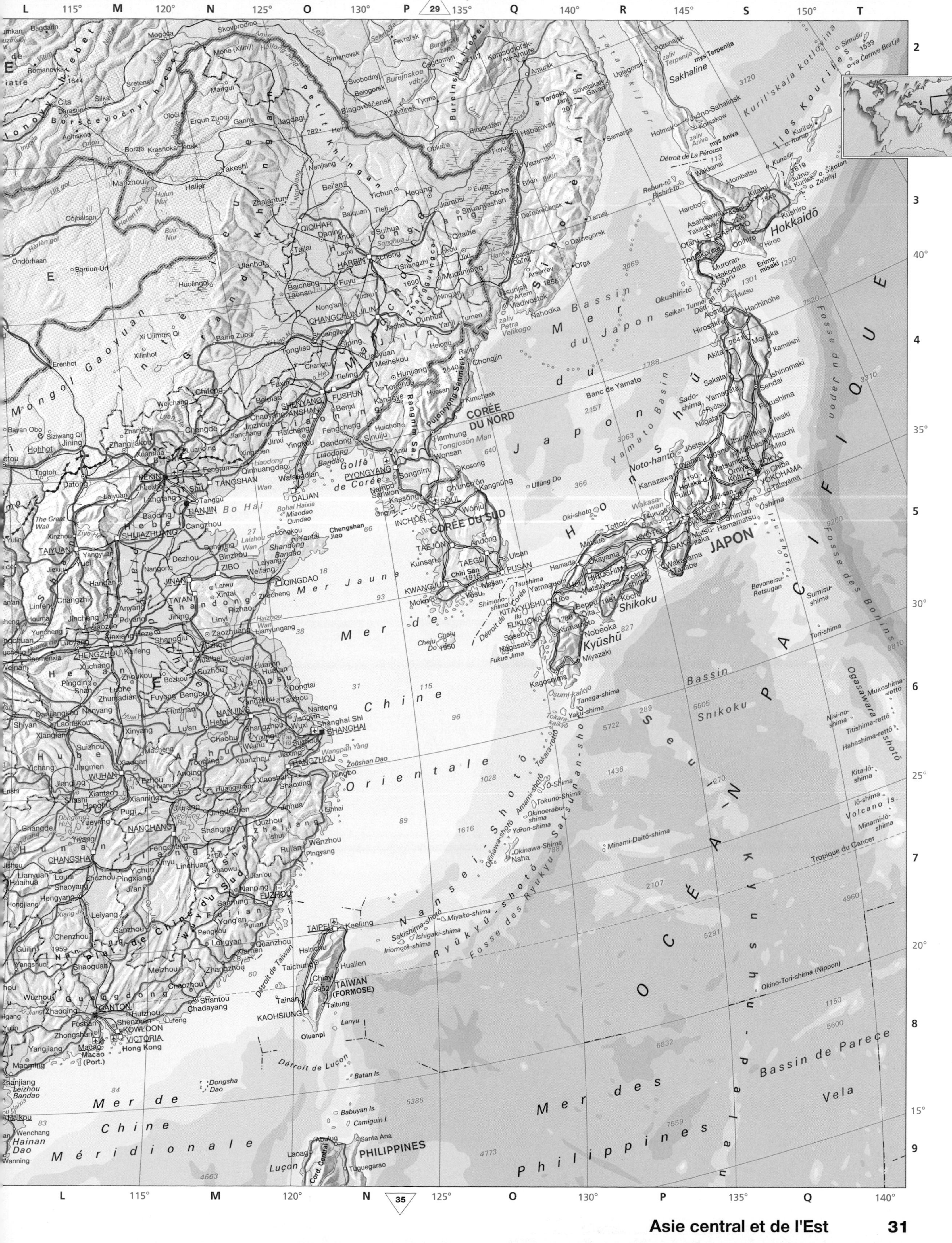

CORÉE DU NORD
CORÉE DU SUD
JAPON
Hokkaidō
Shikoku
Kyūshū
Sakhaline
TAÏWAN (FORMOSE)
PHILIPPINES
Mer du Japon
Mer Jaune
Mer de Chine Orientale
Mer de Chine Méridionale
Mer des Philippines
OCÉAN PACIFIQUE
Golfe de Corée
Bo Hai
Bassin du Japon
Bassin Shikoku
Bassin de Parece Vela
Fosse du Japon
Fosse des Ryukyu
Fosse des Bonins
Nansei-shotō
Ryūkyū-shotō
Tropique du Cancer
Détroit de Taiwan
Détroit de Luçon
Détroit de La Pérouse
Petit Khingan
Grand Khingan
PÉKIN
TIANJIN
SHANGHAI
NANJING
WUHAN
CANTON
Hong Kong
VICTORIA
KOWLOON
Macao
TAIPEI
PYONGYANG
SOUL
PUSAN
TOKYO
YOKOHAMA
OSAKA
KYOTO
KOBE
NAGOYA
SAPPORO
HIROSHIMA
HARBIN
SHENYANG
CHANGCHUN
DALIAN
QINGDAO
Vladivostok
Habarovsk
Luçon
Hainan Dao

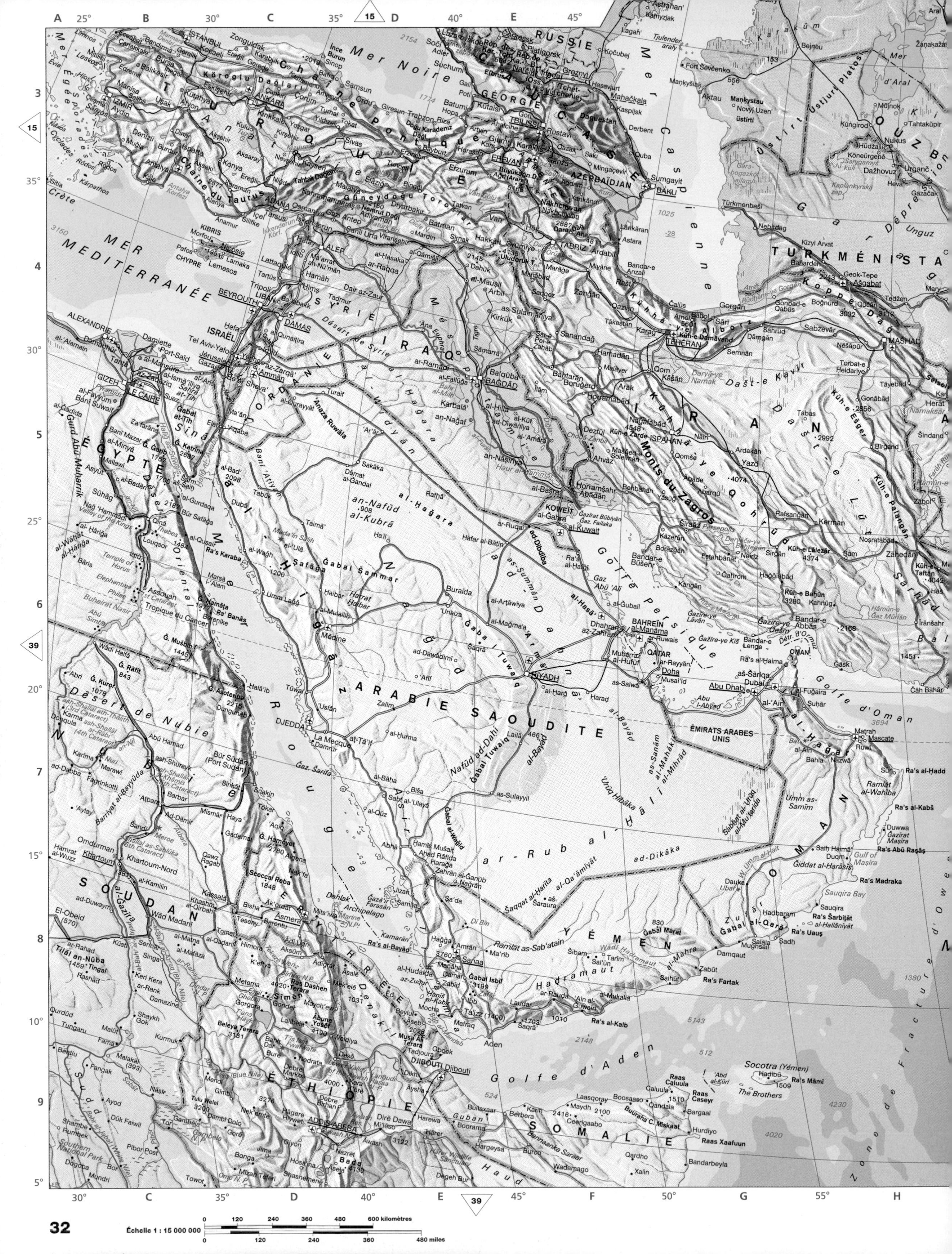

Mer Noire
Mer Égée
MER MÉDITERRANÉE
Mer Caspienne
RUSSIE
GÉORGIE
CAUCASE
ARMÉNIE
AZERBAÏDJAN
TURQUIE
Chaîne Pontique
Chaîne du Taurus
SYRIE
LIBAN
ISRAËL
JORDANIE
IRAQ
IRAN
KOWEIT
ARABIE SAOUDITE
BAHREÏN
QATAR
ÉMIRATS ARABES UNIS
OMAN
YÉMEN
ÉGYPTE
SOUDAN
ÉRYTHRÉE
ÉTHIOPIE
DJIBOUTI
SOMALIE
TURKMÉNISTAN
OUZBÉKISTAN
KIBRIS
CHYPRE
Crète
ISTANBUL
ANKARA
IZMIR
ADANA
ALEP
BEYROUTH
DAMAS
Jérusalem
ʿAmmān
BAGDĀD
TBILISSI
EREVAN
BAKU
TEHERAN
MASHAD
Ašgabat
al-Kuwait
al-Manāma
Doha
RIYADH
Abu Dhabi
Dubai
Mascate
Sanaa
Aden
Djibouti
ADDIS-ABEBA
Asmera
Khartoum
Omdurman
LE CAIRE
GIZEH
ALEXANDRIE
DJEDDA
La Mecque
Médine
Golfe Persique
Golfe d'Oman
Golfe d'Aden
Mer Rouge
Monts du Zagros
Kūh-e Alborz
Dašt-e Kavīr
Dašt-e Lūt
an-Nafūd al-Kubrā
ar-Rub al-Ḫālī
ad-Dahnā
Désert de Syrie
Désert de Nubie
Désert Oriental
Sinaï
Hadramaut
Socotra (Yémen)
Tropique du Cancer
Mer d'Aral
Karakūm
Kopet Dāg
Ras Dashen Terara 4620
Scale 1 : 15 000 000
0 120 240 360 480 600 kilomètres
0 120 240 360 480 miles

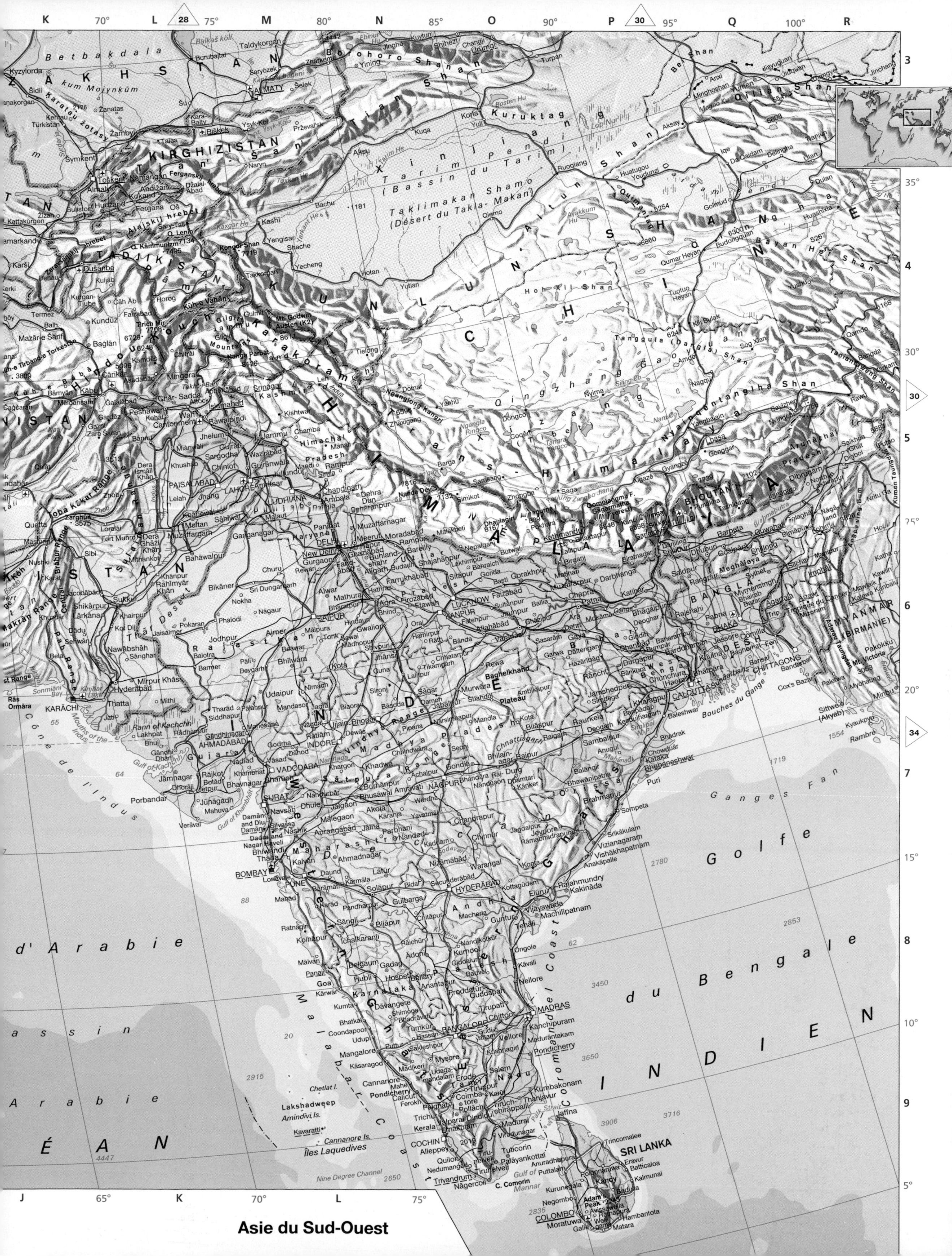

Asie du Sud-Ouest

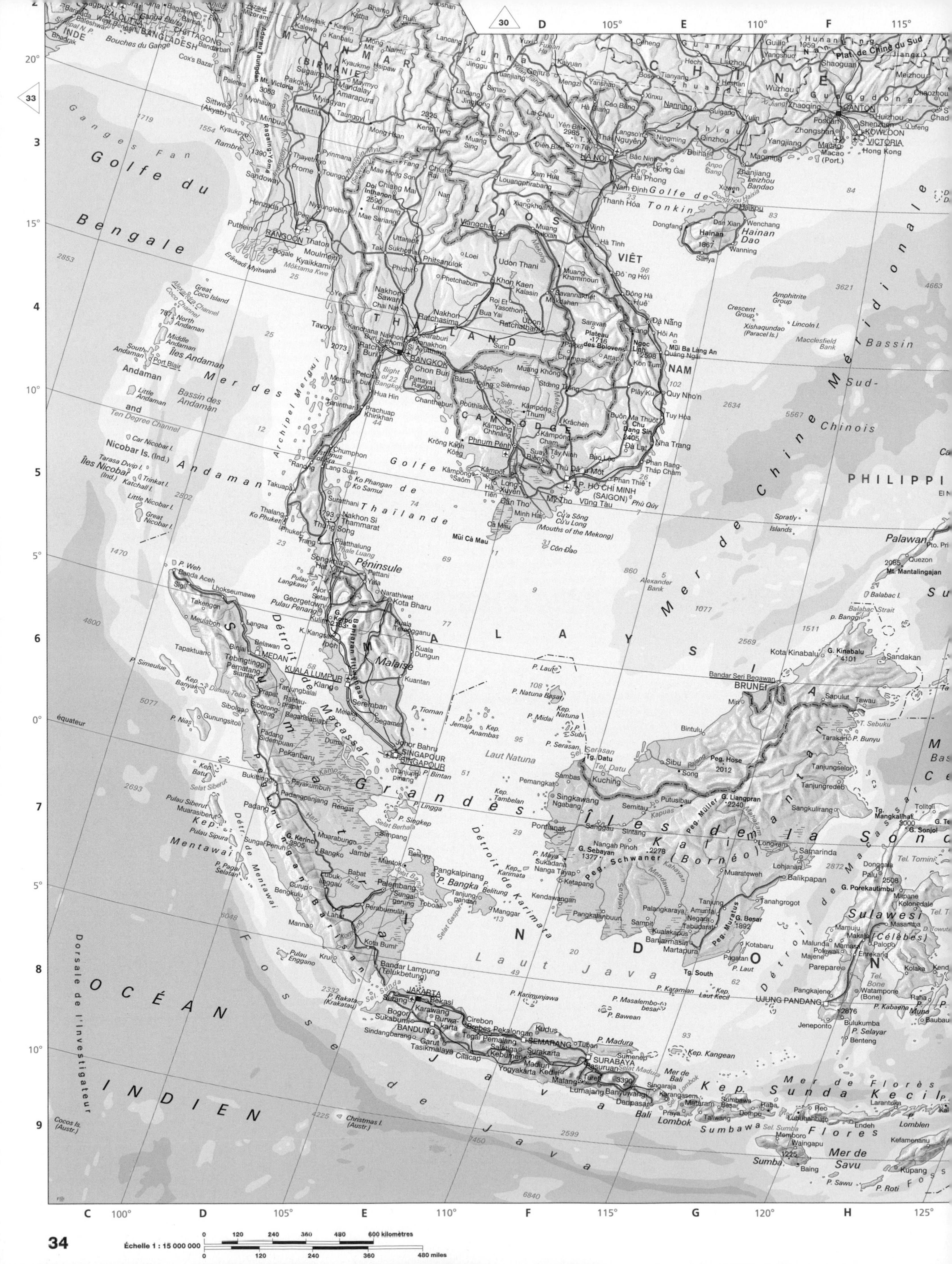

30
33
D
105°
E
110°
F
115°
20°
15°
10°
5°
0°
5°
10°
2
3
4
5
6
7
8
9
C
100°
D
105°
E
110°
F
115°
G
120°
H
125°
INDE
BANGLADESH
CALCUTTA
CHITTAGONG
Bouches du Gange
Cox's Bazar
MYANMAR (BIRMANIE)
Mt. Victoria 3053
Mandalay
Amarapura
Meiktila
Sittwe (Akyab)
Taunggyi
Ramree
Pyinmana
Thayetmyo
Prome
Toungoo
Sandoway
Henzada
Pegu
Puthein
RANGOON
Thaton
Moulmein
Kyaikkami
Erawadi Myitwanà
Mòktama Kwe
Golfe du Bengale
Ganges Fan
Great Coco Island
Coco Channel
North Andaman
Middle Andaman
Îles Andaman
South Andaman
Port Blair
Andaman
Little Andaman
and
Ten Degree Channel
Car Nicobar I.
Nicobar Is. (Ind.)
Îles Nicobar (Ind.)
Katchall I.
Little Nicobar I.
Great Nicobar I.
Mer des Andaman
Bassin des Andaman
Archipel Mergui
Tavoy
Mergui
Chiang Mai
Doi Inthanon 2590
Lampang
Chiang Rai
Mae Sariang
Uttaradit
Tak
Sukhothai
Phitsanulok
Phichit
Phetchabun
Nakhon Sawan
Chai Nat
THAÏLANDE
Nakhon Ratchasima
Ubon Ratchathani
Udon Thani
Khon Kaen
Loei
Roi Et
Yasothon
Kalasin
Bua Yai
Saraburi
Kanchanaburi
Nakhon Pathom
Ayutthaya
Ratchaburi
BANGKOK
Chon Buri
Pattaya
Rayong
Chanthaburi
Surin
Bight of Bangkok
Phetchaburi
Hua Hin
Prachuap Khirikhan
Chumphon
Ranong
Lang Suan
Ko Phangan
Ko Samui
Golfe de Thaïlande
Surat Thani
Nakhon Si Thammarat
Thung Song
Takua Pa
Ko Phuket
Phuket
Trang
Phatthalung
Thale Luang
Songkhla
Hat Yai
Péninsule
Pattani
Yala
Narathiwat
Kota Bharu
Pulau Langkawi
Alor Setar
Georgetown
Pulau Penang
Ipoh
G. Korbu
MALAISIE
Kuala Terengganu
Kuala Dungun
Kuantan
KUALA LUMPUR
Klang
Seremban
Melaka
Segamat
Johor Bahru
SINGAPOUR
P. Tioman
P. Bintan
Détroit de Malacca
Yunnan
Jinggu
Simao
Jinghong
Mengzi
Gejiu
CHINE
Nanning
Qinzhou
Beihai
Zhanjiang
Leizhou Bandao
Haikou
Hainan Dao
Hainan 1867
Sanya
Wanning
Guangxi
Guangdong
Liuzhou
Wuzhou
Zhaoqing
CANTON
Foshan
Shenzhen
Zhongshan
KOWLOON
VICTORIA
Hong Kong
Macao (Port.)
Maoming
Yangjiang
Huizhou
Shaoguan
Meizhou
Plat. de Chine du Sud
Golfe de Tonkin
Lai Châu
Điện Biên
HÀ NỘI
Hai Phong
Hòng Gai
Bắc Ninh
Thái Nguyên
Lang Sơn
Cao Bằng
Hà Giang
Nam Định
Thanh Hóa
Vinh
Hà Tĩnh
VIÊT NAM
Đồng Hới
Đông Hà
Huế
Đà Nẵng
Hội An
Quảng Ngãi
Kon Tum
Plây Ku
Quy Nhơn
Tuy Hòa
Buôn Ma Thuột
Chu Dang Sin 2405
Đà Lạt
Nha Trang
Phan Rang-Tháp Chàm
Phan Thiết
Bảo Lộc
Thủ Dầu Một
P. HỒ CHÍ MINH (SAIGON)
Mỹ Tho
Vũng Tàu
Cần Thơ
Minh Hải
Cà Mau
Mũi Cà Mau
Cửa Sông Cửu Long (Mouths of the Mekong)
Côn Đảo
LAOS
Louangphrabang
Xiangkhoang
Viangchan
Muang Khammouan
Savannakhet
Mukdahan
Saravan
Plateau des Bolovens 1716
Pakxé
Champasak
Attapu
Muang Khong
Mékong
CAMBODGE
Phnum Pénh
Siěmréap
Bătdâmbâng
Sisŏphŏn
Pouthisăt
Kâmpóng Thum
Kâmpóng Chhnăng
Kâmpóng Cham
Krâchéh
Krŏng Kaôh Kŏng
Kâmpôt
Svay Riĕng
Tây Ninh
Hà Tiên
Long Xuyên
Tônlé Sab
Mer de Chine Méridionale
Bassin Sud-Chinois
Amphitrite Group
Crescent Group
Xishaqundao (Paracel Is.)
Lincoln I.
Macclesfield Bank
Spratly Islands
Alexander Bank
Phù Qúy
PHILIPPINES
Palawan
Quezon
Mt. Mantalingajan 2085
Balabac I.
Balabac Strait
P. Banggi
Kota Kinabalu
G. Kinabalu 4101
Sandakan
Bandar Seri Begawan
BRUNEI
Miri
Sapulut
Tawau
Tarakan
P. Bunyu
T. Sebuku
Bintulu
Sibu
Peg. Hose 2012
Song
Kuching
Tg. Datu
Sambas
Singkawang
Pemangkat
Putussibau
G. Liangpran 2240
Semitau
Kapuas
Pontianak
Sanggau
Sintang
Nangah Pinoh
Peg. Müller
Peg. Schwaner
G. Sebayan 1377
Ketapang
Kendawangan
Pangkalanbuun
Sampit
Palangkaraya
Banjarmasin
Martapura
Peg. Meratus 1892
Kotabaru
Samarinda
Balikpapan
Tanjungselor
Tanjungredeb
Sangkulirang
Longiram
Muarateweh
Îles de la Sonde
Kalimantan (Bornéo)
Détroit de Macassar
Détroit de Karimata
P. Laut
P. Natuna Besar
Kep. Natuna
P. Midai
P. Subi
P. Serasan
Laut Natuna
P. Jemaja
Kep. Anambas
Kep. Tambelan
P. Lingga
P. Singkep
Selat Berhala
Kep. Karimata
Grandes Îles de la Sonde
INDONÉSIE
Sulawesi (Célèbes)
G. Porekautimbu 2508
Palu
Donggala
Tel. Tomini
Mamuju
Majene
Polewali
Parepare
Enrekang
Palopo
UJUNG PANDANG
Watampone (Bone)
Tel. Bone
Bulukumba
Jeneponto
P. Selayar
Benteng
Tg. Mangkalihat 3000
Tolitoli
P. Weh
Banda Aceh
Sigli
Lhokseumawe
Takengon
Meulaboh
Langsa
Belawan
MEDAN
Binjai
Tebingtinggi
Pematangsiantar
Tanjungbalai
Rantauprapat
Sibolga
Gunungsitoli
P. Nias
Kep. Banyak
P. Simeulue
Tapaktuan
Dumai
Pekanbaru
Padang Sidempuan
Bagansiapiapi
Payakumbuh
Padangpanjang
Bukittinggi
Padang
Rengat
G. Kerinci 3805
Muarabungo
Jambi
Sungai Penuh
Bangko
Muntok
Palembang
Lubuklinggau
Bengkulu
Curup
Lahat
Prabumulih
Kota Bumi
Bandar Lampung (Telukbetung)
Krui
Manna
Pulau Enggano
Sumatra
Pegunungan Barisan
Kep. Batu
Selat Siberut
Pulau Siberut
Muarasiberut
Kep. Mentawai
Pulau Sipura
P. Pagai Selatan
Détroit de Mentawai
Pangkalpinang
P. Bangka
Belitung
Tanjungpandan
Manggar
P. Belitung
Selat Gaspar
Laut Java
P. Karimunjawa
P. Masalembo-besar
P. Bawean
P. Madura
Kep. Kangean
P. Karamian
Kep. Laut Kecil
Tg. South
P. Laut
Pagatan
Sel. Sunda
P. Rakata (Krakatau)
JAKARTA
Serang
Bekasi
Bogor
Karawang
Purwakarta
Sukabumi
BANDUNG
Cirebon
Brebes
Pekalongan
Tegal
Pemalang
Salatiga
SEMARANG
Kudus
Tuban
Garut
Tasikmalaya
Cilacap
Kebumen
Yogyakarta
Surakarta
Madiun
Kediri
SURABAYA
Pasuruan
Malang
Lumajang
Banyuwangi
Selat Madura
Sumenep
Java
Mer de Bali
Bali
Denpasar
Singaraja
Lombok
Mataram
Praya
Karangasem
Sumbawa
Taliwang
Dompu
Bima
Kep. Sunda Kecil
Flores
Reo
Labuhanbajo
Ende
Larantuka
Lomblen
Kefamenanu
Kupang
P. Roti
P. Sawu
Mer de Savu
Sumba
Memboro
Waingapu
Baing
Sel. Sumba
Mer de Florès
Christmas I. (Austr.)
Cocos Is. (Austr.)
Fosse de Java
Dorsale de l'Investigateur
OCÉAN INDIEN
équateur
Échelle 1 : 15 000 000
0 120 240 360 480 600 kilomètres
0 120 240 360 480 miles

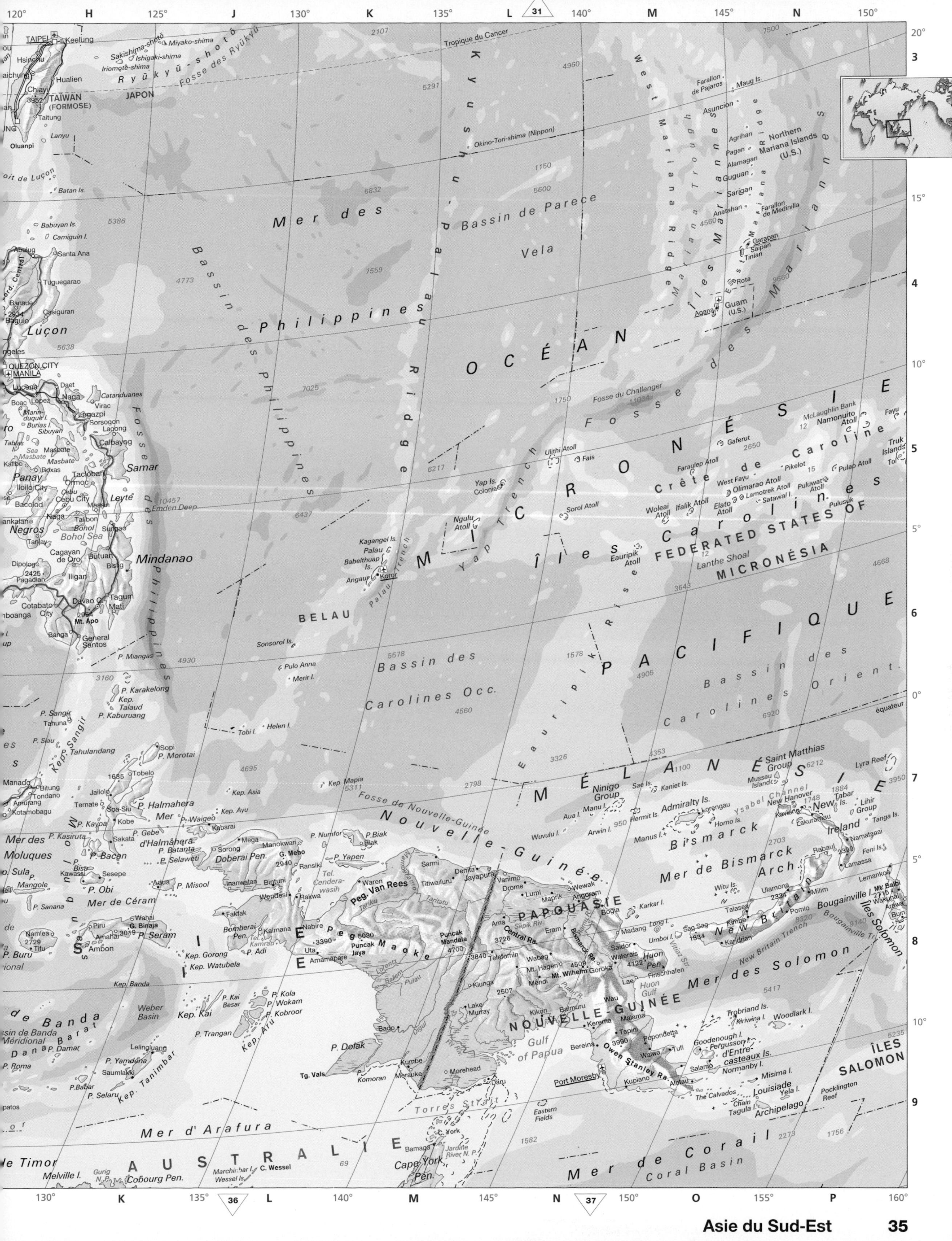

Top labels

H 120° 125° J 130° K 135° L 31 140° M 145° N 150°

20°

TAIPEI · Keelung
Hsinchu
aichung
Chiayi 3952
**TAIWAN
(FORMOSE)**
Taitung
Oluanpi

Sakishima-shotō
Miyako-shima
Ishigaki-shima
Iromote-shima

Ryūkyū-shotō

Fosse des Ryūkyū

Tropique du Cancer

2107

JAPON

**K
y
u
s
h
u
P
a
l
a
u**

**Bassin de Parece
Vela**

1150

5600

Okino-Tori-shima (Nippon)

6832

4960

7500

Farallon
de Pajaros

Maug Is.

Asuncion

Agrihan

Pagan

Alamagan

Guguan

Sarigan

Anatahan

Farallon
de Medinilla

**Northern
Mariana Islands
(U.S.)**

15°

Garapan
Saipan
Tinian
Rota

Aganã · Guam
(U.S.)

Mer des

Bassin des Philippines

5386

4773

7559

5291

4560

9660

**M
a
r
i
a
n
n
e
s
R
i
d
g
e**

West Mariana Ridge

Mariana Trough

**Î
l
e
s
M
a
r
i
a
n
n
e
s**

Fosse des Mariannes

4°

Babuyan Is.
Camiguin I.

Batan Is.

Abulug
Santa Ana
Tuguegarao

Banaue
2934
Casiguran

5638

Luçon

ngeles
QUEZON CITY
MANILA
Lucena
Daet
Boac
Lopez
Marin- duque I.
Burias I.
Sibuyan
Sorsogon
Lagaspi
Legazpi

Catanduanes

Virac

OCÉAN

10°

1750

Fosse du Challenger
11034

McLaughlin Bank
12
Namonuito
Atoll
Fayu

7025

**P
h
i
l
i
p
p
i
n
e
s**

**F
o
s
s
e
d
e**

**M
I
C
R
O
N
É
S
I
E**

Gaferut

2650

Fayu

Calbayog

Tablas
Masbate
Roxas
Masbate
Kalibo
Masbate

Tacloban
Ormoc
Samar

Panay
Iloilo City
Bacolod
Cebu City

Leyte

Naga
Tanjay
Talibon
Bohol

Negros

Dipolog
Pagadian
2425
Iligan

Cagayan
de Oro
Butuan
Bislig

Mindanao

Cotabato City
mboanga
Banga
General
Santos

Mt. Apo
2954

Davao
Tagum
Mati

Bohol Sea
Surigao

10457
Emden Deep

6437

6217

Yap Trench

Ulithi Atoll

Fais

Faraulep Atoll

West Fayu

Olimarao Atoll

Pikelot
15

Pulap Atoll

Truk
Islands
Tol

crête de Caroline

5°

Yap Is.
Colonia

Sorol Atoll

Woleai
Atoll
Ifalik Atoll

Lamotrek Atoll
Elato
Atoll

Satawal I.

Puluwat
Atoll

Pulusuk

**Î
l
e
s
C
a
r
o
l
i
n
e
s**

**FEDERATED STATES OF
MICRONÉSIA**

Ngulu
Atoll

Eauripik
Atoll

Lanthe Shoal

4668

5°

Kagangel Is.
Palau
Babelthuap
Is.

Angaur · **Koror**

Palau Trench

**E
a
u
r
i
p
i
k
R
i
s
e**

3643

**M
i
c
r
o
n
é
s
i
e**

PACIFIQUE

6°

BELAU

Sonsorol Is.

Pulo Anna

Merir I.

5578

1578

**Bassin des
Carolines Occ.**

4560

4905

**Bassin des
Carolines Orient.**

6920

P. Miangas

4930

3160

P. Karakelong
Kep.
Talaud
P. Kaburuang

Tobi I.
Helen I.

0°
équateur

P. Sangir
Tahuna

P. Siau
Tahulandang

Sopi
P. Morotai

Kep. Mapia
5311

2798

3326

4353

**M
É
L
A
N
É
S
I
E**

1100

Saint Matthias
Group

Mussau
Islands

6212

Lyra Reef

3950

7°

Manado
Bitung
Tondano
Amurang
Kotamobagu

Jailolo
Ternate
Soa-Siu

Tobelo

Kep. Asia

Fosse de Nouvelle-Guinée

Ninigo
Group

Sae Is.
Kaniet Is.

Aua I.
Manu I.

Hermit Is.

korengau

New Hanover
1748
Kavieng

Tabar
Is.

Lihir
Group

1884

P. Kayoa
Kobe

1635

P. Halmahera

Kep. Ayu

Wuvulu I.

Arwin I.
950
Manus I.

Horno Is.

Admiralty Is.

**B
i
s
m
a
r
c
k**

Cakuramau

**New
Ireland**

Tanga Is.
Namatagaai

5°

**Mer des
Moluques**

P. Kasiruta

P. Bacan

Sakata

P. Gebe

P. Waigeo
Kabaran

Mega
Manokwari

P. Numfor
P. Biak
Biak

Nouvelle-Guinée

P. Yapen

Sarmi

Karkar I.

Long I.

Mer de Bismarck

Witu Is.

Ulamona

2321

Rabaul

2399

Feni Is.
Lamassa

**M
o
l
u**

P. Obi

Bisa
Kawassi

P. Selaweti

Sorong
Adua

Ransiki

Tel. Cendera-
wasih

Waren
Van Rees

Titiwaifuru

Demta
Jayapura

Drome

Lumi
Maprik

Wewak
Angoram

Bogia

New Britain

2703

Arch.

6320

9140

5°

Sula
Mangole

P. Sanana

Piru

G. Biniaja
3019

P. Seram

Doberai Pen.

G. Mebo
2940

Bomberai
Pen.
Kaimana

Faktak

Inanwatan
Bigtuni

Peg. Van Rees
Tariku
Taritatu

Sapik Riv.

Ama
Eram

Central Ra.

Madang

Talasea

Sag Sag
Umboi I.

Pomio

Bougainville I.
Îles Salomon

Wakunai
Arawa
Buin

8°

**C
É
L
É
B
E
S
I
E**

2729
Ambon

P. Buru

Namlea

Tifu

de

Mer de Céram

Wahai

Kep. Gorong
Kep. Watubela

P. Misool

P. Adi

Nabire

Tel.
Kamrau

Uta

Amamapare

3390

**Peg. Maoke
Puncak
Jaya
Puncak
Mandala
4700**

5030

Kiunga

3726

3840

Telefomin

Wabag

Mt. Hagen
Mendi

Mt. Wilhelm
4509
2507

Waterais

Saidor
Kandrian

Huon
4122

Finschhafen

New Britain Trench

Goroka
Lae

Huon
Pen.

Mer des Solomon

Milim

5417

Lemankoa

P. Baiki

9°

P. Buru

Kep. Banda

Weber
Basin

P. Kai
Besar

P. Kola
P. Wokam
Kobroor

Papouasie

Bado

Lake
Murray

Kikori

Baimuru

Kerema

Maiama

Tapini

Popondetta

Trobriand Is.

Kiriwina I.

Goodenough I.
d'Entre-
casteaux Is.

Woodlark I.

Fergusson I.

6235

10°

**Î
L
E
S**

P. Sangir

P. Yamdena
Saumlakki

P. Roma

P. Babar

Kep. Tanimbar

P. Selaru

P. Trangan

Kep. Aru

P. Dolak

NOUVELLE-GUINÉE

3990

Owen Stanley Ra.

Salamo

Normanby I.

Misima I.

Louisiade
Tagula I.
Archipelago

Yela I.

Pocklington
Reef

SALOMON

atos

Tg. Vals

Kumbe
Komoran
Merauke

Morehead

Diaru

Port Moresby

Kupiano

Aiotau

The Calvados
Chain
Tagula I.

9°

Torres Strait

Eastern
Fields

de Timor
Melville I.

Mer d'Arafura

Gurig
N.P.
Cobourg Pen.

Marchinbar I.
C. Wessel
Wessel Is.

69

Bamaga

AUSTRALIE

Cape York
Pen.

C. York

Jardine
River N. P.

1582

2273

1756

Mer de Corail

Coral Basin

K 130° 135° 36 L 140° M 145° N 37 150° O 155° P 160°

Asie du Sud-Est   35

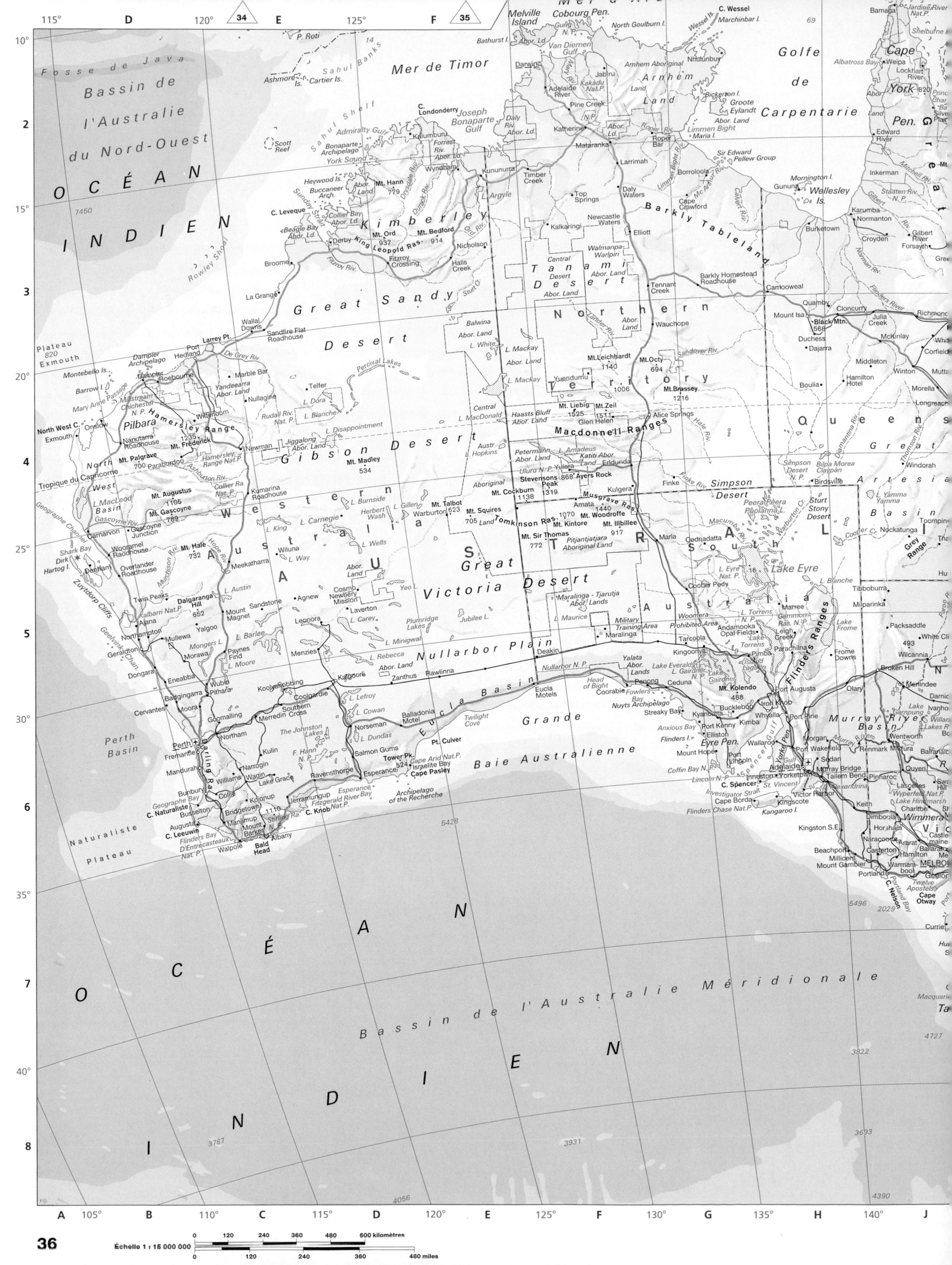

115°
D
120°
34
E
125°
F
35
Melville Island
Cobourg Pen.
C. Wessel
Marchinbar I.
Bamaga
Jardine River Nat.P.
Fosse de Java
Bassin de l'Australie du Nord-Ouest
OCÉAN INDIEN
P. Roti
Sahul Banks
Mer de Timor
Ashmore Is.
Cartier Is.
Sahul Shelf
Scott Reef
Darwin
Bathurst I.
Van Diemen Gulf
Adelaide River
Jabiru
Kakadu Nat.P.
Arnhem Aboriginal
Nhulunbuy
Arnhem Land
Golfe de Carpentarie
Albatross Bay
Weipa
Cape York Pen.
Pine Creek
Bickerton I.
Groote Eylandt
Abor. Land
Limmen Bight
Maria I.
Katherine
Mataranka
Roper Bar
Larrimah
Sir Edward Pellew Group
Borroloola
C. Londonderry
Joseph Bonaparte Gulf
Admiralty Gulf
Bonaparte Archipelago
York Sound
Kalumburu
Forrest Riv.
Wyndham
Kununurra
Timber Creek
Daly Waters
Mornington I.
Wellesley Is.
Gununa
Inkerman
Heywood Is.
Buccaneer Arch.
Mt. Hann 779
C. Leveque
Collier Bay
Beagle Bay Abor. Ld.
Derby
Kimberley
Mt. Ord 937
Mt. Bedford 914
King Leopold Ras.
L. Argyle
Top Springs
Cape Crawford
Newcastle Waters
Kalkaringi
Elliott
Barkly Tableland
Burketown
Karumba
Normanton
Croydon
Gilbert River
Forsayth
Nicholson
Halls Creek
Fitzroy Crossing
Broome
Rowley Shoal
La Grange
Walmanpa-Warlpiri
Central Desert
Tanami Desert
Tennant Creek
Barkly Homestead Roadhouse
Camooweal
Great Sandy Desert
Wallal Downs
Sandfire Flat Roadhouse
Port Hedland
Larrey Pt.
Balwina Abor. Land
L. White
L. Mackay
Northern Territory
Wauchope
Mount Isa
Black Mtn. 568
Cloncurry
Julia Creek
McKinlay
Richmond
Duchess
Dajarra
Plateau Exmouth 820
Dampier Archipelago
Montebello Is.
Dampier
Roebourne
Marble Bar
Percival Lakes
Mt. Leichhardt 1140
Mt. Octy 694
Middleton
Hamilton Hotel
Winton
Boulia
Barrow I.
Mary Anne Passage
Millstream Chichester N.P.
Yandeearra Abor. Land
Nullagine
Telfer
L. Dora
L. Blanche
Yuendumu
Mt. Brassey 1216
Rudall Riv. Nat. P.
Central L. Macdonald
Haasts Bluff Abor. Land
Mt. Liebig 1525
Mt. Zeil 1511
Glen Helen
Alice Springs
Queensland
North West C.
Onslow
Exmouth
Pilbara
Hamersley Range
Wittenoom
Nanutarra Roadhouse
Mt. Frederick 1235
Newman
Jiggalong Abor. Land
L. Disappointment
Gibson Desert
Macdonnell Ranges
Petermann Abor. Land
L. Amadeus
Uluru N.P.
Yulara
Ayers Rock
Stevensons Peak
Kulgera
Finke
Simpson Desert
Great Artesian Basin
Windorah
Birdsville
Mt. Palgrave 700
Paraburdoo
Hamersley Range Nat.P.
Tropique du Capricorne
Mt. Madley 534
Austr. L. Hopkins
Mt. Augustus 1105
Kumarina Roadhouse
Western Australia
L. Burnside
Herbert Wash
L. Gillen
Mt. Talbot 623
Warburton
Mt. Cockburn 1138
1319
Musgrave Ras.
Amata
1440
Mt. Woodroffe
Peera Peera Poolanna L.
Sturt Stony Desert
Geographe Channel
L. MacLeod
Basin
Mt. Gascoyne 789
Gascoyne Riv.
Carnarvon
Gascoyne Junction
L. Carnegie
Mt. Squires 705
Tomkinson Ras.
1070
Mt. Kintore
Mt. Illbillee 917
Mt. Sir Thomas 772
Pitjantjatjara Aboriginal Land
Marla
Oodnadatta
South Australia
Nockatunga
Grey Range
Shark Bay
Dirk Hartog I.
Denham
Woorramel Roadhouse
Overlander Roadhouse
Mt. Hale 732
Wiluna
L. Way
L. Wells
Meekatharra
Great Victoria Desert
L. Eyre Nat. P.
Lake Eyre
Coober Pedy
Tibooburra
Milparinka
Zuytdorp Cliffs
Twin Peaks
Dalgaranga Hill 652
L. Austin
Mount Magnet
Sandstone
Agnew
Cosmo Newbery Mission
Laverton
Maralinga - Tjarutja Abor. Lands
L. Maurice
Military Training Area
Maralinga
Woomera Prohibited Area
Andamooka Opal Fields
L. Torrens
Marree
Leigh Creek
Flinders Ranges
Packsaddle
White Cliffs
Kalbarri Nat.P.
Ajana
Northampton
Mullewa
Yalgoo
Leonora
Plumridge Lakes
Jubilee L.
L. Minigwal
Nullarbor Plain
Deakin
Tarcoola
Kingoonya
Geraldton
Mongers L.
Morawa
Paynes Find
L. Moore
Menzies
L. Rebecca
Zanthus
Rawlinna
Nullarbor N.P.
Yalata Abor. Lands
Lake Everard
L. Gairdner
Penong
Ceduna
Mt. Kolendo 488
Port Augusta
Iron Knob
Whyalla
Broken Hill
Wilcannia
Dongara
Eneabba
Badgingarra
Wubin
Pithara
Koolyanobbing
Kalgoorlie
Coolgardie
L. Lefroy
Eucla Basin
Eucla Motels
Head of Bight
Coorabie
Fowlers Bay
Nuyts Archipelago
Streaky Bay
Kimba
Port Pirie
Murray River Basin
Cervantes
Moora
Goomalling
Southern Cross
Merredin
L. Cowan
Balladonia Motel
Twilight Cove
Grande Baie Australienne
Kyancutta
Port Kenny
Elliston
Eyre Pen.
Wentworth
Mildura
Perth Basin
Perth
Northam
The Johnston Lakes
Norseman
L. Dundas
Pt. Culver
Anxious Bay
Flinders I.
Mount Hope
Port Lincoln
Wallaroo
Yorke Pen.
Spencer Gulf
Morgan
Port Wakefield
Renmark
Fremantle
Darling Ra.
Kulin
F. Hann N.P.
Salmon Gums
Tower Pk.
Cape Arid Nat.P.
Israelite Bay
Cape Pasley
Mandurah
Narrogin
Wagin
Williams
Lake Grace
Ravensthorpe
Esperance
Coffin Bay N.P.
Lincoln N.P.
C. Spencer
Adelaide
Murray Bridge
Tailem Bend
Pinnaroo
Quyen
Bunbury
Geographe Bay
Collie
Katanning
Kojonup
Jerramungup
Fitzgerald River Nat.P.
Esperance Bay
Archipelago of the Recherche
St. Vincent Gulf
Investigator Strait
Kangaroo I.
Kingscote
Victor Harbor
Cape Borda
Flinders Chase Nat.P.
Alexandrina
Lascelles
Wyperfeld Nat.P.
Keith
C. Naturaliste
Busselton
Bridgetown
Manjimup
Mount Barker
Stirling Ra.
1110
C. Knob
Naturaliste Plateau
Augusta
C. Leeuwin
Flinders Bay
D'Entrecasteaux Nat.P.
Walpole
Bald Head
Albany
5428
Kingston S.E.
Wimmera
Horsham
Naracoorte
Ararat
Beachport
Millicent
Mount Gambier
Casterton
Hamilton
Warrnambool
Portland
C. Nelson
Twelve Apostles
Cape Otway
Currie
5496
2029
OCÉAN INDIEN
Bassin de l'Australie Méridionale
4727
3822
3787
3931
3693
4056
4390
10°
15°
20°
25°
30°
35°
40°
2
3
4
5
6
7
8
A
105°
B
110°
C
115°
D
120°
E
125°
F
130°
G
135°
H
140°
J
Échelle 1 : 15 000 000
0 120 240 360 480 600 kilomètres
0 120 240 360 480 miles

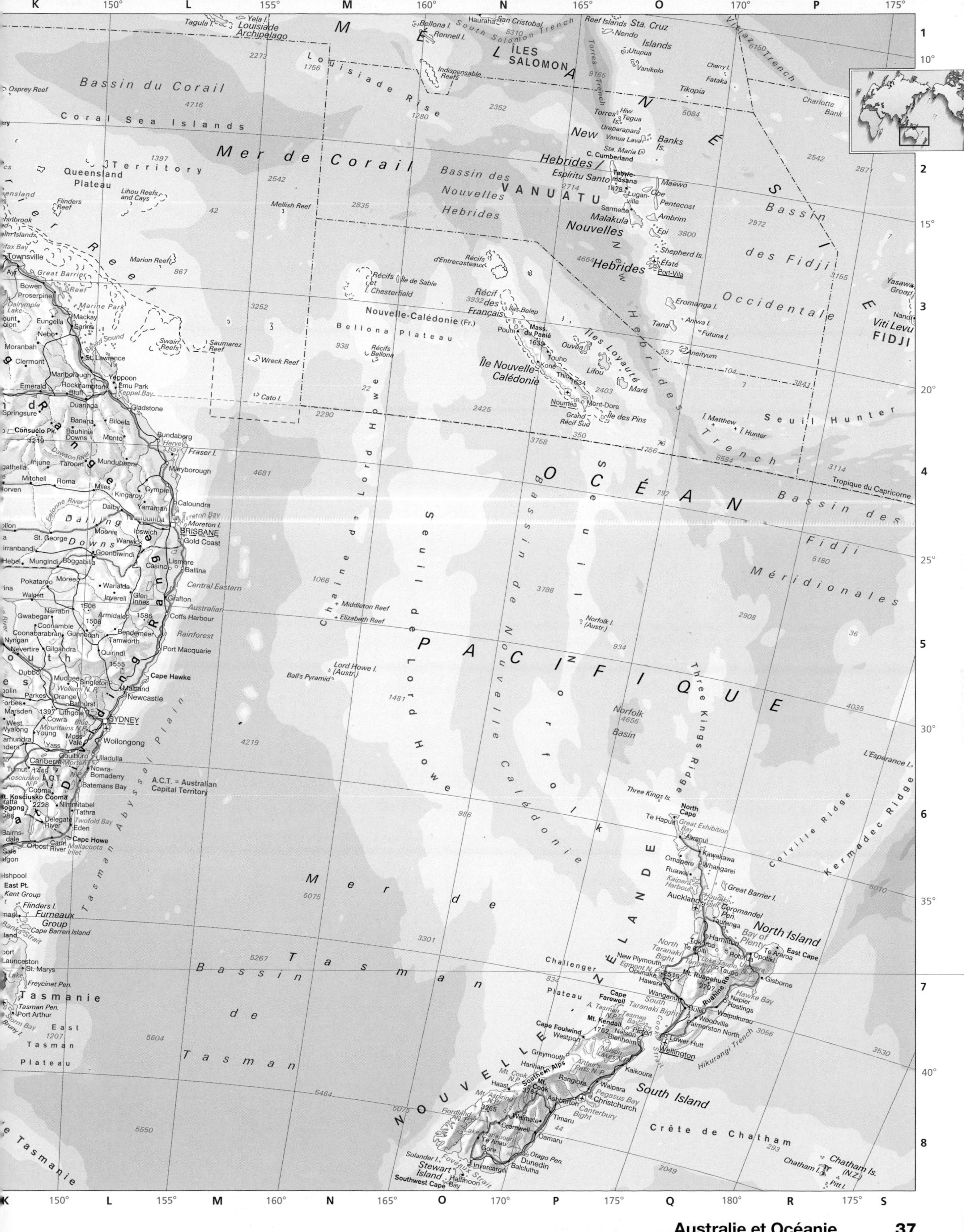

K
150°
L
155°
M
160°
N
165°
O
170°
P
175°
Tagula I.
Yela I.
Louisiade Archipelago
Bellona I.
Rennell I.
Hauraha
San Cristobal
South Solomon Trench
Reef Islands
Sta. Cruz
Nendo
Islands
Utupua
Vanikolo
ÎLES SALOMON
Torres Trench
Vitiaz Trench
Cherry I.
Fataka
Tikopia
Bassin du Corail
Louisiade Rise
Indispensable Reefs
Osprey Reef
Coral Sea Islands Territory
Mer de Corail
Torres Is.
Hiw
Tegua
Ureparapara
Vanua Lava
Banks Is.
New Hebrides
Sta. Maria
C. Cumberland
Espíritu Santo
Tabwemasana
Maewo
Lugan-ville
Obe
Pentecost
Sarmette
Ambrim
Malakula
Epi
Shepherd Is.
Éfaté
Port-Vila
Charlotte Bank
Queensland Plateau
Flinders Reef
Lihou Reefs and Cays
Mellish Reef
Bassin des Nouvelles Hebrides
VANUATU
Nouvelles Hébrides
Bassin des Fidji Occidentale
Marion Reef
Récifs d'Entrecasteaux
Récifs et Île de Sable
I. Chesterfield
Récif des Français
Îles Belep
Townsville
Great Barrier Reef
Bowen
Proserpine
Mackay
Sarina
Marine Park
Eromanga I.
Tana
Aniwa I.
Futuna I.
Aneityum
Yasawa Group
Viti Levu
FIDJI
Nouvelle-Calédonie (Fr.)
Bellona Plateau
Récifs Bellona
Swain Reefs
Saumarez Reef
Wreck Reef
Poum
Mass. du Panié
Ouvéa
Îles Loyauté
Lifou
Touho
Koné
Thio
Maré
Île Nouvelle-Calédonie
Nouméa
Mont-Dore
Île des Pins
Grand Récif Sud
Cato I.
Moranbah
Clermont
St. Lawrence
Yeppoon
Emu Park
Keppel Bay
Rockhampton
Marlborough
Emerald
Gladstone
Biloela
Duaringa
Banana
Springsure
Consuelo Pk.
Bauhinia Downs
Monto
Bundaberg
Hervey Bay
Fraser I.
Maryborough
Gympie
Mundubbera
Taroom
Injune
Roma
Mitchell
Miles
Kingaroy
Yarraman
Dalby
Caloundra
Toowoomba
Moreton Bay
Moreton I.
Ipswich
BRISBANE
Gold Coast
Moonie
St. George
Warwick
Goondiwindi
Darling Downs
Boggabilla
Mungindi
Lismore
Casino
Ballina
Moree
Warialda
Inverell
Glen Innes
Grafton
Pokataroo
Walgett
Narrabri
Armidale
Coffs Harbour
Central Eastern Australian Rainforest
Gwabegar
Coonamble
Coonabarabran
Gunnedah
Bendemeer
Tamworth
Quirindi
Port Macquarie
Nyngan
Nevertire
Gilgandra
Dubbo
Mudgee
Singleton
Maitland
Newcastle
Cape Hawke
Wollemi N.P.
Parkes
Orange
Bathurst
Forbes
Marsden
Cowra
Lithgow
SYDNEY
Blue Mountains N.P.
West Wyalong
Young
Wollongong
Yass
Moss Vale
Goulburn
Ulladulla
Canberra
A.C.T.
Morton N.P.
Nowra-Bomaderry
Batemans Bay
A.C.T. = Australian Capital Territory
Tumut
Kosciusko N.P.
Cooma
Mt. Kosciusko
Nimmitabel
Tathra
Bega
Delegate River
Eden
Twofold Bay
Cape Howe
Orbost
Mallacoota Inlet
Cann River
Tasman Abyssal Plain
East Pt.
Kent Group
Flinders I.
Furneaux Group
Cape Barren Island
Banks Strait
Launceston
St. Marys
Freycinet Pen.
Tasmanie
Tasman Pen.
Port Arthur
East Tasman Plateau
Bassin de Tasman
Mer de Tasman
Chaîne de Lord Howe
Seuil de Lord Howe
Middleton Reef
Elizabeth Reef
Lord Howe I. (Austr.)
Ball's Pyramid
OCÉAN PACIFIQUE
Bassin de Nouvelle Calédonie
Seuil de Norfolk
Norfolk I. (Austr.)
Norfolk Basin
New Hebrides Trench
Seuil Hunter
I. Matthew
I. Hunter
Tropique du Capricorne
Bassin des Fidji Méridionales
Three Kings Ridge
Three Kings Is.
L'Esperance I.
Colville Ridge
Kermadec Ridge
North Cape
Te Hapua
Great Exhibition Bay
Awanui
Kawakawa
Whangarei
Omapere
Ruawai
Kaipara Harbour
Great Barrier I.
Auckland
Hauraki Gulf
Coromandel Pen.
Tauranga
North Island
Bay of Plenty
Hamilton
Rotorua
Opotiki
Te Araroa
East Cape
Lake Taupo
Taupo
North Taranaki Bight
New Plymouth
Egmont N.P.
Opunake
Hawera
Mt. Ruapehu
Ruahine Ra.
Gisborne
Hawke Bay
Napier
Hastings
Wanganui
Bulls
Waipukurau
Woodville
Palmerston North
Challenger Plateau
Cape Farewell
South Taranaki Bight
Tasman Bay
Cook Strait
Picton
Nelson
Blenheim
Lower Hutt
Wellington
Hikurangi Trench
Cape Foulwind
Mt. Kendall
Westport
Greymouth
Arthur's Pass N.P.
Kaikoura
NOUVELLE-ZÉLANDE
Mt. Cook N.P.
Southern Alps
Mt. Cook
Rangiora
Waipara
Pegasus Bay
Christchurch
Ashburton
South Island
Canterbury Bight
Haast
Mt. Aspiring N.P.
Fiordland N.P.
Waimate
Timaru
Cromwell
Lake Manapouri
Te Anau
Gore
Oamaru
Otago Pen.
Dunedin
Balclutha
Invercargill
Solander I.
Foveaux Strait
Stewart Island
Halfmoon Bay
Southwest Cape
Crête de Chatham
Chatham Is. (N.Z.)
Chatham I.
Pitt I.

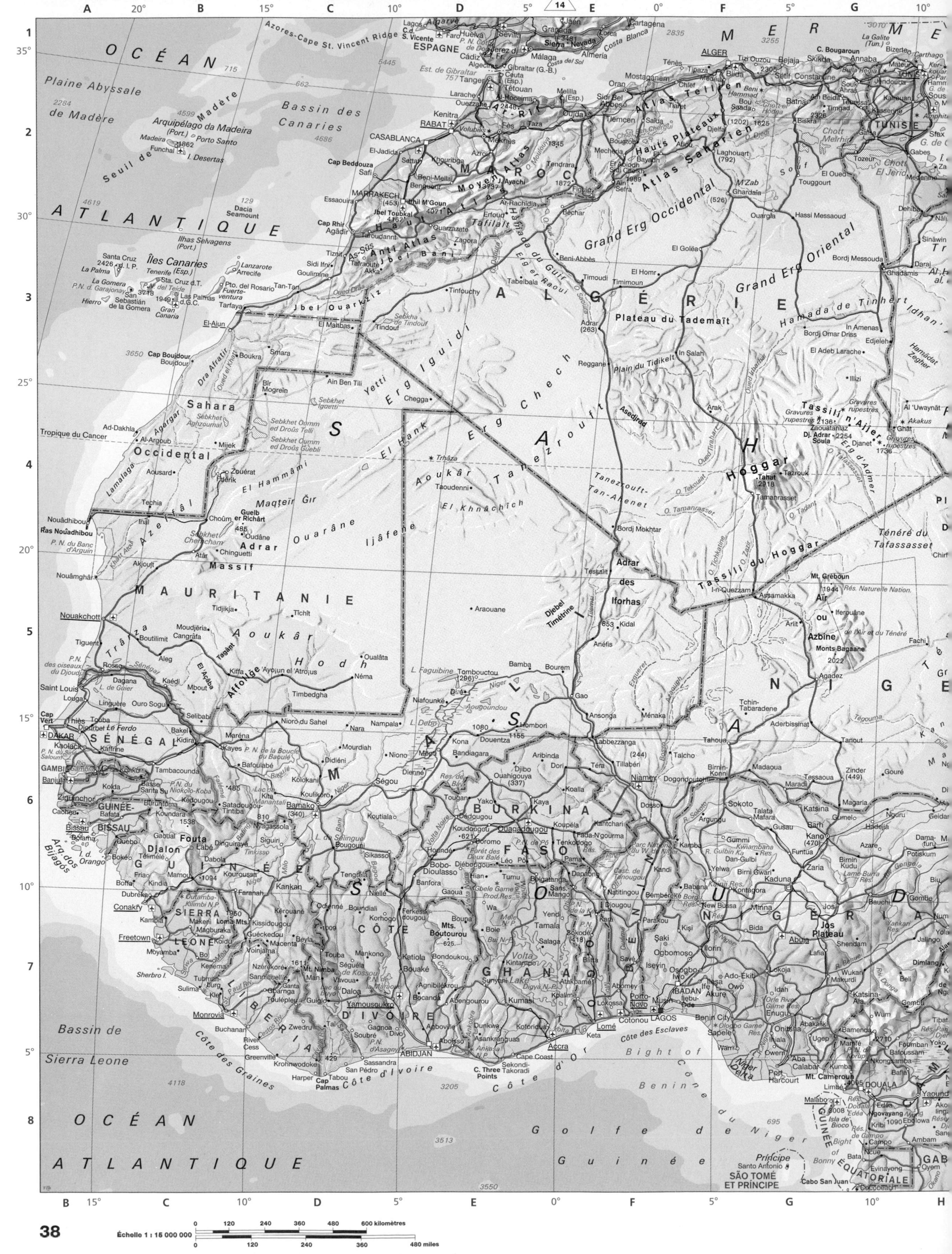

14
OCÉAN ATLANTIQUE
Plaine Abyssale de Madère
Bassin des Canaries
Arquipélago da Madeira (Port.)
Seuil de Madère
Îles Canaries (Esp.)
Ilhas Selvagens (Port.)
Dacia Seamount
Azores-Cape St. Vincent Ridge
ESPAGNE
MER
ALGER
TUNISIE
MAROC
Moyen Atlas
Haut Atlas
Anti Atlas
Jbel Bani
Atlas Tellien
Hauts Plateaux
Atlas Saharien
Grand Erg Occidental
Grand Erg Oriental
Plateau du Tademaït
Hamada de Tinhert
ALGÉRIE
Sahara Occidental
Tropique du Cancer
Erg Iguidi
Erg Chech
Tanezrouft
Hoggar
Tassili n'Ajjer
Tassili du Hoggar
Adrar des Iforhas
MAURITANIE
Adrar
Massif
Aoukâr
Hodh
Ténéré du Tafassasset
Aïr ou Azbine
NIGER
MALI
SÉNÉGAL
GAMBIE
GUINÉE-BISSAU
GUINÉE
SIERRA LEONE
LIBERIA
CÔTE D'IVOIRE
BURKINA FASO
GHANA
TOGO
BÉNIN
NIGERIA
Bassin de Sierra Leone
Côte des Graines
Côte d'Ivoire
Côte d'Or
Côte des Esclaves
Bight of Benin
Golfe de Guinée
Cône du Niger
SÃO TOMÉ ET PRÍNCIPE
GUINÉE ÉQUATORIALE
OCÉAN ATLANTIQUE
Échelle 1 : 15 000 000
0 120 240 360 480 600 kilomètres
0 120 240 360 480 miles

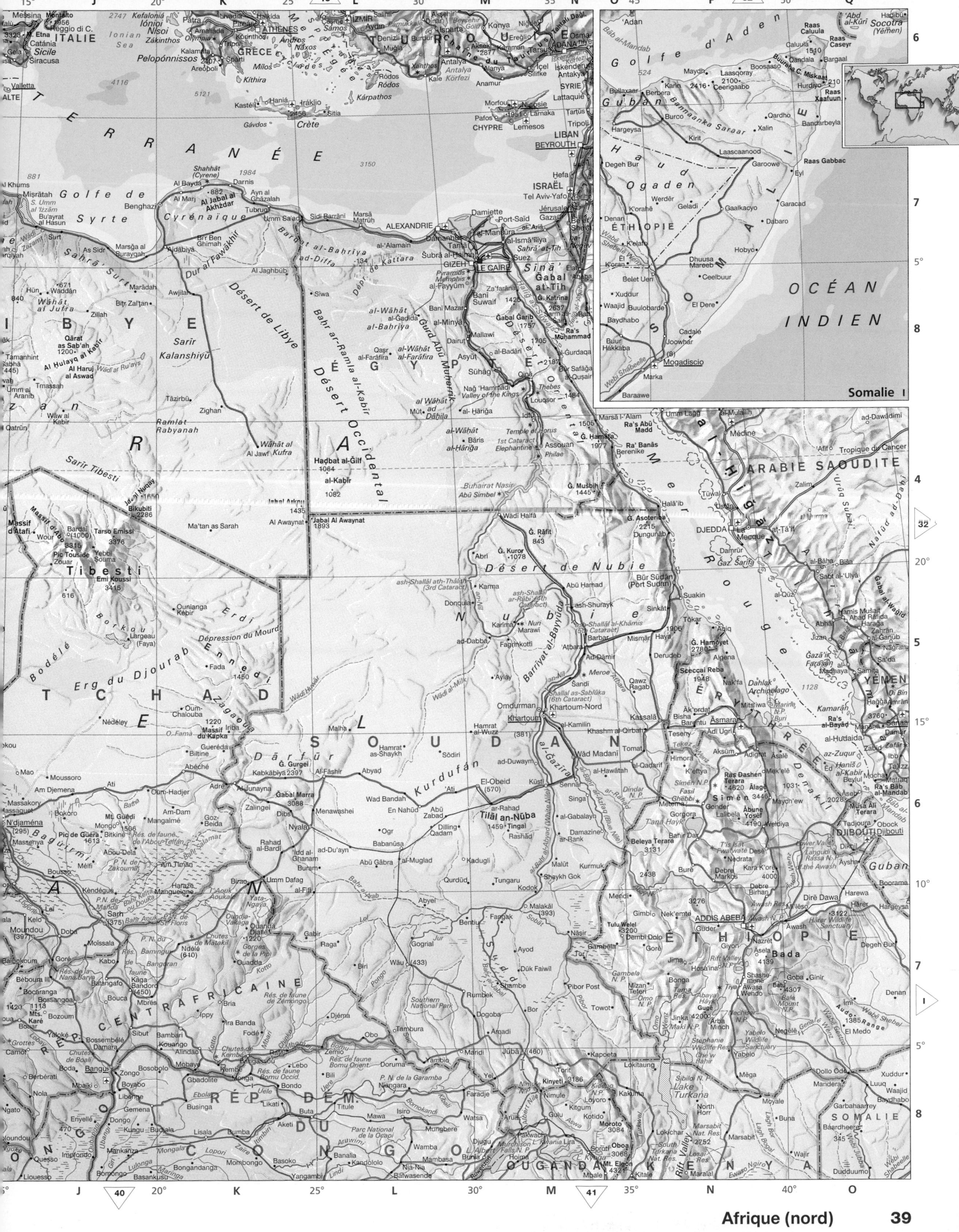

ITALIE
Sicile
GRÈCE
ATHÈNES
Crète
TURQUIE
CHYPRE
SYRIE
LIBAN
BEYROUTH
ISRAËL
Golfe de Syrte
Cyrénaïque
ALEXANDRIE
LE CAIRE
Désert de Libye
Désert Occidental
LIBYE
ÉGYPTE
Sinaï
Tibesti
Erg du Djourab
TCHAD
Désert de Nubie
Nubie
SOUDAN
Khartoum
Dārfūr
Kurdufān
Mer Rouge
ARABIE SAOUDITE
DJEDDA
La Mecque
ÉRYTHRÉE
YÉMEN
DJIBOUTI
ÉTHIOPIE
ADDIS ABEBA
RÉP. CENTRAFRICAINE
RÉP. DÉM. DU CONGO
OUGANDA
KENYA
SOMALIE
Golfe d'Aden
OCÉAN INDIEN
Ogaden
Mogadiscio
Somalie
Tropique du Cancer

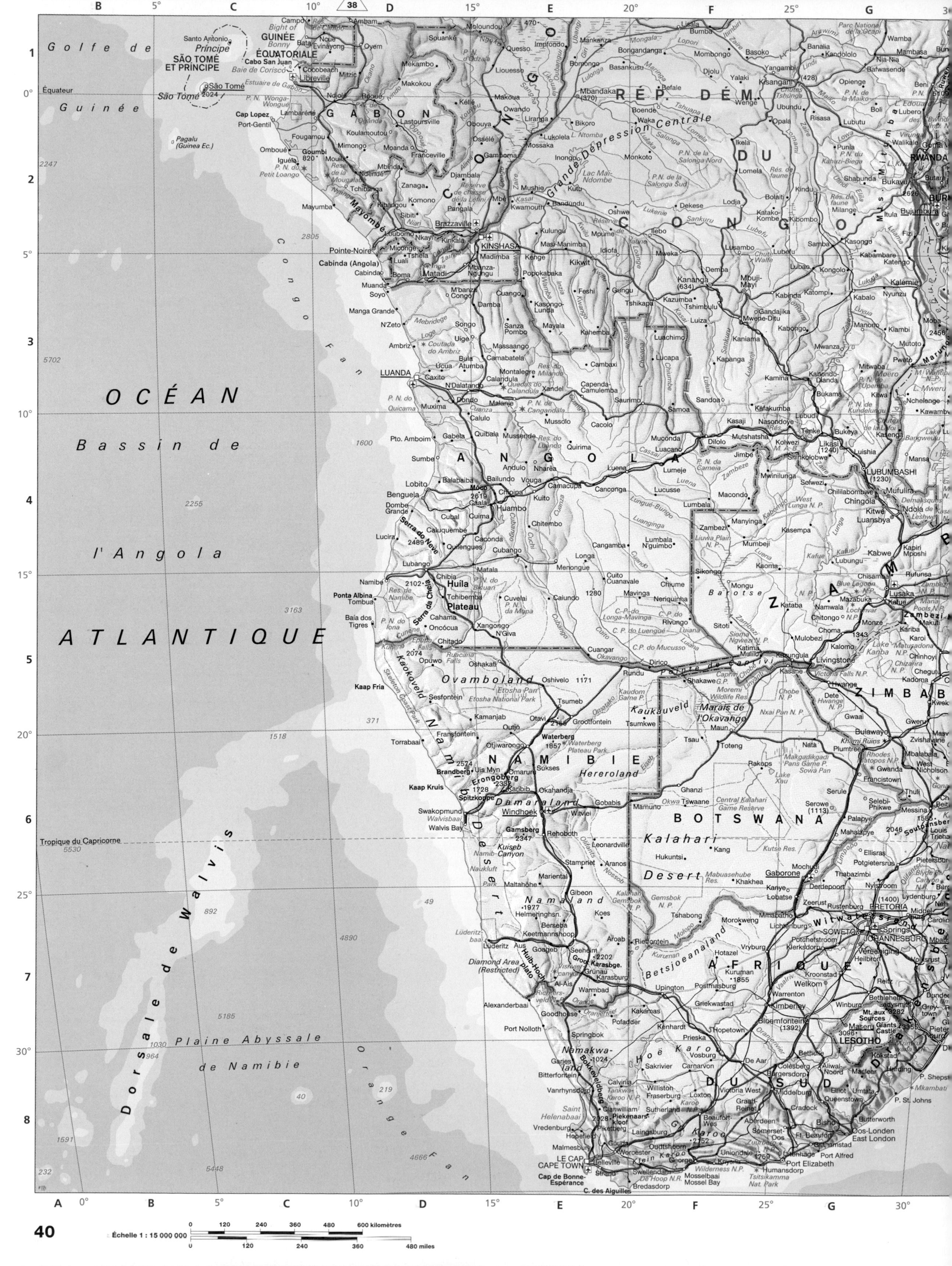

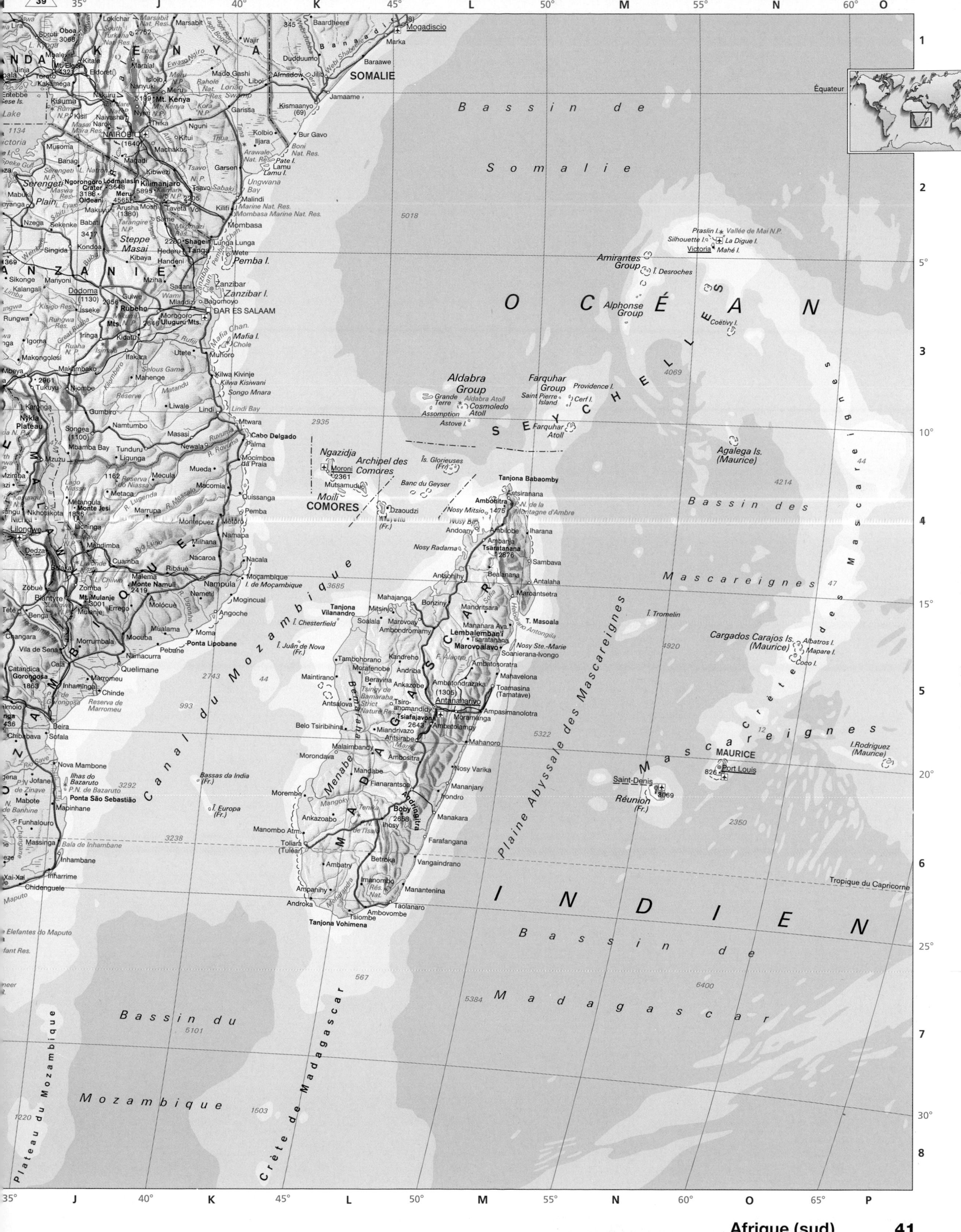
35°
J
40°
K
45°
L
50°
M
55°
N
60°
O
1
2
5°
3
10°
4
15°
5
20°
6
25°
7
30°
8
P
65°
Équateur
Tropique du Capricorne
K E N Y A
SOMALIE
Mogadiscio
Marka
Baraawe
Jamaame
Kismaanyo
Bur Gavo
Baardheere
Dudduumo
Jilib
Afmadow
Liboi
Garissa
Nairobi
Machakos
Mt. Kenya
Mt. Elgon
Kitale
Eldoret
Nakuru
Nanyuki
Meru
Kisumu
Marsabit
Lokichar
Wajir
Maralal
Kibwezi
Kitui
Nguni
Kolbio
Lamu
Lamu I.
Pate I.
Malindi
Kilifi
Mombasa
Voi
Taveta
Tsavo
Kilimanjaro
5895
Moshi
Arusha
Meru
Serengeti
Ngorongoro Crater
Steppe Masai
Tanga
Pemba I.
Wete
Zanzibar
Zanzibar I.
DAR ES SALAAM
Bagamoyo
Morogoro
Dodoma
T A N Z A N I E
Mafia I.
Kilwa Kivinje
Kilwa Kisiwani
Songo Mnara
Lindi
Mtwara
Cabo Delgado
Liwale
Masasi
Newala
Songea
Tunduru
Namtumbo
Mbeya
Iringa
Mueda
Mocimboa da Praia
Macomia
Quissanga
Pemba
Montepuez
Namapa
Nacala
Nampula
Moçambique
I. de Moçambique
Angoche
Mogincual
Lilongwe
Dedza
Zomba
Blantyre
Mt. Mulanje
Cuamba
Lichinga
Metangula
Mandimba
Malema
Monte Namuli
Molócuè
Alto Molócuè
Mocuba
Quelimane
Namacurra
Pebane
Ponta Lipobane
Moma
Morrumbala
Vila de Sena
Caia
Marromeu
Chinde
Inhaminga
Gorongosa
Beira
Sofala
Chibabava
Nova Mambone
Ilhas do Bazaruto
Ponta São Sebastião
Mapinhane
Funhalouro
Massinga
Inhambane
Inharrime
Chidenguele
Xai-Xai
Maputo
M O Z A M B I Q U E
C O M O R E S
Moroni
Ngazidja
Mutsamudu
Moili
Dzaoudzi
Mayotte (Fr.)
Archipel des Comores
Banc du Geyser
Îs. Glorieuses (Fr.)
Canal du Mozambique
Bassas da India (Fr.)
Î. Europa (Fr.)
Î. Juân de Nova (Fr.)
Î. Chesterfield
M A D A G A S C A R
Tanjona Babaomby
Antsiranana
Ambohitra
Nosy Mitsio
Nosy Be
Andoany
Ambilobe
Iharana
Nosy Radama
Ambanja
Tsaratanana
2876
Sambava
Antalaha
Bealanana
Antsohihy
Maroantsetra
T. Masoala
Mahajanga
Tanjona Vilanandro
Mitsinjo
Soalala
Marovoay
Ambondromamy
Bonzirry
Mandritsara
Mananara Ava.
Lembalemban'i
Tsaratanana
Marovoalavo
Nosy Ste.-Marie
Soanierana-Ivongo
Ambatosoratra
Fenoarivo
Mahavelona
Toamasina (Tamatave)
Ambatondrazaka
Tambohorano
Maintirano
Morafenobe
Andriba
Antsalova
Ankazobe
Antananarivo
Ampasimanolotra
Moramanga
Tsiafajavona
2643
Belo Tsiribihina
Miandrivazo
Antsirabe
Mahanoro
Morondava
Ambositra
Malaimbandy
Mandabe
Fianarantsoa
Nosy Varika
Mananjary
Ifondro
Morombe
Ankazoabo
Boby
2658
Andringitra
Ihosy
Manakara
Farafangana
Manombo Atm.
Toliara (Tuléar)
Betroka
Vangaindrano
Ambatry
Ampanihy
Manantenina
Androka
Tsiombe
Ambovombe
Taolanaro
Tanjona Vohimena
Bassin de Somalie
O C É A N
I N D I E N
S E Y C H E L L E S
Amirantes Group
Î. Desroches
Praslin I.
Vallée de Mai N.P.
Silhouette I.
La Digue I.
Victoria
Mahé I.
Alphonse Group
Coëtivy I.
Aldabra Group
Grande Terre
Aldabra Atoll
Cosmoledo Atoll
Assomption
Astove I.
Farquhar Group
Saint Pierre Island
Providence I.
Cerf I.
Farquhar Atoll
Agalega Is. (Maurice)
Bassin des Mascareignes
Plaine Abyssale des Mascareignes
Î. Tromelin
Cargados Carajos Is. (Maurice)
Albatros I.
Mapare I.
Coco I.
Crête des Mascareignes
Plateau des Mascareignes
MAURICE
Port Louis
826
Saint-Denis
3069
Réunion (Fr.)
I.Rodriguez (Maurice)
Bassin de Madagascar
Bassin du Mozambique
Plateau du Mozambique
Crête de Madagascar
5018
4069
4214
4920
2935
3685
2743
993
3292
3238
5322
2350
567
5384
6400
5101
1503
1220
44
47
12

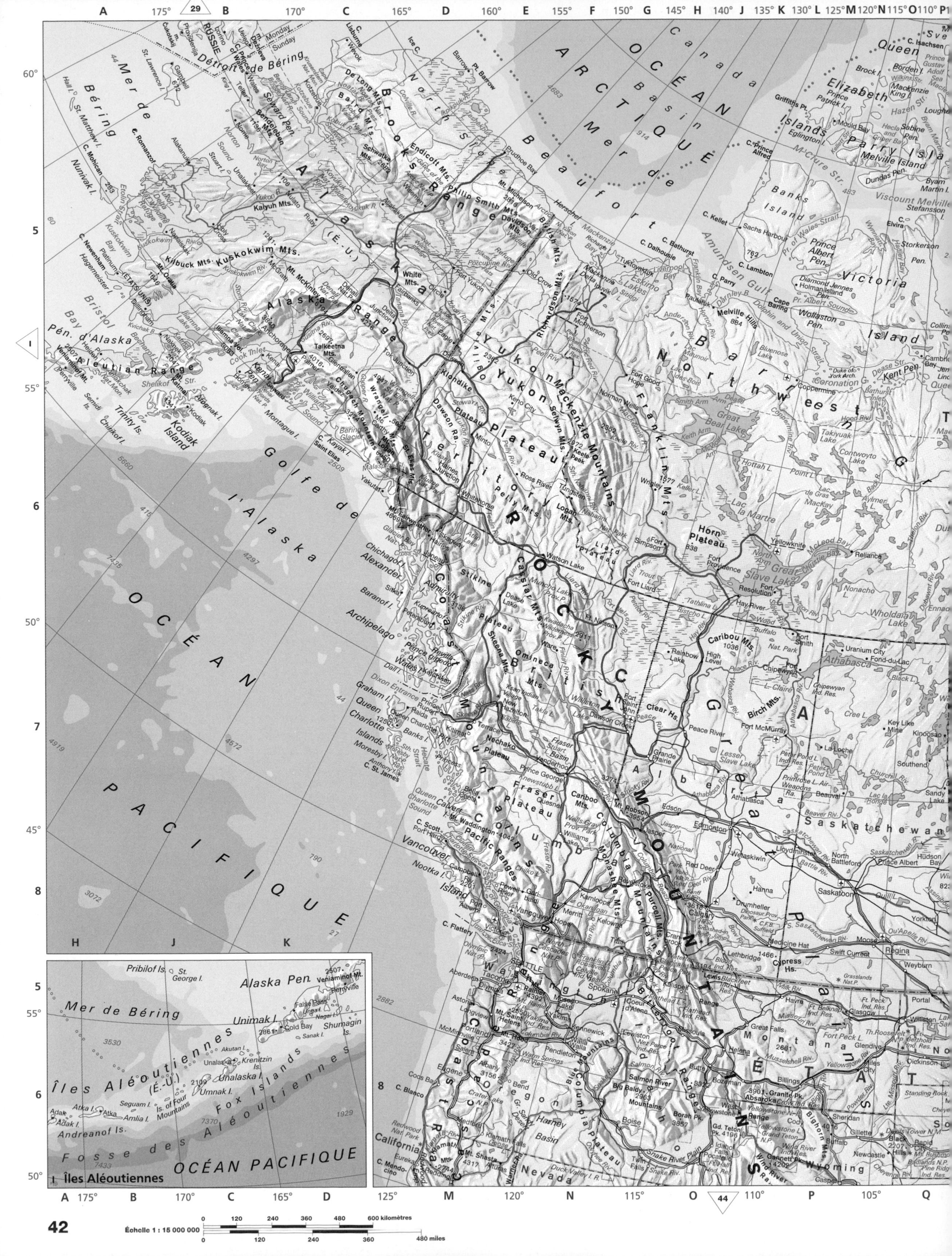

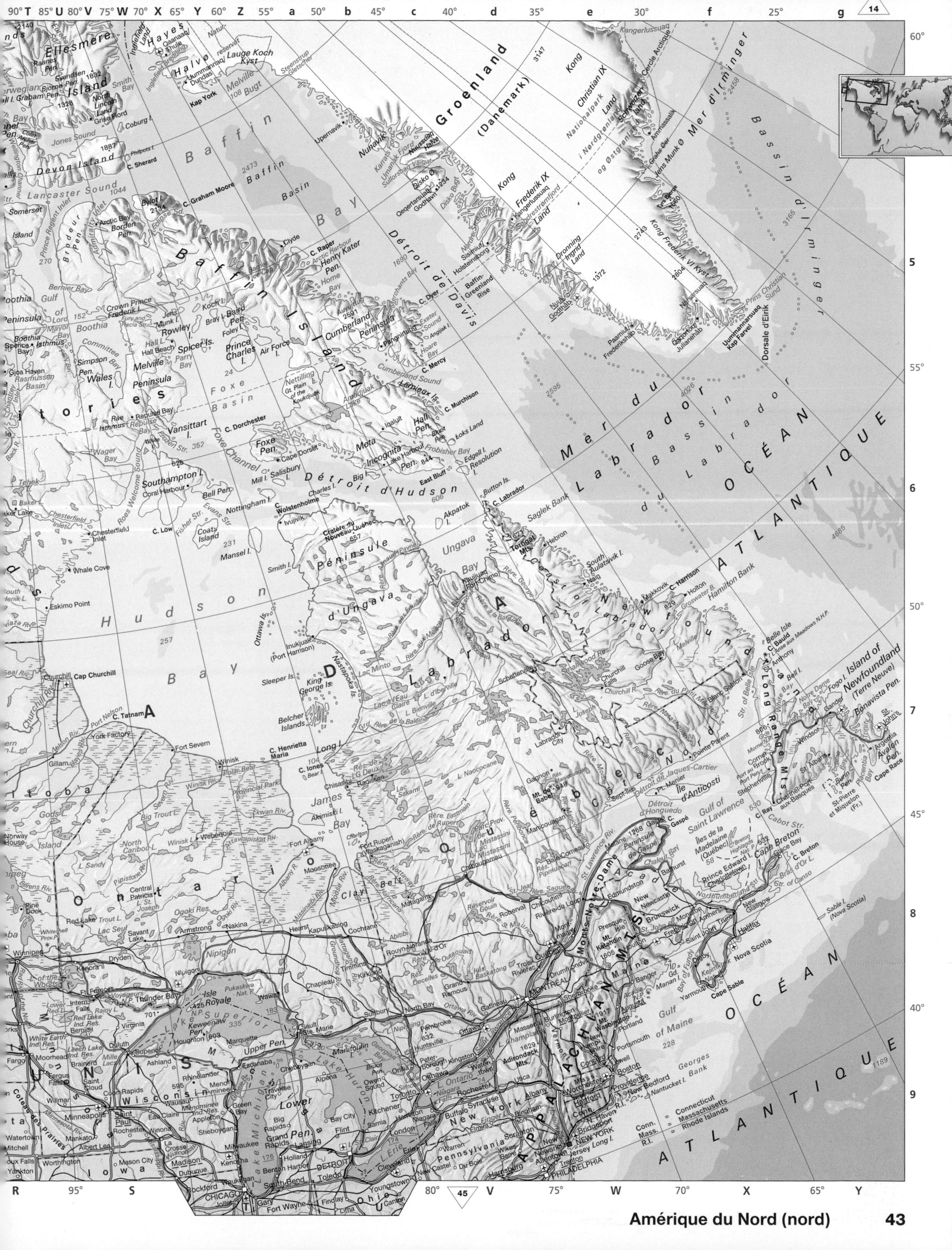
Ellesmere Island
Groenland (Danemark)
Baffin Bay
Baffin Basin
Baffin Island
Devon Island
Lancaster Sound
Jones Sound
Kap York
Melville Bugt
Upernavik
Nuussuaq Halvø
Disko Ø
Qeqertarsuaq Godhavn
Détroit de Davis
Kong Frederik IX Land
Kong Christian IX Land
Nationalpark i Nordgrønland og Østgrønland
Schweizerland
Ammassalik
Jens Munk Ø
Mer d'Irminger
Bassin d'Irminger
Kong Frederik VI Kyst
Dronning Ingrid Land
Nuuk Godthåb
Paamiut Frederikshåb
Qaqortoq Julianehåb
Uummannarsuaq Kap Farvel
Prins Christian Sund
Dorsale d'Eirik
Baffin-Greenland Rise
Cumberland Peninsula
Cumberland Sound
Pangnirtung
Clyde
C. Dyer
C. Mercy
Meta Incognita Pen.
Frobisher Bay
Iqaluit
Hall Pen.
Resolution I.
Foxe Basin
Foxe Pen.
Foxe Channel
Cape Dorset
Southampton I.
Coral Harbour
Coats Island
Mansel I.
Melville Peninsula
Prince Charles I.
Air Force I.
Hall Beach
Igloolik
Repulse Bay
Vansittart I.
Boothia Peninsula
Gulf of Boothia
Gjoa Haven
Wager Bay
Chesterfield Inlet
Whale Cove
Eskimo Point
Détroit d'Hudson
Ivujivik
Cratère du Nouveau-Québec
Péninsule d'Ungava
Ungava Bay
Kuujjuaq (Fort-Chimo)
Akpatok I.
C. Labrador
Button Is.
Torngat Mts.
Hebron
Saglek Bank
Nain
Hopedale
Makkovik
C. Harrison
Hamilton Bank
Mer du Labrador
Bassin du Labrador
OCÉAN ATLANTIQUE
Hudson Bay
Churchill
Cap Churchill
C. Tatnam
York Factory
Fort Severn
Winisk
C. Henrietta Maria
Inukjuak (Port Harrison)
Belcher Islands
Sleeper Is.
Nastapoka Is.
Lac Minto
Labrador
Schefferville
Churchill Falls
Goose Bay
Labrador City
Smallwood Rés.
Belle Isle
St. Anthony
Island of Newfoundland (Terre Neuve)
Long Range Mts.
Gander
Bonavista Pen.
St. John's
Avalon Pen.
Cape Race
Corner Brook
Stephenville
Port aux Basques
St.-Pierre et Miquelon (Fr.)
Cabot Str.
Cape Breton
Sydney
Glace Bay
Halifax
Nova Scotia
Yarmouth
Cape Sable
Sable I. (Nova Scotia)
James Bay
Akimiski I.
Moosonee
Fort Albany
Chisasibi
Radisson
Mistassini
Chibougamau
Québec
Côte-Nord
Sept-Îles
Île d'Anticosti
Gulf of Saint Lawrence
Gaspé
Péninsule de Gaspé
Îles de la Madeleine (Québec)
Prince Edward I.
Charlottetown
New Brunswick
Fredericton
Saint John
Moncton
Bay of Fundy
Saguenay
Chicoutimi
Baie-Comeau
Rimouski
Rivière-du-Loup
Trois-Rivières
MONTRÉAL
Ottawa
Sherbrooke
Gatineau
Ontario
Manitoba
Winnipeg
Kenora
Dryden
Thunder Bay
Isle Royale
Lake Superior
Duluth
Sault Ste. Marie
Sudbury
North Bay
Timmins
Kapuskasing
Cochrane
Hearst
Nakina
Armstrong
Lake Nipigon
Lake Huron
Manitoulin I.
Georgian Bay
Toronto
L. Ontario
Kingston
Hamilton
London
Lake Michigan
Milwaukee
Green Bay
Wisconsin
CHICAGO
Gary
Detroit
Toledo
Cleveland
L. Erie
Buffalo
Rochester
Syracuse
New York
Albany
Boston
Providence
Hartford
NEW YORK
PHILADELPHIA
Pennsylvania
Maine
Augusta
Portland
Bangor
Gulf of Maine
Georges Bank
APPALACHIAN MTS.
Adirondack Mts.
Minneapolis
Saint Paul
Iowa
Fargo
Michigan
Lower Pen.
Upper Pen.
Conn. = Connecticut
Mass. = Massachusetts
R.I. = Rhode Islands

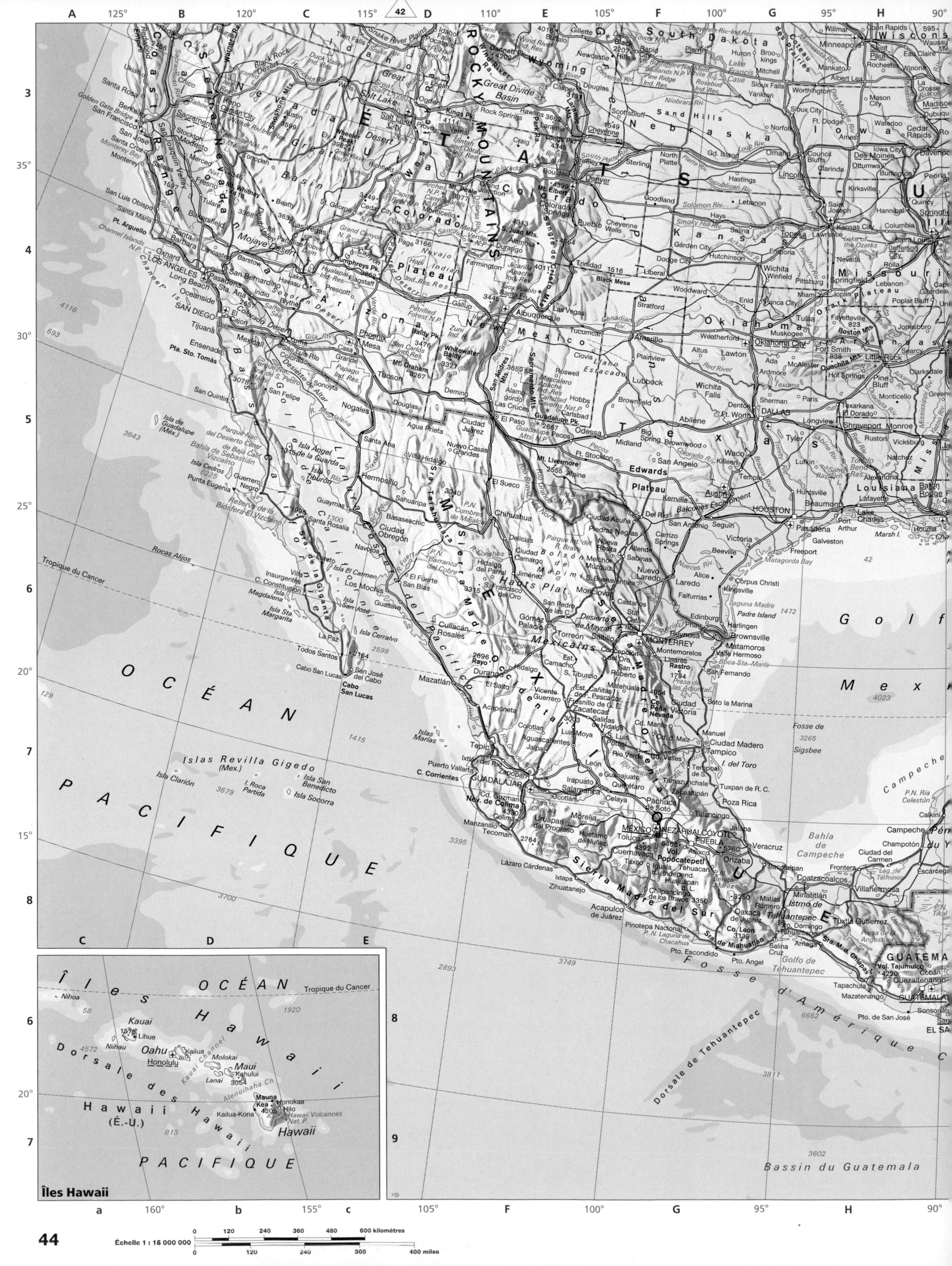

42
A
B
C
D
E
F
G
H
125°
120°
115°
110°
105°
100°
95°
90°
35°
30°
25°
20°
15°
ROCKY MOUNTAINS
South Dakota
Wyoming
Nebraska
Iowa
Nevada
Utah
Colorado
Kansas
Missouri
Oklahoma
Arizona
New Mexico
Texas
Louisiana
Arkansas
Great Basin
Mojave Desert
Colorado Plateau
Sierra Nevada
Coast Range
Sonoran Desert
Desierto de Altar
Llano Estacado
Edwards Plateau
Balcones Escarpment
Bolsón de Mapimí
Hauts Plat. Mexicains
Desierto de Mayrán
Sierra Madre Occidental
Sierra Madre Oriental
Sierra Madre del Sur
Golfe de Californie
Basse Californie
MEXIQUE
ÉTATS-UNIS
Tropique du Cancer
OCÉAN PACIFIQUE
Golfe du Mexique
Fosse de Sigsbee
Golfo de Tehuantepec
Fosse d'Amérique Centrale
Dorsale de Tehuantepec
Bassin du Guatemala
Istmo de Tehuantepec
Bahía de Campeche
Islas Revilla Gigedo (Mex.)
Isla Clarión
I. Roca Partida
Isla San Benedicto
Isla Socorro
Islas Marías
Isla de Guadalupe (Méx.)
Isla Cedros
Isla Ángel de la Guarda
Isla Tiburón
Isla Sta. Margarita
Cabo San Lucas
C. Corrientes
GUATEMALA
Salt Lake City
Denver
Phoenix
Albuquerque
Santa Fe
Las Vegas
LOS ANGELES
SAN DIEGO
San Francisco
Sacramento
Cheyenne
Lincoln
Topeka
Oklahoma City
Little Rock
DALLAS
Ft. Worth
Austin
San Antonio
HOUSTON
El Paso
Ciudad Juárez
Chihuahua
Hermosillo
Tijuana
Mexicali
MONTERREY
Saltillo
Torreón
Durango
Mazatlán
Culiacán
GUADALAJARA
León
Aguascalientes
Zacatecas
S. Luis Potosí
Querétaro
Tampico
Veracruz
PUEBLA
MEXICO
NEZAHUALCOYOTL
Toluca
Acapulco de Juárez
Oaxaca de Juárez
Campeche
Mérida
Vol. Popocatepetl
Mt. Whitney
Mt. Elbert
Îles Hawaii
OCÉAN PACIFIQUE
Tropique du Cancer
Kauai
Oahu
Honolulu
Molokai
Lanai
Maui
Hawaii
Nihoa
Niihau
Mauna Kea 4205
Hilo
Kailua-Kona
Dorsale des Hawaii
Hawaii (É.-U.)
a
b
c
160°
155°
Échelle 1 : 16 000 000
0
120
240
360
480
600 kilomètres
120
240
300
400 miles

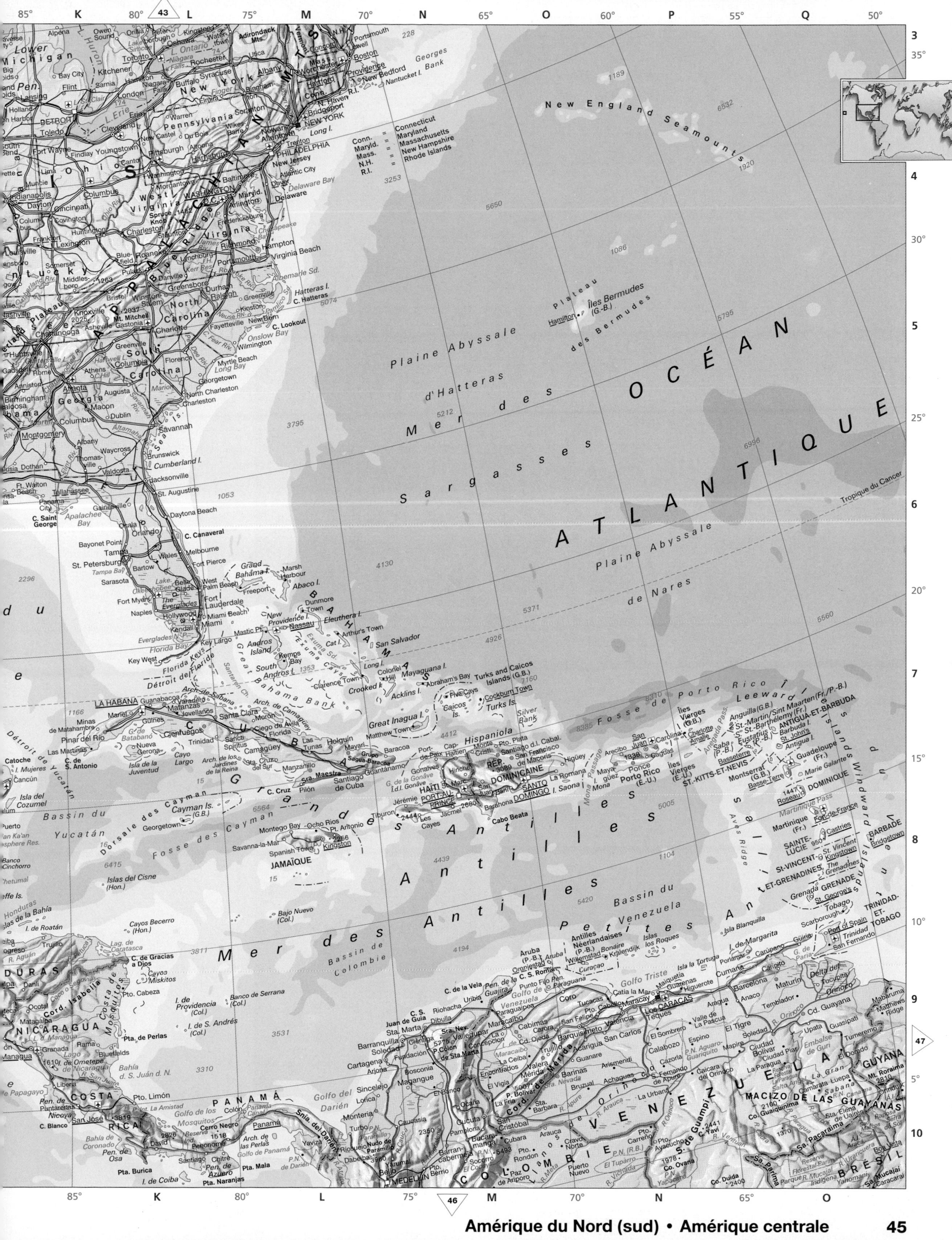

OCÉAN ATLANTIQUE
Mer des Sargasses
Plaine Abyssale d'Hatteras
Plaine Abyssale de Nares
New England Seamounts
Plateau des Bermudes
Îles Bermudes (G.-B.)
Hamilton
Tropique du Cancer
Fosse de Porto Rico
Grandes Antilles
Petites Antilles
Mer des Antilles
Bassin de Colombie
Bassin du Venezuela
Bassin du Yucatán
Fosse des Cayman
Dorsale des Cayman
Détroit de Floride
Détroit du Yucatán
Great Bahama Bank
BAHAMAS
CUBA
LA HABANA
JAMAÏQUE
Kingston
HAITI
PORT-AU-PRINCE
RÉP. DOMINICAINE
SANTO DOMINGO
Hispaniola
Porto Rico (E.-U.)
San Juan
Turks and Caicos Islands (G.B.)
Leeward Islands
Windward Islands
ST-KITTS-ET-NEVIS
ANTIGUA-ET-BARBUDA
Guadeloupe (Fr.)
DOMINIQUE
Martinique (Fr.)
SAINTE-LUCIE
St-VINCENT-ET-GRENADINES
BARBADE
GRENADE
TRINIDAD-ET-TOBAGO
Port of Spain
VENEZUELA
CARACAS
COLOMBIE
MEDELLÍN
PANAMÁ
COSTA RICA
San José
NICARAGUA
Managua
GUYANA
BRÉSIL
MACIZO DE LAS GUAYANAS
APPALACHIAN MTS
NEW YORK
PHILADELPHIA
WASHINGTON D.C.
Boston
Pittsburgh
Cleveland
DETROIT
Columbus
Indianapolis
Cincinnati
Richmond
Norfolk
Raleigh
Charlotte
Atlanta
Savannah
Jacksonville
Orlando
Tampa
Miami
Key West
C. Hatteras
C. Canaveral
Connecticut
Massachusetts
New Hampshire
Rhode Island
Maryland
Pennsylvania
New Jersey
Delaware
Virginia
West Virginia
North Carolina
South Carolina
Georgia
Ohio
Kentucky
Tennessee
Alabama
Michigan
Conn. = Connecticut
Maryld. = Maryland
Mass. = Massachusetts
N.H. = New Hampshire
R.I. = Rhode Island

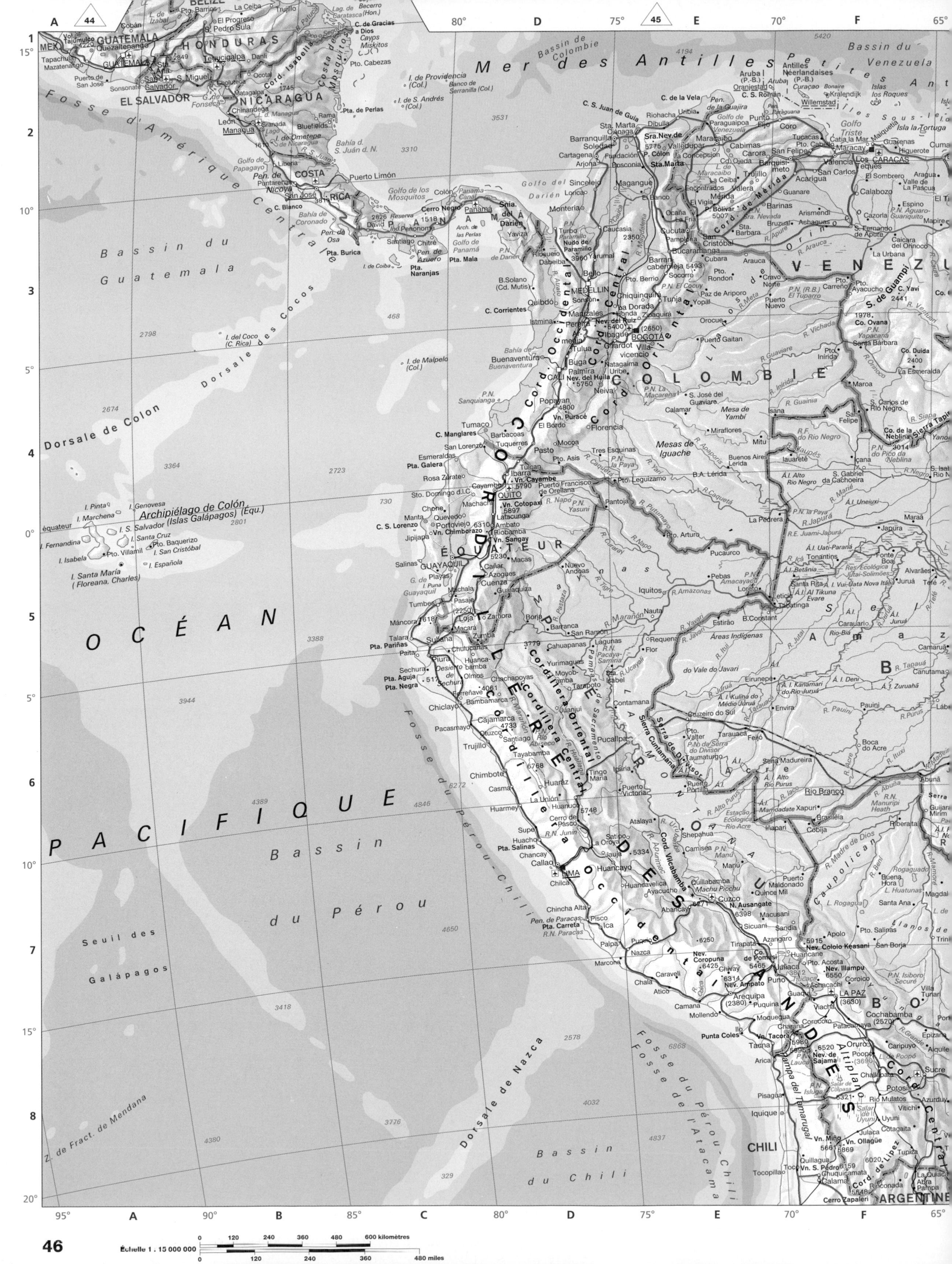

Mer des Antilles
Bassin de Colombie
Bassin du Venezuela
Petites Antilles
Antilles Néerlandaises
GUATEMALA
HONDURAS
EL SALVADOR
NICARAGUA
COSTA RICA
PANAMÁ
VENEZUELA
COLOMBIE
ÉQUATEUR
CHILI
ARGENTINE
Fosse d'Amérique Centrale
Bassin du Guatemala
Dorsale des Cocos
Dorsale de Colon
Archipiélago de Colón (Islas Galápagos) (Équ.)
OCÉAN PACIFIQUE
Bassin du Pérou
Seuil des Galápagos
Fosse du Pérou-Chili
Dorsale de Nazca
Bassin du Chili
Z. de Fract. de Mendana
Fosse de l'Atacama
CORDILLÈRE DES ANDES
Cord. Occidental
Cord. Central
Cord. Oriental
Cordillera Central
Cordillera Oriental
Altiplano
Amazonas
Llanos
BOGOTÁ
QUITO
LIMA
LA PAZ
CARACAS
GUAYAQUIL
MEDELLÍN
CALI
Échelle 1 : 15 000 000
0 120 240 360 480 600 kilomètres
0 120 240 360 480 miles

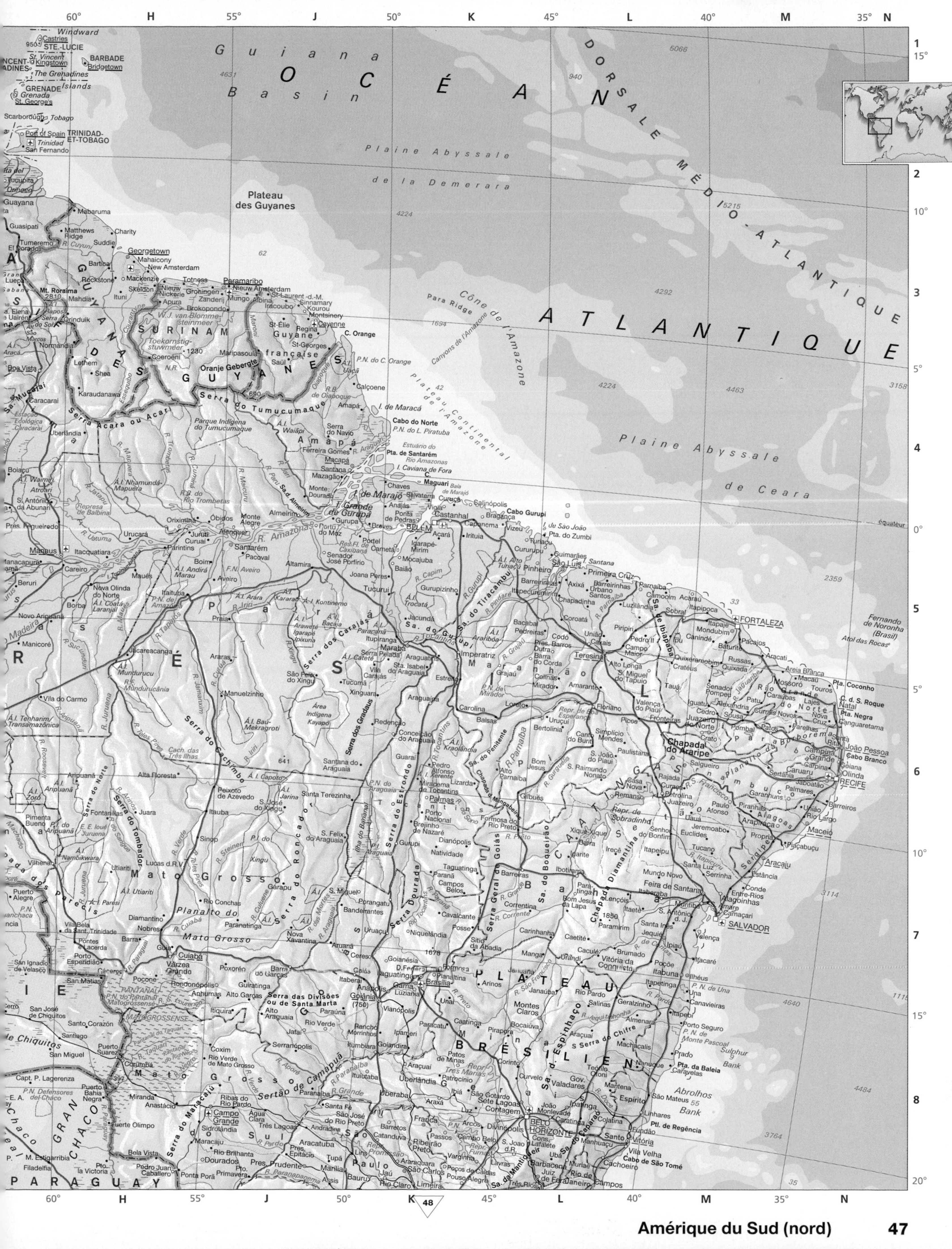
OCÉAN
ATLANTIQUE
Guiana Basin
DORSALE MÉDIO-ATLANTIQUE
Plaine Abyssale de la Demerara
Plaine Abyssale de Ceara
Cône de l'Amazone
Plateau Continental de l'Amazone
Para Ridge
Canyons de l'Amazone
Plateau des Guyanes
GUYANES
GUYANA
SURINAM
Guyane française
BRÉSIL
Amapá
Pará
Maranhão
Mato Grosso
Mato Grosso do Sul
PLATEAU BRÉSILIEN
CAATINGAS
Chapada do Araripe
Chapada Diamantina
Serra do Tumucumaque
Serra Acara ou Acari
Serra do Cachimbo
Serra dos Carajás
Serra dos Gradaús
Serra do Roncador
Serra Dourada
Serra do Estrondo
Serra Geral de Goiás
Planalto do Mato Grosso
Serra das Divisões ou de Santa Marta
Serra do Espinhaço
Serra do Mar
Sertão de Campo
GRAN CHACO
PARAGUAY
Fernando de Noronha (Brasil)
Atol das Rocas
Abrolhos Bank
Sulphur Bank
équateur
BARBADE
Bridgetown
STE.-LUCIE
Castries
TRINIDAD-ET-TOBAGO
Port of Spain
GRENADE
St. George's
Georgetown
Paramaribo
Cayenne
C. Orange
Cabo do Norte
I. de Marajó
BELÉM
Santarém
Manaus
Macapá
São Luís
Teresina
FORTALEZA
Natal
João Pessoa
RECIFE
Maceió
Aracaju
SALVADOR
Brasília
Goiânia
Cuiabá
Campo Grande
BELO HORIZONTE
Vitória
Pta. Coconho
C. de S. Roque
Cabo Branco
Cabo de São Tomé
Pta. da Baleia
Ptl. de Regência
Cabo Gurupi
R. Amazonas
R. Tocantins
R. Xingu
R. Tapajós
R. São Francisco
R. Parnaíba
R. Araguaia
R. Paraná
R. Madeira
60° H 55° J 50° K 45° L 40° M 35° N
1 2 3 4 5 6 7 8
15° 10° 5° 0° 5° 10° 15° 20°
48

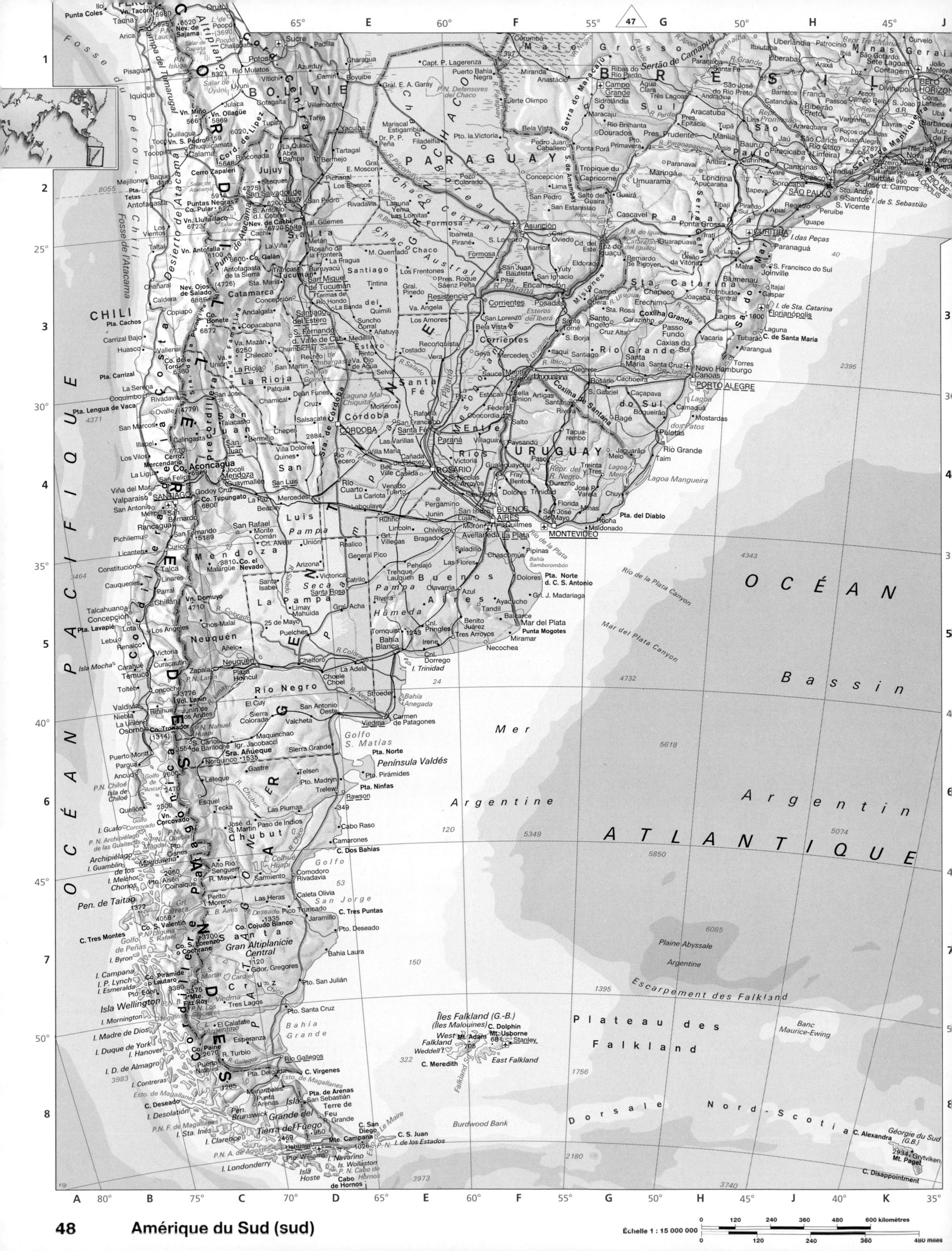

Amérique du Sud (sud)

Échelle 1 : 15 000 000

0   120   240   360   480   600 kilomètres

0   120   240   360   480 miles

Liste des abréviations

A

A.   Alm (all.) = alpage
Abb.   Abbaye
Abor.   Aboriginal (angl.)
Aç.   Açude (port.) = petit réservoir
Ad.   Adası (turc) = île
A. F. B.   Air Force Base (angl.)
Ag.   Agios (grec.) = saint
A. I.   Àrea Indigena (port.) = réserve indienne
Ald.   Aldeia (port.) = village, hameau
Arch.   Archipiélago (esp.) = archipel
Arh.   Arhipelag (rus.) = archipel
Arq.   Arquipélago (port.) = archipel
Arr.   Arroyo (esp.) = ruisseau
Arrdt.   Arrondissement
Arrond.   Arrondissement
Art. Ra.   Artillery Range (angl.) = champ de tir autonome
Aut.

B

B.   Baie
B.   Biológica,-o (esp., port.) = biologique
Ba.   Bahia (esp.) = baie
Bal.   Balka (rus.) = gorge
Ban.   Banjaran (mal.) = montagne
Bel.   Belo, -yi, -aja, -oe (rus.) = blanc
Bk.   Bukit (mal.) = montagne, colline
Bol.   Bolšoj, -aja, -oe (rus.) = grand(e)
Bol.   Boloto (rus.) = marais
Bot.   Botanical (angl.) = botanique
B. P.   Battlefield Park (angl.)
Brj.   Baraj (turc) = barrage
Buch.   Buchta (ukr.) = baie
Buh.   Buhta (rus.) = baie

C

C.   Cabo (esp.) = Cap
C.   Cap (fr., port.)
Cab.   Cabeça (port.) = éminence, sommet
Cach.   Cachoeira (port.) = rapides
Cal.   Caleta (esp.) = baie
Can.   Canalul (roum.) = canal
Can.   Canal (esp.) = canal
Cast.   Castello (ital.) = château fort, château
Cd.   Ciudad (esp.) = ville
CFT   Chemin de fer touristique
Cga.   Ciénaga (esp.) = marais, marécage
Ch.   Chenal
Chr.   Chrebet (ukr.) = montagne
Co.   Cerro (esp.) = montagne, colline
Col.   Colonia (esp.) = colonie
Conv.   Convento (esp.) = monastère
Cord.   Cordillera (esp.) = montagne, cordillère
Corr.   Corredeira (port.) = rapides
Cpo.   Campo (ital.) = champ
Cr.   Creek (angl.) = ruisseau
Cs.   Cerros (esp.) = montagnes, collines

D

D.   Dake (jap.) = montagne
Dağl.   Dağlar (turc) = montagnes
Detr.   Détroit
Dist.   District (angl.) = district, arrondissement
Df.   Dorf (all.) = village
Dl.   Deal (roum.) = hauteur, colline

E

Ea.   Estancia (esp.) = domaine agricole
Ej.   Ejido (esp.) = pâturage de la commune
Emb.   Embalse (esp.) = réservoir
Ens.   Enseada (port.) = petite baie
Erm.   Ermita (esp.) = ermitage
Ero.   Estero (esp.) = lagune
Esp.   España (esp.) = Espagne
Est.   Estación (esp.) = gare
Estr.   Estrecho (esp.) = détroit
É.-U.   États-Unis
Ez.   Ezero (bulg.) = lac

F

Faz.   Fazenda (port.) = domaine agricole
Fk.   Fork (angl.) = bras d'eau
Fn.   Fortín (esp.) = fortin, redoute
Fr.   France
Fs.   Falls (angl.) = chute(s) d'eau, cascade(s)
Ft.   Fort (angl.) = fort

G

Ğ.   Ğabal (arab.) = montagne
G.   Gawa (jap.) = lagune
G.   Gitul (roum.) = col
G.   Gora (rus.) = montagne
G.   Golfo (esp.) = golfe, baie
G.-B.   Grande-Bretagne

Gde.   Grande (esp.) = grand(e)
Gds.   Grandes (esp.) = grand(e)s
Glac.   Glacier
Gos.   Gosudarstvennyj,-aja (rus.) = d'État
Grd   Grand
Gr.   Grèce
Gr.   General (esp.)
Grl   General (esp.)

H

H.   Hora (ukr.) = montagne
H.   Hütte (all.) = refuge
Harb.   Harbour (angl.) = port
Hist.   Historic (angl.) = historique
Hr.   Hrebet (rus.) = montagne
Hte   Haute
Hwy.   Highway (angl.) = autoroute

I

Î.   Île, Îlot
I.   Ilha (port.) = île
I.   Island (angl.) = île
I.   Iglesia (esp.) = église
I.   Isla (esp.) = île
Ind.   Indian (angl.) = indien(ne)
Ind. Res.   Indian Reservation (angl.) = réserve indienne
In.   Insulă (roum.) = île
Int.   International(e)
Îs.   Îles
Is.   Islas (esp.) = îles
Is.   Islands (angl.) = îles
It.   Italie

J

Jaz.   Jazovir (bulg.) = réservoir
Jct.   Junction (angl.) = carrefour
Jez.   Jezero (slov.) = lac
Juž.   Južnyj, aja (rus.) = du sud, sud

K

Kan.   Kanal (all.) = canal
Kep.   Kepulauan (indon.) = archipel
Kg.   Kampong (indon.) = village
K-l.   Kölli (kazakh) = lac
K-l.   Küli (ouzbek) = lac
Kör.   Körfez (turc) = golfe, baie
Kp.   Kólpos (grec) = golfe, baie
Kr.   Krasno, yj, aja,-oe (rus.) = rouge

L

L.   Lac
L.   Lago (esp., ital., port.) = lac
L.   Lacul (roum.) = lac
L.   Lake (angl.) = lac
Lag.   Laguna (esp., rus.) = lagune
Lev.   Levyj, aja (rus.) = gauche
Lim.   Liman (rus.) = lagune
Lim.   Limni (grec) = lac
Lte.   Little (angl.) = petit(e)

M

M.   Mima (à Mayotte) = mont
M.   Mys (rus.) = cap
M.   Munte (roum.) = mont
Mal.   Malo, yj, aja,-oe (rus.) = petit
Man.   Manastir (bulg.) = monastère
Man.   Manastir (turc) = monastère
Mă.   Mănăstire (roum.) = monastère
Mem.   Memorial (angl.) = monument, mémorial
Mgne   Montagne
Mi.   Misaki (jap.) = cap
Mil. Res.   Military Reservation (angl.) = zone militaire interdite
Milli P.   Milli Park (turc) = parc national
Min.   Minéral
Mñas.   Montañas (esp.) = montagnes
Moh.   Mohyla (ukr.) = mausolée, tombeau
Mon.   Monasteiro (port.) = monastère
M. P.   Military Park (angl.) = zone militaire interdite
Mt   Mont
Mte   Monte (ital.) = mon
Mte.   Monte (esp.) = mont
Mti   Monti (ital.) = monts
Mtn.   Mountain (angl.) = mont, montagne(s)
Mtn. S. P.   Mountain State Park (angl.)
Mtns.   Mountains (angl.)
Mt.   Mount (angl.) = mont
Mts.   Montes (esp.) = montagnes
Mts   Monts
Munţ.   Munţii (roum.) = montagnes
Mus.   Museum (all., angl.) = musée

N

N.   Nudo (esp.) = pointe
N.   Nehir/ Nehri (turc) = rivière, fleuve

Nac.   Nacional (esp.) = national
Nac.   Nacional'nyj, aja, oe (rus.) = national
Nat.   National
Nat. Mon.   National Monument (angl.) = monument national
Nat. P.   National Park = parc national
Nat. Seas.   National Seashore (angl.) = littoral national, côte publique
Naz.   Nazionale (ital.) = national
N. B. P.   National Battlefield Park (angl.)
N. B. S.   National Battlefield Site (angl.)
Ned.   Nederlande (néer.) = Pays-Bas
Nev.   Nevado (esp.) = enneigé
N. H. P.   National Historic Park (angl.)
N. H. S.   National Historic Site (angl.)
Nižz.   Niže-,nij, -naja,-neje (rus.) = bas, basse
Nizm.   Nizmennost' (rus.) = plaine
N. M. P.   National Military Park (angl.)
Nördl.   Nördlich (all.) = nord, du nord
Norv.   Norvège
Nov.   Novo., yj, aja, oe (rus.) = nouveau, nouvelle
N. P.   National Park = parc national
N. R. A   National Recreation Area (angl.)
Nsa. Sra.   Nossa Senhora (port.) = Notre-Dame
Nth.   North (angl.) = nord
Ntra. Sra.   Nuestra Señora (esp.) = Notre-Dame
Nva.   Nueva (esp.) = nouvelle
Nvo.   Nuevo (esp.) = nouveau
N.W.R.   National Wildlife Refuge (angl.)

O

O.   Ostrov (rus.) = île
Obl.   Oblast (rus.) = district
Ö   Östra (suéd.) = est, de l'est
Öv.   Övre (suéd.) = haut(e), supérieur(e)
Öf.   Ufficina (esp.) = office
Ostr.   Ostrov (roum.) = île
O-va.   Ostrova (rus.) = îles
Oz.   Ozero (rus.) = lac

P

P.   Passe
P.   Pico (esp.) = pic
P.   Pulau (indon.) = île
P.   Port
P.-B.   Pays-Bas
Peg.   Pegunungan (indon.) = montagne
Pen.   Peninsula (esp.) = péninsule, presqu'île
Per.   Pereval (rus.) = col
Picc.   Piccolo (ital.) = petit
P-iv.   Pivostriv (ukr.) = péninsule, presqu'île
Pk.   Peak (angl.) = sommet, pic
Pkwy.   Parkway (angl.) = route touristique
Pl.   Planina (bulg.) = mont, montagne
Plat.   Plateau
P. N.   Parque Nacional (esp.) = parc national
Po.   Paso (esp.) = col
Por.   Porog (rus.) = rapides
P-ov.   Polustrov (rus.) = péninsule, presqu'île
Pr.   Proliv (rus.) = détroit
Pr.   Prohod (rus.) = col
Presq.   Presqu'île
Pro.   Provincial (angl.)
Prov. P.   Provincial Park (angl.) = Parc provincial ou régional
Pso   Passo (ital.) = col
Psto.   Puesto (esp.) = poste
Pt.   Point (angl.) = cap, pointe
Pta.   Punta (esp.) = cap, pointe
Pta.   Ponta (port.) = cap, pointe
Pte   Pointe
Pto.   Puerto (esp.) = port, col
Pto.   Pôrto (port.) = port
Pzo   Pizzo (ital.) = pointe

Q

Q. N. P.   Quasi National Park (angl.)

R

R.   Reka (bulg.) = rivière
R.   Rio (esp., port.) = rivière
Ra.   Range (angl.) = chaîne de montagnes
Rch.   Riachão (port.) = petite rivière
Rch.   Riacho (esp.) = petite rivière
Rdl.   Raudal (esp.) = fleuve
Rég. Aut.   Région autonome
Rep.   Republik (all.) = république
Rép.   République
Repr.   Represa (port.) = barrage
Res.   Reservoir (angl.) = réservoir
Res.   Reserva (esp., port.) = réserve
Resp.   Respublika (rus.) = république
Rib.   Ribeiro (port.) = petite rivière
Rib.   Ribeira (port.) = rive, rivage
Rif.   Rifugio (ital.) = refuge
Riv.   River (angl.) = rivière
Riv.   Rivière

S

S.   San ou Santo (ital.) = Saint
S.   San (jap.) = mont, montagne
S.   San (esp.) = saint
S.   São (port.) = saint
Sa.   Saki (jap.) = cap
Sa.   Serra (port.) = montagne
Sal.   Salar (esp.) = désert de sel, lagune de sel
Sanm.   Sanmyaku (jap.) = montagne
Sd.   Sound = détroit
Sel.   Selat (indon.) = route
Sev.   Sever, nyj, naja, noe (rus.) = nord, du nord
Sf.   Sfintu (roum.) = saint
Sh.   Shima (rus.) = île
S. H. P.   State Historic Park (angl.) = Parc historique régional
S. H. S   State Historic Site (angl.) = Lieu historique régional
S. M.   State Monument (angl.) = monument régional
Sna.   Salina (esp.) = saline
Snas.   Salinas (esp.) = salines
Snia.   Serrania (esp.) = pays de montagnes
S. P.   State Park (angl.) = parc régional
Sr.   Sredne,-ij,-aja,-ee (rus.) moyen, central
Sra.   Sierra (esp.) = montagnes
St.   Sankt (all.) = saint
St   Saint
Sta   Santa (ital.) = sainte
Sta.   Santa (esp.) = sainte
Sta.   Staro, yj, aja, oe (rus.) = vieux, ancien
Ste   Sainte (angl., fr.) = sainte
Sth.   South (angl.) = sud, du sud
St. Mem.   State Memorial (angl.) = Lieu commémoratif régional
Sto.   Santo (esp., port.) = saint
Sto   Santo (port.) = saint
Str.   Strait (angl.) = détroit
Suh.   Suho, aja (rus.) = sec
Sv.   Sveti (croat.) = saint
Sv.   Svet, a, o (bulg.) = saint(e)

T

T.   Tau (kazakh) = mont
T.   Take (jap.) = sommet, hauteur
T. A. A. F.   Terres australes et antarctiques françaises
Tel.   Teluk (indon.) = baie
Terr. Aut.   Territoire autonome
Tg.   Tanjung (indon.) = cap
Tg.   Töge (kazakh) = col
Tun.   Tunisie
Tur.   Turquie

U

Ülk.   Ülken (kazakh) = grand

V

V.   Vallée
Va.   Villa (esp.) = bourg
Vda.   Vereda (port.) = sentier
Vdhr.   Vodohranilišče (rus.) = réservoir
Vdp.   Vodospad (ukr.) = cascade, chute d'eau
Vel.   Veliko, ij, aja, oe (rus.) = grand(e)
Verh.   Verhnie, yj, aja, ee (rus.) = haut(e), supérieur(e)
Vf.   Virf (roum.) = sommet, hauteur
Vill.   Village (angl.) = village
Vis.   Visočina (bulg.) = éminence
Vjal.   Vjalikie (biélorus.) = grand(e)
Vlk.   Vulkan (all.) = volcan
Vn.   Volcán (esp.) = volcan
Vod.   Vodopad (rus.) = cascade, chute d'eau
Vol.   Volcán (esp.) = volcan
Vul.   Vulcano (philip.) = volcan

W

W. A.   Wilderness Area (angl.)

Y

Y.   Yama (jap.) = mont, montagne

Z

Zal.   Zaliv (rus.) = golfe, baie
Zap.   Zapadne,-ji,aja,-noe (rus.) = ouest, de l'ouest
Zapov.   Zapovednik (rus.) = zone protégée

Rom.   Romano, a (esp.) = romain, e
R.-U.   Royaume-Uni
Rus.   Russie

Mots clés

Index

L'index contient, dans un ordre alphabétique strict, tous les toponymes (noms de lieu) figurant sur les différentes cartes de cet Atlas.

D'une manière générale, les toponymes inscrits sur les cartes et portés dans l'index correspondent, à chaque fois, à leur dénomination dans la langue même du pays où ils se situent.

Dans le cas des langues utilisant l'alphabet latin, la totalité des signes diacritiques en usage (et, le cas échéant, des lettres supplémentaires) apparaîtront donc : ainsi Tiranë, capitale de l'Albanie ; Sauðarkrókur, ville d'Islande ; Ereğli, port de Turquie.

Dans le cas des langues n'utilisant pas l'alphabet latin, ou des langues n'ayant pas de forme écrite officielle, les toponymes relevés ont été translittérés au moyen de systèmes reconnus internationalement, ou transcrits selon des normes phonétiques précises : ainsi Eòfahán, ville iranienne ; Beijing, capitale de la Chine ; Moruroa, atoll du Pacifique.

Pour un certain nombre de toponymes (un millier environ, et notamment pour les capitales d'États indépendants), il est fait mention de leur dénomination française traditionnelle (exonyme), le lien entre la forme française et la forme telle qu'elle apparaît dans la langue du pays (endonyme) étant introduit par un signe d'égalité : Vienne = Wien ; Azov, mer d' = Azovskoe more; Tripoli = Tarábulus.

Enfin, dans les cas de bilinguisme officiel, les deux noms en usage entrent dans l'index, séparés par un trait oblique (Helsinki/Helsingfors).

Les toponymes ayant dû, faute de place, être inscrits sur les cartes de manière abrégée, apparaissent en toutes lettres dans l'index, à moins qu'il ne s'agisse, comme dans la toponymie nord-américaine, d'une abréviation officielle (Washington D.C.). Dans le cas des dénominations de formes géographiques, le terme générique suit le nom propre : ainsi Mexique (golfe du), ou Ventoux (mont).

Paris	★ •••	F	◆	20-21	G 4
①	②	③	④	⑤	⑥
toponyme	symbole	nationalité	échelle	n° de page	coordonnées

② Symboles

■ ....État souverain	v ....plaine basse	⊂ ....glacier	✦ ....aéroport
◻ ....circonscription administrative	▲ ....montagnes	⟨ ....construction du génie hydraulique	∴ ....ruines, vestiges d'établissement urbain
★ ....capitale (État)	▲ ....sommet	≃ ....relief sous-marin	••• ....patrimoine culturel et naturel mondial
☆ ....capitale (région)	▲ ....volcan actif	⊥ ....parc national	
o ....localité	≈ ....océan, mer	⅄ ....réserve	•• ....visite très recommandée
÷ ....région pittoresque	o ....lac, lac salé	xx ....installations militaires	• ....visite recommandée
∩ ....île	~ ....fleuve, cascade	II ....construction du génie civil	

③ États et régions (abréviation en italique: abréviation non officielle)

A ....Autriche	ES ....El Salvador	M ....Malte	RUS ....Russie
AFG ....Afghanistan	EST ....Estonie	MA ....Maroc	RWA ....Rwanda
AG ....Antigua-et-Barbuda	ET ....Égypte	MAI ....Marshall (Îles)	S ....Suède
AL ....Albanie	ETH ....Éthiopie	MAL ....Malaysia	SCV ....Vatican
AND ....Andorre	F ....France	MAU ....Mongolie	SD ....Swaziland
ANG ....Angola	FIN ....Finlande	MC ....Monaco	SGP ....Singapour
AR ....Arménie	FJI ....Fidji	MD ....Moldavie	SK ....Slovaquie
ARK ....Antarctique	FL ....Liechtenstein	MEX ....Mexique	SLO ....Slovénie (République de)
ARU ....Aruba	FR ....Îles Féroé	MK ....Macédoine	SME ....Surinam
AUS ....Australie	FSM ....Micronésie	MOC ....Mozambique	SN ....Sénégal
AUT ....Région autonome	G ....Gabon	MS ....Maurice (Île)	SOL ....Îles Salomon
AZ ....Azerbaïdjan	GB ....Grande-Bretagne	MV ....Maldives	SP ....Somalie
B ....Belgique	GBA ....Aurigny	MW ....Malawi	STP ....São Tomé e Príncipe
BD ....Bangladesh	GBG ....Guernesey	MYA ....Myanmar	SUD ....Soudan
BDS ....Barbade	GBJ ....Jersey	N ....Norvège	SY ....Seychelles
BF ....Burkina Faso	GBM ....Île de Man	NA ....Antilles néerlandaises	SYR ....Syrie
BG ....Bulgarie	GBZ ....Gibraltar	NAM ....Namibie	TCH ....Tchad
BH ....Bélize	GCA ....Guatemala	NAU ....Nauru	THA ....Thaïlande
BHT ....Bhoutan	GE ....Géorgie	NEP ....Népal	TJ ....Tadjikistan
BIH ....Bosnie-Herzégovine	GH ....Ghana	NIC ....Nicaragua	TM ....Turkménistan
BOL ....Bolivie	GNB ....Guinée-Bissau	NL ....Pays-Bas	TN ....Tunisie
BR ....Brésil	GQ ....Guinée-Équatoriale	NZ ....Nouvelle-Zélande	TON ....Tonga
BRN ....Bahrein	GR ....Grèce	OM ....Oman	TR ....Turquie
BRU ....Brunei	GRØ ....Groenland	P ....Portugal	TT ....Trinidad-et-Tobago
BS ....Bahamas	GUY ....Guyana	PA ....Panamá	TUV ....Tuvalu
BU ....Burundi	H ....Hongrie	PAL ....Palau	UA ....Ukraine
BY ....Biélorussie	HN ....Honduras	PE ....Pérou	UAE ....Émirats arabes unis
C ....Cuba	HR ....Croatie	PK ....Pakistan	UK ....Royaume-Uni
CAM ....Cameroun	I ....Italie	PL ....Pologne	US ....Ouzbékistan
CDN ....Canada	IL ....Israël	PNG ....Papouasie-Nouvelle-Guinée	USA ....États-Unis d'Amérique
CH ....Suisse	IND ....Inde	PY ....Paraguay	VAN ....Vanuatu
CI ....Côte-d'Ivoire	IR ....Iran	Q ....Quatar	VN ....Viêtnam
CL ....Sri Lanka	IRL ....Irlande	RA ....Argentine	VRC ....Chine
CO ....Colombie	IRQ ....Iraq	RB ....Botswana	WAG ....Gambie
COM ....Comores	IS ....Islande	RC ....Taïwan	WAL ....Sierra Leone
CR ....Costa Rica	J ....Japon	RCA ....République centrafricaine	WAN ....Nigeria
CV ....Cap-Vert	JA ....Jamaïque	RCB ....Congo	WB ....Cisjordanie
CY ....Chypre	JOR ....Jordanie	RCH ....Chili	WD ....Dominique
CZ ....Tchèque (République)	K ....Cambodge	RG ....Guinée	WG ....Grenade
D ....Allemagne	KA ....Kazakhstan	RH ....Haïti	WL ....Sainte-Lucie
DJI ....Djibouti	KAN ....Saint-Kitts-et-Nevis	RI ....Indonésie	WS ....Samoa Occidentale
DK ....Danemark	KIB ....Kiribati	RIM ....Mauritanie	WSA ....Sahara occidental
DOM ....Dominicaine (République)	KS ....Kirghizistan	RL ....Liban	WV ....Saint-Vincent-et-Grenadines
DVR ....Corée du Nord	KSA ....Arabie Saoudite	RM ....Madagascar	Y ....Yémen
DY ....Bénin	KWT ....Koweït	RMM ....Mali	YU ....Yougoslavie
DZ ....Algérie	L ....Luxembourg	RN ....Niger	YV ....Venezuela
E ....Espagne	LAO ....Laos	RO ....Roumanie	Z ....Zambie
EAK ....Kenya	LAR ....Libye	ROK ....Corée du Sud	ZA ....Afrique du Sud
EAT ....Tanzanie	LB ....Liberia	ROU ....Uruguay	ZRE (RDC) ....Congo (République démocratique du)
EAU ....Ouganda	LS ....Lesotho	RP ....Philippines	
EC ....Équateur	LT ....Lituanie	RSM ....Saint-Marin	ZW ....Zimbabwe
ER ....Érythrée	LV ....Lettonie	RT ....Togo	

④ Échelle

◆ ....Échelle 1:5.000.000	◆ ....Échelle 1:15.000.000	◆ ....Échelle 1:44.500.000

1 - 9

1st Cataract ∼ **ET** ◆ 38-39 M 4
3rd Cataract = ash-Shallāl ath-Thālith ∼ **SUD** ◆ 38-39 M 5
4th Cataract = ash-Shallāl ar-Rābi' ∼ **SUD** ◆ 38-39 M 5
5th Cataract = ash-Shallāl al-Khāmis ∼ **SUD** ◆ 38-39 M 5
6th Cataract = Shallal as-Sablūkah ∼ **SUD** ◆ 38-39 M 5

A

Aachen ○··· **D** ◇ 20-21 J 3 ◆ 14-15 N 5
Aar, De ○ **ZA** ◆ 40-41 F 8
Aba ○ **WAN** ◆ 38-39 G 7
Abaco Islands ∩ **BS** ◆ 44-45 L 5
Ābādān ○• **IR** ◆ 32-33 F 4
Ābāde ○• **IR** ◆ 32-33 G 4
Abakaliki ○ **WAN** ◆ 38-39 G 7
Abakan ☆ **RUS** (HKS) ◆ 28-29 P 7
Abakan ∼ **RUS** ◆ 28-29 P 7
Abancay ☆ **PE** ◆ 46-47 E 7
Abapo ○ **BOL** ◆ 46-47 G 8
Abarqū ○ **IR** ◆ 32-33 G 4
Ābaya Hāyk' ⊖ **ETH** ◆ 38-39 N 7
Abaza ○ **RUS** ◆ 28-29 P 7
Abbeville ○ **F** ◇ 18-19 H 6 ◆ 14-15
Abbottābād ○ **PK** ◆ 32-33 L 4
Abd al-Kūri ∩ **Y** ◆ 32-33 G 8
Abéché ☆ **TCH** ◆ 38-39 K 6
Abemama Atoll ∩ **KIB** ◆ 12 J 2
Abengourou ☆• **CI** ◆ 38-39 E 7
Aberdare National Park ⊥ **EAK** ◆ 40-41 J 2
Aberdeen ○• **GB** ◇ 18-19 F 3 ◆ 14-15 L 4
Aberdeen ○ **USA** (WA) ◆ 42-43 M 7
Aberdeen ○ **USA** (SD) ◆ 42-43 R 7
Aberdeen ○ **ZA** ◆ 40-41 F 8
Aberdeen Lake ⊖ **CDN** ◆ 42-43 R 4
Abhā ☆ **KSA** ◆ 32-33 E 7
Abidjan ☆·· **CI** ◆ 38-39 E 7
Abilene ○ **USA** (TX) ◆ 44-45 G 4
Abitibi, Lake ⊖ **CDN** ◆ 42-43 V 7
Abo, Massif d' ▲▲ **TCH** ◆ 38-39 J 4
Åbo = Turku ☆• **FIN** ◆ 14-15 Q 3
Aboisso ○ **CI** ◆ 38-39 E 7
Abomey ☆··· **DY** ◆ 38-39 F 7
Abong Mbang ○ **CAM** ◆ 38-39 H 8
Abou-Deïa ○ **TCH** ◆ 38-39 J 6
Abou Dhabi = Abū Ẓabi ★• **UAE** ◆ 32-33 G 6
Abou-Telfân, Réserve de faune de l' ⊥ **TCH** ◆ 38-39 J 6
Abraham's Bay ○ **BS** ◆ 44-45 M 6
Abra Pampa ○• **RA** ◆ 48 D 2
Abri ○ **SUD** ◆ 38-39 M 4
Abrolhos Bank ≃ ◆ 46-47 M 8
Absaroka Range ▲▲ **USA** ◆ 42-43 O 7
Abū 'Alī, Ǧazīrat ∩ **KSA** ◆ 32-33 F 5
Abū Gābra ○ **SUD** ◆ 38-39 L 6
Abū Ḥamad ○• **SUD** ◆ 38-39 M 5
Abuja ★ **WAN** ◆ 38-39 G 7
Abu l-Abyaḍ ∩ **UAE** ◆ 32-33 G 6
Abulug ○ **RP** ◆ 34-35 H 3
Abū Madd, Ra's ▲ **KSA** ◆ 32-33 D 6
Abū Muḥarrik, Ġurd ∸ **ET** ◆ 38-39 L 3
Abunã ○ **BR** ◆ 46-47 F 6
Abuña, Río ∼ **BOL** ◆ 46-47 F 7
Abune Yosēf ▲ **ETH** ◆ 38-39 N 6
Abū Rasās, Ra's ▲ **OM** ◆ 32-33 H 6
Abū Simbel ∴··· **ET** ◆ 38-39 M 4
Abū Zabad ○ **SUD** ◆ 38-39 L 6
Abū Ẓabi ★• **UAE** ◆ 32-33 G 6
Abyaḍ ○ **SUD** ◆ 38-39 L 6
Abyei ○ **SUD** ◆ 38-39 L 7
Açâba, El ▲▲ **RIM** ◆ 38-39 C 5
Acadia National Park ⊥ **USA** ◆ 42-43 X 8
Acadie ∸ **CDN** ◆ 42-43 X 7
Acaponeta ○ **MEX** ◆ 44-45 E 6
Acapulco de Juárez ○·· **MEX** ◆ 44-45 G 7
Acará ○ **BR** ◆ 46-47 K 5
Acara ou Acari, Serra ▲▲ **BR** ◆ 46-47 H 4
Acaraú ○ **BR** ◆ 46-47 L 5
Acarigua ○ **YV** ◆ 46-47 F 3
Accra ★··· **GH** ◆ 38-39 E 7
Achacachi ○ **BOL** ◆ 46-47 F 8
Achaguas ○ **YV** ◆ 46-47 F 3
Achalpur ○ **IND** ◆ 32-33 M 6
Achkhabad = Ašgabat ★• **TM** ◆ 32-33 H 3
Ačinsk ☆ **RUS** ◆ 28-29 P 6
Acklins Island ∩ **BS** ◆ 44-45 M 6
Aconcagua, Cerro ▲ **RA** ◆ 48 C 4
Açores ∩ **P** ◆ 14-15 F 8
Açores, Seuil des ≃ ◆ 14-15 G 7
Acre □ **BR** ◆ 46-47 E 6
Acre, Rio ∼ **BR** ◆ 46-47 F 6
Acuña, Ciudad ○ **MEX** ◆ 44-45 F 5
Ada ○ **USA** ◆ 44-45 G 4
Adak ○ **USA** ◆ 42-43 A 6
Adak Island ∩ **USA** ◆ 42-43 A 6
Adam, Mount ▲ **GB** ◆ 48 F 8
Adamaoua, Massif de l' ▲▲ **CAM** ◆ 38-39 H 7
Adams, Cape ▲ **ARK** ◆ 13 F 30
Adam's Peak ▲·· **CL** ◆ 32-33 N 9
Adan ○• **Y** ◆ 32-33 F 8
Adana ☆• **TR** ◆ 14-15 T 8
Adarau Taungdan ▲▲ **MYA** ◆ 30-31 G 7
Adare, Cape ▲ **ARK** ◆ 13 F 18
Ad-Dakhla ○ **WSA** ◆ 38-39 B 4
Ad-Dār-al-Bayda ☆ **MA** ◆ 38-39 D 2
Ad-Dauḥa ★ **Q** ◆ 32-33 G 5
Addis-Abeba ★·· **ETH** ◆ 38-39 N 7
Adelaide ☆• **AUS** ◆ 36-37 H 6
Adelaide Island ○ **ARK** ◆ 13 G 30
Adelaide Island ∩ **ARK** ◆ 13 G 30
Adelaide Peninsula ⌣ **CDN** ◆ 42-43 R 3
Adelaide River ○• **AUS** ◆ 36-37 G 2
Adélie, Terre ∸ **ARK** ◆ 13 G 15
Aden = 'Adan ○• **Y** ◆ 32-33 F 8
Aden, Golfe d' ≈ ◆ 32-33 E 8
Aderbissinat ○ **RN** ◆ 38-39 G 5
Adi, Pulau ∩ **RI** ◆ 34-35 K 7
Ādīgrat ○ **ETH** ◆ 38-39 N 6
Adiri ☆ **LAR** ◆ 38-39 H 3
Adirondack Mountains ▲▲ **USA** ◆ 42-43 W 8
Ādī Ugri ○ **ER** ◆ 38-39 N 6
Adıyaman ☆ **TR** ◆ 14-15 T 8
Adjuntas, Presa de las < **MEX** ◆ 44-45 G 6
Adler ○ **RUS** ◆ 14-15 T 7
Admer, Erg d' ∸ **DZ** ◆ 38-39 G 4
Admiralty Gulf ≈ ◆ 36-37 F 2
Admiralty Inlet ≈ ◆ 42-43 U 2
Admiralty Island ∩ **USA** ◆ 42-43 K 5
Admiralty Islands ∩ **PNG** ◆ 34-35 N 7
Admiralty Range ▲▲ **ARK** ◆ 13 F 17
Ado-Ekiti ○ **WAN** ◆ 38-39 G 7
Ādoni ○ **IND** ◆ 32-33 M 7
Adour ∼ **F** ◇ 18-19 G 10 ◆ 14-15
Adrar ☆• **DZ** ◆ 38-39 E 3
Adrar Massif ▲▲ **RIM** ◆ 38-39 C 4
Adrar Soula, Djebel ▲▲ **DZ** ◆ 38-39 G 4
Adré ○ **TCH** ◆ 38-39 K 6
Adriático, Mare ≈ ◇ 26-27 D 2 ◆ 14-15 O 7
Adriatique, Mer ≈ ◇ 26-27 D 2 ◆ 14-15 O 7
Adua ○ **RI** ◆ 34-35 J 7
Adyča ∼ **RUS** ◆ 28-29 Y 4
Adyguéens, République des □ **RUS** ◆ 14-15 T 7
Affollé ∸ **RIM** ◆ 38-39 C 5
Afghanistan ■ **AFG** ◆ 32-33 J 4
'Afif ○ **KSA** ◆ 32-33 E 6
Aflou ○ **DZ** ◆ 38-39 F 2
Afmadow ○ **SP** ◆ 40-41 K 1
Afognak Island ∩ **USA** ◆ 42-43 F 5
Afrique du Sud ■ **ZA** ◆ 40-41 F 7
Afyon ☆• **TR** ◆ 14-15 S 8
Agadem ○ **RN** ◆ 38-39 H 5
Agadez ☆• **RN** ◆ 38-39 G 5
Agādīr ☆• **MA** ◆ 38-39 D 2
Agalega Islands ∩ **MS** ◆ 40-41 N 4
Agana ☆ **USA** ◆ 34-35 M 4
Agargar ∸ **WSA** ◆ 38-39 B 4
Agartala ☆ **IND** ◆ 32-33 P 6
Agboville ○ **CI** ◆ 38-39 E 7
Agdam ○ **AZ** ◆ 14-15 V 7
Agde ○ **F** ◇ 18-19 J 10 ◆ 14-15
Agen ○ **F** ◇ 18-19 H 9 ◆ 14-15 M 7
Aghzoumal, Sebkhet ⊖ **WSA** ◆ 38-39 C 4
Aginskoe ☆ **RUS** ◆ 28-29 T 7
Agnew ○ **AUS** ◆ 36-37 E 5
Agnibilékrou ○ **CI** ◆ 38-39 E 7
Agra ○··· **IND** ◆ 32-33 M 5
Ağrı ☆ **TR** ◆ 14-15 U 8
Agrigento ○ **I** ◇ 26-27 D 6 ◆ 14-15 O 8
Agrihan ∩ **USA** ◆ 34-35 N 3
Agrinio ○ **GR** ◇ 26-27 H 5 ◆ 14-15 Q 8
Água Clara ○ **BR** ◆ 48 G 2
Aguán, Río ∼ **HN** ◆ 44-45 J 7
Agua Prieta ○ **MEX** ◆ 44-45 E 4
Aguaro-Guariquito, Parque Nacional ⊥ **YV** ◆ 46-47 F 3
Aguascalientes ☆• **MEX** (AGS) ◆ 44-45 F 6
Aguja, Punta ▲ **PE** ◆ 46-47 C 6
Agulhas, Kaap = Cape Agulhas ▲ **ZA** ◆ 40-41 E 8
Aḥad Rāfida ○• **KSA** ◆ 32-33 E 7
Ahalcihe ○• **GE** ◆ 14-15 U 7
Ahar ○• **IR** ◆ 32-33 F 3
Ahmadābād ○·· **IND** ◆ 32-33 L 6
Ahtubinsk ☆ **RUS** ◆ 14-15 V 6
Ahvāz ☆• **IR** ◆ 32-33 F 4
Ai-Ais ○• **NAM** ◆ 40-41 E 7
Aigle, l' ○ **F** ◇ 18-19 H 7 ◆ 14-15
Aigues ∼ **F** ◇ 18-19 K 9 ◆ 14-15
Aiguilles, Cape des = Agulhas, Kaap/Cape Agulhas ▲ **ZA** ◆ 40-41 E 8
Ailinglapalag ∩ **MAI** ◆ 12 J 2
Ain ∼ **F** ◇ 18-19 K 8 ◆ 14-15
'Ain, al- ○ **UAE** ◆ 32-33 H 6
'Ain al-Ġuwairi ○ **Y** ◆ 32-33 F 8
Aïn Beida ○ **DZ** ◆ 38-39 G 1
Aïn Ben Tili ○ **RIM** ◆ 38-39 D 3
Aïn Sefra • **DZ** ◆ 38-39 E 2
Aiquile ○ **BOL** ◆ 46-47 F 8
Aire ∼ **F** ◇ 18-19 K 7 ◆ 14-15
Aire-sur-la-Lys ○ **F** ◇ 18-19 J 6 ◆ 14-15
Aïr et du Ténéré, Réserve Naturelle Nationale de l' ⊥··· **RN** ◆ 38-39 H 4
Air Force Island ∩ **CDN** ◆ 42-43 W 3
Airmadidi ○• **RI** ◆ 34-35 H 6
Aïr ou Azbine ▲▲ **RN** ◆ 38-39 G 5
Aisne, l' ∼ **F** ◇ 18-19 K 7 ◆ 14-15
Aiun, El- ☆ **WSA** ◆ 38-39 C 3
Aix-en-Provence ○• **F** ◇ 18-19 K 10 ◆ 14-15 N 7
Aix-la-Chapelle = Aachen ○·· **D** ◇ 20-21 J 3 ◆ 14-15 N 5
Aix-les-Bains ○ **F** ◇ 18-19 K 9 ◆ 14-15
Āīzawl ☆ **IND** ◆ 32-33 P 6
Ajaccio ☆• **F** ◇ 24-25 M 4 ◆ 14-15 N 7
Ajaköz ○ **KZ** ◆ 28-29 N 8
Ajan ∼ **RUS** ◆ 28-29 P 4
Ajana ○ **AUS** ◆ 36-37 C 5
Ajdābiyā ☆·· **LAR** ◆ 38-39 K 2
Ajjer, Tassili n' ▲▲··· **DZ** ◆ 38-39 G 3
Ajmer ○• **IND** ◆ 32-33 L 5
Ajon, ostrov ∩ **RUS** ◆ 28-29 e 4
Akaba, Golfe d' = 'Aqaba, Ḫalīǧ al- ≈ ◆ 32-33 C 5
Akademii, zaliv ≈ ◆ 28-29 Y 7
Akagera, Parc National de l' ⊥ **RWA** ◆ 40-41 H 2
Akakus ··· **LAR** ◆ 38-39 H 4
Akčatau ○ **KZ** ◆ 28-29 L 8
Ak-Dovurak ○ **RUS** ◆ 28-29 P 7
Aketi ○ **ZRE** (HAU) ◆ 38-39 K 8
Akhdar, Al Jabal al ▲▲ **LAR** ◆ 38-39 K 2
Akimiski Island ∩ **CDN** ◆ 42-43 U 6
Akita ☆ **J** ◆ 30-31 R 4
Akjoujt ☆ **RIM** ◆ 38-39 C 5
Akka ○ **MA** ◆ 38-39 D 3
Akmola ○ **KZ** ◆ 28-29 L 7
Akola ○ **IND** ◆ 32-33 M 6
Akonolinga ○ **CAM** ◆ 38-39 H 8
Āk'ordat ○ **ER** ◆ 38-39 N 5
Akpatok Island ∩ **CDN** ◆ 42-43 X 4
Akron ○ **USA** (OH) ◆ 44-45 K 2
Aksaj ☆ **KZ** ◆ 14-15 W 5
Aksaray ☆ **TR** ◆ 14-15 S 8
Aksay ○ **CHN** ◆ 30-31 G 4
Akşehir ☆ **TR** ◆ 14-15 S 8
Akseki ☆ **TR** ◆ 32-33 C 3
Aksoran tauy ▲ **KZ** ◆ 28-29 M 8
Aksu ○ **CHN** ◆ 30-31 E 3
Aksu ☆ **KZ** ◆ 28-29 M 7
Aksūm ○··· **ETH** ◆ 38-39 N 6
Aktaou ☆ **KZ** ◆ 32-33 G 2
Aktöbe ☆ **KZ** ◆ 14-15 X 5
Akure ☆ **WAN** ◆ 38-39 G 7
Akureyri ☆ **IS** ◇ 16-17 d 2 ◆ 14-15 H 2
Akutan Island ∩ **USA** ◆ 42-43 C 6
Alabama □ **USA** ◆ 44-45 J 4
Alabama River ∼ **USA** ◆ 44-45 J 4
Alacant ○• **E** (ALI) ◇ 24-25 G 5 ◆ 14-15 L 8
Alacant ☆ **E** ◇ 24-25 G 5 ◆ 14-15 L 8
Ālagē ▲ **ETH** ◆ 38-39 N 6
Alagoas □ **BR** ◆ 46-47 M 6
Alagoinhas ○ **BR** ◆ 46-47 M 7
Alaid, vulkan ▲ **RUS** ◆ 28-29 c 7
al-Ain ○··· **OM** ◆ 32-33 H 6
Alajskij hrebet ▲▲ **TJ** ◆ 32-33 L 3
Alakanuk ○ **USA** ◆ 42-43 D 4
Alamagan ∩ **USA** ◆ 34-35 N 3
'Alamain, al- ○• **ET** ◆ 38-39 L 2
Alaminos ○ **RP** ◆ 34-35 G 3
Alamogordo ○ **USA** ◆ 44-45 E 4
Alamosa ○ **USA** ◆ 44-45 E 3
Åland ∩ **FIN** ◆ 14-15 P 3
Alantika Mountains ▲▲ **WAN** ◆ 38-39 H 7
Alanya ○ **TR** ◆ 14-15 S 8
Alaotra, Farihy ⊖ **RM** ◆ 40-41 L 5
al-Arab, Bahr ∼ **SUD** ◆ 38-39 L 6
Alašejev buchta ≈ ◆ 13 G 5
Alaska □ **USA** ◆ 42-43 E 3
Alaska, Golfe de l' ≈ ◆ 42-43 G 5
Alaska, Péninsule de l' = Alaska Peninsula ⌣ **USA** ◆ 42-43 D 5
Alaska Peninsula ⌣ **USA** ◆ 42-43 D 5
Alaska Range ▲▲ **USA** ◆ 42-43 F 4
Alazeja ∼ **RUS** ◆ 28-29 b 3
Alazejskoe ploskogor'e ▲▲ **RUS** ◆ 28-29 a 4
Albacete ○ **E** ◇ 24-25 G 5 ◆ 14-15 L 8
al-Bahr al-Abyad ∼ **SUD** ◆ 38-39 M 6
al-Bahr al-Azraq = Blue Nile ∼ **SUD** ◆ 38-39 M 6
Albanie ■ **AL** ◇ 26-27 G 4 ◆ 14-15 P 7
Albany ○• **AUS** ◆ 36-37 D 7
Albany ○ **USA** (GA) ◆ 44-45 K 4
Albany ○ **USA** (OR) ◆ 42-43 M 8
Albany ☆• **USA** (NY) ◆ 42-43 W 8
Albany River ∼ **CDN** ◆ 42-43 U 6
Albatros Island ∩ **MS** ◆ 40-41 N 5
Albatross Bay ≈ ◆ 36-37 J 2
Al Bayda ☆ **LAR** ◆ 38-39 K 2
Albemarle Sound ≈ ◆ 44-45 L 3
Albert ○ **F** ◇ 18-19 J 6 ◆ 14-15
Albert, Lake = Lac Mobutu-Sese-Seko ⊖ **EAU** ◆ 40-41 H 1
Alberta □ **CDN** ◆ 42-43 N 6
Albert Edward, Mount ▲ **PNG** ◆ 34-35 N 8
Albert Lea ○ **USA** ◆ 44-45 H 2
Albert Markham, Mount ▲ **ARK** ◆ 13 E 0
Albert Nile ∼ **EAU** ◆ 38-39 M 8
Alberto de Agostini, Parque Nacional ⊥ **RCH** ◆ 48 C 8
Albertville ○• **F** ◇ 18-19 L 9 ◆ 14-15
Albi ☆• **F** ◇ 18-19 J 10 ◆ 14-15
Albina ☆ **SME** ◆ 46-47 J 3
Albina, Ponta ▲ **ANG** ◆ 40-41 D 5
Alborán, Isla del ∩ **E** ◇ 24-25 F 7 ◆ 14-15 L 8
Ålborg ○·· **DK** ◇ 16-17 D 8 ◆ 14-15 N 4
Albuquerque ○ **USA** ◆ 44-45 E 3
Albury-Wodonga ○ **AUS** ◆ 36-37 K 7
Alcañiz ○ **E** ◇ 24-25 G 4 ◆ 14-15 L 7
Alčevs'k ○ **UA** ◆ 14-15 T 6
Aldabra Atoll ∸··· **SY** ◆ 40-41 L 3
Aldabra Group ∸ **SY** ◆ 40-41 L 3
Aldan ☆• **RUS** (SAH) ◆ 28-29 W 6
Aldan ∼ **RUS** ◆ 28-29 X 5
Aldan, Plateau de l' = Aldanskoe nagor'e ▲▲ **RUS** ◆ 28-29 V 6
Aldanskoe nagor'e ▲▲ **RUS** ◆ 28-29 V 6
Alderney ∩ **GBA** ◇ 18-19 F 7 ◆ 14-15 L 6
Aleg ☆ **RIM** ◆ 38-39 C 5
Alegrete ○ **BR** ◆ 48 F 3
Alejsk ○ **RUS** ◆ 28-29 N 7
Aleksandra, mys ▲ **RUS** ◆ 28-29 Y 7
Aleksandra I, zeml'a ∸ **ARK** ◆ 13 G 29
Aleksandrovsk-Sahalinsij ☆• **RUS** ◆ 28-29 Z 7
Aleksandrovsk-Sakhalinsi = Aleksandrovsk-Sahalinsij ☆• **RUS** ◆ 28-29 Z 7
Aleksandry, zemlja ∩ **RUS** ◆ 13 A 14
Aleksandry, Zemlja ∩ **RUS** ◆ 28-29 F 1
Alençon ☆ **F** ◇ 18-19 H 7 ◆ 14-15
Alenquer ○ **BR** ◆ 46-47 J 5
Alenuihaha Channel ≈ ◆ 44-45 b 6
Aléoutiennes, Bassin des ≃ ◆ 28-29 f 6
Aléoutiennes, Fosse des ≃ ◆ 42-43 B 6
Aléoutiennes, Îles ∩ **USA** ◆ 42-43 A 6
Alep = Halab ☆··· **SYR** ◆ 32-33 D 3
Alès ○ **F** ◇ 18-19 K 9 ◆ 14-15
Ålesund ☆• **N** ◇ 16-17 C 5 ◆ 14-15 N 3
Aleutian Range ▲▲ **USA** ◆ 42-43 E 5
Alexander Archipelago ∩ **USA** ◆ 42-43 J 5
Alexanderbaai = Alexander Bay ○ **ZA** ◆ 40-41 E 7
Alexander Bank ≃ ◆ 34-35 F 5
Alexandra, Cape ▲ **GB** ◆ 48 K 8
Alexandra Bay ≈ ◆ 36-37 K 3
Alexandra Channel ≈ ◆ 34-35 B 4
Alexandre, Archipel = Alexander Archipelago ∩ **USA** ◆ 42-43 J 5
Alexandria ○ **BR** ◆ 46-47 M 6
Alexandria ☆• **RO** ◆ 14-15 R 7
Alexandria ○ **USA** (LA) ◆ 44-45 H 4
Alexandrie = Iskandarīya, al- ☆·· **ET** ◆ 38-39 L 2
Alexandrina, Lake ⊖ **AUS** ◆ 36-37 H 7
Alfarez de Navio Sobral ○ **ARK** ◆ 13 E 0
Al Fāshir ○• **SUD** ◆ 38-39 L 6
al-Fayyūm ☆·· **ET** ◆ 38-39 M 3
Algarve ⌣ **E** ◇ 24-25 C 6 ◆ 14-15 K 8
Algena ○ **ER** ◆ 38-39 N 5
Alger = Al Jazā'ir ★··· **DZ** ◆ 38-39 F 1
Algérie ■ **DZ** ◆ 38-39 E 3
al-Hartūm ★·· **SUD** ◆ 38-39 M 5
Al Haruj al Aswad ▲▲ **LAR** ◆ 38-39 J 3
Al Hoceima ☆ **MA** ◆ 38-39 E 1
Al-Hoceima ☆ **MA** ◆ 38-39 E 1
Al Hulayq al Kabir ▲▲ **LAR** ◆ 38-39 J 3
Alice ○ **USA** (TX) ◆ 44-45 G 5
Alice Springs ○ **AUS** ◆ 36-37 G 4
Alīgarh ○ **IND** ◆ 32-33 M 5
Alima ∼ **RCB** ◆ 40-41 E 2
Alindao ○ **RCA** ◆ 38-39 K 7
al-Ismā'īlīya ☆ **ET** ◆ 38-39 M 2
Aliwal-Noord = Aliwal North ○ **ZA** ◆ 40-41 G 8
Al Jabal al Akhdar ▲▲ **LAR** ◆ 38-39 K 2
Al Jawf ☆ **LAR** ◆ 38-39 K 4
Al Jazā'ir ★··· **DZ** ◆ 38-39 F 1
Al Khums ☆ **LAR** ◆ 38-39 H 2
Allahābād ○• **IND** ◆ 32-33 N 5
Allah-Jun' ∼ **RUS** ◆ 28-29 Y 5
Allakaket ○ **USA** ◆ 42-43 F 3
Allemagne ■ **D** ◇ 20-21 M 2 ◆ 14-15 O 5
Allende ○ **MEX** (COA) ◆ 44-45 F 5
Allentown ○ **USA** ◆ 44-45 L 2
Alleppey ○ **IND** ◆ 32-33 M 9
Allier ∼ **F** ◇ 18-19 J 8 ◆ 14-15
Alma-Ata = Almaty ★ **KZ** ◆ 28-29 M 9
Almalyk ○ **UZ** ◆ 32-33 K 2
al-Manṣūra ☆ **ET** ◆ 38-39 M 2
Al Marj ☆·· **LAR** ◆ 38-39 K 2
Almaty ★ **KZ** ◆ 28-29 M 9
al-Mauṣil ☆ **IRQ** ◆ 32-33 E 3
Almeirim ○ **BR** ◆ 46-47 J 5
Almeirim, Serra do ▲▲ **BR** ◆ 46-47 J 5
Almenara ○ **BR** ◆ 46-47 L 8
Almería ○ **E** ◇ 24-25 F 6 ◆ 14-15 L 8
al-Minyā ☆ **ET** ◆ 38-39 M 3
Almirant Brown ○ **ARK** ◆ 13 G 30
al-Muḥā ○·· **Y** ◆ 32-33 E 8
al-Mukallā ○·· **Y** ◆ 32-33 F 8
Alor, Pulau ∩ **RI** ◆ 34-35 H 8
Alor Setar ☆ **MAL** ◆ 34-35 D 5
Alotau ☆ **PNG** ◆ 34-35 O 9
Alpena ○ **USA** ◆ 42-43 U 7
Alpes ▲▲ ◇ 20-21 J 6 ◆ 14-15 N 7
Alpes Dinariques = Dinara ▲▲ **YU** ◇ 26-27 F 2 ◆ 14-15 P 7
Alphonse Group ∩ **SY** ◆ 40-41 M 3
Alpine ○ **USA** (TX) ◆ 44-45 F 4
al-Qāhira ★··· **ET** ◆ 38-39 M 3
Al-Q'nitra ☆ **MA** ◆ 38-39 D 2
al-Quṣair ○ **ET** ◆ 38-39 M 3
Alsace □ **F** ◇ 18-19 L 8 ◆ 14-15
Alsace ∸ **F** ◇ 18-19 L 8 ◆ 14-15
Alta ○• **N** ◇ 16-17 L 2 ◆ 14-15 Q 2
Alta Floresta ○ **BR** ◆ 46-47 H 6
Altaï = Altaj ▲▲ **KZ** ◆ 28-29 O 8
Altaï du Gobi = Gov' Altajn nuruu ▲▲ **MAU** ◆ 30-31 H 2
Altaj ▲▲ **KZ** ◆ 28-29 O 8
Altaj ☆ **MAU** ◆ 30-31 H 2
Altajn Caadah Gov' ∸ **MAU** ◆ 30-31 H 3
Altamaha River ∼ **USA** ◆ 44-45 K 4
Altamira ○ **BR** ◆ 46-47 J 5
Altar, Desierto de ∸ **MEX** ◆ 44-45 D 4
Altay ○ **CHN** ◆ 30-31 F 2
Altay Shan ▲▲ **CHN** ◆ 30-31 F 2
Al Tikuna Evare, Áreas Indígena ✕ **BR** ◆ 46-47 F 5
Altiplano ∸ **PE** ◆ 46-47 F 8
Alto Araguaia ○ **BR** ◆ 46-47 J 8
Alto Garças ○ **BR** ◆ 46-47 J 8
Alto Longá ○ **BR** ◆ 46-47 L 6
Alto Molócuè ○ **MOC** ◆ 40-41 J 5
Alton ○ **USA** (IL) ◆ 44-45 H 3
Altoona ○ **USA** ◆ 44-45 L 2
Alto Parnaíba ○ **BR** ◆ 46-47 K 6
Alto Purus, Río ∼ **PE** ◆ 46-47 E 7
Alto Turiaçú, Área Indígena ✕ **BR** ◆ 46-47 K 5
Altun Shan ▲▲ **CHN** ◆ 30-31 F 4
Alturas ○ **USA** ◆ 42-43 M 8
Altus ○ **USA** ◆ 44-45 G 4
al-Ubayyiḍ = El Obeid ☆• **SUD** ◆ 38-39 M 6
al-Uqṣur ☆·· **ET** ◆ 38-39 M 3
Alvarães ○ **BR** ◆ 46-47 G 5
Alwar ○• **IND** ◆ 32-33 M 5
Alxa, Plateau ∸ **CHN** ◆ 30-31 J 3
Ama ○ **PNG** ◆ 34-35 M 7
Amadeus, Lake ⊖ **AUS** ◆ 36-37 G 4
Amadi ○ **SUD** ◆ 38-39 M 7
Amadjuak Lake ⊖ **CDN** ◆ 42-43 W 4
Amahai ○ **RI** ◆ 34-35 J 7
Amaliáda ○ **GR** ◇ 26-27 H 6 ◆ 14-15 Q 8
Amamapare ○ **RI** ◆ 34-35 L 7
Amambay, Sierra de ▲▲ **PY** ◆ 48 F 2
Amami-shotō ∩ **J** ◆ 30-31 O 6
Amanã, Lago ⊖ **BR** ◆ 46-47 G 5
Amanab ○ **PNG** ◆ 34-35 M 7
Amankaragaj ○ **KZ** ◆ 28-29 J 7
Amapá ○ **BR** (APA) ◆ 46-47 J 4
Amapá □ **BR** ◆ 46-47 J 4
'Amāra, al- ☆• **IRQ** ◆ 32-33 F 4
Amarante ○ **BR** ◆ 46-47 L 6
Amarapura ○ **MYA** ◆ 30-31 H 7
Amarillo ○ **USA** ◆ 44-45 F 3
Amasya ☆·· **TR** ◆ 14-15 T 7
Amata ○ **AUS** ◆ 36-37 G 5
Amazonas □ **BR** ◆ 46-47 F 6
Amazonas, Rio ∼ **BR** ◆ 46-47 J 5
Amazone = Amazonas, Rio ∼ **BR** ◆ 46-47 J 5
Amazone, Bouches de l' = Rio Amazonas, Estuário do ∼ **BR** ◆ 46-47 K 4
Amazone, Cône de ' ≃ ◆ 46-47 K 3
Amazônia, Parque Nacional de ⊥ **BR** ◆ 46-47 H 5
Amazonie = Amazonas □ **BR** ◆ 46-47 F 6
Ambala ○ **IND** ◆ 32-33 M 4
Ambam ○ **CAM** ◆ 38-39 H 8
Ambanja ○ **RM** ◆ 40-41 L 4
Ambargasta, Salinas de ⊖ **RA** ◆ 48 E 3
Ambato ☆ **EC** ◆ 46-47 D 5
Ambatolampy ○ **RM** ◆ 40-41 L 5
Ambatondrazaka ○ **RM** ◆ 40-41 L 5
Ambatosoratra ○ **RM** ◆ 40-41 L 5
Ambatry ○ **RM** ◆ 40-41 K 6
Ambazac ○ **F** ◇ 18-19 H 9 ◆ 14-15
Ambelau, Pulau ∩ **RI** ◆ 34-35 J 7
Ambérieu-en-Bugey ○ **F** ◇ 18-19 K 9 ◆ 14-15
Ambert ○ **F** ◇ 18-19 J 9 ◆ 14-15
Ambikāpur ○ **IND** ◆ 32-33 N 6
Ambilobe ○ **RM** ◆ 40-41 L 4
Ambohitra ▲·· **RM** (ASA) ◆ 40-41 L 4
Amboine = Ambon ☆ **RI** ◆ 34-35 J 7
Amboise ○ **F** ◇ 18-19 H 8 ◆ 14-15
Ambon ☆ **RI** ◆ 34-35 J 7
Ambondromamy ○ **RM** ◆ 40-41 L 5
Ambositra ○ **RM** ◆ 40-41 L 6
Ambovombe ○ **RM** ◆ 40-41 L 7
Ambrim = Île Ambrym ∩ **VAN** ◆ 36-37 O 3
Ambriz ○ **ANG** ◆ 40-41 D 3
Ambriz, Coutada do ⊥ **ANG** ◆ 40-41 D 3
Ambrym, Île = Ambrim ∩ **VAN** ◆ 36-37 O 3
Am-Dam ○ **TCH** ◆ 38-39 K 6
Amderma ○ **RUS** ◆ 28-29 J 4
Amdo ○ **CHN** ◆ 30-31 G 5
American Highland ▲▲ **ARK** ◆ 13 F 8
Amérique Centrale, Fosse d' ≃ ◆ 44-45 G 7
Amery Ice Shelf ⊂ **ARK** ◆ 13 F 8
Ames ○ **USA** ◆ 44-45 H 2
Amga ○ **RUS** (SAH) ◆ 28-29 X 5
Amga ∼ **RUS** ◆ 28-29 W 5
Amguèma ∼ **RUS** ◆ 28-29 h 4
Amgun' ∼ **RUS** ◆ 28-29 Y 7
Amherst ○ **CDN** ◆ 42-43 Y 7
Amiens ☆··· **F** ◇ 18-19 J 7 ◆ 14-15 M 6
Amindivi Islands ∩ **IND** ◆ 32-33 L 8
Amirantes Group ∩ **SY** ◆ 40-41 M 3
Amirauté, Îles de l' = Admiralty Islands ∩ **PNG** ◆ 34-35 N 7
Amistad, Parque Internacional La ⊥··· **CR** ◆ 44-45 K 9
Amlapura = Karangasem ○• **RI** ◆ 34-35 G 8
Amlia Island ∩ **USA** ◆ 42-43 B 6
'Ammān ★• **JOR** ◆ 32-33 D 4
Amman = 'Ammān ★• **JOR** ◆ 32-33 D 4
Ammassalik ☆ **GRØ** ◆ 42-43 d 3
Āmol ○• **IR** ◆ 32-33 G 3
Amores, Los ○ **RA** ◆ 48 F 3
Amour ∼ **RUS** ◆ 28-29 V 7
Amoursk ○ **RUS** ◆ 28-29 Y 7
Ampanihy ○ **RM** ◆ 40-41 K 6
Ampasimanolotra ○ **RM** ◆ 40-41 L 5
Ampato, Nevado ▲ **PE** ◆ 46-47 E 8
Amphithéâtre (El Jem) ··· **TN** ◆ 38-39 H 1
Amphitrite Group = Xuande Qundao ∩ **CHN** ◆ 34-35 F 3
'Amrān ○• **Y** ◆ 32-33 E 7
Amrāvati ○ **IND** ◆ 32-33 M 6
Amritsar ○• **IND** ◆ 32-33 L 4
Amsterdam ★·· **NL** ◇ 20-21 H 2 ◆ 14-15 M 5
Am Timan ☆ **TCH** ◆ 38-39 K 6
Amudarë ∼ **UZ** ◆ 32-33 J 2
Amund Ringnes Island ∩ **CDN** ◆ 42-43 R 1
Amundsen, Mount ▲ **ARK** ◆ 13 G 11
Amundsen Bay ≈ ◆ 13 G 5
Amundsen Glacier ⊂ **ARK** ◆ 13 E 0
Amundsen Gulf ≈ ◆ 42-43 M 2
Amundsen havet ≈ ◆ 13 G 26
Amundsen-Scott ○ **ARK** ◆ 13 E 0
Amuntai ○ **RI** ◆ 34-35 G 7
Amurang ○ **RI** ◆ 34-35 H 6
'Āna ☆ **IRQ** ◆ 32-33 E 4
Anabar ∼ **RUS** ◆ 28-29 T 3
Anabarskoe plato ▲▲ **RUS** ◆ 28-29 S 3
Anaco ○ **YV** ◆ 46-47 G 3
Anadyr' ☆• **RUS** (CUK) ◆ 28-29 g 5
Anadyr ∼ **RUS** ◆ 28-29 f 4
Anadyr' ∼ **RUS** ◆ 28-29 e 4
Anadyr, Golfe d' = Anadyrskiy zaliv ≈ ◆ 28-29 g 5
Anadyr, Monts de l' = Anadyrskoe ploskogor'e ∸ **RUS** ◆ 28-29 e 4
Anadyrskij liman ≈ ◆ 28-29 g 5
Anadyrskiy zaliv ≈ ◆ 28-29 g 5
Anadyrskoe ploskogor'e ∸ **RUS** ◆ 28-29 e 4
Anajás ○ **BR** ◆ 46-47 K 5
Anakāpalle ○ **IND** ◆ 32-33 N 7
Anamã ○ **BR** ◆ 46-47 G 5
Anambas, Kepulauan ∩ **RI** ◆ 34-35 E 6
Anamur ☆ **TR** ◆ 14-15 S 8
Anantapur ○ **IND** ◆ 32-33 M 8
Anápolis ○ **BR** ◆ 46-47 K 8
Anastácio ○ **BR** ◆ 48 F 2
Anatahan ∩ **USA** ◆ 34-35 N 3
Añatuya ○ **RA** ◆ 48 E 3
'Anaza Ruwāla ▲▲ **KSA** ◆ 32-33 D 4
Ancenis ○ **F** ◇ 18-19 G 8 ◆ 14-15
Anchorage ○• **USA** ◆ 42-43 G 4
Ancona ☆• **I** ◇ 26-27 D 3 ◆ 14-15 O 7
Ancud ○ **RCH** ◆ 48 C 6
Ancud, Golfo de ≈ ◆ 48 C 6
Anda ○ **CHN** ◆ 30-31 O 2
Andalgala ○ **RA** ◆ 48 D 3
Andalusia ○ **USA** (AL) ◆ 44-45 J 4
Andaman, Bassin des ≃ ◆ 34-35 B 4
Andaman, Îles ∩ **IND** ◆ 34-35 B 4
Andaman, Mer des ≈ ◆ 34-35 B 4
Andaman and Nicobar Islands □ **IND** ◆ 34-35 B 4
Andamooka Opal Fields ○ **AUS** ◆ 36-37 H 6
Andelys, les ○ **F** ◇ 18-19 H 7 ◆ 14-15
Anderson River ∼ **CDN** ◆ 42-43 L 3
Andhōy ○ **AFG** ◆ 32-33 K 3
Andhra Pradesh □ **IND** ◆ 32-33 M 7
Andira ○ **BR** ◆ 48 G 2
Andirá-Marau, Área Indígena ✕ **BR** ◆ 46-47 H 5
Andižan ☆ **UZ** ◆ 32-33 L 2
Andoany ○ **RM** ◆ 40-41 L 4
Andong ○ **ROK** ◆ 30-31 O 4
Andorra ■ **AND** ◇ 24-25 H 3 ◆ 14-15 M 7
Andradina ○ **BR** ◆ 48 G 2
Andriba ○ **RM** ◆ 40-41 L 5
Andringitra ▲▲ **RM** ◆ 40-41 L 6
Androka ○ **RM** ◆ 40-41 K 7
Andros Island ∩ **BS** ◆ 44-45 L 6
Andulo ○ **ANG** ◆ 40-41 E 4
Anéfis ○ **RMM** ◆ 38-39 F 5
Anegada, Bahía ≈ ◆ 48 E 6
Anegada Passage ≈ ◆ 44-45 O 7
Añelo ○ **RA** ◆ 48 D 5
Aneto, Pico de ▲ **E** ◇ 24-25 H 3 ◆ 14-15 M 7
Angara ∼ **RUS** ◆ 28-29 Q 6
Angarsk ○ **RUS** ◆ 28-29 R 7
Angarskij krjaž ∸ **RUS** ◆ 28-29 R 6
Angaur Island ∩ **USA** ◆ 34-35 K 5
Ángel de la Guarda, Isla ∩ **MEX** ◆ 44-45 D 5
Angeles ○ **RP** ◆ 34-35 H 3
Angeles, Los ○ **RCH** ◆ 48 C 5
Ångermanälven ∼ **S** ◇ 16-17 H 5 ◆ 14-15 P 3
Angers ○ **F** ◇ 18-19 G 8 ◆ 14-15 L 6
Angijak Island ∩ **CDN** ◆ 42-43 Y 3
Angoche ○ **MOC** ◆ 40-41 J 5
Angola ■ **ANG** ◆ 40-41 D 4
Angola, Bassin de l' ≃ ◆ 40-41 B 5
Angoram ○ **PNG** ◆ 34-35 M 7
Angostura, Presa de la < **MEX** (CHI) ◆ 44-45 H 7
Angoulême ☆• **F** ◇ 18-19 H 9 ◆ 14-15 M 6
Angpawing Bum ▲▲ **MYA** ◆ 30-31 H 6
Anguilla ∩ **GB** (Ang) ◆ 44-45 O 7
Anhui □ **CHN** ◆ 30-31 M 5
Aniakchak National Monument and Preserve ⊥ **USA** ◆ 42-43 E 5
Anie, Pic d' ▲ **F** ◇ 18-19 G 10 ◆ 14-15
Aniva, Baie d' = Aniva, zaliv ≈ ◆ 28-29 Z 8
Aniva, mys ▲ **RUS** ◆ 28-29 Z 8
Aniva, zaliv ≈ ◆ 28-29 Z 8
Aniwa Island = Île Nina ∩ **VAN** ◆ 36-37 O 3
Anjou ∸ **F** ◇ 18-19 G 8 ◆ 14-15
Anju ○ **KOR** ◆ 30-31 O 4
Anjuj, Bol'šoj ∼ **RUS** ◆ 28-29 d 4
Anjuj, Malyj ∼ **RUS** ◆ 28-29 E 4
Anjujskij hrebet ▲▲ **RUS** ◆ 28-29 d 4
Ankang ○ **CHN** ◆ 30-31 K 5
Ankara ★• **TR** ◆ 14-15 S 8
Ankasa National Park ⊥ **GH** ◆ 38-39 E 7
Ankazoabo ○ **RM** ◆ 40-41 K 6
Ankazobe ○ **RM** ◆ 40-41 L 5
Ankobra ∼ **GH** ◆ 38-39 E 7
Annaba ○ **DZ** ◆ 38-39 G 1
Annapolis ☆ **USA** (MD) ◆ 44-45 L 3
Annecy ○ **F** ◇ 18-19 L 9 ◆ 14-15
an-Nil ∼ **ET** ◆ 38-39 M 5
Anniston ○ **USA** ◆ 44-45 J 4
Annonay ○ **F** ◇ 18-19 K 9 ◆ 14-15
Anpo Gang ≈ ◆ 30-31 K 7
Anqing ○ **CHN** ◆ 30-31 M 5
Anshan ○ **CHN** ◆ 30-31 N 3
Ansonga ○ **RMM** ◆ 38-39 F 5
Antalaha ○ **RM** ◆ 40-41 M 4
Antalya ☆ **TR** ◆ 14-15 S 8
Antalya Körfezi ≈ ◆ 14-15 S 8
Antananarivo ★• **RM** (ATN) ◆ 40-41 L 5
Antarctic Peninsula ⌣ **ARK** ◆ 13 G 30
Antarctic Sound ≈ ◆ 13 G 31
Antarctique **ARK** ◆ 13 F 28
Anthony Island ∩··· **CDN** ◆ 42-43 K 6
Anti Atlas ▲▲ **MA** ◆ 38-39 D 3
Anticosti, Île d' ∩ **CDN** ◆ 42-43 Y 7
Antigua-et-Barbuda ■ **AG** ◆ 44-45 O 7
Antigua Island ∩ **AG** ◆ 44-45 O 7
Antilles ∸ ◆ 44-45 L 6
Antilles, Mer des ≈ ◆ 44-45 L 8
Antilles Néerlandaises □ **NA** ◆ 44-45 O 7
Antioche = Hatay (Antakya) ☆ **TR** ◆ 14-15 T 8
Antipajuta ○ **RUS** ◆ 28-29 M 4
Antipodes Islands □ **NZ** ◆ 12 J 7
Antofagasta ☆ **RCH** ◆ 48 C 2
Antofagasta de la Sierra ○ **RA** ◆ 48 D 3
Antofalla, Volcán ▲ **RA** ◆ 48 D 3
Antongila, Helodrano ≈ ◆ 40-41 L 5
Antsalova ○ **RM** ◆ 40-41 K 5
Antsirabe ○ **RM** ◆ 40-41 L 5
Antsiranana ☆ **RM** (ASA) ◆ 40-41 L 4
Antsohihy ○ **RM** ◆ 40-41 L 4
Antwerpen ☆·· **B** ◇ 20-21 H 3 ◆ 14-15 M 5
Añueque, Sierra ▲▲ **RA** ◆ 48 D 6
Anugul ○ **IND** ◆ 32-33 O 6
Anuradhapura ○··· **CL** ◆ 32-33 N 9
Anvers, Île ∩ **ARK** ◆ 13 G 30
Anxi ○ **CHN** (GAN) ◆ 30-31 H 3
Anxious Bay ≈ ◆ 36-37 G 6
Anyang ○ **CHN** ◆ 30-31 L 4
Anzali, Bandar-e ○• **IR** ◆ 32-33 F 3
Anžero-Sudžensk ○ **RUS** ◆ 28-29 O 6
Anžu, ostrova ∩ **RUS** ◆ 28-29 Y 2
Aomori ○ **J** ◆ 30-31 R 3
Aougoundou, Lac ⊖ **RMM** ◆ 38-39 E 5
Aouk, Bahr ∼ **TCH** ◆ 38-39 J 7
Aoukâr ∸ **RIM** ◆ 38-39 C 5
Aoukâr ∸ **RMM** ◆ 38-39 D 4
Aousard ○ **WSA** ◆ 38-39 C 4
Apalachee Bay ≈ ◆ 44-45 K 5
Apaporis, Río ∼ **CO** ◆ 46-47 E 4
Apatity ○ **RUS** ◆ 14-15 S 2
Apennins ▲▲ **I** ◇ 26-27 B 2 ◆ 14-15 N 7
Apiaí ○ **BR** ◆ 48 H 2
Apolo ○ **BOL** ◆ 46-47 F 7
Aporé, Rio ∼ **BR** ◆ 46-47 J 8
Appalaches, Monts = Appalachian Mountains ▲▲ **USA** ◆ 44-45 K 3
Appalachian Mountains ▲▲ **USA** ◆ 44-45 K 3
Apt ○ **F** ◇ 18-19 K 10 ◆ 14-15
Apucarana ○ **BR** ◆ 48 G 2
Apuka ○ **RUS** (KOR) ◆ 28-29 e 5
Apuka ∼ **RUS** ◆ 28-29 f 5
Apura ○ **SME** ◆ 46-47 H 3
Apure, Río ∼ **YV** ◆ 46-47 F 3
Apurimac, Río ∼ **PE** ◆ 46-47 E 7
'Aqaba ☆ **JOR** ◆ 32-33 D 5
'Aqaba, Ḫalīǧ al- ≈ ◆ 32-33 C 5
'Aqiq ○ **SUD** ◆ 38-39 N 5
Aquitaine □ **F** ◇ 18-19 G 10 ◆ 14-15
Ara ○ **IND** ◆ 32-33 N 5
Arabie ∸ **KSA** ◆ 10-11 C 6
Arabie, Bassin d' ≃ ◆ 32-33 J 8
Arabie, Mer d' ≈ ◆ 32-33 J 7
Arabie Saoudite ■ **KSA** ◆ 32-33 E 6
Aracá, Área Indígena ✕ **BR** ◆ 46-47 G 4
Aracaju ☆• **BR** ◆ 46-47 M 7
Aracati ○ **BR** ◆ 46-47 M 5
Araçatuba ○ **BR** (PAU) ◆ 48 G 2
Araçuaí ○ **BR** ◆ 46-47 L 8
Arad ☆• **RO** ◆ 14-15 Q 6
Arafura, Mer d' ≈ ◆ 34-35 K 8
Arafura Platforme d' ≃ ◆ 12 E 4
Aragua de Barcelona ○ **YV** ◆ 46-47 G 3
Araguaia, Parque Indígena ✕ **BR** ◆ 46-47 J 7
Araguaia, Parque Nacional do ✕ **BR** ◆ 46-47 J 7
Araguaia, Rio ∼ **BR** ◆ 46-47 J 7
Araguaína ○ **BR** ◆ 46-47 K 6
Araguari, Rio ∼ **BR** ◆ 46-47 J 4
Araguatins ○ **BR** ◆ 46-47 K 6
Arāk ○ **DZ** ◆ 38-39 F 3
Arāk ☆• **IR** ◆ 32-33 F 4
Aral ☆ **KZ** ◆ 32-33 J 1
Aral, Mer d' ⊖ ◆ 32-33 H 1
Aral teŋizí ⊖ ◆ 32-33 H 1
Aramac ○ **AUS** ◆ 36-37 K 4
Aranda de Duero ○ **E** ◇ 24-25 F 4 ◆ 14-15 L 7
Aranib, Umm al ○ **LAR** ◆ 38-39 H 3
Aranos ○ **NAM** ◆ 40-41 E 6
Araouane ○ **RMM** ◆ 38-39 E 5
Arapiraca ○ **BR** ◆ 46-47 M 6
'Ar'ar ☆ **KSA** ◆ 32-33 E 4
Arara, Área Indígena ✕ **BR** ◆ 46-47 J 5
Araranguá ○ **BR** ◆ 48 H 3
Araraquara ○ **BR** ◆ 48 H 2
Araras ○ **BR** (P) ◆ 46-47 J 6
Ararat ○ **AUS** ◆ 36-37 J 7
Araribóa, Área Indígena ✕ **BR** ◆ 46-47 K 5
Araripe, Chapada do ▲▲ **BR** ◆ 46-47 L 6
Arauca ☆ **CO** ◆ 46-47 E 3
Arauca, Río ∼ **YV** ◆ 46-47 F 3
Arawa ☆ **PNG** ◆ 34-35 P 8
Arawale National Reserve ⊥ **EAK** ◆ 40-41 K 2
Araweté Igarapé Ipixuna, Área Indígena ✕ **BR** ◆ 46-47 J 5
Araxá ○ **BR** ◆ 46-47 K 8
Arba Minch ☆ **ETH** ◆ 38-39 N 7
Arbil ☆ **IRQ** (ARB) ◆ 32-33 E 3
Arcachon ○ **F** ◇ 18-19 G 9 ◆ 14-15
Arc-et-Senans ○··· **F** ◇ 18-19 K 8 ◆ 14-15
Archer Bay ≈ ◆ 36-37 J 2
Arches National Park ⊥ **USA** ◆ 44-45 E 3
Archipiélago de las Guaitecas, Parque Nacional ⊥ **RCH** ◆ 48 C 6
Arcos ○ **BR** ◆ 48 H 2
Arctic Bay ○ **CDN** ◆ 42-43 U 2
Arctic Circle ◆ 42-43 R 3
Arctic Harbour ≈ ◆ 42-43 X 3
Arctic Institute Range ▲▲ **ARK** ◆ 13 F 16
Arctic National Wildlife Refuge ⊥ **USA** ◆ 42-43 G 3
Arctic Red River ∼ **CDN** ◆ 42-43 K 3
Arctique Central, Bassin ≃ ◆ 13 A 35
Ardabil ○• **IR** ◆ 32-33 F 3
Ardakān ○ **IR** ◆ 32-33 G 4
Ardmore ○ **USA** (OK) ◆ 44-45 G 4
Arecibo ○ **USA** ◆ 44-45 N 7
Areia Branca ○ **BR** ◆ 46-47 M 5
Arenas, Punta de ▲ **RA** ◆ 48 D 8
Arendal ☆ **N** ◇ 16-17 D 7 ◆ 14-15 N 4
Areópoli ○ **GR** ◇ 26-27 J 6 ◆ 14-15 Q 8
Areõs, Área Indígena ✕ **BR** ◆ 46-47 J 7
Arequipa ☆• **PE** ◆ 46-47 E 8
Arezzo ○ **I** ◇ 26-27 C 3 ◆ 14-15 O 7
Argahtah ○ **RUS** ◆ 28-29 b 4
Arga-Muora-Sise, ostrov ∩ **RUS** ◆ 28-29 V 3
Arga Sala ∼ **RUS** ◆ 28-29 T 4
Argent, Côte d' ⌣ **F** ◇ 18-19 G 10 ◆ 14-15
Argentan ○ **F** ◇ 18-19 G 7 ◆ 14-15
Argentia ○ **CDN** ◆ 42-43 a 7
Argentin, Bassin ≃ ◆ 48 H 5
Argentine ■ **RA** ◆ 48 D 6
Argentine, Mer ≈ ◆ 48 F 6

1st Cataract — Argentine, Mer 53

Argentine, Plaine Abyssale ≃ ◆ 48 G 7
Assiniboine River ~ CDN ◆ 42-43 Q 6
Assis ★ BR ◆ 48 G 2
Assomption ★ SY ◆ 40-41 L 3
Assouan = Aswân ☆ ★ ET ◆ 38-39 M 4
Assout = Asyût ☆ ★ ET ◆ 38-39 M 4
As-Sûs ⌂ MA ◆ 38-39 D 2
Astara ☆ AZ ◆ 14-15 V 7
Astoria ○ USA ◆ 42-43 M 7
Astove Island ∩ SY ◆ 40-41 L 4
Astrahan' ★ RUS ◆ 14-15 V 6
Astrakhan = Astrahan' ☆ RUS
◆ 14-15 V 6
Asunción ★ • PY ◆ 48 F 3
Asuncion ○ USA ◆ 34-35 N 3
Aswa ~ EAU ◆ 38-39 M 8
Aswân ☆ ★ ET ◆ 38-39 M 4
Asyma ☆ RUS ◆ 28-29 W 5
Asyût ☆ ★ ET ◆ 38-39 M 4
Ayachi, Jabal ▲ LAR ◆ 38-39 H 3
Ayacucho ○ PE ◆ 46-47 E 7
Ayacucho ○ RA ◆ 48 F 3
Ayakkum Hu ○ CHN ◆ 30-31 F 4
Aydin ☆ TR ◆ 14-15 R 8
Ayers Rock ▲ •• AUS ◆ 36-37 G 5
Aylmer Lake ○ CDN ◆ 42-43 P 4
Ayn al Ghazalah ○ LAR ◆ 38-39 K 2
Ayod ○ SUD ◆ 38-39 M 7
'Ayoûn el 'Atroûs ★ RIM ◆ 38-39 D 5
Ayr ○ AUS ◆ 36-37 K 3
Aysha ○ ETH ◆ 38-39 O 6
Ayu, Kepulauan ∩ RI ◆ 34-35 K 6
Ayutthaya ○•• THA ◆ 34-35 D 4
Azangaro ○ PE ◆ 46-47 E 7
Azaough ~ RN ◆ 38-39 F 5
Azare ○ WAN ◆ 38-39 H 6
Az Bogd ▲ MAU ◆ 30-31 H 2
Azeffâl ~ RIM ◆ 38-39 B 5
Azerbaïdjan ■ AZ ◆ 14-15 V 7
Azogues ○ EC ◆ 46-47 D 5
Azov, Mer d' = Azovskoe more ≈
◆ 14-15 T 6
Azovskoe more ≈ ◆ 14-15 T 6
Azrou ○ MA ◆ 38-39 O 6
Azuero, Península de ⌒ PA
◆ 44-45 K 9
Azul ○ RA ◆ 48 F 5
Azurduy ○ BOL ◆ 46-47 G 8

B

Baardheere ○ SP ◆ 38-39 O 8
Bâbâ, Kûh-e ▲ AFG ◆ 32-33 K 4
Bâb al-Mandab ≈ ◆ 32-33 G 6
Babana ○ WAN ◆ 38-39 F 6
Babanûsa ○ SUD ◆ 38-39 L 6
Babaomby, Tanjona ▲ RM ◆ 40-41 L 4
Babar, Kepulauan ∩ RI ◆ 34-35 J 8
Babat ○ RI (SUS) ◆ 34-35 D 7
Babati ○ EAT ◆ 40-41 J 2
Babel, Mont de ▲ CDN ◆ 42-43 X 6
Babelthuap ∩ PAL ◆ 34-35 K 5
Babinda ○ AUS ◆ 36-37 K 3
Babine Lake ○ CDN ◆ 42-43 N 6
Bâbol ○ • IR ◆ 32-33 G 3
Baboua ○ RCA ◆ 38-39 H 7
Babrujsk ★ BY ◆ 22-23 L 5
- ◆ 14-15 P 6
Babuškina, zaliv ≈ ◆ 28-29 b 6
Babuyan Island ∩ RP ◆ 34-35 H 3
Babuyan Islands ∩ RP ◆ 34-35 H 2
Bacabal ○ BR (MAR) ◆ 46-47 K 5
Bacaja, Área Indígena ⊠ BR
◆ 46-47 J 5
Bacan, Pulau ∩ RI ◆ 34-35 J 7
Bacău ★ RO ◆ 14-15 R 6
Bachu ○ CHN ◆ 30-31 D 4
Back River ~ CDN ◆ 42-43 Q 4
Bắc Ninh ☆ VN ◆ 34-35 D 2
Bacolod ○ RP ◆ 34-35 H 4
Bad', al- ○ KSA ◆ 32-33 C 5
Bada ⌂ ETH ◆ 38-39 N 7
Badajós, Lago ○ BR ◆ 46-47 G 5
Badajoz ★ E ◆ 24-25 D 5
- ◆ 14-15 K 8
Badârî, al- ○ ET ◆ 38-39 M 3
Baddo ~ PK ◆ 32-33 J 5
Badgingarra ○ AUS ◆ 36-37 D 6
Badlands National Park ⊥ USA
◆ 42-43 Q 8
Bado ○ AUS ◆ 34-35 L 8
Badu Island ∩ AUS ◆ 36-37 J 2
Badulla ○ CL ◆ 32-33 N 9
Badvel ○ IND ◆ 32-33 M 8
Bafata ★ GNB ◆ 38-39 C 6
Bafang ○ CAM ◆ 38-39 H 7
Baffin Basin ≈ ◆ 42-43 W 2
Baffin Bay ≈ ◆ 42-43 W 2
Baffin Island ∩ CDN ◆ 42-43 V 2
Bafia ○ CAM ◆ 38-39 H 8
Bafoulabé ○ RMM ◆ 38-39 D 6
Bafoussam ○ CAM ◆ 38-39 H 7
Bafra ☆ TR ◆ 14-15 T 7
Bafwasende ○ ZRE ◆ 40-41 G 1
Bagansiapiapi ○ RI ◆ 34-35 C 6
Bagdad ★ ★ IRQ (BAG) ◆ 32-33 E 4
Bagdad = Baghdad ★ ★ IRQ (BAG)
◆ 32-33 E 4
Bagdarin ★ RUS ◆ 28-29 T 7
Bage ○ BR ◆ 48 G 4
Bagé ~ RMM ◆ 38-39 D 6
Bagerhat ○ BD ◆ 32-33 N 6
Baghdad ★ ★ IRQ (BAG) ◆ 32-33 E 4
Baghlân ★ AFG ◆ 32-33 K 3
Bagnères-de-Bigorre ○ F ◆ 18-19 H 10
- ◆ 14-15
Bagoé ~ RMM ◆ 38-39 D 6
Bagomoyo ★ EAT ◆ 40-41 J 2
Baguio ~ RP (BEN) ◆ 34-35 H 3
Bâha, al- ★ KSA ◆ 32-33 E 6
Bahamas ■ BS ◆ 44-45 L 5
Bahamas ∩ BS ◆ 44-45 L 5
Baharampur ○ IND ◆ 32-33 N 6
Bahardien ○ RI ◆ 34-35 D 7
Bahariya, Oasis de ~ al- ○ ET ◆ 38-39 L 3
Bahâwalpur ○ PK ◆ 32-33 L 5
Bahia ■ BR ◆ 46-47 L 7
Bahia, Islas de la ∩ HN ◆ 44-45 J 7
Bahía Blanca ○ RA (BUA) ◆ 48 F 5
Bahia Grande ≈ ◆ 48 D 8

Avissawella ○ CL ◆ 32-33 N 9
Avoca ○ AUS (VIC) ◆ 36-37 J 7
Avon River ~ AUS ◆ 36-37 D 6
Avranches ○ F ◆ 18-19 G 7 ◆ 14-15
Awanui ○ NZ ◆ 36-37 P 7
Awar ○ PNG ◆ 34-35 M 7
Awasa ○ ETH ◆ 38-39 N 7
Âwash ○ ETH ◆ 38-39 O 7
Âwash National Park ⊥ ETH
◆ 38-39 N 7
Âwash Reserve ⊥ ETH ◆ 38-39 N 7
Awaynat, Al ○ LAR ◆ 38-39 K 2
Awaynat, Jabal Al ▲ SUD ◆ 38-39 L 4
Awbârî ★ LAR ◆ 38-39 H 3
Awjilah ○ LAR ◆ 38-39 K 3
Ayachi, Jabal ▲ LAR ◆ 38-39 H 3

Bahía Laura ○ RA ◆ 48 D 7
Bahías, Cabo dos ▲ RA ◆ 48 D 6
Bahía Solano ○ CO ◆ 46-47 D 2
Bahir Dar ○ ETH ◆ 38-39 N 5
Bahla ○ OM ◆ 32-33 H 6
Bahraich ○ IND ◆ 32-33 N 5
Bahrain ■ BRN ◆ 32-33 G 5
Bahrîya, Barqat al- ⌂ ET ◆ 38-39 K 2
Bâhtarân ★ IR (BAH) ◆ 32-33 F 4
Bahtegân, Daryâče-ye ○ IR
◆ 32-33 G 5
Baía dos Tigres ○ ANG ◆ 40-41 D 5
Baião ○ BR ◆ 46-47 K 5
Baibokoum ○ TCH ◆ 38-39 J 7
Baicheng ○ CHN ◆ 30-31 N 2
Baie-Comeau ○ CDN ◆ 42-43 X 7
Baikal, Lac ○ RUS ◆ 28-29 S 7
Baïkonour = Bajkonyr ☆ KZ
◆ 28-29 K 8
Baile Átha Cliath = Dublin ★ • IRL
◆ 18-19 D 5 ◆ 14-15 K 5
Bǎileşti ○ RO ◆ 14-15 Q 6
Bailleul ○ F ◆ 18-19 L 10 ◆ 14-15
Bailundo ○ ANG ◆ 40-41 E 4
Baima ○ CHN ◆ 30-31 H 4
Baimka ○ RUS ◆ 28-29 d 4
Baing ○ RI ◆ 34-35 H 9
Baiquan ○ CHN ◆ 30-31 N 2
Baird Mountains ▲ USA ◆ 42-43 D 3
Baird Peninsula ⌒ CDN ◆ 42-43 V 3
Bairiki ★ KIB ◆ 32-33 G 6
Bairin Zuoqi ○ CHN ◆ 30-31 M 3
Bairnsdale ○ AUS ◆ 36-37 K 7
Baïrût ★ ★ RL ◆ 32-33 D 4
Baiš, Wâdî ~ KSA ◆ 32-33 E 6
Baise ~ F ◆ 18-19 H 10 ◆ 14-15
Baiyin ○ CHN ◆ 30-31 J 4
Bajanaul ○ KZ ◆ 28-29 N 7
Bajanhongor ★ MAU ◆ 30-31 J 2
Bajdarackaja guba ≈ ◆ 28-29 J 4
Bajkal ○ RUS ◆ 28-29 R 7
Bajkal'sk ○ RUS ◆ 28-29 R 7
Bajkal'skij zapovednik ⊥ RUS
◆ 28-29 S 7
Bajkonyr ☆ KZ ◆ 28-29 K 8
Bakčar ○ RUS ◆ 28-29 N 6
Bakel ○ SN ◆ 38-39 D 6
Baker Island ∩ USA ◆ 34-35 L 5
Baker Lake ○ CDN (NWT) ◆ 42-43 R 4
Baker Lake ○ CDN (NWT) ◆ 42-43 R 4
Bakersfield ○ USA ◆ 44-45 C 3
Baki ★ AZ ◆ 14-15 V 7
Bakou = Baki ★ AZ ◆ 14-15 V 7
Baku = Baki ★ AZ ◆ 14-15 V 7
Bala ○ RP ◆ 34-35 G 5
Balabac ○ RP ◆ 34-35 G 5
Balabac Island ∩ RP ◆ 34-35 G 5
Balabac Strait ≈ ◆ 34-35 G 5
Balabaiba ○ ANG ◆ 40-41 D 4
Balaghat ○ IND ◆ 32-33 M 6
Balaka ○ MW ◆ 40-41 H 4
Balakovo ○ RUS ◆ 14-15 V 5
Balâng An, Mũi ▲ VN ◆ 34-35 E 3
Balangir ○ IND ◆ 32-33 N 6
Balašov ○ RUS ◆ 14-15 U 5
Balaton ○ H ◆ 20-21 O 5
- ◆ 14-15 P 6
Balbi, Mount ▲ PNG ◆ 34-35 O 8
Balbina, Represa de ○ BR ◆ 46-47 H 5
Balcarce ○ RA ◆ 48 F 5
Balclutha ○ NZ ◆ 36-37 P 8
Balcones Escarpment ⌒ USA
◆ 44-45 G 5
Bald Head ▲ AUS ◆ 36-37 D 7
Baldy Peak ▲ USA ◆ 44-45 E 4
Baleia, Ponta da ▲ BR ◆ 46-47 M 8
Baleine, Baie de la = Walvis Bay ≈ NAM
◆ 40-41 D 6
Baleine, Rivière à la ~ CDN
◆ 42-43 X 5
Baie Mount National Park ⊥ ETH
◆ 38-39 N 7
Baleshwar ○ IND ◆ 32-33 N 7
Balḥ ○ AFG ◆ 32-33 K 3
Bali ○ RI ◆ 34-35 G 8
Bali, Mer de ≈ ◆ 34-35 G 8
Bali, Pulau ∩ RI ◆ 34-35 F 8
Baliem ~ RI ◆ 34-35 L 8
Balikesir ★ TR ◆ 14-15 R 8
Balikpapan ○ RI ◆ 34-35 G 7
Balintang Channel ≈ ◆ 34-35 H 3
Balkans ⌒ BG ◆ 26-27 J 3
- ◆ 14-15 Q 7
Balkaş ○ KZ ◆ 28-29 L 8
Balkaş köli ○ KZ ◆ 28-29 L 8
Balkhach = Balkaš ○ KZ ◆ 28-29 L 8
Balkhach, Lac = Balkaš köli ○ KZ
◆ 28-29 L 8
Balladonia Motel ○ AUS ◆ 36-37 E 6
Ballarat ○ AUS ◆ 36-37 J 7
Ballina ○ IND ◆ 32-33 N 5
Ballina ○ AUS ◆ 36-37 L 5
Ball's Pyramid ∩ AUS ◆ 36-37 M 6
Balonne River ~ AUS ◆ 36-37 K 5
Balotra ○ IND ◆ 32-33 L 5
Balouchistan ⌂ IR ◆ 32-33 J 5
Balranald ○ AUS ◆ 36-37 J 6
Balsas ○ BR ◆ 46-47 K 6
Balsas, Río ~ MEX ◆ 44-45 F 7
Bălţi ★ MD ◆ 14-15 R 6
Baltimore ○ USA ◆ 44-45 M 3
Balwina Aboriginal Land ⊠ AUS
◆ 36-37 F 4
Balygyčan ○ RUS (MAG) ◆ 28-29 Z 5
Balygyčan ~ RUS ◆ 28-29 b 5
Bam ★ IR ◆ 32-33 H 5
BAM = Baikal-Amur-Magistrale ▮ RUS
◆ 28-29 T 6
Bamaga ○ AUS ◆ 36-37 J 2
Bamako ★ • RMM (BAM) ◆ 38-39 D 6
Bamba ○ RMM ◆ 38-39 F 5
Bambamarca ○ PE ◆ 46-47 D 6
Bambari ○ RCA ◆ 38-39 K 7
Bamenda ○ CAM ◆ 38-39 H 7
Bamingui-Bangoran, Parc National du ⊥
RCA ◆ 38-39 K 6
Bâmyân ★ AFG (BM) ◆ 32-33 K 4
Banaba ○ ZRE ◆ 40-41 G 1
Banana ○ BR ◆ 36-37 L 4

Bananal, Ilha do ∩ BR ◆ 46-47 J 7
Banás, Ra's ▲ ET ◆ 38-39 N 4
Banaue ○ RP ◆ 34-35 H 3
Banc d'Arguin, Parc National du ⊥ ••• RIM
◆ 38-39 B 5
Banco, El ○ CO ◆ 46-47 E 2
Banda ○ IND ◆ 32-33 N 5
Banda, Kepulauan (Nutmeg Kepulauan)
∩ •• RI ◆ 34-35 J 7
Banda, La ○ RA ◆ 48 E 3
Banda, Mer de ≈ ◆ 34-35 J 7
Banda Aceh ★ RI ◆ 34-35 C 5
Banda Méridional, Bassin de ≃
◆ 34-35 J 8
Bandar-e 'Abbâs ★ IR ◆ 32-33 H 5
Bandar-e Anzali ★ IR ◆ 32-33 F 3
Bandar-e Büšehr ★ IR ◆ 32-33 G 5
Bandar-e Lenge ○ IR ◆ 32-33 H 5
Bandar Lampung ☆ RI ◆ 34-35 E 8
Bandar Seri Begawan ★ ★ BRU
◆ 34-35 F 6
Banda Septentrional, Bassin de ≃
◆ 34-35 J 7
Bandeirantes ○ BR (GOI) ◆ 46-47 J 7
Bandiagara ○ RMM ◆ 38-39 E 6
Bandirma ★ TR ◆ 14-15 R 7
Bandundu ★ ZRE (Ban) ◆ 40-41 E 2
Bandung ★ RI ◆ 34-35 E 8
Banff National Park ⊥ CDN
◆ 42-43 N 6
Banfora ○ BF ◆ 38-39 E 6
Banga ○ RP ◆ 34-35 H 5
Bangalore ★ • IND ◆ 32-33 M 8
Bangassou ○ RCA ◆ 38-39 K 8
Bangda ○ CHN ◆ 30-31 H 4
Banggai, Kepulauan ∩ RI ◆ 34-35 H 7
Banggi, Pulau ∩ MAL ◆ 34-35 G 5
Bangka, Pulau ∩ RI ◆ 34-35 E 7
Bangka, Selat ≈ ◆ 34-35 E 7
Bangko ○ RI ◆ 34-35 D 7
Bangkok ★ • THA ◆ 34-35 D 4
Bangkok, Baie de = Bangkok, Bight of ≈
◆ 34-35 D 4
Bangkok, Bight of ≈ ◆ 34-35 D 4
Bangladesh ■ BD ◆ 32-33 O 6
Bangor ○ USA ◆ 42-43 X 8
Bangor ★ GB ◆ 18-19 E 5
Bangweulu, Lake ○ Z ◆ 40-41 G 4
Banhine, Parque Nacional de ⊥ MOC
◆ 40-41 H 6
Bani ○ DOM ◆ 44-45 M 7
Bani ~ RMM ◆ 38-39 D 6
Bani, Jbel ▲ MA ◆ 38-39 D 3
Bani Mazar ○ ET ◆ 38-39 M 3
Bani Suwaif ○ ET ◆ 38-39 M 3
Bani Walid ★ LAR ◆ 38-39 H 2
Banja Luka ○ BIH ◆ 26-27 F 2
- ◆ 14-15 P 7
Banjaran Titiwangsa ▲ MAL
◆ 34-35 D 6
Banjarmasin ○ RI ◆ 34-35 F 7
Banjul ★ • WAG ◆ 38-39 B 6
Banka Island ∩ CDN (BC) ◆ 42-43 M 6
Banks Island ∩ CDN (NWT)
◆ 42-43 N 2
Banks Peninsula ⌒ NZ ◆ 36-37 P 8
Banks Strait ≈ ◆ 36-37 K 8
Bánkura ○ IND ◆ 32-33 N 6
Bannu ○ PK ◆ 32-33 L 4
Banská Bystrica ★ SK ◆ 20-21 P 4
- ◆ 14-15
Banská Štiavnica ☆ SK ◆ 20-21 P 4
- ◆ 14-15 P 6
Banyak, Kepulauan ∩ RI ◆ 34-35 C 6
Banyuwangi ○ RI ◆ 34-35 F 8
Banzare Land ⌂ ARK ◆ 13 G 13
Baoding ○ CHN ◆ 30-31 M 4
Baoji ○ CHN ◆ 30-31 K 4
Baoshan ○ CHN (YUN) ◆ 30-31 H 6
Baotou ○ CHN ◆ 30-31 K 3
Baoulé ~ RMM ◆ 38-39 D 6
Ba'qûba ★ IRQ ◆ 32-33 E 4
Baquedano ○ RCH ◆ 48 D 2
Baraawe ○ SP ◆ 40-41 K 1
Baracoa ○ C ◆ 44-45 L 6
Barahona ○ DOM ◆ 44-45 M 7
Bârâmati ○ IND ◆ 32-33 L 7
Baranavičy ★ BY ◆ 22-23 K 5
- ◆ 14-15 Q 5
Baranof Island ∩ USA ◆ 42-43 J 5
Barbacena ○ BR ◆ 48 J 3
Barbacoas ○ CO ◆ 46-47 D 4
Barbar ○ SUD ◆ 38-39 M 5
Barbados ■ BDS ◆ 44-45 P 8
Barbar ○ SUD ◆ 38-39 M 5
Barbuda Island ∩ AG ◆ 44-45 O 7
Barcaldine ○ AUS ◆ 36-37 K 4
Barcelona ★ YV ◆ 46-47 F 2
Barcelone ★ • E ◆ 24-25 J 4
- ◆ 14-15 M 7
Barcelonnette ○ • F ◆ 18-19 L 9
Barcelos ○ BR ◆ 46-47 G 5
Bardaï ○ TCH ◆ 38-39 J 4
Barddhamân ○ IND ◆ 32-33 O 6
Bareilly ○ IND ◆ 32-33 M 5
Barentu ○ ER ◆ 38-39 N 5
Barga ○ CHN ◆ 30-31 N 5
Bargaal ○ SP ◆ 38-39 Q 6
Barguzin ~ RUS ◆ 28-29 T 7
Barguzinskij, zapovednik ⊥ RUS
◆ 28-29 S 7
Barguzinskij hrebet ▲ RUS
◆ 28-29 S 7
Bari ★ • I ◆ 26-27 F 4 ◆ 14-15 P 7
Baring, Cape ▲ CDN ◆ 42-43 N 2
Bâripâda ○ IND ◆ 32-33 O 6
Bârîs ○ ET ◆ 38-39 M 3
Barisal ○ BD ◆ 32-33 N 6
Barisan, Monts = Pegunungan Barisan ▲
RI ◆ 34-35 D 7
Barito ~ RI ◆ 34-35 F 7
Barkam ○ CHN ◆ 30-31 J 4
Barkley, Lake ○ USA ◆ 44-45 J 3
Barkly, Plateau de = Barkly Tableland ▲
AUS ◆ 36-37 G 3

Barkly Homestead Roadhouse ○ AUS
◆ 36-37 H 3
Barkly Tableland ▲ AUS ◆ 36-37 G 3
Barle-Duc ★ F ◆ 18-19 K 7 ◆ 14-15
Barlee, Lake ○ AUS ◆ 36-37 D 5
Barletta ○ • I ◆ 26-27 F 4
- ◆ 14-15 P 7
Barmer ○ IND ◆ 32-33 L 5
Barnaul ★ RUS ◆ 28-29 N 6
Barne Glacier ⊂ ARK ◆ 13 E 0
Barnes Ice Cap ⊂ CDN ◆ 42-43 W 2
Barpeta ○ IND ◆ 32-33 O 5
Barquisimeto ★ YV ◆ 46-47 F 2
Barra ○ BR (BAH) ◆ 46-47 L 7
Barra do Bugres ○ BR ◆ 46-47 H 7
Barra do Corda ○ BR ◆ 46-47 K 6
Barra do Garças ○ BR ◆ 46-47 J 8
Barranca ○ PE (LOR) ◆ 46-47 D 6
Barrancabermeja ○ CO ◆ 46-47 E 2
Barranca del Cobre, Parque Natural ⊥ •••
MEX ◆ 44-45 E 5
Barranquilla ★ CO ◆ 46-47 E 2
Barreiras ○ BR ◆ 46-47 L 7
Barreirinhas ○ BR ◆ 46-47 L 5
Barrême ○ F ◆ 18-19 L 10 ◆ 14-15
Barren Grounds ⌒ CDN ◆ 42-43 M 3
Barretos ○ BR ◆ 48 H 2
Barrow ○ USA ◆ 42-43 E 2
Barrow, Point ▲ USA ◆ 42-43 E 2
Barrow Island ∩ AUS ◆ 36-37 D 4
Barrow Strait ≈ ◆ 42-43 S 2
Barstow ○ USA ◆ 44-45 C 3
Bar-sur-Aube ○ F ◆ 18-19 K 7
- ◆ 14-15
Bartica ★ GUY ◆ 46-47 H 3
Bartow ○ USA ◆ 44-45 K 5
Barukova, mys ▲ RUS ◆ 28-29 g 5
Baruun-Urt ★ MAU ◆ 30-31 L 2
Barysav ○ BY ◆ 22-23 L 4
- ◆ 14-15 R 5
Basankusu ○ ZRE ◆ 40-41 E 1
Basaseachic ★ MEX ◆ 44-45 E 5
Basel ★ • CH ◆ 20-21 L 4
- ◆ 14-15 N 6
Basilan Island ∩ RP ◆ 34-35 H 5
Baskatong, Réservoir < CDN
◆ 42-43 V 7
Basoko ○ ZRE ◆ 40-41 F 1
Basra, al- ☆ IRQ ◆ 32-33 F 4
Bass, Détroit de = Bass Strait ≈
◆ 36-37 J 7
Basse Guinée ⌒ ◆ 9 E 5
Basse-Normandie ⌂ F ◆ 18-19 G 7
- ◆ 14-15
Basse Santa Su ★ WAG ◆ 38-39 C 6
Basse-Terre ★ • F ◆ 44-45 O 7
Basseterre ★ • KAN ◆ 44-45 O 7
Bassin des Carolines Oriental ≃
◆ 34-35 N 6
Bassin des Lofoten ≃ ◆ 44-45 M 2
Bassin des Nouvelles Hébrides ≃
◆ 36-37 N 3
Bassorah = Basra, al- ☆ IRQ
◆ 32-33 F 4
Bass Strait ≈ ◆ 36-37 J 7
Basti ○ IND ◆ 32-33 N 5
Bastia ★ F ◆ 24-25 M 3
- ◆ 14-15 N 7
Bat ••• OM ◆ 32-33 H 6
Bata ★ GE ◆ 40-41 C 1
Batabanó, Golfo de ≈ ◆ 44-45 K 6
Batagaj ○ RUS ◆ 28-29 X 4
Batajsk ○ RUS ◆ 14-15 T 6
Batang ○ CHN ◆ 30-31 H 4
Batang ~ RI ◆ 34-35 E 7
Batangafo ○ RCA ◆ 38-39 J 7
Batangas ★ RP ◆ 34-35 H 4
Batan Island ○ RP (BTN) ◆ 34-35 H 2
Batan Islands ∩ RP ◆ 34-35 H 2
Batanta, Pulau ∩ RI ◆ 34-35 K 7
Bâtdâmbâng ○ K ◆ 34-35 D 4
Batemans Bay ○ AUS ◆ 36-37 L 7
Batha ~ TCH ◆ 38-39 J 6
Batman ☆ TR ◆ 14-15 U 8
Batna ★ DZ ◆ 38-39 G 1
Bato ○ RP ◆ 34-35 H 4
Baton Rouge ★ USA ◆ 44-45 H 4
Batouri ○ CAM ◆ 38-39 H 7
Batoumi = Bat'umi ★ GE ◆ 14-15 U 7
Batoumi ○ GAM ◆ 38-39 H 7
Batterbee Range ▲ ARK ◆ 13 F 30
Batticaloa ○ CL ◆ 32-33 N 9
Battle River ~ CDN ◆ 42-43 O 6
Batu ○ ETH ◆ 38-39 N 7
Batu, Kepulauan ∩ RI ◆ 34-35 C 7
Baubau ○ RI ◆ 34-35 H 8
Bauchi ★ WAN (BAU) ◆ 38-39 G 6
Bauhinia Downs ○ AUS ◆ 36-37 K 4
Bauld, Cape ▲ CDN ◆ 42-43 Z 6
Baule-Escoublac, la ○ • F ◆ 18-19 F 8
- ◆ 14-15
Baú-Mekragroti, Área Indígena ⊠ BR
◆ 46-47 J 6
Bauru ○ BR ◆ 48 H 2
Bawean, Pulau ∩ RI ◆ 34-35 F 7
Bay, Reserve de ⊥ RMM ◆ 38-39 E 6
Bayâd, al- ⌂ KSA ◆ 32-33 F 6
Bayâd, Ra's al- ▲ Y ◆ 32-33 F 7
Bayan ○ CHN ◆ 30-31 J 3
Bayan Har Shan ▲ CHN ◆ 30-31 H 4
Bayan Obo ○ CHN ◆ 30-31 K 3
Bay City ○ USA (MI) ◆ 42-43 U 8
Bayda, al- ★ LAR ◆ 38-39 K 2
Baydhabo ★ SP ◆ 38-39 N 8
Bayeux ○ F ◆ 18-19 G 7 ◆ 14-15
Bayizhen ○ CHN ◆ 30-31 G 4
Bay of Whales ≈ ◆ 13 F 20
Bayonet Point ○ USA ◆ 44-45 K 5
Bayonne ○ • F ◆ 18-19 G 10 ◆ 14-15

Bayreuth ○ • D ◆ 20-21 L 4
- ◆ 14-15 O 6
Bazaruto, Ilhas do ∩ MOC ◆ 40-41 J 6
Bazaruto, Parque Nacional de ⊥ MOC
◆ 40-41 J 6
Be, Nosy ∩ RM ◆ 40-41 L 4
Beachport ○ AUS ◆ 36-37 H 7
Beagle Bay ≈ ◆ 36-37 E 3
Bealanana ○ RM ◆ 40-41 L 4
Beardmore Glacier ⊂ ARK ◆ 13 E 0
Bear Island ∩ ARK ◆ 13 F 26
Bear Island ∩ ARK ◆ 13 J 26
Bear River ~ USA ◆ 44-45 D 2
Beata, Cabo ▲ DOM ◆ 44-45 M 7
Beatty ○ USA ◆ 44-45 C 3
Beaufort ○ MAL ◆ 34-35 G 5
Beaufort, Mer de ≈ ◆ 42-43 H 2
Beaufort-Wes = Beaufort West ○ ZA
◆ 40-41 F 8
Beaugency ○ F ◆ 18-19 H 8 ◆ 14-15
Beaumont ○ USA (TX) ◆ 44-45 H 4
Beaumont-de-Lomagne ○ F
◆ 18-19 H 10 ◆ 14-15
Beaumont-sur-Oise ○ F ◆ 18-19 J 7
- ◆ 14-15
Beaune ○ F ◆ 18-19 K 8 ◆ 14-15
Beauvais ★ F ◆ 18-19 J 7
- ◆ 14-15
Beauval ○ CDN ◆ 42-43 P 5
Beaver River ~ CDN ◆ 42-43 O 5
Beâwar ○ IND ◆ 32-33 L 5
Beazley ○ RA ◆ 48 D 4
Béboura III ○ RCA ◆ 38-39 J 7
Bécher ○ DZ ◆ 38-39 E 2
Becerro, Cayos ∩ HN ◆ 44-45 K 7
Béchar ○ DZ ◆ 38-39 E 2
Becharof Lake ○ USA ◆ 42-43 E 5
Beddouza, Cap ▲ MA ◆ 38-39 D 2
Bedford, Mount ▲ AUS ◆ 36-37 F 3
Be'ér Sheva' ★ IL ◆ 32-33 C 4
Beeville ○ USA ◆ 44-45 G 5
Befale ○ ZRE ◆ 40-41 F 1
Behbahân ○ IR ◆ 32-33 G 4
Bel'an ○ CHN ◆ 30-31 O 2
Belhai ○ CHN ◆ 30-31 K 7
Beijing ★ ••• CHN ◆ 30-31 M 4
Beijing Shi ⌂ CHN ◆ 30-31 M 4
Beipiao ○ CHN ◆ 30-31 N 3
Beira ○ MOC ◆ 40-41 H 5
Bei Shan ▲ CHN ◆ 30-31 H 3
Beitbridge ○ ZW ◆ 40-41 H 6
Beja ○ • P ◆ 24-25 D 5 ◆ 14-15 K 8
Bejaia ★ • DZ ◆ 38-39 G 1
Béjar ○ E ◆ 24-25 E 4 ◆ 14-15 K 7
Bekasi ○ RI ◆ 34-35 E 8
Bela ○ PK ◆ 32-33 K 5
Belaja ~ RUS ◆ 14-15 X 5
Belau ~ PNG ◆ 34-35 O 7
Bela Vista ○ BR (GSU) ◆ 48 F 2
Bela Vista ○ MOC ◆ 40-41 H 7
Belawan ○ RI ◆ 34-35 C 6
Belcher Channel ≈ ◆ 42-43 T 1
Belcher Islands ∩ CDN ◆ 42-43 V 5
Beledweyne ★ SP ◆ 38-39 O 8
Belém ★ • BR (P) ◆ 46-47 K 5
Belep, Îles ∩ F ◆ 36-37 N 3
Belet Uen = Beledweyne ★ SP
◆ 38-39 O 8
Beleya Terara ▲ ETH ◆ 38-39 N 6
Belfast ★ • GB ◆ 18-19 L 8 ◆ 14-15
- ◆ 14-15 K 5
Belfort ○ • F ◆ 18-19 L 8 ◆ 14-15
Belgaum ○ IND ◆ 32-33 L 7
Belgica Mountains ▲ ARK ◆ 13 F 7
Belgorod ○ RUS ◆ 14-15 T 5
Belgrade = Beograd ★ YU ◆ 26-27 H 2
- ◆ 14-15 Q 7
Beli ○ WAN ◆ 38-39 H 7
Belinyu ○ RI ◆ 34-35 E 7
Belitung, Pulau ∩ RI ◆ 34-35 E 7
Belize ■ BH ◆ 44-45 J 7
Belize City ★ BH ◆ 44-45 J 7
Belkovskij, ostrov ∩ RUS ◆ 28-29 X 2
Bellac ○ F ◆ 18-19 H 8 ◆ 14-15
Bella Coola ○ CDN ◆ 42-43 M 6
Bellary ○ IND ◆ 32-33 M 7
Belle Glade ○ USA ◆ 44-45 K 5
Belle-Île ∩ F ◆ 18-19 E 8
- ◆ 14-15 L 6
Belle Isle ○ CDN ◆ 42-43 Z 6
Belle Isle, Strait of ≈ ◆ 42-43 Z 6
Belleville ○ CDN ◆ 40-41 E 8
Bellingshausen, Mer de ≈ ◆ 13 G 28
Bell Island ∩ CDN (NFL) ◆ 42-43 Z 6
Bello ○ CO ◆ 46-47 D 3
Bellona Island ∩ SOL ◆ 36-37 M 2
Bellona Plateau ≃ ◆ 36-37 M 4
Bell Peninsula ⌒ CDN ◆ 42-43 U 4
Bell Ville ○ RA ◆ 48 E 4
Belmopan ★ BH ◆ 44-45 J 7
Beloe, ozero ○ RUS ◆ 22-23 P 1
- ◆ 14-15 T 3
Belogorsk ○ RUS ◆ 28-29 W 7
Belo Horizonte ★ • BR ◆ 46-47 L 8
Belojarskij ○ RUS (HMN) ◆ 28-29 K 5
Belomorsk ○ RUS ◆ 14-15 S 3
Belo Tsiribihina ○ RM ◆ 40-41 K 5
Belovo ○ RUS ◆ 28-29 O 7
Belozersk ○ RUS ◆ 22-23 P 1
- ◆ 14-15 T 3
Beluha, gora ▲ KZ ◆ 28-29 O 8
Belušja Guba ○ RUS ◆ 28-29 G 3
Belyj, île = Belyj, ostrov ∩ RUS
◆ 28-29 K 3
Belyj, ostrov ∩ RUS ◆ 28-29 L 3
Belyj Jar ★ RUS ◆ 28-29 O 6
Bemaraha ⌂ RM ◆ 40-41 K 5
Bembèrèkè ○ DY ◆ 38-39 F 6
Bemidji ○ USA ◆ 42-43 S 7
Bena ○ WAN ◆ 38-39 G 6
Bendeleben Mountains ▲ USA
◆ 42-43 D 3
Bendemeer ○ AUS ◆ 36-37 L 6
Bender = Tighina ○ MD ◆ 14-15 R 6
Bendigo ○ AUS ◆ 36-37 J 7
Benevento ○ • I ◆ 26-27 E 4
- ◆ 14-15 O 7
Bengale, Golfe du ≈ ◆ 32-33 O 7
Bengbu ○ CHN ◆ 30-31 M 5
Benghazi ○ LAR ◆ 38-39 K 2
Bengkulu ○ RI ◆ 34-35 D 7

Benguela ☆· ANG ◆ 40-41 D 4
Benguerir o MA ◆ 38-39 D 2
Beni o ZRE ◆ 40-41 G 1
Beni, Río ~ BOL ◆ 46-47 F 7
Beni-Abbès o· DZ ◆ 38-39 E 2
Beni Hammad ··· DZ ◆ 38-39 F 1
Beni-Mellal ☆ MA ◆ 38-39 D 2
Bénin ■ DY ◆ 38-39 F 7
Benin, Bight of ≈ ◆ 38-39 F 7
Benin City ☆· WAN ◆ 38-39 G 7
Benito Juárez o RA ◆ 48 F 5
Benito Juárez, Parque Nacional ⊥ MEX ◆ 44-45 G 7
Bennetta, ostrov ⌒ RUS ◆ 28-29 a 2
Ben Nevis ▲·· GB ◇ 18-19 E 3 ◆ 14-15 K 4
Bénoué, Parc National de la ⊥ CAM ◆ 38-39 H 7
Benteng o RI ◆ 34-35 H 8
Bentiu o SUD ◆ 38-39 L 7
Benton Harbor o USA ◆ 42-43 T 8
Benue, River ~ WAN ◆ 38-39 G 7
Benxi o CHN ◆ 30-31 N 3
Beograd ★ YU ◇ 26-27 H 2 ◆ 14-15 Q 7
Beppu o· J ◆ 30-31 P 5
Beqa ⌒ FJI ◆ 36-37 Q 3
Berau, Teluk ≈ ◆ 34-35 K 7
Beravina o RM ◆ 40-41 L 5
Berbera o SP ◆ 38-39 P 6
Berbérati ☆ RCA ◆ 38-39 J 8
Berdjans'k o UA ◆ 14-15 T 6
Berdyčiv ☆ UA ◆ 14-15 R 6
bereg Haritona Lapteva ◡ RUS ◆ 28-29 O 3
Bereina o PNG ◆ 34-35 N 8
Berenike o ET ◆ 38-39 N 4
Berens River ~ CDN ◆ 42-43 R 6
Bereznik o RUS ◆ 14-15 U 3
Berezniki o RUS ◆ 14-15 X 4
Bergen ☆··· N ◇ 16-17 B 6 ◆ 14-15 N 3
Bergerac o F ◇ 18-19 H 9 ◆ 14-15
Berhala, Selat ≈ ◆ 34-35 D 7
Béring, Détroit de ≈ ◆ 42-43 C 4
Béring, Île = Beringa, ostrov ⌒ RUS ◆ 28-29 e 6
Béring, Mer de ≈ ◆ 42-43 B 4
Beringa, ostrov ⌒ RUS ◆ 28-29 e 6
Bering Glacier ⊂ USA ◆ 42-43 H 4
Bering Land Bridge Nature Reserve ⊥ USA ◆ 42-43 C 3
Berkeley o USA ◆ 44-45 B 3
Berkner Island ⌒ ARK ◆ 13 F 30
Berlevåg o N ◇ 16-17 O 1 ◆ 14-15 R 1
Berlin ★··· D ◇ 20-21 M 2 ◆ 14-15 O 5
Berlin, Mount ▲ ARK ◆ 13 F 23
Bermudes, Îles ⌒ GB ◆ 44-45 N 4
Bermudes, Plateau des ≃ ◆ 44-45 N 4
Bern ★··· CH ◇ 20-21 J 5 ◆ 14-15 N 6
Bernardo de Irigoyen o RA ◆ 48 G 3
Bernardo O'Higgins, Parque Nacional ⊥ RCH ◆ 48 C 7
Bernay o F ◇ 18-19 H 7 ◆ 14-15
Berne = Bern ★··· CH ◇ 20-21 J 5 ◆ 14-15 N 6
Bernier Bay ≈ ◆ 42-43 T 2
Berry ▲ F ◇ 18-19 H 8 ◆ 14-15
Berseba o NAM ◆ 40-41 E 7
Bertolínia o BR ◆ 46-47 L 6
Bertoua ☆ CAM ◆ 38-39 H 8
Beruri o BR ◆ 46-47 G 5
Besançon ☆·· F ◇ 18-19 L 8 ◆ 14-15 N 6
Besar, Gunung ▲ RI ◆ 34-35 G 7
Bescoky, tau ▲ KZ ◆ 32-33 G 2
Betânia, Área Indígena X BR ◆ 46-47 F 5
Bétaré Oya o CAM ◆ 38-39 H 7
Betbakdala ∸ KZ ◆ 28-29 K 8
Bethlehem o ZA ◆ 40-41 G 7
Bethulie o ZA ◆ 40-41 G 8
Betroka o RM ◆ 40-41 L 6
Betsjoeanaland ∸ ZA ◆ 40-41 F 7
Beyla o RG ◆ 38-39 D 7
Beylul o ER ◆ 38-39 O 6
Beyrouth = Bairūt ★ RL ◆ 32-33 D 4
Béziers o· F ◇ 18-19 J 10 ◆ 14-15 M 7
Bhadrak o IND ◆ 32-33 O 6
Bhadrāvati o IND ◆ 32-33 M 8
Bhāgalpur o IND ◆ 32-33 O 5
Bhairab Bazar o BD ◆ 32-33 P 6
Bhaktapur o· NEP ◆ 32-33 O 5
Bhamo o MYA ◆ 30-31 H 7
Bhandāra o IND ◆ 32-33 M 6
Bharatpur o· IND (RAJ) ◆ 32-33 M 5
Bharūch o IND ◆ 32-33 L 6
Bhatkal o IND ◆ 32-33 L 8
Bhātpāra o IND ◆ 32-33 O 6
Bhavnagar o· IND ◆ 32-33 L 6
Bhawānipatna o IND ◆ 32-33 N 7
Bhilainagar o IND ◆ 32-33 N 6
Bhilwāra o IND ◆ 32-33 L 5
Bhind o IND ◆ 32-33 M 5
Bhiwandi o IND ◆ 32-33 L 7
Bhopāl ☆·· IND ◆ 32-33 M 6
Bhoutan ■ BHT ◆ 32-33 O 5
Bhubaneshwar ☆·· IND ◆ 32-33 O 6
Bhuj o IND ◆ 32-33 K 6
Bhusāwal o IND ◆ 32-33 M 6
Biak o RI ◆ 34-35 L 7
Biak, Pulau ⌒ RI ◆ 34-35 L 7
Białystok ☆· PL ◇ 20-21 R 2 ◆ 14-15 Q 5
Biaora o IND ◆ 32-33 M 6
Biarritz o· F ◇ 18-19 G 10 ◆ 14-15
Biaza o RUS ◆ 28-29 M 6
Bichkek = Biškek ★ KS ◆ 32-33 L 2
Bickerton Island ⌒ AUS ◆ 36-37 H 2
Bicuari, Parque Nacional do ⊥ ANG ◆ 40-41 D 5
Bida o WAN ◆ 38-39 G 7
Bīdar o· IND ◆ 32-33 M 7
Biélorussie ■ BY ◇ 22-23 K 5 ◆ 14-15 Q 5
Bienville, Lac ⬭ CDN ◆ 42-43 W 5
Big Baldy ▲ USA ◆ 42-43 N 8
Big Bay ≈ ◆ 36-37 O 3
Big Bend National Park ⊥ USA ◆ 44-45 F 5
Bighorn Mountains ▲ USA ◆ 42-43 P 8
Bighorn River ~ USA ◆ 42-43 P 7
Big Island ⌒ CDN (NWT) ◆ 42-43 W 4
Big Rapids o USA ◆ 42-43 T 8
Big Spring o USA ◆ 44-45 F 4
Big Trout Lake ⬭ CDN (ONT) ◆ 42-43 S 6
Bihar □ IND ◆ 32-33 N 6
Biharamulo o EAT ◆ 40-41 H 2
Bijagos, Arquipélago dos ⌒ GNB ◆ 38-39 B 6
Bijāpur o·· IND ◆ 32-33 M 7
Bijie o CHN ◆ 30-31 K 6
Bijsk ☆ RUS ◆ 28-29 O 7
Bikin o RUS (ROS) ◆ 28-29 X 8
Bikin ~ RUS ◆ 28-29 Y 8
Bikoro o ZRE ◆ 40-41 E 2
Bikubiti ▲ LAR ◆ 38-39 J 4
Bila Cerkva ☆ UA ◆ 14-15 S 6
Bilāspur o IND ◆ 32-33 N 6
Bilbao = Bilbo o· E ◇ 24-25 F 3 ◆ 14-15 L 7
Bili o ZRE ◆ 38-39 L 8
Bilibino o· RUS ◆ 28-29 e 4
Billings o USA ◆ 42-43 P 7
Bilma o RN ◆ 38-39 H 5
Biloela o AUS ◆ 36-37 L 4
Bilpa Morea Claypan ⬭ AUS ◆ 36-37 H 5
Biltine ☆ TCH ◆ 38-39 K 6
Binaja, Gunung ▲ RI ◆ 34-35 J 7
Bindura ☆ ZW ◆ 40-41 H 5
Binga, Monte ▲ MOC ◆ 40-41 H 5
Binghamton o USA ◆ 42-43 V 8
Bingöl ☆ TR ◆ 14-15 U 8
Binjai o RI ◆ 34-35 C 6
Bintan, Pulau ⌒ RI ◆ 34-35 D 6
Bintulu o MAL ◆ 34-35 F 6
Bintuni o RI ◆ 34-35 K 7
Binzhou o CHN ◆ 30-31 M 4
Birāk o LAR ◆ 38-39 H 3
Birao ☆· RCA ◆ 38-39 K 6
Biratnagar o NEP ◆ 32-33 O 5
Bi'r Ben Ghimah o LAR ◆ 38-39 K 2
Birch Mountains ▲ CDN ◆ 42-43 O 5
Birdsville o AUS ◆ 36-37 H 5
Birdum o AUS ◆ 36-37 G 3
Birğand o· IR ◆ 32-33 H 4
Birganj o NEP ◆ 32-33 N 5
Biri ~ SUD ◆ 38-39 L 7
Biriljussy o RUS ◆ 28-29 P 6
Birjusa (Ona) ~ RUS ◆ 28-29 Q 6
Bîrlad o RO ◆ 14-15 R 6
Birmanie = Myanmar ■ MYA ◆ 30-31 G 7
Birmingham o GB ◇ 18-19 G 5 ◆ 14-15 L 5
Birmingham o USA ◆ 44-45 J 4
Bîr Mogreïn o RIM ◆ 38-39 C 3
Birni Gwari o WAN ◆ 38-39 G 6
Birnin-Konni o RN ◆ 38-39 G 6
Birnin Kudu o WAN ◆ 38-39 G 6
Birobidžan ☆ RUS ◆ 28-29 X 8
Biša o KSA ◆ 32-33 E 6
Bisa, Pulau ⌒ RI ◆ 34-35 J 7
Biscarrosse o F ◇ 18-19 G 9 ◆ 14-15
Biscoe Islands ⌒ ARK ◆ 13 G 30
Bisha o ER ◆ 38-39 N 5
Bisho o ZA ◆ 40-41 G 8
Biškek ★ KS ◆ 32-33 L 2
Biskra ☆· DZ ◆ 38-39 G 2
Bislig o RP ◆ 34-35 J 5
Bismarck ☆ USA ◆ 42-43 Q 7
Bismarck, Mer de ≈ ◆ 34 35 N 7
Bismarck Archipelago ⌒ PNG ◆ 34-35 N 7
Bismarck Range ▲ PNG ◆ 34-35 M 8
Bismarckstraße ≈ ◆ 13 G 30
Bissagos, Archipel des = Bijagos, Arquipélago dos ⌒ GNB ◆ 38-39 B 6
Bissau ★· GNB ◆ 38-39 B 6
Bistcho Lake ⬭ CDN ◆ 42-43 N 5
Bitkine o TCH ◆ 38-39 J 6
Bitola o·· MK ◇ 26-27 H 4 ◆ 14-15 Q 7
Bitterfontein o ZA ◆ 40-41 E 8
Bitterroot Range ▲ USA ◆ 42-43 N 7
Bitung o RI ◆ 34-35 J 6
Biu o WAN ◆ 38-39 H 6
Biwa-ko ⬭ J ◆ 30-31 Q 4
Bizerte ☆· TN ◆ 38-39 G 1
Bjorne Peninsula ⌒ CDN ◆ 42-43 T 1
Blackall o AUS ◆ 36-37 K 4
Blackfeet Indian Reservation X USA ◆ 42-43 O 7
Black Hills ▲ USA ◆ 42-43 Q 8
Black Lake ⬭ CDN (SAS) ◆ 42-43 P 5
Black Mesa ▲ USA ◆ 44-45 F 3
Black Mountain ▲ AUS ◆ 36-37 H 4
Black Rock Desert ∸ USA ◆ 44-45 C 2
Blagoevgrad o BG ◆ 14-15 Q 7
Blagoevo o RUS ◆ 28-29 F 5
Blagoveščenka ☆ RUS ◆ 28-29 M 7
Blagoveščensk ☆· RUS (AMR) ◆ 28-29 W 7
Blagoveščenskij proliv ≈ ◆ 28-29 a 2
Blanc, le o F ◇ 18-19 H 8 ◆ 14-15
Blanche, Lake ⬭ AUS (SA) ◆ 36-37 H 5
Blanche, Lake ⬭ AUS (WA) ◆ 36-37 E 4
Blanco, Cabo ▲ CR ◆ 44-45 J 9
Blanco, Cape ▲ USA ◆ 42-43 M 8
Blancos, Los o RA ◆ 48 E 2
Blanc-Sablon o CDN ◆ 42-43 Z 6
Blanquilla, Isla ⌒ YV ◆ 46-47 G 2
Blantyre ☆· MW ◆ 40-41 J 5
Blaye o F ◇ 18-19 G 9 ◆ 14-15
Blenheim o NZ ◆ 36-37 P 8
Blida ☆ DZ ◆ 38-39 F 1
Bligh Water ≈ ◆ 36-37 Q 3
Blitta o RT ◆ 38-39 F 7
Bloemfontein ☆ ZA ◆ 40-41 G 7
Blois ☆· F ◇ 18-19 H 8 ◆ 14-15
Blommesteinmeer, Prof.Dr.Ir. W.J. van ⬭ SME ◆ 46-47 H 4
Blood Indian Reserve X CDN ◆ 42-43 O 7
Bloomington o USA (IL) ◆ 44-45 J 2
Blossom, mys ▲ RUS ◆ 28-29 g 3
Bluefield o USA ◆ 44-45 K 3
Bluefields ☆ NIC ◆ 44-45 K 8
Blue Lagoon National Park ⊥ Z ◆ 40-41 G 5
Blue Mountains ▲ USA ◆ 42-43 N 8
Bluenose Lake ⬭ CDN ◆ 42-43 N 3
Blue Ridge ▲ USA ◆ 44-45 K 4
Bluff o AUS ◆ 36-37 K 4
Blumenau o· BR ◆ 48 H 3
Blunt Peninsula ◡ CDN ◆ 42-43 X 4
Blyde River Canyon Nature Reserve ⊥·· ZA ◆ 40-41 H 6
Blythe o USA ◆ 44-45 D 4
Bo ☆ WAL ◆ 38-39 C 7
Boac ☆ RP ◆ 34-35 H 4
Boali, Chutes de ~·· RCA ◆ 38-39 J 8
Boano, Pulau ⌒ RI ◆ 34-35 J 7
Bobo-Dioulasso ☆ BF ◆ 38-39 E 6
Boby ▲ RM ◆ 40-41 L 6
Boca do Acará o BR ◆ 46-47 G 6
Boca do Acre o BR ◆ 46-47 F 6
Bocaiúva o BR ◆ 46-47 L 8
Bocanda o CI ◆ 38-39 E 7
Bocaranga o RCA ◆ 38-39 J 7
Boda o RCA ◆ 38-39 J 8
Bodajbo ☆ RUS ◆ 28-29 T 6
Bodélé ∸ TCH ◆ 38-39 J 5
Bodensee ⬭ CH ◇ 20-21 K 5 ◆ 14-15 N 6
Bodø ☆ N ◇ 16-17 G 3 ◆ 14-15 O 2
Boende o ZRE ◆ 40-41 F 2
Boffa o RG ◆ 38-39 C 6
Bogal, Lagh ~ EAK ◆ 40-41 K 1
Bogale o MYA ◆ 34-35 C 3
Bogan River ~ AUS ◆ 36-37 K 6
Boggabilla o AUS ◆ 36-37 L 5
Bogia o PNG ◆ 34-35 M 7
Boğnūrd o· IR ◆ 32-33 H 3
Bogong, Mount ▲ AUS ◆ 36-37 K 7
Bogor (Buitenzorg) o RI ◆ 34-35 E 8
Bogotá ★· CO ◆ 46-47 E 4
Bo Hai ≈ ◆ 30-31 M 4
Bohai, Détroit du = Bohai Haixia ≈ ◆ 30-31 N 4
Bohai Haixia ≈ ◆ 30-31 N 4
Bohol ⌒ RP ◆ 34-35 H 5
Bohol Sea ≈ ◆ 34-35 H 5
Boiaçu o BR ◆ 46-47 G 5
Bois, Lac des ⬭ CDN ◆ 42-43 M 3
Boise ☆· USA ◆ 42-43 N 8
Boké ☆ RG (BOK) ◆ 38-39 C 6
Bokkeveldberge ▲ ZA ◆ 40-41 E 8
Boknafjorden ≈ ◇ 16-17 B 7 ◆ 14-15 N 4
Bokoro o TCH ◆ 38-39 J 6
Bol ☆ TCH ◆ 38-39 H 6
Bolaiti o ZRE ◆ 40-41 F 2
Bolama ☆· GNB ◆ 38-39 B 6
Bolbec o F ◇ 18-19 H 7 ◆ 14-15
Bole o GH ◆ 38-39 E 7
Bolgatanga ☆· GH ◆ 38-39 E 6
Bolhrad ☆ UA ◆ 14-15 R 6
Boli o ZRE ◆ 40-41 G 2
Bolívar, Pico ▲·· YV ◆ 46-47 E 3
Bolivie ■ BOL ◆ 46-47 F 8
Bollène o F ◇ 18-19 K 9 ◆ 14-15
Bollon o AUS ◆ 36-37 K 5
Bologna ☆·· I ◇ 26-27 C 2 ◆ 14-15 O 7
Bolovens, Plateau des ▲ LAO ◆ 34-35 E 3
Bol'šaja Murata ☆ RUS ◆ 28-29 P 6
Bol'ševik, ostrov ⌒ RUS ◆ 28-29 R 2
Bol'šezemel'skaja tundra ∸ RUS ◆ 28-29 G 4
Bol'šoj Begičev, ostrov ⌒ RUS ◆ 28-29 T 3
Bol'šoj Enisej ~ RUS ◆ 28-29 Q 7
Bol'šoj Ljahovskij, ostrov ⌒ RUS ◆ 28-29 Z 3
Bol'šoj Šantar, ostrov ⌒ RUS ◆ 28-29 Y 7
Bolsón de Mapimí ∸ MEX ◆ 44-45 F 5
Bolzano = Bozen ☆ I ◇ 26-27 C 1 ◆ 14-15 O 6
Boma o ZRE ◆ 40-41 D 3
Bombay = Mumbai ☆·· IND ◆ 32-33 L 7
Bomberai Peninsula ◡ RI ◆ 34-35 K 7
Bom Jesus da Lapa o BR ◆ 46-47 L 7
Bomokandi ~ ZRE ◆ 38-39 L 8
Bomongo o ZRE ◆ 40-41 E 1
Bomu ~ ZRE ◆ 38-39 K 8
Bomu Occidentale, Réserve de faune ⊥ ZRE ◆ 38-39 K 8
Bomu Orientale, Réserve de faune ⊥ ZRE ◆ 38-39 L 7
Bon, Cap ▲ TN ◆ 38-39 H 1
Bonaire ⌒ NA ◆ 44-45 N 8
Bonaparte Archipelago ⌒ AUS ◆ 36-37 E 3
Bonavista Peninsula ◡·· CDN ◆ 42-43 a 7
Bondo o ZRE (Hau) ◆ 38-39 K 8
Bondoukou ☆· CI ◆ 38-39 E 7
Bone, Golfe de = Bone, Teluk ≈ ◆ 34-35 H 7
Bone, Teluk ≈ ◆ 34-35 H 7
Bone-Dumoga National Park ⊥·· RI ◆ 34-35 H 6
Bonerate, Kepulauan ⌒ RI ◆ 34-35 H 8
Bonete, Cerro ▲ RA ◆ 48 D 3
Bonga o ETH ◆ 38-39 N 7
Bongandanga o ZRE ◆ 40-41 F 1
Bongka ~ RI ◆ 34-35 H 7
Bongor ☆ TCH ◆ 38-39 J 6
Bonifacio o· F ◇ 24-25 M 4 ◆ 14-15 N 7
Boni National Reserve ⊥ EAK ◆ 40-41 K 2
Bonn o· D ◇ 20-21 J 3 ◆ 14-15 N 5
Bonny, Bight of ≈ ◆ 38-39 G 8
Booligal o AUS ◆ 36-37 J 6
Boorama o SP ◆ 38-39 O 7
Boosaaso = Bender Qaasim ☆ SP ◆ 38-39 P 6
Boothby, Cape ▲ ARK ◆ 13 G 6
Boothia, Gulf of ≈ ◆ 42-43 S 2
Boothia Isthmus ◡ CDN ◆ 42-43 S 3
Boothia Peninsula ◡ CDN ◆ 42-43 S 2
Booué o G ◆ 40-41 D 2
Boqueirão, Serra do ▲ BR ◆ 46-47 L 7
Bor o RUS (KRN) ◆ 28-29 P 5
Bor o SUD ◆ 38-39 M 7
Bor, Lagh ~ EAK ◆ 38-39 N 8
Borah Peak ▲ USA ◆ 42-43 O 8
Borås ☆ S ◇ 16-17 F 8 ◆ 14-15 O 4
Borāzǧān o IR ◆ 32-33 G 5
Borba o BR ◆ 46-47 H 5
Borborema, Planalto da ∸ BR ◆ 46-47 M 6
Bordeaux ☆· F ◇ 18-19 G 9 ◆ 14-15 L 7
Borden Island ⌒ CDN ◆ 42-43 O 1
Borden Peninsula ◡ CDN ◆ 42-43 U 2
Bordj Messouda o DZ ◆ 38-39 G 2
Bordj Mokhtar o DZ ◆ 38-39 F 4
Borgmassivet ▲ ARK ◆ 13 F 36
Borgu Game Reserve ⊥ WAN ◆ 38-39 F 6
Borisoglebsk o RUS ◆ 14-15 U 5
Boriziny o RM ◆ 40-41 L 5
Borja o PE ◆ 46-47 D 5
Borkou ∸ TCH ◆ 38-39 J 5
Borlänge ☆ S ◇ 16-17 G 6 ◆ 14-15 P 3
Bornéo = Kalimantan ⌒ ◆ 34-35 F 7
Bornholm ⌒· DK ◇ 16-17 G 9 ◆ 14-15 P 4
Borohoro Shan ▲ CHN ◆ 30-31 E 3
Boromo o· BF ◆ 38-39 E 6
Boroviči ☆ RUS (NVG) ◇ 22-23 N 2 ◆ 14-15 S 4
Borroloola X AUS ◆ 36-37 H 3
Borščevočnyj, hrebet ▲ RUS ◆ 28-29 U 7
Bort-les-Orgues o F ◇ 18-19 J 9 ◆ 14-15
Borūǧerd o· IR ◆ 32-33 F 4
Borzja ☆ RUS ◆ 28-29 U 7
Bosconia o CO ◆ 46-47 E 2
Bose o CHN ◆ 30-31 K 7
Bosnie-Herzégovine ■ BIH ◇ 26-27 F 2 ◆ 14-15 P 7
Bosobolo o ZRE ◆ 38-39 J 8
Bossangoa ☆ RCA ◆ 38-39 J 7
Bossembélé o RCA ◆ 38-39 J 7
Bosso o RN (DIF) ◆ 38-39 H 6
Bosso ~ RN ◆ 38-39 F 6
Bosten Hu · CHN ◆ 30-31 F 3
Boston ☆ USA ◆ 42-43 W 8
Boston Mountains ▲ USA ◆ 44-45 H 3
Botād o IND ◆ 32-33 L 6
Botany Bay ≈ ◆ 36-37 L 6
Botoşani ☆· RO ◆ 14-15 R 6
Botswana ■ RB ◆ 40-41 F 6
Bouaké ☆· CI ◆ 38-39 D 7
Bouar ☆· RCA ◆ 38-39 J 7
Bouba Ndjida, Parc National de ⊥ CAM ◆ 38-39 H 7
Bouca o RCA ◆ 38-39 J 7
Boucle du Baoulé, Parc National de la ⊥ RMM ◆ 38-39 D 6
Bougainville, Cape ▲ AUS ◆ 36-37 F 2
Bougainville Island ⌒ PNG ◆ 34-35 O 8
Bougainville Trench ≃ ◆ 34-35 O 8
Bougaroun, Cap ▲ DZ ◆ 38-39 G 1
Bougouni o RMM ◆ 38-39 D 6
Bougtob o DZ ◆ 38-39 F 2
Boujdour o WSA ◆ 38-39 C 3
Boujdour, Cap ▲ WSA ◆ 38-39 C 3
Boukhara = Buhoro ☆·· UZ ◆ 32-33 J 3
Boukra o WSA ◆ 38-39 C 3
Boulder o USA (CO) ◆ 44-45 E 2
Boulia o AUS ◆ 36-37 H 4
Boulogne-sur-Mer o· F ◇ 18-19 H 6 ◆ 14-15 M 5
Bouna ☆ CI ◆ 38-39 E 7
Boundiali ☆ CI ◆ 38-39 D 7
Bounty, Plateau ≃ ◆ 36-37 Q 9
Bounty Islands ⌒ NZ ◆ 36-37 Q 9
Bounty Trough ≃ ◆ 36-37 Q 9
Bouorkhayla, Baie de la = Buor-Haja, guba ≈ ◆ 28-29 W 3
Bourbonnais ∸ F ◇ 18-19 J 8 ◆ 14-15
Bourea, Monts de = Bureinskij hrebet ▲ RUS ◆ 28-29 X 8
Bourem o RMM ◆ 38-39 E 5
Bourg-en-Bresse ☆· F ◇ 18-19 K 8 ◆ 14-15
Bourges ☆··· F ◇ 18-19 J 8 ◆ 14-15 M 6
Bourgogne □ F ◇ 18-19 J 8 ◆ 14-15
Bourgogne ∸ F ◇ 18-19 K 8 ◆ 14-15
Bourgoin-Jallieu o F ◇ 18-19 K 9 ◆ 14-15
Bourg-Saint-Maurice o F ◇ 18-19 L 9 ◆ 14-15
Bouriatie, République de □ RUS ◆ 28-29 T 7
Bourke o AUS ◆ 36-37 K 6
Bou Saada o· DZ ◆ 38-39 F 1
Bousso o TCH ◆ 38-39 J 6
Boutilimit o RIM ◆ 38-39 C 5
Boutourou, Monts ▲ CI ◆ 38-39 E 7
Bowen o AUS ◆ 36-37 K 4
Bowers Ridge ≃ ◆ 28-29 g 6
Bowman Island ⌒ ARK ◆ 13 G 11
Bow River ~ CDN ◆ 42-43 O 6
Boyabo o ZRE ◆ 38-39 J 8
Boyuibe o BOL ◆ 48 E 2
Bozeman o USA ◆ 42-43 O 7
Bozhou o CHN ◆ 30-31 M 5
Bozoum ☆· RCA ◆ 38-39 J 7
Brabant, Île ⌒ ARK ◆ 13 G 30
Braga o·· P ◇ 24-25 C 4 ◆ 14-15 K 7
Bragado o RA ◆ 48 E 5
Bragança o BR ◆ 46-47 K 5
Bragança o P ◇ 24-25 D 4 ◆ 14-15 K 7
Brahmapur o IND ◆ 32-33 N 7
Brahmaputra ~ IND ◆ 32-33 P 5
Brăila ☆· RO ◆ 14-15 R 6
Brainerd o USA ◆ 42-43 S 7
Brandberg ·· NAM ◆ 40-41 D 6
Brandon o CDN ◆ 42-43 R 7
Br'anka o UA ◆ 14-15 T 6
Bransfield Strait ≈ ◆ 13 G 30
Brantôme o F ◇ 18-19 H 9 ◆ 14-15
Bras d'Or Lake ⬭ CDN ◆ 42-43 Y 7
Brasiléia o BR ◆ 46-47 F 7
Brasília ★··· BR ◆ 46-47 K 8
Brassey, Mount ▲ AUS ◆ 36-37 G 4
Bratislava ★·· SK ◇ 20-21 O 4 ◆ 14-15 P 6
Bratsk ☆ RUS ◆ 28-29 R 6
Bratsk, Réservoir de = Bratskoe vodohranilišče < RUS ◆ 28-29 R 6
Bratskoe vodohranilišče < RUS ◆ 28-29 R 6
Braunschweig o·· D ◇ 20-21 L 2 ◆ 14-15 O 5
Bravo del Norte, Río ~ MEX ◆ 44-45 E 4
Bray Island ⌒ CDN ◆ 42-43 V 3
Bray-sur-Seine o F ◇ 18-19 J 7 ◆ 14-15
Brazos River ~ USA ◆ 44-45 G 4
Brazzaville ★· RCB ◆ 40-41 E 2
Brebes o RI ◆ 34-35 E 8
Bredasdorp o ZA ◆ 40-41 F 8
Bréhal o F ◇ 18-19 G 7 ◆ 14-15
Breiðafjörður ≈ ◇ 16-17 b 2 ◆ 14-15 G 2
Brême = Bremen ☆·· D ◇ 20-21 K 2 ◆ 14-15 N 5
Bremen ☆·· D ◇ 20-21 K 2 ◆ 14-15 N 5
Bréscia o· I ◇ 26-27 C 2 ◆ 14-15 O 6
Brésil ■ BR ◆ 46-47 F 6
Brésilien, Plateau ∸ BR ◆ 46-47 K 8
Bressuire o F ◇ 18-19 G 8 ◆ 14-15
Brèst o BY ◇ 22-23 H 5 ◆ 14-15 Q 5
Brest o F ◇ 18-19 E 7 ◆ 14-15 L 6
Brest = Brèst o BY ◇ 22-23 H 5 ◆ 14-15 Q 5
Bretagne □ F ◇ 18-19 E 7 ◆ 14-15 L 6
Breteuil o F ◇ 18-19 J 7 ◆ 14-15
Breves o BR ◆ 46-47 J 5
Brewarrina o AUS ◆ 36-37 K 5
Bria ☆ RCA ◆ 38-39 K 7
Briançon o· F ◇ 18-19 L 9 ◆ 14-15
Bridgeport o USA (CT) ◆ 44-45 M 2
Bridgetown o AUS ◆ 36-37 D 6
Bridgetown ★ BDS ◆ 44-45 P 8
Brie ∸· F ◇ 18-19 J 7 ◆ 14-15
Brighton o GB ◇ 18-19 G 6 ◆ 14-15 L 5
Brignoles o F ◇ 18-19 L 10 ◆ 14-15
Bríndisi ☆· I ◇ 26-27 F 4 ◆ 14-15 P 7
Brisbane ☆· AUS ◆ 36-37 L 5
Bristol o· GB ◇ 18-19 F 6 ◆ 14-15 L 5
Bristol o USA (VA) ◆ 44-45 K 3
Bristol Bay ≈ ◆ 42-43 D 5
Britannia Range ▲ ARK ◆ 13 E 0
British Columbia □ CDN ◆ 42-43 L 5
British Mountains ▲ USA ◆ 42-43 H 3
Brive-la-Gaillarde o F ◇ 18-19 H 9 ◆ 14-15 M 6
Brjansk o RUS ◇ 22-23 O 5 ◆ 14-15 S 5
Brno o· CZ ◇ 20-21 O 4 ◆ 14-15 P 6
Broad Sound ≈ ◆ 36-37 K 4
Brock Island ⌒ CDN ◆ 42-43 O 1
Brodeur Peninsula ◡ CDN ◆ 42-43 T 2
Broken Hill o AUS ◆ 36-37 J 6
Brooks Range ▲ USA ◆ 42-43 D 3
Broome o AUS ◆ 36-37 E 3
Brothers, The ⌒ Y ◆ 32-33 G 8
Brown, Mount ▲ ARK ◆ 13 F 9
Brownfield o USA ◆ 44-45 F 4
Brownsville o USA (TX) ◆ 44-45 G 5
Brownwood o USA ◆ 44-45 G 4
Bruce Peninsula ◡ CDN ◆ 42-43 U 7
Brugge ☆·· B ◇ 20-21 G 3 ◆ 14-15 M 5
Brumado o BR ◆ 46-47 L 7
Brunei ■ BRU ◆ 34-35 F 6
Brunswick o USA (GA) ◆ 44-45 K 4
Brunswick = Braunschweig o·· D ◇ 20-21 L 2 ◆ 14-15 O 5
Brunswick, Península ◡ RCH ◆ 48 C 8
Brunswick Bay ≈ ◆ 36-37 E 3
Bruny Island ⌒ AUS ◆ 36-37 K 8
Brussel = Bruxelles ★·· B ◇ 20-21 H 3 ◆ 14-15 M 5
Bruxelles = Brussel ★·· B ◇ 20-21 H 3 ◆ 14-15 M 5
Bruzual o YV ◆ 46-47 F 3
Bpao Lọc o VN ◆ 34-35 E 4
Bua Yai o THA ◆ 34-35 D 3
Bu'ayrat al Hasun o LAR ◆ 38-39 J 2
Būbiyān, Ǧazīrat ⌒ KWT ◆ 32-33 F 5
Bubu ~ EAT ◆ 40-41 H 3
Bucaramanga ☆ CO ◆ 46-47 E 3
Bucarest = Bucureşti ★·· RO ◆ 14-15 R 7
Buccaneer Archipelago ⌒ AUS ◆ 36-37 E 3
Buchanan ☆ LB ◆ 38-39 C 7
Buchwa o ZW ◆ 40-41 H 6
Buckingham Bay ≈ ◆ 36-37 H 2
Buckleboo o AUS ◆ 36-37 H 6
Buckley Bay ≈ ◆ 13 G 15
Bucureşti ★·· RO ◆ 14-15 R 7
Budapest ★··· H ◇ 20-21 P 5 ◆ 14-15 P 6
Budaun o IND ◆ 32-33 M 5
Budd Land ∸ ARK ◆ 13 G 12
Budjala o ZRE ◆ 38-39 J 8
Budongquan o CHN ◆ 30-31 G 4
Buena Hora o BOL ◆ 46-47 F 7
Buenaventura o CO ◆ 46-47 D 4
Buenaventura, Bahía de ≈ ◆ 46-47 D 4
Buenos Aires □ RA ◆ 48 E 5
Buenos Aires ★·· RA (BUA) ◆ 48 F 4
Buenos Aires, Lago ⬭ RA ◆ 48 C 7
Buenos Aires Lérida o CO ◆ 46-47 E 4
Buffalo o USA (WY) ◆ 42-43 P 8
Buffalo o· USA (NY) ◆ 42-43 V 8
Bug ~ PL ◇ 20-21 R 2 ◆ 14-15 Q 5
Buga o CO ◆ 46-47 D 4
Bugul'ma ☆ RUS ◆ 14-15 W 5
Buhlandshahr o IND ◆ 32-33 M 5
Buhoro ☆·· UZ ◆ 32-33 J 3
Buin o PNG ◆ 34-35 P 8
Bui National Park ⊥ GH ◆ 38-39 E 7
Buir Nur ⬭ CHN ◆ 30-31 M 2
Bujumbura ★· BU ◆ 40-41 G 2
Bukama o ZRE ◆ 40-41 G 3
Bukavu ☆ ZRE ◆ 40-41 G 2
Bukeya o ZRE ◆ 40-41 G 4
Bukittinggi ·· RI ◆ 34-35 D 7
Bukoba ☆ EAT ◆ 40-41 H 2
Bula Atumba o ANG ◆ 40-41 D 3
Bulawayo ☆· ZW ◆ 40-41 G 6
Bulgan ☆ MAU ◆ 30-31 J 2
Bulgarie ■ BG ◆ 14-15 Q 7
Bulgnéville o F ◇ 18-19 K 7 ◆ 14-15
Bulla Regia ∴·· TN ◆ 38-39 G 1
Bullaxaar o SP ◆ 38-39 O 6
Bulls o NZ ◆ 36-37 Q 8
Bulukumba o RI ◆ 34-35 H 8
Bumba o ZRE ◆ 38-39 K 8
Buna o EAK ◆ 38-39 N 8
Bunbury o AUS ◆ 36-37 D 6
Bundaberg o AUS ◆ 36-37 L 4
Bunger Oasis ⌒ ARK ◆ 13 G 11
Bunia o ZRE ◆ 40-41 H 1
Bunyu, Pulau ⌒ RI ◆ 34-35 G 6
Buôn Ma Thuột ☆· VN ◆ 34-35 E 4
Buor-Haja, guba ≈ ◆ 28-29 W 3
Buor-Haja, mys ▲ RUS ◆ 28-29 X 3
Buraida ☆ KSA ◆ 32-33 E 5
Buram o SUD ◆ 38-39 L 6
Burco ☆ SP ◆ 38-39 P 7
Burdur ☆· TR ◆ 14-15 S 8
Burē o ETH ◆ 38-39 N 6
Bureinskij hrebet ▲ RUS ◆ 28-29 X 8
Burejnskij zapovednik ⊥ RUS ◆ 28-29 X 7
Burejnskoe vodohranilišče < RUS ◆ 28-29 X 7
Burgas o BG ◆ 14-15 R 7
Bur Gavo o SP ◆ 40-41 K 2
Burgersdorp o ZA ◆ 40-41 G 8
Burgersfort o ZA ◆ 40-41 H 6
Burgos o··· E ◇ 24-25 F 3 ◆ 14-15 L 7
Burgund ∸ F ◇ 18-19 K 8 ◆ 14-15
Burhānpur o IND ◆ 32-33 M 6
Burias Island ⌒ RP ◆ 34-35 H 4
Burica, Punta ▲ PA ◆ 44-45 K 9
Burigi Game Reservat ⊥ EAT ◆ 40-41 H 2
Burin Peninsula ◡ CDN ◆ 42-43 Z 7
Burketown o AUS ◆ 36-37 H 3
Burkina Faso ■ BF ◆ 38-39 E 6
Burlington o USA (IA) ◆ 44-45 H 2
Burlington o USA (VT) ◆ 42-43 W 8
Burnie-Somerset o AUS ◆ 36-37 K 8
Burnpur o IND ◆ 32-33 O 6
Burnside, Lake ⬭ AUS ◆ 36-37 E 5
Burqin o CHN ◆ 30-31 F 2
Burra o AUS ◆ 36-37 H 6
Bursa ☆·· TR ◆ 14-15 R 7
Būr Safāğa o ET ◆ 38-39 M 3
Būr Sa'īd ☆ ET ◆ 38-39 M 2
Būr Sūdān ☆· SUD ◆ 38-39 N 5
Buru, Pulau ⌒ RI ◆ 34-35 J 7
Burubajtal o KZ ◆ 32-33 L 2
Burundi ■ BU ◆ 40-41 G 2
Buruntuma o GNB ◆ 38-39 C 6
Bururi o BU ◆ 40-41 G 2
Būšehr, Bandar-e ☆· IR ◆ 32-33 G 5
Businga o ZRE ◆ 38-39 K 8
Busselton o AUS ◆ 36-37 D 6
Buta o ZRE ◆ 38-39 K 8
Butare o· RWA ◆ 40-41 G 2
Butaritari Island ⌒ KIB ◆ 12 J 2
Buton, Pulau ⌒ RI ◆ 34-35 H 7
Butte o USA (MT) ◆ 42-43 O 7
Butterworth o ZA ◆ 40-41 G 8
Button Islands ⌒ CDN ◆ 42-43 X 4
Butuan ☆ RP ◆ 34-35 J 5
Butwal o NEP ◆ 32-33 N 5
Buulobarde o SP ◆ 38-39 P 8
Buur Hakkaba o SP ◆ 38-39 O 8
Buyo, Lac du < CI ◆ 38-39 D 7
Büyükağrı Dağı (Ararat) ▲·· TR ◆ 14-15 U 8
Buzău ☆· RO ◆ 14-15 R 6
Búzios, Cabo dos ▲ BR ◆ 48 J 2
Buzuluk ☆ RUS ◆ 14-15 W 5
Bwagaoia o PNG ◆ 34-35 O 9
Byam Martin Channel ≈ ◆ 42-43 P 1
Byam Martin Island ⌒ CDN ◆ 42-43 Q 1
Bylot Island ⌒ CDN ◆ 42-43 V 2
Byrd o ARK ◆ 13 F 25
Byrd Land ∸ ARK ◆ 13 E 0
Byron, Cape ▲ AUS ◆ 36-37 L 5
Byron, Isla ⌒ RCH ◆ 48 B 7
Byrranga, Chaîne = Byrranga, Gory ▲ RUS ◆ 28-29 N 3
Byrranga, Gory ▲ RUS ◆ 28-29 N 3
Bytantaj ~ RUS ◆ 28-29 X 4
Bytom o PL ◇ 20-21 P 3 ◆ 14-15 P 5

C

Caala o ANG ◆ 40-41 E 4
Caatingas ∸ BR ◆ 46-47 L 7
Cabimas o YV ◆ 46-47 E 2
Cabinda □ ANG ◆ 40-41 D 3
Cabinda ☆ ANG (Cab) ◆ 40-41 D 3
Cabo de Hornos, Parque Nacional ⊥ RCH ◆ 48 D 9
Cabo Orange, Parque Nacional do ⊥ BR ◆ 46-47 J 4
Cabora Bassa, Lago de < MOC ◆ 40-41 H 5
Cabo San Lucas o MEX ◆ 44-45 E 6
Cabot Strait ≈ ◆ 42-43 Y 7
Caçapava do Sul o BR ◆ 48 G 4
Cáceres o BR ◆ 46-47 H 8
Cáceres o··· E ◇ 24-25 D 5 ◆ 14-15 K 8
Cacheu ☆ GNB ◆ 38-39 B 6
Cachi o· RA ◆ 48 D 2
Cachi, Nevado de ▲ RA ◆ 48 D 2
Cachimbo, Serra do ▲ BR ◆ 46-47 H 6
Cachoeira do Sul o BR ◆ 48 G 4
Cachoeiro de Itapemirim o BR ◆ 48 J 2
Cachos, Punta ▲ RCH ◆ 48 C 3
Cacolo o ANG ◆ 40-41 E 4
Caconda o ANG ◆ 40-41 E 4
Caculé o BR ◆ 46-47 L 7
Cadale o SP ◆ 38-39 P 8
Cadix = Cádiz o E ◇ 24-25 D 6 ◆ 14-15 K 8
Cádiz o E ◇ 24-25 D 6 ◆ 14-15 K 8
Caen ☆· F ◇ 18-19 G 7 ◆ 14-15 L 6
Caetité o BR ◆ 46-47 L 7
Cagayan de Oro ☆ RP ◆ 34-35 H 5
Čaġčarān o· AFG ◆ 32-33 K 4
Cágliari o I ◇ 26-27 B 5 ◆ 14-15 N 8
Caguas o USA ◆ 44-45 N 7
Čāh Āb o AFG ◆ 32-33 K 3
Cahama o ANG ◆ 40-41 D 5
Čāh Bahār o· IR ◆ 32-33 J 5
Cahokia Mounds ··· USA ◆ 44-45 H 3
Cahors ☆· F ◇ 18-19 H 9 ◆ 14-15 M 7
Cahuapanas o PE ◆ 46-47 D 6
Caia o MOC ◆ 40-41 J 5
Caicos Islands ⌒ GB ◆ 44-45 M 6
Caicos Passage ≈ ◆ 44-45 M 6
Cairns o·· AUS ◆ 36-37 K 3
Caiundo o ANG ◆ 40-41 E 5
Cajamarca ☆· PE ◆ 46-47 D 6
Čajbuha o RUS ◆ 28-29 d 5
Cajcara del Orinoco o YV ◆ 46-47 F 3
Cajon, El o USA ◆ 44-45 C 4
Calabar ☆ WAN ◆ 38-39 G 8
Calabozo o YV ◆ 46-47 F 3
Calafate, El o RA ◆ 48 C 8
Calais o· F ◇ 18-19 H 6 ◆ 14-15 M 5
Calais, Pas de ≈ ◇ 18-19 H 6 ◆ 14-15 M 5
Calama o RCH ◆ 48 D 2
Calamar o CO (VAU) ◆ 46-47 E 4
Calamba o· RP ◆ 34-35 H 4
Calamian Group ⌒ RP ◆ 34-35 G 4
Calandula o ANG ◆ 40-41 E 3
Calandula, Quedas do ~·· ANG ◆ 40-41 E 3
Calapan ☆ RP ◆ 34-35 H 4
Calatayud o E ◇ 24-25 G 4 ◆ 14-15 L 7
Calayan Island ⌒ RP ◆ 34-35 H 3
Calbayog o RP ◆ 34-35 H 4
Calçoene o BR ◆ 46-47 J 4
Calcutta ☆·· IND ◆ 32-33 O 6
Caldera o CR ◆ 44-45 K 9
Caldera o RCH ◆ 48 C 3
Caleta Olivia o RA ◆ 48 D 7
Calgary o CDN ◆ 42-43 O 6
Cali ☆ CO ◆ 46-47 D 4
Calicut o· IND ◆ 32-33 M 8
California □ USA ◆ 44-45 B 2
Californie, Basse ◡ MEX ◆ 44-45 C 4
Californie = California □ USA ◆ 44-45 B 2
Californie, Golfe de ≈ ◆ 44-45 D 4
Calingasta o RA ◆ 48 D 4
Calkiní o MEX ◆ 44-45 H 6
Callao o PE ◆ 46-47 D 7
Cal Miskaat, Buuraha ▲ SP ◆ 38-39 P 6
Caloundra o AUS ◆ 36-37 L 5
Caltanissetta o I ◇ 26-27 E 6 ◆ 14-15 O 8
Calulo o ANG ◆ 40-41 D 3
Caluquembe o ANG ◆ 40-41 D 4
Čalūs o· IR ◆ 32-33 G 3
Caluula o SP ◆ 38-39 Q 6
Caluula, Raas = Ilaawe ▲ SP ◆ 38-39 Q 6
Calvert Island ⌒ CDN ◆ 42-43 L 6
Calvert River ~ AUS ◆ 36-37 H 3
Calvinia o ZA ◆ 40-41 E 8
Camabatela o ANG ◆ 40-41 E 3
Camacupa o ANG ◆ 40-41 E 4
Camagüey ☆· C ◆ 44-45 L 6
Camagüey, Archipiélago de ⌒ C ◆ 44-45 L 6
Camana o PE ◆ 46-47 E 8
Camaquã o BR ◆ 48 G 4
Camarata o YV ◆ 46-47 G 3
Camarones o RA ◆ 48 D 6
Camaruã o BR ◆ 46-47 G 6
Cà Mau o VN ◆ 34-35 E 5
Cambaxi o ANG ◆ 40-41 E 3
Cambay, Golfe de = Khambhāt, Gulf of ≈ ◆ 32-33 L 6
Cambodge ■ K ◆ 34-35 D 4
Cambrai o· F ◇ 18-19 J 6 ◆ 14-15
Cambridge o·· GB ◇ 18-19 H 5 ◆ 14-15 M 5
Cambridge Bay o CDN ◆ 42-43 Q 3
Cambridge Gulf ≈ ◆ 36-37 F 2
Cameia, Parque Nacional da ⊥ ANG ◆ 40-41 F 4
Cameroun ■ CAM ◆ 38-39 H 8
Cameroun, Mont = Mount Cameroon ▲·· CAM ◆ 38-39 G 8
Cametá o BR ◆ 46-47 K 5
Camiguin Island ⌒ RP (CAG) ◆ 34-35 H 3
Camiguin Island ⌒ RP (MSO) ◆ 34-35 H 5
Camisea o PE ◆ 46-47 E 7
Camocim o BR ◆ 46-47 L 5
Camooweal o AUS ◆ 36-37 H 3
Campana, Isla ⌒ RCH ◆ 48 B 7
Campana, Monte ▲ RA ◆ 48 D 8
Campbell, Plateau ≃ ◆ 12 J 7
Campbell Island ⌒ NZ ◆ 12 H 8
Campbell River o CDN ◆ 42-43 L 6
Campeche ☆· MEX (CAM) ◆ 44-45 H 7
Campeche, Bahía de ≈ ◆ 44-45 G 7
Campinas o BR (PAU) ◆ 48 H 2
Campo o· CAM ◆ 38-39 G 8
Campo, Réserve de = Campo Reserve ⊥ CAM ◆ 38-39 G 8
Campo Belo o BR ◆ 48 H 2

Campo Grande ☆ **BR** ◆ 48 G 2
Campo Maior ○ **BR** ◆ 46-47 L 5
Campos ○ **BR** ◆ 48 J 2
Campos Belos ○ **BR** ◆ 46-47 K 7
Canada ■ **CDN** ◆ 42-43 M 5
Canada, Bassin du ≃ ◆ 42-43 H 1
Cañada de Gómez ○ **RA** ◆ 48 E 4
Canadian River ~ **USA** ◆ 44-45 F 3
Canaima, Parque Nacional ⊥ ••• **YV** ◆ 46-47 G 3
Çanakkale ☆ • **TR** ◆ 14-15 R 7
Canal de Tūnis ≃ ◇ 26-27 C 6 ◆ 14-15 O 8
Canaries, Bassin des ≃ ◆ 14-15 J 9
Canaries, Îles □ **E** ◆ 38-39 B 3
Canaries, Îles ⌒ **E** ◆ 38-39 B 3
Canaveral, Cape ▲ **USA** ◆ 44-45 K 5
Canavieiras ○ **BR** ◆ 46-47 M 8
Canberra ★ • **AUS** ◆ 36-37 K 7
Canconga ○ **ANG** ◆ 40-41 E 4
Cancún ○ • **MEX** ◆ 44-45 J 6
Cangamba ○ **ANG** ◆ 40-41 E 4
Cangandala, Parque Nacional de ⊥ **ANG** ◆ 40-41 E 3
Çangrâfa ○ **RIM** ◆ 38-39 C 5
Cangzhou ○ **CHN** ◆ 30-31 M 4
Caniapiscau, Réservoir < **CDN** ◆ 42-43 W 6
Caniapiscau, Rivière ~ **CDN** ◆ 42-43 X 5
Canindé ○ **BR** ◆ 46-47 M 5
Çankırı ☆ • **TR** ◆ 14-15 S 7
Cannanore ○ • **IND** ◆ 32-33 M 8
Cannanore Islands ⌒ **IND** ◆ 32-33 L 8
Cannes ○ • **F** ◇ 18-19 L 10 ◆ 14-15 N 7
Cann River ○ **AUS** (VIC) ◆ 36-37 K 7
Cano, Crête del ≃ ◆ 9 H 10
Canoas ○ **BR** ◆ 48 G 3
Canso, Strait of ≈ ◆ 42-43 Y 7
Cantabriques, Monts = Cordillera Cantábrica ⛰ **E** ◇ 24-25 D 3 ◆ 14-15 K 7
Canterbury Bight ≈ ◆ 36-37 P 8
Cần Thơ' ○ • **VN** ◆ 34-35 E 4
Canto do Buriti ○ **BR** ◆ 46-47 L 6
Canton ○ **USA** (OH) ◆ 44-45 K 2
Canton = Guangzhou ☆ •• **CHN** ◆ 30-31 L 7
Canutama ○ **BR** ◆ 46-47 G 6
Čany ☆ **RUS** ◆ 28-29 M 6
Canyonlands National Park ⊥ **USA** ◆ 44-45 E 3
Cao Bằng ☆ • **VN** ◆ 34-35 E 2
Cap, Bassin du ≃ ◆ 40-41 C 8
Čapaevo ☆ **KZ** ◆ 14-15 W 5
Capanema ○ **BR** ◆ 46-47 K 5
Capbreton ○ **F** ◇ 18-19 G 10 ◆ 14-15
Cap de Bonne-Espérance ▲ • **ZA** ◆ 40-41 E 8
Cap de Bonne Esperance ▲ • **ZA** ◆ 40-41 E 8
Cape Arid National Park ⊥ **AUS** ◆ 36-37 E 6
Cape Barren Island ⌒ **AUS** ◆ 36-37 K 8
Cape Borda ○ **AUS** ◆ 36-37 H 7
Cape Breton Highlands National Park ⊥ **CDN** ◆ 42-43 Y 7
Cape Breton Island ⌒ **CDN** ◆ 42-43 Y 7
Cape Byrd ▲ **ARK** ◆ 13 G 8
Cape Coast ☆ • **GH** ◆ 38-39 E 7
Cape Colbeck ▲ **ARK** ◆ 13 F 21
Cape Crawford ○ **AUS** ◆ 36-37 H 3
Cape Dart ▲ **ARK** ◆ 13 F 24
Cape Dorset ○ **CDN** ◆ 42-43 V 4
Cape Fear River ~ **USA** ◆ 44-45 L 3
Cape Flying Fish ▲ **ARK** ◆ 13 F 26
Cape Freshfield ▲ **ARK** ◆ 13 G 16
Cape Girardeau ○ **USA** ◆ 44-45 J 3
Cape Krusenstern National Monument ⊥ **USA** ◆ 42-43 D 3
Cape Le Grand National Park ⊥ **AUS** ◆ 36-37 E 6
Capella ○ **AUS** ◆ 36-37 K 4
Capelle, la ○ **F** ◇ 18-19 J 7 ◆ 14-15
Cape Moore ▲ **ARK** ◆ 13 F 17
Capenda-Camulemba ○ **ANG** ◆ 40-41 E 3
Cape Palmer ▲ **ARK** ◆ 13 F 27
Cape Race ○ **CDN** ◆ 42-43 a 7
Cape Smiley ▲ **ARK** ◆ 13 F 29
Cape Town = Kaapstad ☆ •• **ZA** ◆ 40-41 E 8
Cape York Peninsula ⌣ **AUS** ◆ 36-37 J 2
Cap-Haïtien ☆ **RH** ◆ 44-45 M 7
Capim, Rio ~ **BR** ◆ 46-47 K 5
Capitán Pablo Lagerenza ☆ **PY** ◆ 46-47 G 8
Capitol Reef National Park ⊥ **USA** ◆ 44-45 D 3
Caponda ○ **MOC** ◆ 40-41 H 4
Capoto, Área Indígena X **BR** ◆ 46-47 J 6
Capricorn, Cape ▲ **AUS** ◆ 36-37 L 4
Caprivi, Pointe de ∸ **NAM** ◆ 40-41 F 5
Caprivi Game Park ⊥ **NAM** ◆ 40-41 F 5
Cap York, Péninsule du = Cape York Peninsula ⌣ **AUS** ◆ 36-37 J 2
Caquetá, Río ~ **CO** ◆ 46-47 E 5
Čara ~ **RUS** ◆ 28-29 U 6
Caracarai ○ **BR** ◆ 46-47 G 4
Caracaraí, Estação Ecológica ⊥ **BR** ◆ 46-47 G 4
Caracas ★ • **YV** ◆ 46-47 F 2
Carajás, Serra dos ⛰ **BR** ◆ 46-47 J 6
Caratasca, Laguna de ≈ ◆ 44-45 K 7
Caratinga ○ **BR** ◆ 46-47 L 8
Carauari ○ **BR** ◆ 46-47 F 5
Caraúbas ○ **BR** ◆ 46-47 M 6
Caravelas ○ **BR** ◆ 46-47 M 8
Caraveli ○ **PE** ◆ 46-47 E 8
Carazinho ○ **BR** (RSU) ◆ 48 G 3
Carbondale ○ **USA** (IL) ◆ 44-45 J 3
Carcassonne ☆ •• **F** ◇ 18-19 J 10 ◆ 14-15 M 7
Cardiel, Lago ○ **RA** ◆ 48 C 7
Cardiff ○ **GB** ◇ 18-19 F 6 ◆ 14-15 L 5
Careiro ○ **BR** ◆ 46-47 G 5
Carélie ∸ ◆ 14-15 S 2
Carélie, République de □ **RUS** ◆ 14-15 S 3
Carentan ○ **F** ◇ 18-19 G 7 ◆ 14-15
Carey, Lake ○ **AUS** ◆ 36-37 E 5
Cargados Carajos Islands ∸ **MS** ◆ 40-41 N 5
Carhaix-Plouguer ○ **F** ◇ 18-19 F 7 ◆ 14-15
Cariboo Mountains ⛰ **CDN** ◆ 42-43 M 6
Caribou Mountains ⛰ **CDN** ◆ 42-43 N 5
Čārīkār ☆ **AFG** ◆ 32-33 K 4
Carinhanha ○ **BR** ◆ 46-47 L 7
Caripito ○ **YV** ◆ 46-47 G 2
Carlisle ○ **GB** ◇ 18-19 F 4 ◆ 14-15 L 5
Carlota, La ○ **RA** ◆ 48 E 4
Carlsbad ○ **USA** (NM) ◆ 44-45 F 4
Carlsbad Caverns National Park ⊥ ••• **USA** ◆ 44-45 F 4
Carlsberg, Crête de ≃ ◆ 40-41 M 1
Carmaux ○ **F** ◇ 18-19 J 9 ◆ 14-15
Carmen, Ciudad del ○ • **MEX** ◆ 44-45 H 7
Carmen de Patagones ○ **RA** ◆ 48 E 6
Carnarvon ○ **AUS** ◆ 36-37 C 4
Carnarvon ○ **ZA** ◆ 40-41 F 8
Carnegie, Lake ○ **AUS** ◆ 36-37 E 5
Car Nicobar Island ⌒ **IND** ◆ 34-35 B 5
Carnot ○ • **RCA** ◆ 38-39 J 8
Carnot, Cape ▲ **AUS** ◆ 36-37 H 6
Carnot Bay ≈ ◆ 36-37 E 3
Carolina ○ **BR** ◆ 46-47 K 6
Carolina ○ **USA** ◆ 44-45 N 7
Carolina ○ **ZA** ◆ 40-41 H 7
Caroline, Crête de ≃ ◆ 34-35 M 5
Caroline Island ⌒ **KIB** ◆ 12 M 3
Carolines, Îles ⌒ **FSM** ◆ 34-35 M 5
Caroni, Río ~ **YV** ◆ 46-47 G 3
Carpates ⛰ ◆ 14-15 Q 6
Carpentarie, Golfe de ≈ ◆ 36-37 H 2
Carpentras ○ **F** ◇ 18-19 K 9 ◆ 14-15
Carreta, Punta ▲ **PE** ◆ 46-47 D 7
Carrizal, Punta ▲ **RCH** ◆ 48 C 3
Carrizal Bajo ○ **RCH** ◆ 48 C 3
Carrizo Springs ○ **USA** ◆ 44-45 G 5
Carson City ☆ **USA** ◆ 44-45 C 3
Cartagena ☆ ••• **CO** ◆ 46-47 D 2
Cartagena ○ **E** ◇ 24-25 G 6 ◆ 14-15 L 8
Carthage ∴ ••• **TN** ◆ 38-39 H 1
Carthagène = Cartagena ○ **E** ◇ 24-25 G 6 ◆ 14-15 L 8
Cartier Islet ⌒ **AUS** ◆ 36-37 E 2
Carúpano ○ **YV** ◆ 46-47 G 2
Casablanca = Ad-Dār-al-Bayda ☆ • **MA** ◆ 38-39 D 2
Casa Grande ○ **USA** ◆ 44-45 D 4
Casa Nova ○ **BR** ◆ 46-47 L 6
Cascade Range ⛰ **USA** ◆ 44-45 B 2
Cascavel ○ **BR** (PAR) ◆ 48 G 2
Caseyr, Raas = Cap Gwardafuy ▲ **SP** ◆ 38-39 Q 6
Casiguran ○ **RP** ◆ 34-35 H 3
Casilda ○ **RA** ◆ 48 E 4
Casino ○ **AUS** ◆ 36-37 L 5
Casma ○ **PE** ◆ 46-47 D 6
Casper ○ **USA** ◆ 44-45 E 2
Caspienne, Dépression ⌣ ◆ 14-15 V 7
Caspienne, Mer ≈ ◆ 14-15 V 7
Cassai ~ **ANG** ◆ 40-41 F 4
Cassiar Mountains ⛰ **CDN** ◆ 42-43 L 5
Castanhal ○ **BR** ◆ 46-47 K 5
Castaños ○ **MEX** ◆ 44-45 F 5
Casteljaloux ○ **F** ◇ 18-19 H 9 ◆ 14-15
Castelló de la Plana ○ **E** ◇ 24-25 G 5 ◆ 14-15 L 8
Castelnaudary ○ • **F** ◇ 18-19 H 10 ◆ 14-15
Castelnau-Magnoac ○ **F** ◇ 18-19 H 10 ◆ 14-15
Castelsarrasin ○ **F** ◇ 18-19 H 9 ◆ 14-15
Castelvetrano ○ **I** ◇ 26-27 D 6 ◆ 14-15 O 8
Casterton ○ **AUS** ◆ 36-37 J 7
Castlemaine ○ **AUS** ◆ 36-37 J 7
Castres ○ **F** ◇ 18-19 J 10 ◆ 14-15
Castries ★ **WL** ◆ 44-45 O 8
Casuarina Coast ⌣ **RI** ◆ 34-35 L 8
Catamarca □ **RA** ◆ 48 D 3
Catandica ○ **MOC** ◆ 40-41 H 5
Catanduanes ⌒ **RP** ◆ 34-35 H 4
Catanduva ○ **BR** ◆ 48 H 2
Catánia ○ **I** ◇ 26-27 E 6 ◆ 14-15 P 8
Catanzaro ○ **I** ◇ 26-27 F 5 ◆ 14-15 P 8
Cataratas del Iguazú ~ •• **RA** ◆ 48 G 3
Catarman ☆ **RP** ◆ 34-35 H 4
Cateté, Área Indígena X **BR** ◆ 46-47 J 6
Catia la Mar ○ **YV** ◆ 46-47 F 2
Cat Island ⌒ **BS** ◆ 44-45 L 6
Cat Island ⌒ **USA** ◆ 44-45 J 5
Catoche, Cabo ▲ **MEX** ◆ 44-45 J 6
Cato Island ⌒ **AUS** ◆ 36-37 M 4
Catrilo ○ **RA** ◆ 48 E 5
Caucase ⛰ ◆ 14-15 U 7
Caucasia ○ **CO** ◆ 46-47 D 3
Čaunskaja guba ≈ ◆ 28-29 e 4
Caupolican ∸ **BOL** ◆ 46-47 F 7
Cauquenes ○ **RCH** ◆ 48 C 5
Cavalla River ~ **LB** ◆ 38-39 D 7
Caviana de Fora, Ilha ⌒ **BR** ◆ 46-47 J 4
Cawinpore = Kanpur ○ **IND** ◆ 32-33 N 5
Caxias ○ **BR** ◆ 46-47 L 5
Caxito ☆ **ANG** ◆ 40-41 D 3
Caxiuanã, Reserva Florestal de ⊥ **BR** ◆ 46-47 J 5
Cayambe ○ **EC** ◆ 46-47 D 4
Cayambe, Volcán ▲ **EC** ◆ 46-47 D 4
Cayes, Les ☆ • **RH** ◆ 44-45 M 7
Cayman, Dorsale des ≃ ◆ 44-45 K 7
Cayman, Fosse des ≃ ◆ 44-45 K 7
Cayman, Îles = Cayman Islands □ **GB** ◆ 44-45 K 7
Cayman Islands □ **GB** ◆ 44-45 K 7
Cazorla ○ **YV** ◆ 46-47 F 3
Ceara, Plaine Abyssale de ≃ ◆ 46-47 L 4
Čeboksary ☆ **RUS** ◆ 14-15 V 4
Cebu ⌒ **RP** ◆ 34-35 H 5
Cebu City ☆ •• **RP** ◆ 34-35 H 4
Cècèrlèg ☆ **MAU** ◆ 30-31 J 2
Cedar City ○ **USA** ◆ 44-45 D 3
Cedar Lake ○ **CDN** ◆ 42-43 Q 6
Cedar Rapids ○ **USA** ◆ 44-45 H 2
Cedro ○ **BR** ◆ 46-47 M 6
Cedros, Isla ⌒ **MEX** ◆ 44-45 C 5
Ceduna ○ **AUS** ◆ 36-37 G 6
Ceelbuur ○ **SP** ◆ 38-39 P 8
Ceerigaabo ☆ **SP** ◆ 38-39 P 6
Cefalù ○ **I** ◇ 26-27 E 5 ◆ 14-15 O 8
Ceheng ○ **CHN** ◆ 30-31 K 7
Ceiba, La ☆ **HN** ◆ 44-45 J 7
Ceiba, La ○ **YV** (TRU) ◆ 46-47 E 3
Čekanovskogo, krjaž ⛰ **RUS** ◆ 28-29 V 3
Čekurdah ○ **RUS** ◆ 28-29 a 3
Celaya ○ **MEX** ◆ 44-45 F 6
Célèbes, Bassin des ▲ ◆ 34-35 H 6
Célèbes, Mer des ≈ ◆ 34-35 H 6
Célèbes = Sulawesi ⌒ **RI** ◆ 34-35 G 7
Čeljabinsk ☆ **RUS** ◆ 28-29 J 6
Čeljuskin, mys ▲ **RUS** ◆ 28-29 R 2
Čeljuskin, poluostrov ⌒ **RUS** ◆ 28-29 R 2
Celtic Shelf ≃ ◆ 14-15 K 5
Cenderawasih, Teluk ≈ ◆ 34-35 K 7
Centrafricaine, République ■ **RCA** ◆ 38-39 J 7
Central Australia Aboriginal Land X **AUS** ◆ 36-37 F 4
Central Brāhui Range ⛰ **PK** ◆ 32-33 K 5
Central Desert Aboriginal Land X **AUS** ◆ 36-37 G 3
Central Eastern Australian Rainforest ⊥ ••• **AUS** ◆ 36-37 L 5
Centrale Indienne, Dorsale ≃ ◆ 40-41 O 3
Central Kalahari Game Reserve ⊥ **RB** ◆ 40-41 F 6
Central Makrān Range ⛰ **PK** ◆ 32-33 J 5
Central'nojakutskaja ravnina ⌣ **RUS** ◆ 28-29 U 5
Central'nosibirskij zapovednik učastok Elogujskij ⊥ **RUS** ◆ 28-29 O 5
Central'nosibirskij zapovednik učastok Enisejsko-Stolbovoj ⊥ **RUS** ◆ 28-29 P 5
Central'no-Tungusskoe, plato ∸ **RUS** ◆ 28-29 R 5
Central Patricia ○ **CDN** ◆ 42-43 S 6
Central Range ⛰ **PNG** ◆ 34-35 M 7
Centre □ **F** ◇ 18-19 H 8 ◆ 14-15
Centro, El ○ **USA** ◆ 44-45 C 4
Céram, Mer de ≈ ◆ 34-35 J 7
Čerepovec ☆ **RUS** ◇ 22-23 P 2 ◆ 14-15 T 4
Ceres ○ **BR** ◆ 46-47 K 8
Cerf Island ⌒ **SY** ◆ 40-41 M 3
Čerkassy = Čerkasy ☆ **UA** ◆ 14-15 S 6
Čerkasy ☆ **UA** ◆ 14-15 S 6
Čerkessk ☆ **RUS** ◆ 14-15 U 7
Černihiv ○ • **UA** ◆ 14-15 S 5
Černivci ☆ **UA** ◆ 14-15 R 6
Černye Brat'ja, ostrova ⌒ **RUS** ◆ 28-29 b 8
Černyševskij ○ **RUS** ◆ 28-29 T 5
Cerralvo, Isla ⌒ **MEX** ◆ 44-45 E 6
Cerro, El ○ **BOL** ◆ 46-47 G 8
Cerro de Pasco ☆ **PE** ◆ 46-47 D 7
Čerskij ○ **RUS** ◆ 28-29 d 4
Čerskogo, hrebet ⛰ **RUS** ◆ 28-29 Y 4
Cervantes ○ **AUS** ◆ 36-37 D 6
Cervati, Monte ▲ **I** ◇ 26-27 E 4 ◆ 14-15 P 7
Cesena ○ **I** ◇ 26-27 D 2 ◆ 14-15 O 7
Cēsis ☆ •• **LV** ◇ 22-23 J 3 ◆ 14-15 R 4
České Budějovice ○ **CZ** ◇ 20-21 N 4 ◆ 14-15 O 6
Çeşme ☆ **TR** ◆ 14-15 R 8
Čëšskaja guba ≈ ◆ 28-29 F 4
Češt-e Šarīf ○ • **AFG** ◆ 32-33 J 4
Cestos River ~ **LB** ◆ 38-39 D 7
Ceuta ○ **E** ◆ 14-15 K 8
Ceuta ○ **E** ◇ 24-25 E 7 ◆ 14-15 L 8
Cévennes ⛰ **F** ◇ 18-19 J 9 ◆ 14-15 M 7
Cévennes ∸ **F** ◇ 18-19 J 9 ◆ 14-15 M 7
Cévennes, Parc National des ⊥ • **F** ◇ 18-19 J 9 ◆ 14-15
Chachapoyas ☆ **PE** ◆ 46-47 D 6
Chaco □ **RA** ◆ 48 E 3
Chaco Austral ∸ **RA** ◆ 48 E 3
Chaco Boreal ∸ **PY** ◆ 48 E 2
Chaco Central ∸ **PY** ◆ 48 E 2
Chadayang ○ **CHN** ◆ 30-31 M 7
Chai Nat ○ **THA** ◆ 34-35 D 3
Chaîne Côtière = Coast Range ⛰ **USA** ◆ 42-43 M 7
Chala ○ **PE** ◆ 46-47 E 8
Chalais ○ **F** ◇ 18-19 H 9 ◆ 14-15
Chaleur Bay ≈ ◆ 42-43 X 7
Challans ○ **F** ◇ 18-19 G 8 ◆ 14-15
Challapata ○ **BOL** ◆ 46-47 F 8
Challenger, Fosse du ≃ ◆ 34-35 M 4
Challenger Plateau ≃ ◆ 36-37 O 7
Châlons-sur-Marne ☆ • **F** ◇ 18-19 K 7 ◆ 14-15 M 6
Chalon-sur-Saône ○ **F** ◇ 18-19 K 8 ◆ 14-15
Chaltel o Fitz Roy, Cerro ▲ **RA** ◆ 48 C 7
Chamba ○ •• **IND** ◆ 32-33 M 4
Chamberlain River ~ **AUS** ◆ 36-37 F 3
Chambéry ☆ • **F** ◇ 18-19 K 9 ◆ 14-15
Chambord, Château ••• **F** ◇ 18-19 H 8 ◆ 14-15
Chambri Lakes ○ **PNG** ◆ 34-35 M 7
Chamical ○ **RA** ◆ 48 D 4
Champagne ∸ • **F** ◇ 18-19 K 7 ◆ 14-15
Champagne-Ardenne □ **F** ◇ 18-19 K 8 ◆ 14-15
Champaign ○ **USA** ◆ 44-45 J 2
Champasak ○ **LAO** ◆ 34-35 E 4
Champlain, Lake ○ **USA** ◆ 42-43 W 8
Champotón ○ • **MEX** ◆ 44-45 H 7
Chancay ○ **PE** ◆ 46-47 D 7
Chandalar River ~ **USA** ◆ 42-43 G 3
Chandeleur Islands ⌒ **USA** ◆ 44-45 J 5
Chandigarh ☆ •• **IND** ◆ 32-33 M 4
Chandrapur ○ **IND** (MAH) ◆ 32-33 M 7
Changane, Rio ~ **MOC** ◆ 40-41 H 6
Changara ○ **MOC** ◆ 40-41 H 5
Changchun ☆ **CHN** ◆ 30-31 O 3
Changde ○ **CHN** ◆ 30-31 L 6
Changhai = Shanghai ☆ •• **CHN** ◆ 30-31 N 5
Changji ○ **CHN** ◆ 30-31 F 3
Chang Jiang ~ **CHN** ◆ 30-31 K 5
Changsha ☆ • **CHN** ◆ 30-31 L 6
Changtu ○ **CHN** ◆ 30-31 N 3
Changzhi ○ **CHN** ◆ 30-31 L 4
Changzhou ○ **CHN** ◆ 30-31 M 5
Channel Islands ∸ **GB** ◇ 18-19 F 7 ◆ 14-15 L 6
Channel Islands ⌒ **USA** ◆ 44-45 B 4
Channel Islands National Park ⊥ **USA** ◆ 44-45 B 4
Channel-Port-aux-Basques ○ **CDN** ◆ 42-43 Z 7
Chantar, Îles = Šantarskie, ostrova ⌒ **RUS** ◆ 28-29 Y 6
Chanthaburi ○ **THA** ◆ 34-35 D 4
Chantrey Inlet ≈ ◆ 42-43 S 3
Chaohu ○ **CHN** ◆ 30-31 M 5
Chaoyang ○ **CHN** ◆ 30-31 N 3
Chaozhou ○ **CHN** ◆ 30-31 M 7
Chapadinha ○ **BR** ◆ 46-47 L 5
Chapala, Lago de ○ **MEX** ◆ 44-45 F 6
Chaparaó, Serra do ⛰ **BR** ◆ 48 J 2
Chapeco ○ **BR** ◆ 48 G 3
Chapleau ○ **CDN** ◆ 42-43 U 7
Chapra ○ **IND** (BIH) ◆ 32-33 N 5
Charagua ○ **BOL** ◆ 46-47 G 8
Charcot, Île ⌒ **ARK** ◆ 13 G 23
Charente ~ **F** ◇ 18-19 H 8 ◆ 14-15
Charentes ~ **F** ◇ 18-19 G 9 ◆ 14-15
Chari ~ **TCH** ◆ 38-39 J 6
Charité-sur-Loire, la ○ **F** ◇ 18-19 J 8 ◆ 14-15
Charity ○ **GUY** ◆ 46-47 H 3
Charkiv ○ **UA** ◆ 14-15 T 6
Charles Island ⌒ **CDN** ◆ 42-43 W 4
Charleston ○ • **USA** (SC) ◆ 44-45 L 4
Charleston ☆ **USA** (WV) ◆ 44-45 K 3
Charleville ○ **AUS** ◆ 36-37 K 5
Charleville-Mézières ☆ **F** ◇ 18-19 K 7 ◆ 14-15
Charlie-Gibbs, Zone de Fracture ≃ ◆ 42-43 c 6
Charlotte ○ **USA** (NC) ◆ 44-45 K 3
Charlotte Amalie ☆ • **USA** ◆ 44-45 O 7
Charlottesville ○ ••• **USA** ◆ 44-45 L 3
Charlottetown ☆ • **CDN** ◆ 42-43 Y 7
Charlton ○ **AUS** ◆ 36-37 J 7
Charlton Island ⌒ **CDN** ◆ 42-43 V 6
Chārsadda ○ • **PK** ◆ 32-33 L 4
Charters Towers ○ • **AUS** ◆ 36-37 K 4
Chartres ☆ ••• **F** ◇ 18-19 H 7 ◆ 14-15
Chascomús ○ **RA** ◆ 48 F 5
Châtaigneraie, la ○ **F** ◇ 18-19 G 8 ◆ 14-15
Châteaubriant ○ **F** ◇ 18-19 G 8 ◆ 14-15
Château Chambord ••• **F** ◇ 18-19 H 8 ◆ 14-15
Châteaudun ○ **F** ◇ 18-19 H 7 ◆ 14-15
Château-Gontier ○ **F** ◇ 18-19 G 8 ◆ 14-15
Châteaulin ○ **F** ◇ 18-19 E 7 ◆ 14-15
Châteauneuf-sur-Charente ○ **F** ◇ 18-19 G 9 ◆ 14-15
Châteauneuf-sur-Loire ○ **F** ◇ 18-19 J 8 ◆ 14-15
Château-Renault ○ **F** ◇ 18-19 H 8 ◆ 14-15
Châteauroux ☆ **F** ◇ 18-19 H 8 ◆ 14-15 M 6
Château-Thierry ○ **F** ◇ 18-19 J 7 ◆ 14-15
Châtellerault ○ **F** ◇ 18-19 H 8 ◆ 14-15
Chatham, Crête de ≃ ◆ 36-37 Q 8
Chatham Island ⌒ **NZ** ◆ 36-37 R 8
Châtillon-sur-Seine ○ • **F** ◇ 18-19 K 8 ◆ 14-15
Chattahoochee River ~ **USA** ◆ 44-45 J 4
Chattanooga ○ • **USA** ◆ 44-45 J 3
Chaumont ○ **F** ◇ 18-19 K 7 ◆ 14-15
Chaves ○ **BR** ◆ 46-47 K 5
Cheboygan ○ **USA** ◆ 42-43 U 7
Chech, Erg ∸ **DZ** ◆ 38-39 E 4
Chegga ○ **RIM** ◆ 38-39 D 3
Chegutu ○ **ZW** ◆ 40-41 H 5
Cheju ○ **ROK** ◆ 30-31 O 5
Cheju Do ⌒ **ROK** ◆ 30-31 O 5
Chela, Serra da ⛰ **ANG** ◆ 40-41 D 5
Chelekhov, Golfe de = Šelihova, zaliv ≈ ◆ 28-29 c 5
Chelforó ○ **RA** ◆ 48 D 5
Chełm ☆ **PL** ◇ 20-21 R 3 ◆ 14-15 Q 5
Chemchâm, Sebkhet ○ **RIM** ◆ 38-39 C 4
Chemillé ○ **F** ◇ 18-19 G 8 ◆ 14-15
Chemnitz ○ **D** ◇ 20-21 M 3 ◆ 14-15 O 5
Chengde ○ ••• **CHN** ◆ 30-31 M 3
Chengdu ☆ **CHN** ◆ 30-31 J 5
Chengshan Jiao ▲ **CHN** ◆ 30-31 N 4
Chenzhou ○ **CHN** ◆ 30-31 L 6
Chepes ○ **RA** ◆ 48 D 4
Cherbourg ○ **F** ◇ 18-19 G 7 ◆ 14-15 L 6
Cherry Island ⌒ **SOL** ◆ 36-37 O 2
Cherson ☆ • **UA** ◆ 14-15 S 6
Chesapeake Bay ≈ ◆ 44-45 L 3
Chesterfield, Île ⌒ **RM** ◆ 40-41 K 5
Chesterfield, Îles ⌒ **F** ◆ 36-37 M 3
Chesterfield Inlet ≈ ◆ 42-43 S 4
Chesterfield Inlet ○ **CDN** (NWT) ◆ 42-43 S 4
Chetlat Island ⌒ **IND** ◆ 32-33 L 8
Chetumal ☆ • **MEX** ◆ 44-45 J 7
Chetumal, Bahía de ≈ ◆ 44-45 J 7
Che'w Bahir ○ **ETH** ◆ 38-39 N 8
Cheyenne ☆ **USA** (WY) ◆ 44-45 F 2
Cheyenne River ~ **USA** ◆ 44-45 F 2
Cheyenne River Indian Reservation X **USA** ◆ 42-43 Q 7
Cheyenne Wells ○ **USA** ◆ 44-45 F 3
Chhatarpur ○ **IND** ◆ 32-33 M 6
Chhindwāra ○ **IND** ◆ 32-33 M 6
Chiang Mai ☆ **THA** ◆ 34-35 C 3
Chiang Rai ○ **THA** ◆ 34-35 C 3
Chiayi ○ **RC** ◆ 30-31 N 7
Chiba ☆ **J** ◆ 30-31 R 4
Chibabava ○ **MOC** ◆ 40-41 H 6
Chibia ○ **ANG** ◆ 40-41 D 5
Chibougamau ○ **CDN** ◆ 42-43 W 7
Chicago ○ • **USA** ◆ 44-45 J 2
Chicapa ~ **ANG** ◆ 40-41 F 3
Chichagof Island ⌒ **USA** ◆ 42-43 J 5
Chichén Itzá ∴ ••• **MEX** ◆ 44-45 J 6
Chiclayo ☆ **PE** ◆ 46-47 D 6
Chico ○ **USA** ◆ 44-45 B 3
Chico, Río ~ **RA** ◆ 48 D 7
Chicoutimi ○ **CDN** ◆ 42-43 W 7
Chicualacuala ○ **MOC** ◆ 40-41 H 6
Chidenguele ○ **MOC** ◆ 40-41 H 6
Chifeng ○ **CHN** ◆ 30-31 M 3
Chihuahua ☆ • **MEX** (CHA) ◆ 44-45 E 5
Chilca ○ **PE** ◆ 46-47 D 7
Chilecito ○ • **RA** ◆ 48 D 3
Chili ■ **RCH** ◆ 48 C 7
Chililabombwe ○ **Z** ◆ 40-41 G 4
Chilka = Šilka ~ **RUS** ◆ 28-29 U 7
Chilko Lake ○ **CDN** ◆ 42-43 M 6
Chiloé, Isla de ⌒ **RCH** ◆ 48 C 6
Chiloé, Parque Nacional ⊥ **RCH** ◆ 48 C 6
Chilpancingo de los Bravos ☆ **MEX** ◆ 44-45 G 7
Chilwa, Lake ○ **MW** ◆ 40-41 J 5
Chimanimani ○ • **ZW** ◆ 40-41 H 5
Chimanovsk = Šimanovsk ☆ **RUS** ◆ 28-29 W 7
Chimborazo, Volcán ▲ **EC** ◆ 46-47 D 5
Chimbote ○ **PE** ◆ 46-47 D 6
Chimoio ☆ **MOC** ◆ 40-41 H 5
Chinandega ☆ **NIC** ◆ 44-45 J 8
Chincha Alta ○ **PE** ◆ 46-47 D 7
Chinchorro, Banco ⌒ **MEX** ◆ 44-45 J 7
Chinde ○ **MOC** ◆ 40-41 J 5
Chine ■ **CHN** ◆ 30-31 E 5
Chine, Plaine de ⌣ **CHN** ◆ 30-31 L 4
Chine du Sud, Plateau de ⛰ **CHN** ◆ 30-31 L 7
Chine Méridionale, Mer de ≈ ◆ 34-35 F 5
Chine Orientale, Mer de ≈ ◆ 30-31 N 5
Chingola ○ **Z** ◆ 40-41 G 4
Chinguetti ○ • **RIM** ◆ 38-39 C 4
Chinhoyi ☆ • **ZW** ◆ 40-41 H 5
Chiniot ○ • **PK** ◆ 32-33 L 4
Chinko ~ **RCA** ◆ 38-39 K 7
Chinnūr ○ **IND** ◆ 32-33 M 7
Chinon ○ **F** ◇ 18-19 H 8 ◆ 14-15
Chipata ☆ **Z** ◆ 40-41 H 4
Chipewyan Indian Reserve X **CDN** ◆ 42-43 O 5
Chipipa ○ **ANG** ◆ 40-41 E 4
Chiquinquirá ○ **CO** ◆ 46-47 E 3
Chiquitos, Llanos de ∸ **BOL** ◆ 46-47 G 8
Chiraz = Širaāz ☆ •• **IR** ◆ 32-33 G 5
Chirfa ○ **RN** ◆ 38-39 H 4
Chirikof Island ⌒ **USA** ◆ 42-43 E 5
Chiri San ▲ **ROK** ◆ 30-31 O 4
Chisamba ○ **Z** ◆ 40-41 G 4
Chisasibi ○ **CDN** ◆ 42-43 V 6
Chişinău ★ **MD** ◆ 14-15 R 6
Chitado ○ **ANG** ◆ 40-41 D 5
Chitāpur ○ **IND** ◆ 32-33 M 7
Chitembo ○ **ANG** ◆ 40-41 E 4
Chitongo ○ **Z** ◆ 40-41 G 5
Chitrāl ○ • **PK** ◆ 32-33 L 3
Chitre, Serra do ⛰ **BR** ◆ 46-47 L 8
Chittagong ○ • **BD** ◆ 32-33 P 6
Chittoor ○ **IND** ◆ 32-33 M 8
Chitungwiza ○ **ZW** ◆ 40-41 H 5
Chiumbe ~ **ANG** ◆ 40-41 F 3
Chiume ○ **ANG** ◆ 40-41 F 5
Chivay ○ **PE** ◆ 46-47 E 8
Chivhu ○ **ZW** ◆ 40-41 H 5
Chivilcoy ○ **RA** ◆ 48 F 4
Chizarira National Park ⊥ **ZW** ◆ 40-41 G 5
Chlef ☆ **DZ** ◆ 38-39 F 1
Chmel'nyc'kyj ☆ **UA** ◆ 14-15 R 6
Chnattisgarh ∸ **IND** ◆ 32-33 N 6
Chobe ~ **NAM** ◆ 40-41 F 5
Chobe National Park ⊥ **RB** ◆ 40-41 F 5
Choele Choel ○ **RA** ◆ 48 D 5
Choiseul ⌒ **SOL** ◆ 34-35 P 8
Chole • **EAT** ◆ 40-41 J 3
Cholet ○ **F** ◇ 18-19 G 8 ◆ 14-15
Choluteca ☆ **HN** ◆ 44-45 J 8
Choma ○ **Z** ◆ 40-41 G 5
Chon Buri ○ **THA** ◆ 34-35 D 4
Chone ○ **EC** ◆ 46-47 C 5
Chongjin ☆ **KOR** ◆ 30-31 O 3
Chongqing ○ • **CHN** (SIC) ◆ 30-31 K 6
Chonos, Archipiélago de los ⌒ **RCH** ◆ 48 B 7
Choqā Zanbil ∴ ••• **IR** ◆ 32-33 F 4
Chos Malal ○ **RA** ◆ 48 C 5
Choûm ○ **RIM** ◆ 38-39 C 4
Chowduār ○ **IND** ◆ 32-33 O 6
Christchurch ○ •• **NZ** ◆ 36-37 P 8
Christie Bay ○ **CDN** ◆ 42-43 O 4
Christmas Creek ~ **AUS** ◆ 36-37 F 3
Christmas Island ⌒ **AUS** ◆ 34-35 E 9
Chubut □ **RA** ◆ 48 D 6
Chu Dang Sin ▲ **VN** ◆ 34-35 E 4
Chugach Mountains ⛰ **USA** ◆ 42-43 G 4
Chuginadak Island ⌒ **USA** ◆ 42-43 B 6
Chukchi Plateau ≃ ◆ 13 B 35
Chulucanas ○ **PE** ◆ 46-47 C 6
Chumbicha ○ **RA** ◆ 48 D 3
Chumphon ○ **THA** ◆ 34-35 C 4
Ch'unch'ŏn ○ **ROK** ◆ 30-31 O 4
Chunchura ○ **IND** ◆ 32-33 O 6
Chuquicamata ○ **RCH** ◆ 48 D 2
Churchill ○ • **CDN** ◆ 42-43 S 5
Churchill, Cap ▲ **CDN** ◆ 42-43 S 5
Churchill Falls ○ **CDN** ◆ 42-43 Y 6
Churchill River ~ **CDN** ◆ 42-43 R 5
Churu ○ **IND** ◆ 32-33 L 5
Chutes Tshunga ~ **ZRE** ◆ 40-41 G 1
Chuxiong ○ **CHN** ◆ 30-31 J 6
Chuy ○ **ROU** ◆ 48 G 4
Chypre ■ **CY** ◆ 14-15 S 9
Ciamis ○ **RI** ◆ 34-35 E 8
Cianjur ○ **RI** ◆ 34-35 E 8
Ciego de Ávila ☆ **C** ◆ 44-45 L 6
Ciénaga ○ **CO** ◆ 46-47 E 2
Cienfuegos ☆ **C** ◆ 44-45 K 6
Čikoj ~ **RUS** ◆ 28-29 S 7
Čikšina ~ **RUS** ◆ 28-29 H 5
Cilacap ○ **RI** ◆ 34-35 E 8
Čil'či ○ **RUS** ◆ 28-29 V 6
Cimarron River ~ **USA** ◆ 44-45 F 3
Cimljanskoe vodohranilišče < **RUS** ◆ 14-15 U 6
Cincinnati ○ **USA** ◆ 44-45 K 3
Ciotat, la ○ **F** ◇ 18-19 K 10 ◆ 14-15
Cipa ~ **RUS** ◆ 28-29 U 6
Circle ○ **USA** (AK) ◆ 42-43 H 3
Cirebon ○ • **RI** ◆ 34-35 E 8
Cisne, Islas del = Santanilla, Islas ⌒ **HN** ◆ 44-45 K 7
Čita ☆ • **RUS** ◆ 28-29 T 7
Città del Vaticano ★ ••• **SCV** ◇ 26-27 D 4 ◆ 14-15 O 7
Ciudad Bolívar ☆ • **YV** ◆ 46-47 G 3
Ciudad Camargo ○ • **MEX** ◆ 44-45 E 5
Ciudad Constitución ○ • **MEX** ◆ 44-45 D 5
Ciudad del Este ☆ **PY** ◆ 48 G 3
Ciudad Juárez ○ • **MEX** ◆ 44-45 E 4
Ciudad Madero ○ **MEX** ◆ 44-45 G 6
Ciudad Mutis = Bahía Solano ○ **CO** ◆ 46-47 D 3
Ciudad Obregón ○ **MEX** ◆ 44-45 E 5
Ciudad Ojeda ○ **YV** ◆ 46-47 E 2
Ciudad Piar ○ **YV** ◆ 46-47 G 3
Ciudad Real ○ • **E** ◇ 24-25 F 5 ◆ 14-15 L 8
Clain ~ **F** ◇ 18-19 H 8 ◆ 14-15
Claire, Lake ○ **CDN** ◆ 42-43 O 5
Clamecy ○ **F** ◇ 18-19 J 8 ◆ 14-15
Clanwilliam ○ **ZA** ◆ 40-41 E 8
Clarence, Isla ⌒ **RCH** ◆ 48 C 8
Clarence Island ⌒ **ARK** ◆ 13 G 31
Clarence Strait ≈ ◆ 36-37 G 2
Clarence Town ○ • **BS** ◆ 44-45 M 6
Clarie, Terre ∸ **ARK** ◆ 13 G 14
Clarinda ○ **USA** ◆ 44-45 G 2
Clarión, Isla ⌒ **MEX** ◆ 44-45 D 7
Clark, Lake ○ **USA** ◆ 42-43 F 4
Clarke River ~ **AUS** ◆ 36-37 J 3
Clark Fork River ~ **USA** ◆ 42-43 N 7
Clarksdale ○ **USA** ◆ 44-45 H 4
Clarks Hill Lake ○ **USA** ◆ 44-45 K 4
Clarksville ○ **USA** (TN) ◆ 44-45 J 3
Clay Belt ∸ **CDN** ◆ 42-43 U 6
Clear Hills ⛰ **CDN** ◆ 42-43 N 5
Clermont ○ **AUS** ◆ 36-37 K 4
Clermont ○ **F** ◇ 18-19 J 7 ◆ 14-15
Clermont-Ferrand ☆ • **F** ◇ 18-19 J 9 ◆ 14-15 M 6
Clermont-l'Hérault ○ **F** ◇ 18-19 J 10 ◆ 14-15
Cleveland ○ • **USA** (OH) ◆ 44-45 K 2
Clinton, Cape ▲ **AUS** ◆ 36-37 L 4
Cloncurry ○ **AUS** ◆ 36-37 J 4
Clovis ○ **USA** (NM) ◆ 44-45 F 4
Clyde ○ **CDN** (NWT) ◆ 42-43 X 2
Coari ○ **BR** ◆ 46-47 G 5
Coari, Rio ~ **BR** ◆ 46-47 G 5
Coast Mountains ⛰ **CDN** ◆ 42-43 K 5
Coast of Labrador ∸ **CDN** ◆ 42-43 Y 5
Coast Range ⛰ **USA** ◆ 42-43 M 7
Coatá Laranjal, Área Indígena X **BR** ◆ 46-47 H 5
Coats Island ⌒ **CDN** ◆ 42-43 U 4
Coats Land ∸ **ARK** ◆ 13 F 34
Coatzacoalcos ○ • **MEX** ◆ 44-45 H 7
Cobán ☆ **GCA** ◆ 44-45 H 7
Cobar ○ **AUS** ◆ 36-37 K 6
Cobija ☆ **BOL** ◆ 46-47 F 7
Cobourg Peninsula ⌣ **AUS** ◆ 36-37 G 2
Coburg Island ⌒ **CDN** ◆ 42-43 V 1
Coca = Puerto Francisco de Orellana ○ **EC** ◆ 46-47 D 5
Cochabamba ☆ **BOL** ◆ 46-47 F 8
Cochin = Kochi ○ •• **IND** ◆ 32-33 M 9
Cochrane ○ **CDN** (ONT) ◆ 42-43 U 7
Cochrane, Cerro ▲ **RCH** ◆ 48 C 7
Cockburn, Mount ▲ **AUS** ◆ 36-37 F 5
Cockburn Town ☆ **GB** ◆ 44-45 M 6
Cocklebiddy Motel ○ **AUS** ◆ 36-37 F 6
Cocobeach ○ **G** ◆ 40-41 C 1
Coco Channel ≈ ◆ 34-35 B 4
Coco Island ⌒ **MS** ◆ 40-41 N 5
Coco o Segovia ~ **HN** ◆ 44-45 J 8
Cocos, Bassin des ≃ ◆ 34-35 B 6
Cocos, Dorsale des ≃ ◆ 46-47 B 4
Cocos Island ⌒ **AUS** ◆ 34-35 C 9
Cocuy, Parque Nacional el ⊥ **CO** ◆ 46-47 E 3
Codajás ○ **BR** ◆ 46-47 G 5
Codó ○ **BR** ◆ 46-47 L 5
Cody ○ **USA** (WY) ◆ 42-43 P 8
Coen ○ **AUS** ◆ 36-37 J 2
Coeroeni ○ **SME** ◆ 46-47 H 4
Coëtivy Island ⌒ **SY** ◆ 40-41 N 3
Coeur d'Alene ○ **USA** ◆ 42-43 N 7
Coffin Bay ≈ ◆ 36-37 H 6
Coffin Bay National Park ⊥ **AUS** ◆ 36-37 H 6
Coffs Harbour ○ **AUS** ◆ 36-37 L 6
Cognac ○ • **F** ◇ 18-19 G 9 ◆ 14-15
Coiba, Isla de ⌒ **PA** ◆ 44-45 K 9
Coihaique ☆ **RCH** ◆ 48 C 7
Coimbatore ○ **IND** ◆ 32-33 M 8
Coimbra ☆ •• **P** ◇ 24-25 C 4 ◆ 14-15 K 7
Coipasa, Salar de ○ **BOL** ◆ 46-47 F 8
Cojbalsan ☆ **MAU** ◆ 28-29 T 8
Cojudo Blanco, Cerro ▲ **RA** ◆ 48 D 7
Colatina ○ **BR** ◆ 46-47 L 8
Colca, Río ~ **PE** ◆ 46-47 E 8
Cold Bay ○ **USA** ◆ 42-43 D 5
Coles, Punta ▲ **PE** ◆ 46-47 E 8
Colesberg ○ **ZA** ◆ 40-41 G 8
Colhué Huapi, Lago ○ **RA** ◆ 48 D 7
Colima ☆ • **MEX** (COL) ◆ 44-45 F 7
Colima, Nevado de ▲ **MEX** ◆ 44-45 F 7
Colin Archer Peninsula ⌣ **CDN** ◆ 42-43 S 1
Colinas ○ **BR** ◆ 46-47 L 6
Collie ○ **AUS** ◆ 36-37 D 6
Collier Bay ≈ ◆ 36-37 E 3
Collier Bay Aboriginal Land X **AUS** ◆ 36-37 E 3
Collier Range National Park ⊥ **AUS** ◆ 36-37 D 4
Collinson Peninsula ⌣ **CDN** ◆ 42-43 Q 2
Colmar ☆ • **F** ◇ 18-19 L 7 ◆ 14-15 N 6
Cologne = Köln ○ •• **D** ◇ 20-21 J 3 ◆ 14-15 N 5
Colombie ■ **CO** ◆ 46-47 E 4
Colombie, Bassin de ≃ ◆ 6 G 7
Colombie-Britannique = British Columbia □ **CDN** ◆ 42-43 L 5
Colombo ★ **CL** ◆ 32-33 M 9
Colomiers ○ **F** ◇ 18-19 H 10 ◆ 14-15
Colón, Archipiélago de = Galápagos, Islas ⌒ **EC** ◆ 46-47 B 5
Colon, Dorsale des ≃ ◆ 46-47 A 4
Colonel Hill ○ **BS** ◆ 44-45 M 6
Colonia ☆ **FSM** ◆ 34-35 L 5
Colorado □ **USA** ◆ 44-45 E 3
Colorado Desert ∸ **USA** ◆ 44-45 C 4
Colorado Plateau ⛰ **USA** ◆ 44-45 D 3
Colorado River ~ **USA** ◆ 44-45 E 3
Colorado Springs ○ • **USA** ◆ 44-45 F 3
Colotlan ○ **MEX** ◆ 44-45 F 6
Columbia ○ **USA** (MO) ◆ 44-45 H 3
Columbia ☆ **USA** (SC) ◆ 44-45 K 4
Columbia Mountains ⛰ **CDN** ◆ 42-43 M 6
Columbia Plateau ⛰ **USA** ◆ 42-43 N 7
Columbia Reach ~ **CDN** ◆ 42-43 N 6
Columbia River ~ **CDN** ◆ 42-43 N 7
Columbus ○ **USA** (MS) ◆ 44-45 J 4
Columbus ○ **USA** (GA) ◆ 44-45 K 4
Columbus ○ **USA** (IN) ◆ 44-45 J 3
Columbus ☆ **USA** (OH) ◆ 44-45 K 3
Colville Channel ≈ ◆ 36-37 Q 7
Colville Indian Reservation X **USA** ◆ 42-43 N 7
Colville River ~ **USA** ◆ 42-43 E 3
Combomune ○ **MOC** ◆ 40-41 H 6
Comilla ○ **BD** ◆ 32-33 P 6
Committee Bay ≈ ◆ 42-43 T 3
Commonwealth Range ⛰ **ARK** ◆ 13 E 0
Comodoro Rivadavia ○ **RA** ◆ 48 D 7
Comoé ~ **CI** ◆ 38-39 E 7
Comores ■ **COM** ◆ 40-41 K 4
Comores, Archipel des ⌒ **COM** ◆ 40-41 K 4
Comorin, Cape ▲ **IND** ◆ 32-33 M 9
Compiègne ○ • **F** ◇ 18-19 J 7 ◆ 14-15
Čona ~ **RUS** ◆ 28-29 S 5
Conakry ★ • **RG** (CON) ◆ 38-39 C 7
Concarneau ○ • **F** ◇ 18-19 F 8 ◆ 14-15
Conceição do Araguaia ○ **BR** ◆ 46-47 K 6
Concepción ○ **BOL** ◆ 46-47 G 8
Concepción ☆ **PY** ◆ 48
Concepción ○ **RA** ◆ 48 D 3
Concepción ☆ **RCH** ◆ 48 F 2
Concepcion, La ○ **YV** ◆ 46-47 E 2
Concepción del Oro ○ **MEX** ◆ 44-45 F 6
Conchos, Río ~ **MEX** ◆ 44-45 E 5
Concord ☆ **USA** (NH) ◆ 42-43 W 8
Concordia ○ **RA** ◆ 48 F 4
Conde ○ **BR** ◆ 46-47 M 7
Condobolin ○ **AUS** ◆ 36-37 K 6
Condom ○ **F** ◇ 18-19 H 10 ◆ 14-15
Côn Đpao ⌒ **VN** (Con) ◆ 34-35 E 5
Confolens ○ **F** ◇ 18-19 H 8 ◆ 14-15
Congo ■ **RCB** ◆ 40-41 D 2
Congo ~ **RCB** ◆ 40-41 D 3
Congo, Bassin du ∸ **ZRE** ◆ 40-41 E 2
Connecticut □ **USA** ◆ 44-45 M 2
Conquet ○ **F** ◇ 18-19 E 7 ◆ 14-15
Conselheiro Lafaiete ○ **BR** ◆ 48 J 2
Constanța ☆ •• **RO** ◆ 14-15 R 7
Constantine ☆ •• **DZ** ◆ 38-39 G 1
Constitución ○ **RCH** ◆ 48 C 5
Consuelo Peak ▲ **AUS** ◆ 36-37 K 4
Contagem ○ **BR** ◆ 46-47 L 8
Contamana ○ **PE** ◆ 46-47 E 6
Contamana, Sierra ⛰ **PE** ◆ 46-47 E 6
Contas, Rio de ~ **BR** ◆ 46-47 M 7
Contreras, Isla ⌒ **RCH** ◆ 48 C 8
Contwoyto Lake ○ **CDN** ◆ 42-43 O 3
Coober Pedy ○ **AUS** ◆ 36-37 G 5
Cook, Détroit de = Cook Strait ≈ ◆ 36-37 P 8
Cook, Îles ⌒ **NZ** ◆ 12 L 4
Cook, Mount ▲ **NZ** ◆ 36-37 P 8
Cook Bay ≈ ◆ 13 G 16
Cook Inlet ≈ ◆ 42-43 F 5
Cook Strait ≈ ◆ 36-37 P 8
Cooktown ○ •• **AUS** ◆ 36-37 K 3
Coolgardie ○ **AUS** ◆ 36-37 E 6
Cooma ○ **AUS** ◆ 36-37 K 7
Coonabarabran ○ **AUS** ◆ 36-37 K 6
Coonamble ○ **AUS** ◆ 36-37 K 6
Coondapoor ○ **IND** ◆ 32-33 L 8
Coon Rapids ○ **USA** ◆ 42-43 S 7
Cooper Creek ~ **AUS** ◆ 36-37 H 5
Coorabie ○ **AUS** ◆ 36-37 G 6
Coos Bay ○ **USA** (OR) ◆ 42-43 M 8
Cootamundra ○ **AUS** ◆ 36-37 K 6
Copiapó ☆ **RCH** ◆ 48 C 3
Coppermine ○ **CDN** ◆ 42-43 O 3

56 **Campo Grande — Coppermine**

Dzeržinsk ○ RUS ◈ 22-23 S 3
◈ 14-15 U 4
Dzoungarie, Dépression de = Junggar Pendi ⊥ CHN ◈ 30-31 F 2
Džbu-Džur, hrebet ▲ RUS 28-29 X 6
Džugdžurskij zapovednik ⊥ RUS ◈ 28-29 Y 6
Džungarskij Alatau, žota ▲ KZ ◈ 30-31 D 3

E

Eagle ○ USA (AK) ◈ 42-43 H 4
East Alligator River ∼ AUS 36-37 G 2
East Bluff ▲ CDN ◈ 30-31 X 4
East Cape ▲ NZ 36-37 Q 8
Eastern Fields ∼ AUS 34-35 N 9
Eastern Ghāts ▲ IND 32-33 M 8
East Falkland ∼ GB ◈ 48 F 8
Eastmain, Rivière ∼ CDN 42-43 V 6
East Mariana Ridge ≈ 34-35 N 4
East Tasman Plateau ≈ 36-37 K 8
Eau Claire ○ USA ◈ 42-43 S 8
Eau Claire, Lac à l' ○ CDN ◈ 42-43 W 5
Eauripik Atoll ∼ FSM ◈ 34-35 N 5
Eauripik Rise ≈ 34-35 M 6
Ebinur Hu ○ CHN ◈ 30-31 E 3
Ebola ∼ ZRE 38-39 K 8
Ebolowa ★ CAM 38-39 H 8
Ebro, Río ∼ E ◈ 24-25 G 4
◈ 14-15 L 7
Echambot ○ CAM 38-39 H 8
Ech Chergui, Chott ∼ DZ ◈ 38-39 F 2
Echuca-Moama ○ AUS 36-37 J 7
Ecijskij massiv ▲ RUS 28-29 W 4
Eclipse Sound ≈ 42-43 V 2
Ecrins, Barre des ▲ F ◈ 18-19 L 9
◈ 14-15
Ecrins, Parc National des ⊥ F ◈ 18-19 L 9 ◈ 14-15
Ed ○ ER 38-39 O 6
Edéa ○ CAM 38-39 H 8
Eden ○ AUS 36-37 K 7
Édessa ☆ GR ◈ 26-27 J 4
◈ 14-15 Q 7
Edgell Island ∼ CDN ◈ 42-43 Y 4
Edinburg ○ USA ◈ 44-45 G 6
Edinburgh ★ • GB ◈ 18-19 F 4
◈ 14-15 L 4
Edineţ ○ MD ◈ 14-15 R 6
Édirne ☆ TR ◈ 14-15 R 7
Edjeleh ○ DZ 38-39 G 3
Edmonton ☆ CDN ◈ 42-43 O 6
Edmundston ○ CDN ◈ 42-43 X 7
Édouard, Lac = Lake Edward ○ ZRE ◈ 40-41 J 2
Edremit ○ TR ◈ 14-15 R 7
Edsel Ford Range ▲ ARK ◈ 13 F 23
Edson ○ CDN ◈ 42-43 N 6
Edward River ✕ AUS (QLD) ◈ 36-37 J 2
Edwards Plateau ⊥ USA ◈ 44-45 F 4
Edward VIIth Peninsula ⊥ ARK ◈ 13 F 22
Éfaté = Île Vaté ∼ VAN 36-37 O 3
Effingham ○ USA ◈ 44-45 J 3
Eforie Nord ○ RO ◈ 14-15 R 7
Égée, Mer ≈ 26-27 K 5
◈ 14-15 Q 8
Eger ○ H ◈ 20-21 Q 5 ◈ 14-15 Q 6
Eg gol ∼ MAU ◈ 30-31 J 2
Eglinton Island ∼ CDN ◈ 42-43 N 1
Egmont, Mount ▲ NZ 36-37 P 7
Egmont National Park ⊥ NZ 36-37 P 7
Egum Atoll ∼ PNG ◈ 34-35 O 8
Égypte ■ ET 38-39 L 3
Eights Coast ⊥ ARK ◈ 13 F 27
Eighty Mile Beach ⊻ AUS 36-37 E 3
Eildon ○ AUS 36-37 K 7
Eildon, Lake ○ AUS ◈ 36-37 K 7
Eilerts de Haan, National Reservaat ⊥ SME ◈ 46-47 H 4
Einasleigh ○ AUS 36-37 J 3
Éire ■ IRL ◈ 18-19 C 4 ◈ 14-15 L 5
Eirik, Dorsale de ≈ ◈ 42-43 b 5
Eirunepé ○ BR ◈ 46-47 F 6
Eisen ∼ NAM ◈ 40-41 F 6
Eivissa ∼ E (BAL) ◈ 24-25 H 5
◈ 14-15 M 8
Eivissa ★ E (BAL) ◈ 24-25 H 5
Ejsk ○ RUS ◈ 14-15 T 6
Ekaterinburg ★ RUS 28-29 J 8
Ekibastūz ★ KZ 28-29 M 7
Ēkvyvetapseklj hrebet ▲ RUS ◈ 28-29 g 4
Ekwan River ∼ CDN ◈ 42-43 U 6
El Abiodh Sidi Chelkh ○ DZ 38-39 F 2
El Adeb Larache ○ DZ 38-39 G 3
El-Aralch ○ MA 38-39 D 1
Élat ○ IL 32-33 C 5
Elato Atoll ∼ FSM 34-35 N 5
Elâziǧ ☆ TR 38-39 E 2
Elba, Ìsola d' ∼ I ◈ 26-27 C 3
Elbasan ☆ • AL ◈ 26-27 H 4
El Bayadh ☆ DZ 38-39 F 2
Elbe ∼ D ◈ 20-21 N 2 ◈ 14-15 O 5
Elbert, Mount ▲ USA ◈ 44-45 E 3
Elbeuf ○ F ◈ 18-19 H 7 ◈ 14-15
Elblag ○ PL ◈ 20-21 P 1
◈ 14-15 P 5
Elbourz, Monts ▲ IR 32-33 G 3
Elbrus, gora ▲ • RUS ◈ 14-15 U 7
El Carmen, Isla ∼ MEX ◈ 44-45 D 5
Eldorado ○ RA ◈ 48 G 3
El Dorado ○ USA (AR) ◈ 44-45 H 4
Eldoret ○ EAK ◈ 40-41 J 1
Elec ○ RUS ◈ 22-23 Q 5
◈ 14-15 T 5
Elephanta ∼ ET ◈ 38-39 N 8
Elephant Island ∼ ARK ◈ 13 G 31
Eleuthera Island ∼ BS ◈ 44-45 L 5
Elgon, Mount ▲ EAU ◈ 40-41 H 1
El Hammâmi ⊥ RIM ◈ 38-39 C 4

El Homr ○ DZ ◈ 38-39 F 3
Ella ∼ ZRE ◈ 40-41 G 2
Élista ☆ RUS ◈ 14-15 U 6
Elizavety, mys ▲ RUS 28-29 Z 7
Elizovo ○ RUS ◈ 28-29 c 7
El-Jadida ○ MA 38-39 D 2
El Jerid, Chott ∼ TN 38-39 G 2
Elk ○ PL ◈ 20-21 R 1 ◈ 14-15 Q 5
el Khatt, Oued ∼ WSA 38-39 C 3
El Khnâchich ⊥ RMM 38-39 D 4
Ellef Ringnes Island ∼ CDN ◈ 42-43 Q 1
Ellesmere Island ∼ CDN ◈ 42-43 U 1
Ellice Islands = Tuvalu Islands ∼ TUV ◈ 12 J 3
Elliot ○ ZA ◈ 40-41 G 6
Elliott ∼ ZA ◈ 40-41 G 6
Elliseras ○ ZA ◈ 40-41 G 6
Elliston ○ AUS 36-37 G 6
Ellsworth Highland ⊥ ARK ◈ 13 F 28
Eslil ○ KZ (TRG) 28-29 K 7
Eskimo Lakes ∼ CDN ◈ 42-43 K 3
El Mahbes ○ WSA 38-39 D 3
El Mâenia ○ DZ 38-39 F 2
Elmira ○ USA ◈ 44-45 B 7
El Nido ○ RP 34-35 G 4
El Obeid = Ubayyid, al- ☆ SUD 38-39 M 6
Bloguiskij, učastok ⊥ RUS 28-29 N 5
El Oued ∼ DZ 38-39 G 2
El Paso ○ USA ◈ 44-45 E 4
El Salvador ■ ES ◈ 44-45 J 8
El Tigre ○ YV 46-47 G 2
Elūru ○ IND 32-33 N 7
Elvira, Cape ▲ CDN ◈ 42-43 P 2
Elx ○ E ◈ 24-25 G 5 ◈ 14-15 L 8
Ely ○ USA (NV) ◈ 44-45 D 3
Embi ○ KZ ◈ 14-15 X 6
Embi ∼ KZ ◈ 14-15 X 6
Emden Deep ≈ 34-35 J 4
Emerald ○ AUS 36-37 K 4
Émirats Arabes Unis ■ UAE ◈ 32-33 G 6
Emporia ○ USA (KS) ◈ 44-45 G 3
Emru Park ○ AUS 36-37 L 4
Emva ∼ RUS 28-29 V 4
Encamación ○ PY 48 F 3
Encontrados ∼ YV ◈ 46-47 E 2
Endeavour Strait ≈ 36-37 J 2
Endeh ○ RI 34-35 G 8
Enderby Land ⊥ ARK ◈ 13 G 6
Endicott Mountains ▲ USA ◈ 42-43 F 4
Eneabba ○ AUS 36-37 D 5
Engels ○ RUS ◈ 14-15 V 5
Enggano, Pulau ∼ RI 34-35 D 8
English Coast ⊥ ARK ◈ 13 F 29
Enid ○ USA ◈ 44-45 G 3
Enisej ∼ RUS ◈ 28-29 O 4
Enisejsk ☆ RUS 28-29 O 4
Enisejskij zaliv ≈ 28-29 N 3
Enisejsko-Stolbovoj, učastok ⊥ RUS 28-29 O 5
Enken, mys ▲ RUS 28-29 Z 6
Enna ○ I ◈ 26-27 E 6 ◈ 14-15 O 8
Ennadai Lake ○ CDN ◈ 42-43 Q 4
Ennedi ▲ TCH 38-39 K 5
Enngonia ○ AUS 36-37 J 5
Enrekang ○ RI 34-35 G 7
Enschede ○ NL ◈ 20-21 J 2 ◈ 14-15 N 5
Ensenada ○ MEX ◈ 44-45 C 4
Enshi ○ CHN 30-31 K 5
Entebbe ○ EAU ◈ 40-41 H 1
Entrecasteaux, Récifs d' ∼ F 36-37 N 3
Entrecasteaux Islands, d' ∼ PNG 34-35 O 8
Entre-Rios ○ BR ◈ 46-47 M 7
Entre Ríos ○ RA ◈ 48 F 4
Enugu ★ WAN 38-39 G 7
Enyellé ○ RCB 38-39 J 8
Éoliennes ou Lipari, Îles = Eólie o Lipari, Ísole ∼ I ◈ 26-27 E 5 ◈ 14-15 O 8
Eólie o Lipari, Ísole ∼ I ◈ 26-27 E 5 ◈ 14-15 O 8
Épernay ○ F ◈ 18-19 J 7 ◈ 14-15 N 5
Épi ∼ VAN ◈ 36-37 O 3
Épinal ○ F ◈ 18-19 L 7 ◈ 14-15
Épizana ○ BOL ◈ 46-47 F 7
Épupa Falls ∼ NAM ◈ 40-41 D 5
Équateur ■ EC ◈ 46-47 C 4
Eram ○ PNG 34-35 M 7
Eravur ○ CL 32-33 N 9
Êravād Myit ∼ MYA 30-31 H 7
Êravād Myitwanyá ∼ MYA 34-35 B 3
Erdi ⊥ TCH 38-39 K 5
Erebus, Mount ▲ ARK ◈ 13 F 17
Erebus and Terror Gulf ≈ ◈ 13 G 31
Erechim ○ BR ◈ 48 G 3
Eregli ○ TR 38-39 L 1
Eregli ○ TR ◈ 14-15 S 8
Erejmentau ○ KZ 28-29 L 7
Erenhot ○ CHN 30-31 L 3
Erevan ★ AR ◈ 14-15 U 7
Erfoud ○ MA 38-39 E 2
Erfurt ☆ D ◈ 20-21 N 2
◈ 14-15 O 5
Ergun Zuoqi ○ CHN 30-31 N 1
Er Hai ○ CHN 30-31 J 6
Erie ○ USA ◈ 44-45 B 7
Erie, Lake ○ 44-45 K 2
Érié, Lac = Erie, Lake ∼ 44-45 K 2
Erimo-misaki ▲ J 30-31 R 3
Erlangen ○ D ◈ 20-21 N 4
◈ 14-15 O 6
Eridunda ○ AUS 36-37 G 5
Ernakulam ∼ IND 32-33 M 9
Ernée ○ F ◈ 18-19 G 7 ◈ 14-15
Eromanga ○ VAN ◈ 12 H 4
Eromanga Island = Île Erromango ∼ VAN 36-37 O 3
Eromanga ∼ NAM ◈ 40-41 D 6
er Raoul, Erg ∼ DZ 38-39 E 3
Errabiddy ○ AUS 36-37 D 4
Er Rachidt, Guelb ∼ RIM 38-39 D 3
Ertis ∼ CHN 30-31 G 2
Ertis ∼ KZ 28-29 M 7
Érythrée ■ ER 38-39 N 5

Erzgebirge ▲ D ◈ 20-21 M 3 ◈ 14-15 O 5
Erzin ○ RUS 28-29 Q 7
Erzincan ☆ TR ◈ 14-15 T 8
Erzurum ☆ TR ◈ 14-15 U 8
Esbjerg ○ DK ◈ 16-17 D 9 ◈ 14-15 N 4
Escanaba ○ USA ◈ 42-43 T 7
Escárcega ○ MEX ◈ 44-45 H 7
Esclave, Grand Lac de l' = Great Slave Lake ○ CDN ◈ 42-43 N 4
Esclave, Petit Lac de l' = Lesser Slave Lake ○ CDN ◈ 42-43 N 5
Esclaves, Côte des ⊻ 38-39 F 7
Esclaves, Rivière de l' = Slave River ∼ CDN ◈ 42-43 O 4
Escuintla ○ GT ◈ 44-45 H 8
Esenguly ○ GUY ◈ 46-47 H 4
Ésso ☆ RUS 28-29 c 6
Estaca de Bares, Punta de ▲ E ◈ 24-25 C 3 ◈ 14-15 K 7
Estacia Camacho ○ MEX ◈ 44-45 F 6
Estado Cañitas de Felipe Pescador ○ MEX ◈ 44-45 E 6
Estados, Isla de los ∼ RA ◈ 48 E 8
Estahbānāt ○ IR 32-33 G 5
Estància ○ BR ◈ 46-47 M 7
Estinho do Equador ○ BR ◈ 46-47 E 5
Est-Mariannes, Bassin ≈ 34-35 J 4
Estonie ■ EST ◈ 22-23 J 2
Estrondo, Serra do ▲ BR ◈ 46-47 K 7
Étampes ○ F ◈ 18-19 J 7 ◈ 14-15
États-Unis ■ USA ◈ 44-45 D 2
Etawah ○ IND ◈ 32-33 M 5
Eternity Range ▲ ARK ◈ 13 G 29
Éthiopie ■ ETH 38-39 N 7
Éthiopien, Massif ▲ ETH ◈ 9 G 4
Etolin Strait ≈ 42-43 C 6
Eton ○ AUS 36-37 K 4
Etosha National Park ⊥ NAM ◈ 40-41 D 5
Etosha Pan ∼ NAM ◈ 40-41 E 5
Eucla Basin ≈ 36-37 F 6
Eucla ○ AUS 36-37 F 6
Eucla Motels ○ AUS 36-37 F 6
Euclides da Cunha ○ BR ◈ 46-47 M 7
Eugene ○ USA ◈ 42-43 M 8
Eula ∼ AUS 36-37 K 4
Eungella ○ AUS 36-37 K 4
Euphrate = Furāt, al- ∼ SYR 32-33 E 4
Eurasiatique, Bassin ≈ ◈ 13 A 14
Eureka ○ USA (CA) ◈ 44-45 C 2
Eureka Sound ≈ 42-43 E 1
Europa, Picos de ▲ E ◈ 24-25 E 3 ◈ 14-15 L 7
Euro-Liv, ostrov ∼ RUS 28-29 J 1
Evans Strait ≈ 42-43 U 4
Evansville ○ USA ◈ 44-45 J 3
Evensk ☆ RUS 28-29 c 5
Everard, Lake ○ AUS 36-37 H 6
Everglades, The ⊥ USA ◈ 44-45 K 5
Everglades National Park ⊥ ••• USA ◈ 44-45 K 5
Évia ∼ GR ◈ 26-27 J 5 ◈ 14-15 Q 8
Évora ○ • P ◈ 24-25 D 5
Évreux ☆ F ◈ 18-19 H 7
Évron ○ F ◈ 18-19 G 7 ◈ 14-15
Ewaso Ngiro ∼ EAK ◈ 40-41 J 1
Exeter Sound ≈ 42-43 Y 3
Exmoor National Park ⊥ GB ◈ 18-19 F 8 ◈ 14-15 L 5
Exmouth ○ AUS 36-37 C 4
Exmouth, Mount ▲ AUS 36-37 K 5
Exuma Cays ∼ BS ◈ 44-45 L 6
Exuma Sound ≈ 44-45 L 6
Eyasi, Lake ○ EAT ◈ 40-41 H 2
Eyl ○ SP 38-39 P 7
Eyre, Lake ○ AUS 36-37 H 5
Eyre North, Lake ○ AUS 36-37 H 5
Eyre Peninsula ⊻ AUS 36-37 H 6
Ezgueret ∼ RMM 38-39 F 5

F

Fachi ○ RN 38-39 H 5
Fada ○ TCH 38-39 K 5
Fada-N'gourma ○ BF 38-39 F 6
Faddeevskij, ostrov ∼ RUS 28-29 Z 2
Faddeja, zaliv ≈ 28-29 X 2
Fadiffolu Atoll ∼ MV 32-33 L 9
Faenza ○ I ◈ 26-27 C 2
Fagulbine, Lac ∼ RMM 38-39 E 5
Faial, Ilha do ∼ P 14-15 F 6
Faileka, Gazirat ∼ KWT 32-33 F 5
Faim, Steppes de la = Betpakdala ⊥ KZ 28-29 K 8
Fairbanks ○ • USA (AK) ◈ 42-43 H 4

Fairweather, Mount ▲ USA ◈ 42-43 J 5
Fais ∼ FSM 34-35 N 5
Faisalābād ○ PK 32-33 L 4
Faizabad ○ AFG 32-33 L 3
Faizābād ○ IND 32-33 N 5
Fakfak ○ RI 34-35 K 7
Falaise ○ F ◈ 18-19 G 7 ◈ 14-15
Falémé ∼ SN 38-39 C 5
Falfurrias ○ USA ◈ 44-45 G 5
Falkland, Escarpement des ≈ ◈ 48 G 7
Falkland, Îles ∼ GB ◈ 48 E 8
Falkland, Plateau des ≈ ◈ 48 G 7
Falls Creek ○ AUS 36-37 K 7
False Pass ○ USA (AK) ◈ 42-43 D 6
Falster ∼ DK ◈ 16-17 E 9
Falun ○ S ◈ 16-17 G 6 ◈ 14-15 P 3
Fama, Ouadi ∼ TCH 38-39 K 6
Famatina, Sierra de ▲ RA ◈ 48 E 3
Fang ○ THA 34-35 B 3
Fangak ○ SUD 38-39 M 7
Faouēt, le ○ F ◈ 18-19 F 7 ◈ 14-15
Faradje ○ ZRE 38-39 L 7
Farafangana ○ RM 40-41 L 6
Farāfira, Oasis de = Farāfira, al-Wāhāt al- ⊥ ET 38-39 L 3
Farāfira, al-Wāhāt al- ⊥ ET 38-39 L 3
Farāh ○ AFG (FA) 32-33 J 4
Farāh Rūd ∼ AFG 32-33 J 4
Farallon de Medinilla ∼ USA ◈ 34-35 N 4
Farallon de Pajaros ∼ USA ◈ 34-35 M 2
Faranah ○ RG (FAR) 38-39 C 6
Farasān, Gazā'ir ∼ KSA 32-33 E 7
Faraulep Atoll ∼ FSM 34-35 N 5
Farewell, Cape ▲ NZ 36-37 P 8
Fargo ○ USA (ND) ◈ 42-43 R 7
Farīdābād ○ IND 32-33 M 5
Faro ∼ CAM 38-39 H 7
Faro ○ USA (NM) ◈ 44-45 E 3
Faro, Réserve du ⊥ CAM 38-39 H 7
Faroe Bank ≈ ◈ 18-19 C 1
Farquhar Atoll ∼ SY ◈ 40-41 M 4
Farquhar Group ∼ SY ◈ 40-41 M 3
Farrukhābād ○ IND 32-33 M 5
Fartak, Ra's ▲ Y 32-33 G 7
Farvel, Kap = Uummannarsuaq ▲ GRØ ◈ 42-43 c 5
Fāshir, Al ☆ SUD 38-39 M 6
Fasil Ghebbi ••• ETH 38-39 N 6
Fastiv ○ UA ◈ 14-15 R 5
Fatehpur ○ IND 32-33 N 5
Fayetteville ○ USA (AR) ◈ 44-45 H 3
Fayetteville ○ USA (NC) ◈ 44-45 L 3
Fayyūm, al- ○ ET 38-39 M 3
Fāz ∼ MA 38-39 E 2
Fdérik ○ RIM 38-39 C 4
Fear, Cape ▲ USA ◈ 44-45 L 4
Fécamp ○ F ◈ 18-19 H 7 ◈ 14-15
Federal ○ RA ◈ 48 F 4
Federated States of Micronesia ■ FSM ◈ 34-35 M 5
Feira de Santana ○ BR ◈ 46-47 M 7
Felipe Carillo Puerto ○ • MEX ◈ 44-45 H 7
Fengcheng ○ CHN (JXI) 30-31 M 6
Fengcheng ○ CHN (LIA) 30-31 N 3
Fengrun ○ CHN 30-31 M 4
Feng Xian ○ CHN (SXI) 30-31 K 5
Feni ○ BD 32-33 P 5
Feni Islands ∼ PNG 34-35 O 7
Feodosija ○ UA ◈ 14-15 S 7
Ferdo, Le ∼ SN 38-39 C 5
Ferganskij hrebet ▲ KS 32-33 L 2
Ford, Cape ▲ AUS 36-37 F 2
Forestier, Cape ▲ AUS 36-37 K 8
Fergusson Island ∼ PNG 34-35 O 8
Ferkessédougou ○ CI 38-39 D 7
Fernandina, Isla ∼ EC 46-47 A 6
Fernando de Magallanes, Parque Nacional ⊥ RCH ◈ 48 D 8
Féroé, Îles ∼ FR ◈ 18-19 D 1 ◈ 14-15 K 3
Féroé, Plateau des ≈ ◈ 14-15 K 3
Féroé-Islande, Seuil des ≈ ◈ 14-15 J 3
Ferokh ○ IND 32-33 M 8
Ferrara ○ I ◈ 26-27 C 2 ◈ 14-15 O 7
Ferreira Gomes ○ BR ◈ 46-47 J 4
Ferreñafe ○ PE ◈ 46-47 D 6
Ferrol ○ E ◈ 24-25 C 3 ◈ 14-15 K 7
Ferté-Bernard, la ○ F ◈ 18-19 H 7 ◈ 14-15
Feshi ○ ZRE 40-41 E 3
Feu, Terre de ∼ RCH 48 C 9
Feuilles, Rivière aux ∼ CDN ◈ 42-43 W 5
Feurs ○ F ◈ 18-19 K 9 ◈ 14-15
Fevralsk ○ RUS 28-29 X 7
Fezzan ⊥ LAR 38-39 H 3
Fianarantsoa ★ RM (Fns) ◈ 40-41 L 6
Fidji ■ FJI ◈ 12 J 4
Fidji ∼ FJI ◈ 12 J 4
Fidji Méridionales, Bassin des ≈ ◈ 37 P 5
Fifi, al- ○ SUD 38-39 M 6
Figeac ○ F ◈ 18-19 J 9 ◈ 14-15
Figuig ○ MA 38-39 E 2
Fiji Occidentale, Bassin des ≈ ◈ 37 N 5
Filchner, Banquise de ⊂ ARK ◈ 13 E 30
Findlay ○ USA ◈ 44-45 K 2
Finger Lakes ○ USA ◈ 44-45 B 7
Finke ○ AUS 36-37 G 5
Finke River ∼ AUS 36-37 H 5
Finlande ■ FIN 16-17 M 7
Finlande, Golfe de ≈ 16-17 M 7
Finlay River ∼ CDN ◈ 42-43 M 5
Finnigan, Mount ▲ AUS 36-37 J 2
Finschhafen ○ PNG 34-35 N 8
Fiordland National Park ⊥ ••• NZ 36-37 P 9
Firenze ★ ••• I ◈ 26-27 C 2 ◈ 14-15 O 7
Firminy ○ F ◈ 18-19 K 9 ◈ 14-15

Firozābād ○ IND 32-33 M 5
Firth of Forth ≈ ◈ 18-19 F 3 ◈ 14-15 L 4
Fisher Strait ≈ 42-43 U 4
Fishguard ○ GB ◈ 18-19 E 6
Fitzgerald River National Park ⊥ AUS 36-37 D 6
Fitzroy Crossing ○ AUS ◈ 36-37 F 3
Fitzroy River ∼ AUS ◈ 36-37 E 3
Five Cays Settlements ○ GB ◈ 44-45 M 6
Fizi ○ ZRE ◈ 40-41 G 2
Fjords, Parc National des = Fiordland National Park ⊥ NZ 36-37 O 9
Flagstaff ○ USA ◈ 44-45 D 3
Flathead Indian Reservation ✕ USA ◈ 42-43 O 7
Flathead Lake ○ USA ◈ 42-43 O 7
Flattery, Cape ▲ AUS 36-37 J 2
Flattery, Cape ▲ USA ◈ 42-43 M 7
Flemish, Cap ≈ ◈ 42-43 D 7
Flensburg ○ D ◈ 20-21 M 1
Flers ○ F ◈ 18-19 G 7 ◈ 14-15
Fletcher, Seuil de ≈ ◈ 13 A 30
Fleurance ○ F ◈ 18-19 H 10 ◈ 14-15
Fleuve Jaune = Huang He ∼ CHN 30-31 L 5
Flin Flon ○ CDN ◈ 42-43 Q 6
Flint ○ USA ◈ 42-43 U 8
Flint River ∼ USA ◈ 44-45 K 4
Flor de Punga ○ PE ◈ 46-47 E 6
Florence = Firenze ★ ••• I ◈ 26-27 C 2 ◈ 14-15 O 7
Florence ○ USA (SC) ◈ 44-45 L 4
Florencia ○ CO ◈ 46-47 D 4
Flores ∼ RI 34-35 H 8
Flores, Ilha das ∼ P 14-15 E 6
Flores, Las ○ RA (BUA) ◈ 48 F 5
Florès, Mer de ≈ 34-35 G 8
Floriano ○ BR ◈ 46-47 L 6
Florianópolis ○ • BR ◈ 48 H 3
Florida ○ USA (NM) ◈ 44-45 L 3
Florida ○ ROU ◈ 48 F 4
Florida Bay ≈ 44-45 K 5
Florida Keys ∼ USA ◈ 44-45 K 5
Floride, Détroit de ≈ 44-45 K 6
Floride = Florida ⊻ USA ◈ 44-45 K 5
Fly River ∼ PNG 34-35 M 8
Focsani ○ RO ◈ 14-15 R 6
Fodé ○ RCA 38-39 K 7
Fóggia ○ I ◈ 26-27 E 4 ◈ 14-15 P 7
Fogo Island ∼ CDN ◈ 42-43 a 7
Foix ○ F ◈ 18-19 H 10 ◈ 14-15
Foley Island ∼ CDN ◈ 42-43 V 3
Fond-du-Lac ∼ CDN ◈ 42-43 P 5
Fonseca, Golfe de ≈ 44-45 J 8
Fonte Boa ○ BR ◈ 46-47 F 5
Fontenay, Abbaye de ••• F ◈ 18-19 K 8 ◈ 14-15
Fontenay-le-Comte ○ F ◈ 18-19 G 8 ◈ 14-15
Forbes ○ AUS 36-37 K 6
Foroyar Iceland Ridge ≈ ◈ 14-15 J 3
Forrest River Aboriginal Land ✕ AUS 36-37 F 2
Forsayth ○ AUS 36-37 J 3
Fortaleza ★ BR ◈ 46-47 M 5
Fort Beaufort ○ ZA ◈ 40-41 G 6
Fort Belknap Indian Reservation ✕ USA ◈ 42-43 P 7
Fort Chipewyan ○ CDN ◈ 42-43 O 5
Fort-de-France ★ F ◈ 44-45 O 8
Fort Dodge ○ USA ◈ 44-45 H 2
Fort Frances ○ CDN ◈ 42-43 S 7
Fort Good Hope ○ CDN ◈ 42-43 L 3
Fort Hall Indian Reservation ✕ USA ◈ 42-43 O 8
Fort Lauderdale ○ USA ◈ 44-45 K 5
Fort Liard ○ CDN ◈ 42-43 M 4
Fort McMurray ○ CDN ◈ 42-43 O 5
Fort McPherson ○ CDN ◈ 42-43 K 3
Fort Munro ○ PK 32-33 K 5
Fort Myers ○ USA ◈ 44-45 K 5
Fort Nelson ○ CDN ◈ 42-43 M 5
Fort Nelson River ∼ CDN ◈ 42-43 M 5
Fort Peck Indian Reservation ✕ USA ◈ 42-43 P 7
Fort Peck Lake ○ USA ◈ 42-43 P 7
Fort Portal ○ EAU ◈ 40-41 H 1
Fort Providence ○ CDN ◈ 42-43 N 4
Fort Resolution ○ CDN ◈ 42-43 O 4
Fort Rupert (Waskaganish) ○ CDN ◈ 42-43 V 6
Fort Saint John ○ CDN ◈ 42-43 M 5
Fort Ševčenko ○ KZ 32-33 G 2
Fort Severn ○ CDN ◈ 42-43 U 5
Fort Simpson ○ CDN ◈ 42-43 M 4
Fort Smith ○ CDN ◈ 42-43 O 4

Fort Smith ○ USA (AR) ◈ 44-45 H 3
Fort Stockton ○ USA ◈ 44-45 F 4
Fort Walton Beach ○ USA ◈ 44-45 J 4
Fort Wayne ○ USA ◈ 44-45 J 2
Fort Worth ○ USA ◈ 44-45 G 4
Fort Yukon ○ USA ◈ 42-43 G 3
Foshan ○ CHN 30-31 L 7
Foshéim Peninsula ⊻ CDN ◈ 42-43 U 1
Fougamou ○ G ◈ 40-41 D 2
Fougères ○ • F ◈ 18-19 G 7 ◈ 14-15
Foulwind, Cape ▲ NZ 36-37 P 8
Fouman ○ CAM 38-39 H 7
Four Mountains, Islands of the ∼ ◈ 42-43 B 6
Foveaux, Détroit de = Foveaux Strait ≈ ◈ 36-37 O 9
Foveaux Strait ≈ ◈ 36-37 O 9
Fowlers Bay ≈ ◈ 36-37 G 6
Foxe Basin ≈ ◈ 42-43 V 3
Foxe Channel ≈ ◈ 42-43 U 4
Fox Islands ∼ USA (AK) ◈ 42-43 C 6
Foyn, Cape ▲ ARK ◈ 13 G 30
Foz do Iguaçu ○ BR ◈ 48 G 3
Framnesfjella ▲ ARK ◈ 13 G 7
Franca ○ BR ◈ 48 H 2
Français, Récif des ∼ F 36-37 N 3
France ■ F ◈ 18-19 H 8 ◈ 14-15 M 6
Franceville ○ G ◈ 40-41 D 2
Francfort-sur-le-Main = Frankfurt am Main ○ • D ◈ 20-21 L 3 ◈ 14-15 N 5
Francfort-sur-l'Oder = Frankfurt (Oder) ○ • D ◈ 20-21 N 2 ◈ 14-15 O 5
Franche-Comté ⊥ F ◈ 18-19 L 8 ◈ 14-15
Francis Case, Lake ○ USA ◈ 44-45 G 2
Francistown ○ RB ◈ 40-41 F 5
François-Joseph, Terre ∼ RUS 28-29 F 1
Frankfort ○ USA (KY) ◈ 44-45 K 3
Frankfurt (Oder) ○ • D ◈ 20-21 N 2 ◈ 14-15 O 5
Frankfurt am Main ○ • D ◈ 20-21 K 3 ◈ 14-15 N 5
Frank Hann National Park ⊥ AUS 36-37 E 6
Franklin ○ USA (PA) ◈ 44-45 L 2
Franklin Bay ≈ 42-43 L 3
Franklin D. Roosevelt Lake ○ USA ◈ 42-43 N 7
Franklin Mountains ▲ ARK ◈ 13 F 17
Franklin Mountains ▲ CDN ◈ 42-43 L 3
Franklin Strait ≈ 42-43 R 2
Fransfontein ○ NAM ◈ 40-41 D 6
Fraser Basin ⊥ CDN ◈ 42-43 M 6
Fraser Island ∼ AUS 36-37 L 5
Fraser Plateau ⊥ CDN ◈ 42-43 L 6
Fraser River ∼ CDN ◈ 42-43 M 6
Fray Bentos ○ ROU ◈ 48 F 4
Frederick, Mount ▲ AUS (WA) 36-37 E 4
Frederick, Mount ▲ AUS (NT) 36-37 G 3
Fredericksburg ○ USA (VA) ◈ 44-45 L 3
Fredericton ○ CDN ◈ 42-43 X 7
Frederikshāb = Paamiut ○ GRØ ◈ 42-43 b 4
Fredrikstad ○ N ◈ 16-17 E 7 ◈ 14-15 O 4
Freeport ○ BS ◈ 44-45 L 5
Freeport ○ USA (TX) ◈ 44-45 G 5
Freetown ★ WAL 38-39 C 7
Freiburg im Breisgau ○ D ◈ 20-21 J 5 ◈ 14-15 N 6
Fréjus ○ F ◈ 18-19 L 10 ◈ 14-15
Fremantle ○ AUS 36-37 D 6
Fresnillo de González Echeverría ○ MEX ◈ 44-45 E 6
Fresno ○ USA ◈ 44-45 C 3
Freycinet Peninsula ⊻ AUS 36-37 K 8
Fria ○ RG 38-39 C 6
Fria, Kaap ▲ NAM ◈ 40-41 D 5
Fria, La ○ YV ◈ 46-47 E 2
Fribourg-en-Brisgau = Freiburg im Breisgau ○ • D ◈ 20-21 J 5 ◈ 14-15 N 6
Frio, Cape ▲ NAM ◈ 40-41 D 5
Frobisher Bay ≈ 42-43 X 4
Frobisher Bay = Iqaluit ○ CDN ◈ 42-43 X 4
Frome ∼ AUS 36-37 J 3
Frome Downs ○ AUS 36-37 H 5
Frontera ○ MEX ◈ 44-45 H 7
Frosinone ○ I ◈ 26-27 D 4 ◈ 14-15 O 7
Frozen Strait ≈ 42-43 T 3
Fuerte, El ○ MEX ◈ 44-45 E 5
Fuerte, Río ∼ MEX ◈ 44-45 D 5
Fuerte Olimpo ○ PY ◈ 48 F 2
Fuerteventura ∼ E ◈ 38-39 C 3
Fugaira, al ○ UAE 32-33 H 5
Fuhai ○ CHN 30-31 F 2
Fujian ⊥ CHN 30-31 M 6
Fujin ○ CHN 30-31 P 2
Fukue-shima ∼ J 30-31 Q 4
Fukui ○ J 30-31 Q 4
Fukuoka ☆ • J ◈ 30-31 Q 4
Fukushima ○ J (FUK) 30-31 R 4
Fuling ○ CHN 30-31 K 6
Fumel ○ F ◈ 18-19 H 9 ◈ 14-15
Funafuti Atoll ∼ TUV ◈ 12 J 3
Funchal ○ P ◈ 38-39 B 2
Fundación ○ CO ◈ 46-47 E 1
Fundão ○ BR ◈ 46-47 L 8
Fundy, Bay of ≈ 42-43 X 8
Funhalouro ○ MOC ◈ 40-41 H 5
Funtua ○ WAN 38-39 G 6
Furāt, al- ∼ SYR 32-33 E 4
Furnas, Represa de ○ BR ◈ 48 H 2
Furneaux Group ∼ AUS 36-37 K 8
Fury and Hecla Strait ≈ 42-43 U 3
Fushun ○ CHN 30-31 N 3
Futuna Island = Île Erronan ∼ VAN 36-37 P 3
Fuxian Hu ○ CHN 30-31 J 7
Fuxin ○ CHN 30-31 N 3
Fuyang ○ CHN 30-31 M 5
Fuyu ○ CHN 30-31 N 2

Fuyuan ○ CHN (HEI) 30-31 P 2
Fuyun ○ CHN 30-31 F 2
Fuzhou ☆ CHN 30-31 M 6
Fyn ∼ DK ◈ 16-17 E 9 ◈ 14-15 O 4

G

Gaalkacyo ☆ SP 38-39 P 7
Gabaleyn, al ○ SUD 38-39 M 6
Gabbac, Raas ▲ SP 38-39 Q 7
Gabela ○ ANG ◈ 40-41 D 4
Gabès ★ TN 38-39 H 2
Gabès, Golfe de ≈ 38-39 H 2
Gabir ○ SUD 38-39 K 7
Gabon ■ G 40-41 D 2
Gabon, Estuaire de ≈ ◈ 40-41 C 2
Gaborone ★ RB ◈ 40-41 G 6
Gabrovo ○ BG ◈ 14-15 R 7
Gadag ○ IND 32-33 M 7
Gadida, al- ○ ET 38-39 L 3
Gadsden ○ USA ◈ 44-45 J 4
Gaferut ∼ 34-35 N 5
Gafsa ★ TN 38-39 G 2
Gagnoa ○ CI 38-39 D 7
Gagnon ○ CDN ◈ 42-43 X 6
Ǧahra, al- ○ KWT 32-33 F 5
Ǧahrom ○ IR 32-33 G 5
Gaillac ○ F ◈ 18-19 H 10 ◈ 14-15
Gaillimh = Galway ☆ IRL ◈ 18-19 C 5 ◈ 14-15 K 5
Gainesville ○ USA (FL) ◈ 44-45 K 5
Gainesville ○ USA (GA) ◈ 44-45 K 4
Gairdner, Lake ○ AUS 36-37 H 6
Ǧalālābad ∼ AFG 32-33 L 3
Galán, Cerro ▲ RA ◈ 48 D 3
Galápagos, Îles = EC ◈ 46-47 B 4
Galápagos, Seuil des ≈ ◈ 7 B 6
Galati ☆ • RO ◈ 14-15 R 6
Galera, Punta ▲ EC ◈ 46-47 C 4
Gali ○ GE ◈ 14-15 U 7
Galilee, Lake ○ AUS 36-37 K 4
Gálite, La ∼ TN 38-39 G 1
Galle ○ ••• CL 32-33 N 9
Gallegos, Río ∼ RA ◈ 48 D 8
Gällivare ○ S ◈ 16-17 K 3
◈ 14-15 Q 2
Galljaus, ostrov ∼ RUS 28-29 N 1
Gallup ○ USA 44-45 E 3
Galveston ○ USA ◈ 44-45 H 5
Galway = Gaillimh ☆ IRL ◈ 18-19 C 5 ◈ 14-15 K 5
Gama ○ BR ◈ 46-47 K 8
Gamaches ○ F ◈ 18-19 H 7 ◈ 14-15
Gambéla ○ ETH 38-39 M 7
Gambela National Park ⊥ ETH 38-39 M 7
Gambell ○ USA ◈ 42-43 B 4
Gambia, River ∼ WAG 38-39 B 6
Gambie ■ WAG 38-39 B 6
Gamboma ○ RCB ◈ 40-41 E 2
Gamboula ○ RCA 38-39 J 8
Gammon Ranges National Park ⊥ AUS 36-37 H 6
Gamsberg ▲ NAM ◈ 40-41 E 6
Gandadiwata, Gunung ▲ RI ◈ 34-35 G 7
Gandajika ○ ZRE ◈ 40-41 F 3
Gander ○ CDN ◈ 42-43 a 7
Gāndhi Dhām ○ IND 32-33 L 6
Gāndhinagar ☆ • IND 32-33 L 5
Ganga ∼ IND 32-33 O 5
Gananagar ○ IND 32-33 L 5
Gangca ○ CHN 30-31 J 4
Gange ∼ IND 32-33 O 5
Gange, Bouches du ≈ 30-31 F 7
Gange, Cône du ≈ ◈ 10-11 H 7
Gange = Ganga ∼ IND 32-33 O 5
Ganges = Ganga ∼ IND ◈ 18-19 J 10 ◈ 14-15
Gangtok ☆ IND 32-33 O 5
Ganhe ○ CHN 30-31 N 1
Gan Jiang ∼ CHN 30-31 M 6
Gannat ○ F ◈ 18-19 J 8 ◈ 14-15
Gannett Peak ▲ USA ◈ 42-43 P 8
Gansu ⊥ CHN 30-31 J 4
Ganta ○ LB ◈ 38-39 D 7
Gantheaume Bay ≈ ◈ 36-37 C 5
Ganzê ○ AZ 32-33 F 2
Ganzhou ○ CHN 30-31 L 6
Gao ○ RMM 38-39 F 5
Gaoual ○ BF ◈ 38-39 C 6
Gaoual ○ RG 38-39 C 6
Gap ○ F ◈ 18-19 L 9 ◈ 14-15
Garabil ▲ TM 32-33 J 3
Garabogazköl aýlagy ≈ ◈ 32-33 G 2
Garacad ○ SP 38-39 P 7
Garagum kanaly ✕ TM 32-33 J 3
Garajonay, Parque Nacional de ⊥ ••• E ◈ 38-39 B 3
Garamba, Parc National de la ⊥ ••• ZRE ◈ 38-39 L 8
Garanhuns ○ BR ◈ 46-47 M 6
Garapan ☆ USA 34-35 N 3
Garapu ○ BR ◈ 46-47 H 5
Garbaharrey ○ SP 38-39 O 8
Garden City ○ USA (KS) ◈ 44-45 F 3
Gardēz ▲ AFG 32-33 K 4
Garib, Ǧabal ▲ ET 38-39 M 3
Garibaldi ○ CDN ◈ 42-43 L 4
Garies ○ ZA ◈ 40-41 E 6
Garissa ○ EAK 40-41 J 2
Garmsār ▲ AFG 32-33 J 4
Garnpung, Lake ○ AUS 36-37 J 6
Garonne ∼ F ◈ 18-19 H 9 ◈ 14-15 L 7
Garoowe ☆ SP 38-39 P 7
Garoua ★ CAM 38-39 H 7
Garry Lake ○ CDN ◈ 42-43 Q 3
Garsen ○ EAK 40-41 J 2
Gartempe ∼ F ◈ 18-19 H 8 ◈ 14-15
Garut ○ RI 34-35 E 8
Gary ○ USA 44-45 J 2
Garzê ○ CHN 30-31 H 5
Gascogne ∼ F ◈ 18-19 G 10 ◈ 14-15 L 6
Gascogne, Golfe de ≈ ◈ 18-19 F 9 ◈ 14-15 L 6
Gascogne, Plaine Abyssale de ≈
Gascoyne, Mount ▲ AUS 36-37 D 4
Gascoyne Junction ○ AUS 36-37 D 5

Hedjaz = Ḥiǧāz, al- ▲ KSA ◆ 32-33 D 5
Hefa ☆ • IL ◆ 32-33 C 4
Hefei ☆ CHN ◆ 30-31 M 5
Hegang ○ CHN ◆ 30-31 P 2
Heihe ○ CHN ◆ 30-31 O 1
Heilbron ○ ZA ◆ 40-41 G 7
Heilbronn ○ • D ◇ 20-21 K 4
◆ 14-15 N 6
Heilongjiang ◻ CHN ◆ 30-31 N 2
Heilong Jiang ∼ CHN ◆ 30-31 O 2
Hekla ▲ IS ◇ 16-17 d 2 ◆ 14-15 H 3
Helena ☆ USA (MT) ◆ 42-43 O 7
Helgoland ⌒ D ◇ 20-21 J 1
◆ 14-15 N 5
Helmand, Rūd-e ∼ AFG ◆ 32-33 J 4
Helmeringhausen ○ NAM ◆ 40-41 E 7
Helong ○ CHN ◆ 30-31 O 3
Helsingborg ○ • S ◇ 16-17 F 8
◆ 14-15 O 4
Helsinki ★ ••• FIN ◆ 14-15 Q 3
Helsinki = Helsinki ★ ••• FIN
◆ 14-15 Q 3
Henan ◻ CHN ◆ 30-31 L 5
Hengduan Shan ▲ CHN ◆ 30-31 H 6
Hengyang ○ CHN ◆ 30-31 L 6
Hennebont ○ F ◇ 18-19 F 8 ◆ 14-15
Henrietta Maria, Cape ▲ CDN
◆ 42-43 U 5
Henry Kater Peninsula ∪ CDN
◆ 42-43 X 3
Henzada ○ MYA ◆ 34-35 C 3
Heras, Las ○ RA ◆ 48 D 7
Herāt ☆ •• AFG (HE) ◆ 32-33 J 4
Herbert ○ NZ ◆ 36-37 P 9
Herbert Wash ○ AUS ◆ 36-37 E 5
Herbiers, les ○ F ◇ 18-19 G 8
◆ 14-15
Hereroland ⊥ NAM ◆ 40-41 E 6
Heritage Range ▲ ARK ◆ 13 F 28
Hèrlèn gol ∼ MAU ◆ 30-31 L 2
Herlen He ∼ CHN ◆ 30-31 M 2
Hermit Islands ⌒ PNG ◆ 34-35 N 7
Hermosillo ☆ MEX ◆ 44-45 D 5
Herschel Island ⌒ CDN ◆ 42-43 J 3
Hervey Bay ≈ ◆ 36-37 L 4
Hervey Bay ○ AUS (QLD) ◆ 36-37 L 5
Herzog-Ernst-Bucht ≈ ◆ 13 F 33
Heshan ○ CHN (GDG) ◆ 30-31 L 7
Heta ∼ RUS ◆ 28-29 Q 3
Heva ☆ ••• UZ ◆ 32-33 J 2
Heze ○ CHN ◆ 30-31 M 4
Hian ○ GH ◆ 38-39 E 6
Hidalgo ○ MEX (DGO) ◆ 44-45 F 6
Hidalgo del Parral ○ • MEX ◆ 44-45 E 5
Hierro ⌒ E ◆ 38-39 B 3
Ḥiǧāz, al- ▲ KSA ◆ 32-33 D 5
High Level ○ CDN ◆ 42-43 N 5
Higuerote ○ • YV ◆ 46-47 F 2
Higüey ☆ DOM ◆ 44-45 N 7
Hiiumaa saar ⊥ EST ◇ 22-23 H 2
◆ 14-15 Q 4
Hikurangi Trench ≃ ◆ 36-37 Q 8
Hildesheim ○ ••• D ◇ 20-21 K 2
◆ 14-15 N 5
Hilla, al- ☆ IRQ ◆ 32-33 E 4
Hillston ○ AUS ◆ 36-37 K 6
Hilo ○ USA ◆ 44-45 b 7
Hilok ☆ RUS ◆ 28-29 T 7
Himachal Pradesh ◻ IND ◆ 32-33 M 4
Himalaya ▲ ◆ 30-31 D 5
Himora ○ ETH ◆ 38-39 N 6
Ḥimṣ ☆ SYR ◆ 32-33 D 4
Hinche ☆ RH ◆ 44-45 M 7
Hinchinbrook Island ⌒ AUS
◆ 36-37 K 3
Hindaun ○ IND ◆ 32-33 M 5
Hindmarsh, Lake ○ AUS ◆ 36-37 J 7
Hindou Kouch ▲ ◆ 32-33 K 4
Hingol ∼ PK ◆ 32-33 K 5
Hios ○ GR ◇ 26-27 L 5 ◆ 14-15 R 8
Hios ⌒ GR ◇ 26-27 L 5 ◆ 14-15 R 8
Hiroo ○ J ◆ 30-31 R 3
Hirosaki ○ • J ◆ 30-31 R 3
Hiroshima ☆ • J (HIR) ◆ 30-31 P 5
Hirson ○ F ◇ 18-19 K 7 ◆ 14-15
Hispaniola ⌒ ◆ 44-45 M 7
Hitachi ○ J ◆ 30-31 R 4
Hiu, Île = Hiw ⌒ VAN ◆ 36-37 O 2
Hiva-Oa ⌒ F (987) ◆ 12 O 3
Hiver, Côte d' = Zimnij bereg ∪ RUS
◆ 14-15 T 2
Hjargas nuur ○ MAU ◆ 30-31 G 2
Hoare Bay ≈ ◆ 42-43 Y 3
Hobart ☆ • AUS ◆ 36-37 K 8
Hobbs ○ USA ◆ 44-45 F 4
Hobbs Coast ∪ ARK ◆ 13 F 23
Hobyo ○ SP ◆ 38-39 P 7
Hoceima, Al- ☆ MA ◆ 38-39 E 1
Hodh ⊥ RIM ◆ 38-39 D 5
Hódmezővásárhely ○ H ◇ 20-21 Q 5
◆ 14-15 Q 6
Hodna, Chott el ○ DZ ◆ 38-39 F 1
Hodq Shamo ⊥ CHN ◆ 30-31 K 3
Hoedspruit ○ ZA ◆ 40-41 H 6
Hoë Karoo = Upper Karoo ⊥ ZA
◆ 40-41 F 8
Hōfu ○ J ◆ 30-31 P 5
Hoggar ▲ DZ ◆ 38-39 F 4
Hoggar, Tassili du ⊥ DZ ◆ 38-39 F 4
Hohhot ☆ CHN ◆ 30-31 L 3
Hoh Xil Shan ▲ CHN ◆ 30-31 F 4
Hôi An ○ •• VN ◆ 34-35 E 3
Hoima ○ EAU ◆ 40-41 H 1
Hokkaidō ⌒ J ◆ 30-31 R 3
Holguín ☆ C ◆ 44-45 L 6
Holland ○ USA ◆ 42-43 T 8
Hollick-Kenyon Plateau ▲ ARK
◆ 13 F 26
Hollywood ○ USA (FL) ◆ 44-45 K 5
Holman Island ○ CDN ◆ 42-43 N 2
Holmsk ○ RUS ◆ 28-29 Z 8
Holsteinsborg = Sisimiut ○ GRØ
◆ 42-43 a 3
Holton ○ CDN ◆ 42-43 Z 6
Holy Cross ○ USA ◆ 42-43 E 4
Hombori ○ RMM ◆ 38-39 E 5
Home Bay ≈ ◆ 42-43 X 3
Homel' ☆ BY ◇ 22-23 M 5
◆ 14-15 S 5
Homer ○ USA (AK) ◆ 42-43 F 5
Homestead ○ AUS ◆ 36-37 K 4
Honda ○ CO ◆ 46-47 E 3
Hondo = Honshū ⌒ J ◆ 30-31 P 4
Hondo River ∼ BH ◆ 44-45 J 7
Honduras ■ HN ◆ 44-45 J 8
Honduras, Golfo de ≈ ◆ 44-45 J 7
Hồng Gai ☆ VN ◆ 34-35 E 2
Hongguqu ○ CHN ◆ 30-31 J 4
Honghu ○ CHN ◆ 30-31 L 6
Hongjiang ○ CHN ◆ 30-31 K 6
Hong-Kong ◻ CHN ◆ 30-31 L 7
Hongrie ■ H ◇ 20-21 O 5
◆ 14-15 P 6
Honguedo, Détroit d' ≈ ◆ 42-43 X 7
Honiara ★ • SOL ◆ 12 G 3
Honningsvåg ○ N ◇ 16-17 M 1
◆ 14-15 R 1
Honokaa ○ USA ◆ 44-45 b 6
Honolulu ☆ • USA ◆ 44-45 b 6
Honshū ⌒ J ◆ 30-31 P 4
Honuu ☆ RUS ◆ 28-29 Z 4
Hood, Mount ▲ USA ◆ 42-43 M 7
Hood River ∼ CDN ◆ 42-43 P 3
Hoop Nature Reserve, De ⊥ ZA
◆ 40-41 F 8
Hoover Dam • USA ◆ 44-45 D 3
Hopa ☆ TR ◆ 14-15 U 7
Hope ○ CDN ◆ 42-43 M 7
Hopefield ○ ZA ◆ 40-41 E 8
Hoper ∼ RUS ◆ 14-15 U 5
Hope River ∼ AUS ◆ 36-37 D 5
Hopetown ○ ZA ◆ 40-41 F 7
Hopi Indian Reservation ✕ USA
◆ 44-45 D 3
Hopin ○ MYA ◆ 30-31 H 7
Hopkins, Lake ○ AUS ◆ 36-37 F 4
Hor ∼ RUS ◆ 28-29 Y 8
Horasan ☆ TR ◆ 14-15 U 7
Horinsk ☆ RUS ◆ 28-29 S 7
Horlick Mountains ▲ ARK ◆ 13 E 0
Horlivka ○ UA ◆ 14-15 T 6
Hornbjarg ▲ IS ◇ 16-17 b 1
◆ 14-15 G 2
Horno Islands ⌒ PNG ◆ 34-35 N 7
Hornos, Cabo de ▲ RCH ◆ 48 D 9
Horn Plateau ▲ CDN ◆ 42-43 M 4
Ḫorramābād ☆ • IR ◆ 32-33 F 4
Ḫorramšahr ○ • IR ◆ 32-33 F 4
Horsham ○ AUS ◆ 36-37 J 7
Horton River ∼ CDN ◆ 42-43 L 3
Horus, Temple of ∴ •• ET ◆ 38-39 M 4
Hosa'ina ○ ETH ◆ 38-39 N 7
Hose, Pegunungan ▲ MAL
◆ 34-35 F 6
Hospet ○ IND ◆ 32-33 M 7
Hoste, Isla ⌒ RCH ◆ 48 D 9
Hotaka-dake ▲ J ◆ 30-31 Q 4
Hotan ○ CHN ◆ 30-31 D 4
Hotazel ○ ZA ◆ 40-41 F 7
Hot Springs ○ •• USA (AR)
◆ 44-45 H 4
Hot Springs National Park ⊥ USA
◆ 44-45 H 4
Hottah Lake ○ CDN ◆ 42-43 N 3
Houghton ○ USA ◆ 42-43 T 7
Houlton ○ USA ◆ 42-43 X 7
Houma ○ CHN ◆ 30-31 L 4
Houma ○ USA ◆ 44-45 H 5
Houndé ○ • BF ◆ 38-39 E 6
Hourtin et de Carcans, Lac d' ○ F
◇ 18-19 G 9 ◆ 14-15
Houston ○ • USA (TX) ◆ 44-45 G 5
Hovd ☆ MAU ◆ 30-31 G 2
Hövsgöl nuur ○ MAU ◆ 30-31 J 1
Howe, Cape ▲ AUS ◆ 36-37 K 7
Höy ○ • IR ◆ 32-33 E 3
Hradec Králové ○ CZ ◇ 20-21 N 3
◆ 14-15 P 5
Hrodna ☆ BY ◇ 22-23 H 5
◆ 14-15 Q 5
Hromtau ☆ KZ ◆ 14-15 X 5
Hsinchu ○ RC ◆ 30-31 N 7
Hsipaw ○ MYA ◆ 30-31 H 7
Hpai Phong ☆ • VN ◆ 34-35 E 2
Huacho ○ PE ◆ 46-47 D 7
Hua Hin ○ THA ◆ 34-35 C 4
Huai'an ○ CHN (JIA) ◆ 30-31 M 5
Huaibei ○ CHN ◆ 30-31 M 5
Huai He ∼ CHN ◆ 30-31 M 5
Huaihua ○ CHN ◆ 30-31 K 6
Huainan ○ CHN ◆ 30-31 M 5
Huaiyin ○ CHN ◆ 30-31 M 5
Huajuapan de León ○ • MEX
◆ 44-45 G 7
Huaki ○ • RI ◆ 34-35 J 8
Hualapai Indian Reservation ✕ USA
◆ 44-45 D 3
Hualien ○ RC ◆ 30-31 N 7
Huallaga, Río ∼ PE ◆ 46-47 D 6
Huambo ☆ ANG ◆ 40-41 E 4
Huancabamba ○ PE ◆ 46-47 D 6
Huancane ○ PE ◆ 46-47 F 8
Huancavelica ☆ PE ◆ 46-47 D 7
Huancayo ☆ • PE ◆ 46-47 D 7
Huanchaca, Parque Nacional ⊥ BOL
◆ 46-47 G 7
Huang He ∼ CHN ◆ 30-31 L 5
Huangshan ○ • CHN (ANH)
◆ 30-31 M 6
Huangyuan ○ CHN ◆ 30-31 J 4
Huánuco ☆ PE ◆ 46-47 D 6
Huan Xian ○ CHN ◆ 30-31 K 4
Huaraz ☆ PE ◆ 46-47 D 6
Huarmey ○ PE ◆ 46-47 D 7
Huasco ○ RCH ◆ 48 C 3
Huashixia ○ CHN ◆ 30-31 H 4
Huatugou ○ CHN ◆ 30-31 G 4
Huatunas, Lago ○ BOL ◆ 46-47 F 7
Hubei ◻ CHN ◆ 30-31 L 5
Hubli ○ IND ◆ 32-33 M 7
Hudaida, al- ○ Y ◆ 32-33 E 8
Hudson, Détroit d' ≈ ◆ 42-43 W 4
Hudson Bay ≈ ◆ 42-43 S 4
Hudson Bay ○ CDN (SAS) ◆ 42-43 Q 6
Hudson Mountains ▲ ARK ◆ 13 F 27
Hudson River ∼ USA ◆ 44-45 M 2
Hüdžajli ☆ • UZ ◆ 32-33 H 2
Huê ☆ •• VN ◆ 34-35 E 3
Huelva ○ • E ◇ 24-25 D 6
◆ 14-15 K 8
Huesca ○ • E ◇ 24-25 G 3
◆ 14-15 L 7
Huetamo de Nuñez ○ MEX
◆ 44-45 F 7
Hufūf, al- ○ KSA ◆ 32-33 F 5
Ḥuǧand ☆ TJ ◆ 32-33 K 2
Hughenden ○ AUS ◆ 36-37 J 4
Huib-Hochplato ⊥ NAM ◆ 40-41 E 7
Huichon ○ KOR ◆ 30-31 O 3
Huila, Nevado del ▲ CO ◆ 46-47 D 4
Huila Plateau ▲ ANG ◆ 40-41 D 5
Huisne ∼ F ◇ 18-19 H 7 ◆ 14-15
Huizhou ○ CHN ◆ 30-31 L 7
Hukuntsi ○ RB ◆ 40-41 F 6
Hulun Nur ○ CHN ◆ 30-31 M 2
Humaitá ○ BR ◆ 46-47 G 6
Humansdorp ○ ZA ◆ 40-41 F 8
Humboldt Gletscher ⊂ GRØ
◆ 42-43 Y 1
Humboldt River ∼ USA ◆ 44-45 C 2
Humeda, Pampa ⊥ RA ◆ 48 E 5
Humphreys Peak ▲ USA ◆ 44-45 D 3
Hün ☆ • LAR ◆ 38-39 J 3
Húnaflói ≈ ◇ 16-17 c 2 ◆ 14-15 G 2
Hunan ◻ CHN ◆ 30-31 L 6
Hungerford ○ AUS ◆ 36-37 J 5
Hunjiang ○ CHN ◆ 30-31 O 3
Hunter, Île ⌒ F ◆ 36-37 P 4
Hunter Island ⌒ AUS ◆ 36-37 J 8
Huntington ○ USA (WV) ◆ 44-45 K 3
Huntsville ○ CDN ◆ 42-43 V 7
Huntsville ○ • USA (AL) ◆ 44-45 J 4
Huolingol ○ CHN ◆ 30-31 M 2
Huon Gulf ≈ ◆ 34-35 N 8
Huon Peninsula ∪ PNG ◆ 34-35 N 8
Hurdiyo ○ SP ◆ 38-39 Q 6
Hurma, al- ○ KSA ◆ 32-33 E 6
Huron ○ USA ◆ 42-43 R 8
Huron, Lake ○ ◆ 42-43 U 7
Hutchinson ○ USA (KS) ◆ 44-45 G 3
Huwār, Wādi ∼ SUD ◆ 38-39 L 5
Huxi Xincun ○ CHN ◆ 30-31 J 3
Hwange ○ ZW ◆ 40-41 G 5
Hwange National Park ⊥ ZW
◆ 40-41 G 5
Hyderābād ☆ •• IND ◆ 32-33 M 7
Hyderābād ○ •• PK ◆ 32-33 K 5
Hyères ○ F ◇ 18-19 L 10 ◆ 14-15
Hyères, Îles d' ⌒ •• F ◇ 18-19 L 10
◆ 14-15
Hyesan ☆ KOR ◆ 30-31 O 3

I

Iablonovy, Monts = Jablonovyj hrebet ▲
RUS ◆ 28-29 S 7
Iaco, Rio ∼ BR ◆ 46-47 F 6
Iaguarete ○ BR ◆ 46-47 F 4
Iamal, Presqu'île de = Jamal, poluostrov ∪
RUS ◆ 28-29 K 4
Ianthe Shoal ≃ ◆ 34-35 N 5
Iași ☆ • RO ◆ 14-15 R 6
Ibadan ☆ WAN ◆ 38-39 F 7
Ibague ☆ CO ◆ 46-47 D 4
Ibarra ☆ EC ◆ 46-47 D 4
Ibb ○ • Y ◆ 32-33 E 8
Iberá, Esteros del ○ RA ◆ 48 F 3
Iberian Basin ≃ ◆ 44-45 H 7
Iberville, Lac d' ○ CDN ◆ 42-43 W 5
Ibiá ○ BR ◆ 46-47 K 8
Ibiapaba, Serra da ▲ BR ◆ 46-47 L 5
Ibotirama ○ BR ◆ 46-47 L 7
Içá, Rio ∼ BR ◆ 46-47 F 5
Içana ○ BR ◆ 46-47 F 4
İçel (Mersin) ☆ TR ◆ 32-33 C 3
Ichalkaranji ○ IND ◆ 32-33 L 7
Ichim = Išim ○ RUS (TMN)
◆ 28-29 K 6
Ičigemskij hrebet ▲ RUS ◆ 28-29 d 5
Icy Cape ▲ USA (AK) ◆ 42-43 H 5
Idah ○ WAN ◆ 38-39 G 7
Idaho ◻ USA ◆ 42-43 N 7
Idaho Falls ○ USA ◆ 42-43 O 8
'Idd al-Ghanam ○ SUD ◆ 38-39 K 6
Idfū ○ • ET ◆ 38-39 M 4
Idhan' Awbārī ⊥ LAR ◆ 38-39 H 3
Idiofa ○ ZRE ◆ 40-41 E 2
Idlib ☆ SYR ◆ 32-33 D 3
Iekaterinbourg = Ekaterinburg ☆ RUS
◆ 28-29 J 6
Ierápetra ○ GR ◇ 26-27 K 7
◆ 14-15 R 8
Ifakara ○ EAT ◆ 40-41 J 3
Ifalik Atoll ⌒ FSM ◆ 34-35 M 5
Ife ○ • WAN ◆ 38-39 F 7
Iferouâne ○ RN ◆ 38-39 G 5
Ifôrhas, Adrar des ▲ RMM
◆ 38-39 F 4
Igarapé Lourdes, Área Indígena ✕ BR
◆ 46-47 G 7
Igarapé Mirim ○ BR ◆ 46-47 K 5
Igarité ○ BR ◆ 46-47 L 7
Igarka ○ RUS ◆ 28-29 O 4
Igoma ○ EAT ◆ 40-41 H 3
Igombe ∼ EAT ◆ 40-41 H 2
Igrim ○ RUS ◆ 28-29 J 5
Iguaçhe, Mesas de ⊥ CO ◆ 46-47 E 4
Iguaçu, Parque Nacional do ⊥ ••• BR
◆ 48 G 3
Iguala de la Independencia ○ MEX
◆ 44-45 G 7
Iguape ○ BR ◆ 48 H 2
Iguatu ○ BR ◆ 46-47 M 6
Iguéla ○ G ◆ 40-41 C 2
Iguetti, Sebkhet ○ RIM ◆ 38-39 D 3
Iguidi, Erg ⊥ DZ ◆ 38-39 D 3
Iharana ○ RM ◆ 40-41 M 4
Ihiala ○ WAN ◆ 38-39 G 7
Ihosy ○ RM ◆ 40-41 L 6
Ijâfene ⊥ RIM ◆ 38-39 D 4
Ijebu-Ode ○ WAN ◆ 38-39 F 7
Ijma = Ižma ∼ RUS ◆ 28-29 G 5
IJsselmeer ≈ ◇ 20-21 H 2
◆ 14-15 N 5
Ikela ○ ZRE ◆ 40-41 F 2
Iki ⌒ J ◆ 30-31 O 5
Ikpikpuk River ∼ USA ◆ 42-43 F 2
Īlām ☆ • IR (ILA) ◆ 32-33 F 4
Ilbenge ○ RUS ◆ 28-29 V 5
Ilebo ○ ZRE ◆ 40-41 F 2
Île-de-France ◻ F ◇ 18-19 J 7
◆ 14-15
Ilesa ○ WAN (OYO) ◆ 38-39 F 7
Îles Baléares ⌒ E ◇ 24-25 H 5
◆ 14-15 M 8
Îles de la Mer de Corail, Territoire des =
Coral Sea Island ◻ AUS ◆ 36-37 K 2
Iles Vierges (G.B.) ◻ GB ◆ 44-45 O 7
Ilhéus ○ • BR ◆ 46-47 M 7
Ili ∼ KZ ◆ 32-33 M 2
Iliamna Lake ○ USA ◆ 42-43 E 5
Iliamna Volcano ▲ USA ◆ 42-43 F 4
Iligan ☆ RP (LAN) ◆ 34-35 H 5
Ilijara ○ EAK ◆ 40-41 K 2
Ill ∼ F ◇ 18-19 L 7 ◆ 14-15
Illapel ○ RCH ◆ 48 C 4
Illbillee, Mount ▲ AUS ◆ 36-37 G 5
Illinois ◻ USA ◆ 44-45 H 3
Illinois River ∼ USA ◆ 44-45 H 2
Illizi ○ DZ ◆ 38-39 G 3
Ilma, Lake ○ AUS ◆ 36-37 F 5
Ilmen, Lac = Il'men', ozero ○ RUS
◇ 22-23 M 2 ◆ 14-15 S 4
Il'men', ozero ○ RUS ◇ 22-23 M 2
◆ 14-15 S 4
Ilo ○ PE ◆ 46-47 E 8
Iloilo City ☆ •• RP ◆ 34-35 H 4
Ilorin ☆ WAN ◆ 38-39 F 7
Imanombo ○ RM ◆ 40-41 L 6
Imi ○ ETH ◆ 38-39 O 7
Imperatriz ○ BR ◆ 46-47 K 6
Impfondo ☆ RCB ◆ 40-41 E 1
Imphāl ☆ • IND ◆ 32-33 P 6
Imuruan Bay ≈ ◆ 34-35 G 4
Ināl ○ RIM ◆ 38-39 C 4
In Amenas ○ DZ ◆ 38-39 G 3
Inanwatan ○ RI ◆ 34-35 K 7
Iñapari ○ PE ◆ 46-47 F 7
Inari ○ • FIN ◆ 14-15 R 2
Inarie, Lac = Inarijärvi ○ •• FIN
◇ 16-17 N 2 ◆ 14-15 R 2
Inarijärvi ○ •• FIN ◇ 16-17 N 2
◆ 14-15 R 2
İnce Burnu ▲ TR ◆ 14-15 S 7
Inch'ŏn ○ ROK ◆ 30-31 O 4
Incudine, Monte ▲ F ◇ 24-25 M 4
◆ 14-15 N 7
Inde ■ IND ◆ 32-33 L 6
Inderborskij ☆ KZ ◆ 44-45 W 6
Indiana ◻ USA ◆ 44-45 J 3
Indianapolis ☆ USA ◆ 44-45 J 3
Indigirka ∼ RUS ◆ 28-29 Z 4
Indio ○ USA ◆ 44-45 C 4
Indispensable Reefs ⊥ SOL
◆ 36-37 N 2
Indonésie ■ RI ◆ 34-35 E 7
Indore ○ •• IND ◆ 32-33 M 6
Indre ∼ F ◇ 18-19 H 8 ◆ 14-15
Indus ∼ PK ◆ 32-33 L 4
Indus, Bouches de l' = Mouths of the Indus
∼ PK ◆ 32-33 K 6
Indus, Cône de l' ≃ ◆ 32-33 J 6
Indus, Mouths of the ∼ PK ◆ 32-33 K 6
İnegöl ☆ TR ◆ 14-15 R 7
Infiernillo, Presa del < MEX ◆ 44-45 F 7
Inga • ZRE ◆ 40-41 D 3
Ingeniero Jacobacci ○ RA ◆ 48 D 6
Ingham ○ AUS ◆ 36-37 K 3
Inglefield Bredning ≈ ◆ 42-43 X 1
Inglefield Land ⊥ GRØ ◆ 42-43 W 1
Ingoda ∼ RUS ◆ 28-29 T 7
Ingolstadt ○ D ◇ 20-21 L 4
◆ 14-15 O 6
Ingouchie ◻ RUS ◆ 14-15 U 7
Ingrid Christensen land ⊥ ARK
◆ 13 F 8
Inhambane ☆ MOC (INH) ◆ 40-41 J 6
Inhambane, Baía de ≈ ◆ 40-41 J 6
Inhaminga ○ MOC ◆ 40-41 J 5
Inharrime ○ MOC ◆ 40-41 J 6
Inirida, Río ∼ CO ◆ 46-47 F 4
Inja ○ RUS ◆ 28-29 O 7
Injune ○ AUS ◆ 36-37 K 5
Inkerman ○ AUS ◆ 36-37 J 3
Inn ∼ D ◇ 20-21 M 4 ◆ 14-15 O 6
Inneston ○ AUS ◆ 36-37 H 7
Innisfail ○ AUS ◆ 36-37 K 3
Innsbruck ☆ A ◇ 20-21 L 5
◆ 14-15 O 6
Inongo ○ ZRE ◆ 40-41 E 2
I-n-Quezzam ○ DZ ◆ 38-39 G 5
In Salah ○ • DZ ◆ 38-39 F 3
International Falls ○ USA ◆ 42-43 S 7
Inukjuak ○ CDN ◆ 42-43 V 5
Inuvik ○ • CDN ◆ 42-43 K 3
Invercargill ○ NZ ◆ 36-37 O 9
Inverell ○ AUS ◆ 36-37 L 5
Inverness ○ • GB ◇ 18-19 E 3
◆ 14-15 L 4
Inverway ○ AUS ◆ 36-37 F 3
Investigator, Dorsale de l' ≃ ◆ 12 A 3
Investigator Strait ≈ ◆ 36-37 H 7
Inyangani ▲ ZW ◆ 40-41 H 5
Inyonga ○ EAT ◆ 40-41 H 3
Inzia ∼ ZRE ◆ 40-41 E 3
Ioánnina ○ • GR ◇ 26-27 H 5
◆ 14-15 Q 8
Iolotan ○ TM ◆ 32-33 J 3
Iona, Parque Nacional do ⊥ ANG
◆ 40-41 D 5
Iones, Cap ▲ CDN ◆ 42-43 V 6
Ioniennes, Îles ⌒ GR ◇ 26-27 G 5
◆ 14-15 P 8
Iony, ostrov ⌒ RUS ◆ 28-29 Z 6
Iō-shima ⌒ J ◆ 30-31 R 7
Iouê Juruena, Estação Ecológica ⊥ BR
◆ 46-47 H 7
Iougor Char, Détroit de = Jugorskij Šar,
proliv ≈ ◆ 28-29 H 4
Ioujno-Sakhalinsk = Južno-Sahalinsk ☆
RUS ◆ 28-29 Z 8
Iowa ◻ USA ◆ 44-45 H 2
Iowa City ○ USA ◆ 44-45 H 2
Ipameri ○ BR ◆ 46-47 K 8
Iparía ○ PE ◆ 46-47 E 6
Ipatinga ○ BR ◆ 46-47 L 8
Ipiaú ○ BR ◆ 46-47 M 7
Ipoh ☆ • MAL ◆ 34-35 D 6
Ippy ○ RCA ◆ 38-39 K 7
Ipswich ○ AUS ◆ 36-37 L 5
Ipswich ○ GB ◇ 18-19 H 5
◆ 14-15 M 5
Ipu ○ BR ◆ 46-47 L 5
Iqaluit ≈ ◆ 42-43 X 4
Iqe ○ CHN ◆ 30-31 H 4
Iquique ☆ RCH ◆ 48 C 2
Iquitos ☆ • PE ◆ 46-47 E 5
Ira Banda ○ RCA ◆ 38-39 K 7
Iracoubo ○ F ◆ 46-47 J 3
Irak ■ IRQ ◆ 32-33 E 4
Iráklio ☆ •• GR ◇ 26-27 K 7
◆ 14-15 R 8
Iran ■ IR ◆ 32-33 G 4
Īrānšahr ○ IR ◆ 32-33 J 5
Irapuato ○ MEX ◆ 44-45 F 6
Irati ○ BR ◆ 48 G 3
Irbid ☆ JOR ◆ 32-33 D 4
Irecê ○ BR ◆ 46-47 L 7
Irene ○ RA ◆ 48 E 5
Irharhar, Oued ∼ DZ ◆ 38-39 G 3
Irhil M'Goun ▲ MA ◆ 38-39 D 2
Iriba ○ TCH ◆ 38-39 K 5
Iringa ☆ EAT ◆ 40-41 J 3
Iriomote shima ⌒ J ◆ 30-31 N 7
Iriri, Rio ∼ BR ◆ 46-47 J 5
Irituia ○ BR ◆ 46-47 K 5
Irkoutsk = Irkutsk ☆ • RUS ◆ 28-29 R 7
Irkutsk ☆ • RUS ◆ 28-29 F 7
Irlande ■ IRL ◇ 18-19 C 5
◆ 14-15 K 5
Irlande ■ IRL ◇ 18-19 B 5
◆ 14-15 J 5
Irlande, Mer d' ≈ ◇ 18-19 E 5
◆ 14-15 K 5
Irminger, Bassin d' ≃ ◆ 42-43 e 3
Irminger, Mer d' ≈ ◆ 42-43 d 4
Irondro ○ RM ◆ 40-41 L 6
Iron Knob ○ AUS ◆ 36-37 H 6
Irrawaddy ∼ MYA ◆ 34-35 C 3
Irrawady, Bouches de l' = Erāwadi
Myitwanyā ∪ MYA ◆ 34-35 B 3
Irtyš ∼ RUS ◆ 28-29 L 6
Irtyšsk ☆ KZ ◆ 28-29 M 7
Isabela, Isla ⌒ EC ◆ 46-47 A 5
Isabella, Cordillera ▲ NIC ◆ 44-45 J 8
Isachsen, Cape ▲ CDN ◆ 42-43 P 1
Ísafjörður ☆ IS ◇ 16-17 b 1
◆ 14-15 G 2
Isalo, Parc National de l' ⊥ RM
◆ 40-41 L 6
Isangano National Park ⊥ Z
◆ 40-41 H 4
Isbil, Ǧabal ▲ Y ◆ 32-33 E 8
Iseyin ○ WAN ◆ 38-39 F 7
Ishigaki shima ⌒ J ◆ 30-31 N 7
Ishinomaki ○ J ◆ 30-31 R 4
Isiboro Securé, Parque Nacional ⊥ BOL
◆ 46-47 F 8
Isil'kul' ○ RUS ◆ 28-29 L 7
Išim ○ RUS (TMN) ◆ 28-29 K 6
Išim ∼ RUS ◆ 28-29 L 6
Isimala • EAT ◆ 40-41 J 3
Isiolo ○ EAK ◆ 40-41 J 1
Isiro ○ ZRE ◆ 38-39 L 8
Iskandariya, al- ☆ •• ET ◆ 38-39 L 2
İskenderun ☆ TR ◆ 14-15 T 8
İskenderun, Golfe de = İskenderun Körfezi
≈ ◆ 14-15 T 8
İskenderun Körfezi ≈ ◆ 14-15 T 8
Iskitim ☆ RUS ◆ 28-29 N 7
Isla Grande del Tierra del Fuego ⌒
◆ 48 D 8
Islamabad ★ • PK ◆ 32-33 L 4
Isla Magdalena, Parque Nacional ⊥ RCH
◆ 48 C 6
Islande ■ IS ◇ 16-17 b 2
◆ 14-15 G 3
Islande, Bassin d' ≃ ◆ 14-15 F 4
Islande, Plateau d' ≃ ◆ 14-15 H 2
Island Lagoon ○ AUS ◆ 36-37 H 6
Island Lake ○ CDN ◆ 42-43 S 6
Islands, Bay of ≈ ◆ 36-37 P 7
Isle of Wight ⌒ GB ◇ 18-19 G 6
◆ 14-15 L 5
Isle Royale National Park ⊥ USA
◆ 42-43 T 7
Îles Anglo-Normandes = Channel Islands
⊥ GB ◇ 18-19 F 7 ◆ 14-15 L 6
Isles of Scilly ⌒ •• GB ◇ 18-19 D 7
◆ 14-15 K 6
Isluga, Parque Nacional ⊥ RCH
◆ 46-47 F 8
Isma'iliya, al- ☆ ET ◆ 38-39 M 2
Isoka ○ Z ◆ 40-41 H 4
Isparta ☆ TR ◆ 14-15 S 8
Israël ■ IL ◆ 32-33 C 4
Israelite Bay ○ AUS ◆ 36-37 E 6
Isseke ○ EAT ◆ 40-41 J 3
Issoire ○ F ◇ 18-19 J 9 ◆ 14-15
Issoudun ○ F ◇ 18-19 H 8 ◆ 14-15
İstanbul ☆ ••• TR ◆ 14-15 R 7
Isthmus of Kra ⌒ THA ◆ 34-35 C 4
Istmina ○ CO ◆ 46-47 D 3
Itaberaba ○ BR ◆ 46-47 L 7
Itaberaí ○ BR ◆ 46-47 K 8
Itabuna ○ BR ◆ 46-47 M 7
Itacaré ○ BR ◆ 46-47 M 7
Itaetê ○ BR ◆ 46-47 L 7
Itaituba ○ BR ◆ 46-47 H 5
Itajaí ○ BR ◆ 48 H 3
Itajubá ○ BR ◆ 48 H 2
Italie ■ I ◇ 26-27 C 4 ◆ 14-15 O 7
Itanagar ☆ • IND ◆ 32-33 P 5
Itapajé ○ BR ◆ 46-47 M 5
Itapebi ○ BR ◆ 46-47 M 8
Itapecurumirim ○ BR ◆ 46-47 L 5
Itapeipu ○ BR ◆ 46-47 L 7
Itapetinga ○ BR ◆ 46-47 L 8
Itapeva ○ BR ◆ 48 H 2
Itapicuru, Rio ∼ BR ◆ 46-47 M 7
Itapipoca ○ BR ◆ 46-47 M 5
Itaquatiara ○ BR ◆ 46-47 H 5
Itaqui ○ BR ◆ 48 F 3
Itauba ○ BR ◆ 46-47 H 7
Itenes o Guaporé, Río ∼ BOL
◆ 46-47 G 7
Itimbiri ∼ ZRE ◆ 38-39 K 8
Itiquira ○ BR ◆ 46-47 J 8
Itō ○ J ◆ 30-31 Q 5
Itui, Rio ∼ BR ◆ 46-47 E 6
Ituiutaba ○ BR ◆ 46-47 K 8
Itula ○ ZRE ◆ 40-41 G 2
Itumbiara ○ BR ◆ 46-47 K 8
Ituni ○ GUY ◆ 46-47 H 3
Ituxi, Rio ∼ BR ◆ 46-47 F 6
Iul'tin ○ RUS ◆ 28-29 h 4
Ivalo ○ FIN ◆ 14-15 R 2
Ivanhoe ○ AUS ◆ 36-37 J 6
Ivano-Frankivs'k ☆ UA ◆ 14-15 Q 6
Ivanovo ☆ RUS (IVN) ◇ 22-23 R 3
◆ 14-15 U 4
Ivdel' ○ RUS ◆ 28-29 J 5
Ivindo ∼ G ◆ 40-41 D 1
Ivoire, Côte d' ■ CI ◆ 38-39 D 8
Ivujivik ○ CDN ◆ 42-43 V 4
Iwaki ○ J ◆ 30-31 R 4
Iwo ○ WAN ◆ 38-39 F 7
Ixtlán del Río ○ MEX ◆ 44-45 F 6
Izabal, Lago de ○ GCA ◆ 44-45 J 7
Iževsk ☆ RUS ◆ 14-15 W 4
Izjum ○ UA ◆ 14-15 T 6
Ižma ∼ RUS ◆ 28-29 G 5
Izmajil ☆ UA ◆ 14-15 R 6
İzmir ☆ •• TR ◆ 14-15 R 8
Izu, Îles = Izu-shotō ⌒ J ◆ 30-31 Q 5
Izu-shotō ⌒ J ◆ 30-31 Q 5
Izvestij CIK, ostrova ⌒ RUS
◆ 28-29 N 2

J

Jabalpur ○ IND ◆ 32-33 M 6
Jabiru ○ AUS ◆ 36-37 G 2
Jablonovyj hrebet ▲ RUS ◆ 28-29 S 7
Jacareacanga ○ BR ◆ 46-47 H 6
Jáchal, Río ∼ RA ◆ 48 D 4
Jaci Paraná ○ BR ◆ 46-47 G 6
Jackson ○ USA (MS) ◆ 44-45 H 4
Jackson ○ USA (MI) ◆ 42-43 U 8
Jackson ○ USA (TN) ◆ 44-45 J 3
Jacksonville ○ USA (FL) ◆ 44-45 K 4
Jacksonville ○ USA (AR) ◆ 44-45 H 4
Jacmel ☆ • RH ◆ 44-45 M 7
Jacobābād ○ • PK ◆ 32-33 K 5
Jacuí, Rio ∼ BR ◆ 48 G 3
Jādū ○ • LAR ◆ 38-39 H 2
Jaén ○ E ◇ 24-25 F 6 ◆ 14-15 L 8
Jaffna ○ • CL ◆ 32-33 N 9
Jagdagi ○ CHN ◆ 30-31 N 1
Jagdalpur ○ IND ◆ 32-33 N 7
Jaghbub, Al ○ LAR ◆ 38-39 K 3
Jagodnoe ☆ RUS ◆ 28-29 a 5
Jaguarão ○ BR ◆ 48 G 4
Jaguaribe, Rio ∼ BR ◆ 46-47 M 6
Jailleu, Bourgoin- ○ F ◇ 18-19 K 9
◆ 14-15
Jailolo ○ RI ◆ 34-35 J 6
Jaipur ☆ •• IND (RAJ) ◆ 32-33 M 5
Jaisalmer ○ • IND ◆ 32-33 L 5
Jakarta ★ RI ◆ 34-35 E 8
Jakutsk ☆ •• RUS ◆ 28-29 W 5
Jalapa ☆ • MEX (VER) ◆ 44-45 G 7
Jālgaon ○ •• IND (MAH) ◆ 32-33 M 6
Jalingo ○ WAN ◆ 38-39 H 7
Jālna ○ IND ◆ 32-33 M 7
Jalpa ○ MEX ◆ 44-45 F 6
Jalta ☆ •• UA ◆ 14-15 S 7
Jamaame ○ SP ◆ 40-41 K 1
Jamaïque ■ JA ◆ 44-45 L 7
Jamaïque ⌒ JA ◆ 44-45 L 6
Jamal, poluostrov ∪ RUS ◆ 28-29 K 4
Jamantau, gora ▲ RUS ◆ 14-15 X 5
Jamanxim, Rio ∼ BR ◆ 46-47 H 6
Jambi ☆ RI ◆ 34-35 D 7
Jambol ○ BG ◆ 14-15 R 7
James Bay ≈ ◆ 42-43 U 6
James River ∼ USA ◆ 42-43 R 7
James River ∼ USA ◆ 44-45 L 3
Jamestown ○ USA (ND) ◆ 42-43 R 7
Jamestown ○ • USA (ND) ◆ 42-43 R 7
Jammu ○ • IND ◆ 32-33 L 4
Jammu and Kashmir ◻ IND
◆ 32-33 M 3
Jāmnagar ○ • IND ◆ 32-33 L 6
Jamshedpur ○ •• IND ◆ 32-33 O 6
Jamsk ○ RUS ◆ 28-29 b 6
Jamskaja guba ≈ ◆ 28-29 b 6
Jana ∼ RUS ◆ 28-29 Y 3
Janaúba ○ BR ◆ 46-47 L 8
Jan Mayen ⌒ N ◆ 44-45 K 1
Jan Mayen, Dorsale de ≃ ◆ 44-45 K 1
Jano-Indigirskaja nizmennost ∪ RUS
◆ 28-29 Y 3
Janskij zaliv ≈ ◆ 28-29 X 3
Januária ○ BR ◆ 46-47 L 8
Jaora ○ IND ◆ 32-33 M 6
Japon ■ J ◆ 30-31 P 4
Japon, Bassin du ≃ ◆ 28-29 X 9
Japon, Fosse du ≃ ◆ 30-31 R 4
Japon, Mer du ≈ ◆ 30-31 P 3
Japurá ○ BR ◆ 46-47 F 5
Jaques-Cartier, Détroit de ≈
◆ 42-43 Y 6
Jardine River National Park ⊥ AUS
◆ 36-37 J 2
Jardines de la Reina, Archipiélago de los
⌒ C ◆ 44-45 L 6
Jari, Lago ○ BR ◆ 46-47 G 6
Jari, Rio ∼ BR ◆ 46-47 J 4
Jarny ○ F ◇ 18-19 K 7 ◆ 14-15
Jaroslavl' ☆ •• RUS ◇ 22-23 Q 3
◆ 14-15 T 4
Jarrahdale ○ AUS ◆ 36-37 D 6
Jaru, Reserva Biológica do ⊥ BR
◆ 46-47 G 6
Jarvis Island ⌒ USA ◆ 12 L 3
Jasonhalvøy ⊥ ARK ◆ 13 G 30
Jasper ○ CDN ◆ 42-43 N 6
Jasper National Park ⊥ ••• CDN
◆ 42-43 N 6
Jataí ○ BR ◆ 46-47 J 8
Jatapu, Rio ∼ BR ◆ 46-47 H 5
Jati ○ PK ◆ 32-33 K 6
Jaú ○ BR ◆ 48 H 2
Jaú, Parque Nacional do ⊥ BR
◆ 46-47 G 5
Jauja ○ • PE ◆ 46-47 D 7
Jaunpur ○ IND ◆ 32-33 N 5
Java ⌒ RI ◆ 34-35 E 8
Java, Fosse de ≃ ◆ 34-35 D 8
Java, Mer de ≈ ◆ 34-35 E 7
Javaj, poluostrov ∪ RUS ◆ 28-29 M 3
Javari, Rio ∼ BR ◆ 46-47 E 6
Jaya, Puncak = Carstensz, Peak ▲ RI
◆ 34-35 L 7
Jayapura ○ RI ◆ 34-35 M 7
Jefferson, Mount ▲ USA ◆ 44-45 C 3
Jefferson City ○ USA (MO)
◆ 44-45 H 3
Jemaja, Pulau ⌒ RI ◆ 34-35 E 6
Jena ○ D ◇ 20-21 L 3 ◆ 14-15 O 5
Jenakijeve ○ UA ◆ 14-15 T 6
Jendouba ☆ TN ◆ 38-39 G 1
Jeneponto ○ RI ◆ 34-35 G 8
Jenny Lind Island ⌒ CDN ◆ 42-43 Q 3
Jens Munk Island ⌒ CDN ◆ 42-43 U 3
Jens Munk Ø ⌒ GRØ ◆ 42-43 c 4
Jequié ○ BR ◆ 46-47 L 7
Jequitinhonha, Rio ∼ BR ◆ 46-47 M 8
Jerba, Île de ⌒ •• TN ◆ 38-39 H 2
Jérémie ☆ •• RH ◆ 44-45 M 7
Jeremoabo ○ BR ◆ 46-47 M 7
Jerez de la Frontera ○ E ◇ 24-25 D 6
◆ 14-15 K 8
Jericho ○ AUS ◆ 36-37 K 4
Jéricho = Arīḥā ☆ •• AUT ◆ 32-33 D 4
Jerramungup ○ AUS ◆ 36-37 D 6
Jersey ⌒ GBJ ◇ 18-19 F 7
◆ 14-15 L 6
Jérusalem ★ ••• IL ◆ 32-33 D 4
Jervis Bay • AUS ◆ 36-37 L 7
Jesi, Monte ▲ MOC ◆ 40-41 J 4
Jessore ○ BD ◆ 32-33 O 6
Jetpur ○ IND ◆ 32-33 L 6
Jevpatorija ☆ • UA ◆ 14-15 S 6
Jeypore ○ IND ◆ 32-33 N 7
Jhang ○ PK ◆ 32-33 L 4
Jhelum ○ PK (PU) ◆ 32-33 L 4
Jiamusi ○ CHN ◆ 30-31 P 2
Ji'an ○ CHN (JXI) ◆ 30-31 L 6
Jianchang ○ CHN ◆ 30-31 M 3
Jiangling ○ CHN ◆ 30-31 L 5
Jiangsu ◻ CHN ◆ 30-31 M 5
Jiangxi ◻ CHN ◆ 30-31 L 6
Jiangyin ○ CHN ◆ 30-31 N 5
Jiangyou ○ CHN ◆ 30-31 J 5
Jian'ou ○ CHN ◆ 30-31 M 6
Jiaohe ○ CHN ◆ 30-31 O 3
Jiaozuo ○ CHN ◆ 30-31 L 4
Jiaxing ○ CHN ◆ 30-31 N 5
Jiayuguan ○ CHN ◆ 30-31 H 4
Jicarilla Apache Indian Reservation ✕
USA ◆ 44-45 E 3
Jiexiu ○ CHN ◆ 30-31 L 4
Jiggalong Aboriginal Land ✕ AUS
◆ 36-37 E 4
Jihlava ○ CZ ◇ 20-21 N 4
◆ 14-15 P 6
Jilib ☆ SP ◆ 40-41 K 1
Jilin ○ CHN (JIL) ◆ 30-31 O 3
Jilin ◻ CHN ◆ 30-31 N 3
Jīma ☆ ETH ◆ 38-39 N 7
Jimbe ○ ANG ◆ 40-41 F 4
Jiménez ○ MEX (CHA) ◆ 44-45 F 5
Jinan ☆ • CHN ◆ 30-31 M 4
Jinchang ○ CHN ◆ 30-31 J 4
Jincheng ○ CHN (SHA) ◆ 30-31 L 4
Jingbian ○ CHN ◆ 30-31 K 4
Jingdezhen ○ • CHN ◆ 30-31 M 6
Jinggu ○ CHN ◆ 30-31 J 7
Jinghe ○ CHN ◆ 30-31 E 3
Jinghong ○ CHN ◆ 30-31 J 7
Jingmen ○ CHN ◆ 30-31 L 5
Jinhua ○ CHN ◆ 30-31 M 6
Jining ○ CHN (SHD) ◆ 30-31 M 4
Jining ○ CHN (NMZ) ◆ 30-31 L 3
Jinja ☆ EAU ◆ 40-41 H 1
Jinka ○ ETH ◆ 38-39 N 7
Jinxi ○ CHN (LIA) ◆ 30-31 N 3
Jinzhou ○ CHN (LIA) ◆ 30-31 N 3
Ji-Paraná ○ BR ◆ 46-47 G 7
Jipijapa ○ EC ◆ 46-47 C 5
Jishou ○ CHN ◆ 30-31 K 6
Jiujiang ○ CHN ◆ 30-31 M 6
Jiulongpo ○ CHN ◆ 30-31 K 6
Jiuquan ○ CHN ◆ 30-31 H 4
Jiwani, Rās ▲ PK ◆ 32-33 J 5
Jixi ○ CHN (HEI) ◆ 30-31 P 2
Joaçaba ○ BR ◆ 48 G 3
João Monlevade ○ BR ◆ 46-47 L 8
Jocoli ○ RA ◆ 48 D 4
Jodhpur ○ • IND ◆ 32-33 L 5
Joensuu ☆ FIN ◆ 14-15 R 3
Joerg Plateau ▲ ARK ◆ 13 F 30
Jōetsu ○ J ◆ 30-31 Q 4
Jofane ○ MOC ◆ 40-41 H 6
Johannesburg ○ •• ZA ◆ 40-41 G 7
Johnston Lakes, The ○ AUS
◆ 36-37 E 6
Johnstown ○ USA ◆ 44-45 L 2
Johor Bahru ☆ •• MAL ◆ 34-35 D 6
Joigny ○ F ◇ 18-19 J 8 ◆ 14-15
Joinville ○ BR ◆ 48 H 3
Joinville, Île ⌒ ARK ◆ 13 G 31
Joliet ○ USA ◆ 44-45 J 2
Jolo ☆ RP ◆ 34-35 H 5
Jolo Group ⌒ RP ◆ 34-35 H 5
Jonesboro ○ USA (AR) ◆ 44-45 H 3
Jones Sound ≈ ◆ 42-43 T 1
Jönköping ☆ S ◇ 16-17 G 8
◆ 14-15 O 4
Joowhar ☆ SP ◆ 38-39 P 8
Joplin ○ USA ◆ 44-45 H 3
Jordanie ■ JOR ◆ 32-33 D 4
Jos ☆ • WAN ◆ 38-39 G 7
José de San Martín ○ RA ◆ 48 C 6
José Pedro Varela ○ ROU ◆ 48 G 4
Joseph, Lake ○ CDN (ONT)
◆ 42-43 V 7
Joseph Bonaparte Gulf ≈ ◆ 36-37 F 2
Joškar-Ola ☆ RUS ◆ 14-15 V 4
Jos Plateau ▲ WAN ◆ 38-39 G 6
Jovellanos ○ C ◆ 44-45 K 6
Juami-Japurá, Reserva Ecológica ⊥ BR
◆ 46-47 F 5
Juan de Fuca Strait ≈ ◆ 42-43 M 7
Juan Fernández, Îles ⌒ RCH ◆ 48 C 8
Juanjuí ○ PE ◆ 46-47 D 6
Juara ○ BR ◆ 46-47 H 7
Juazeiro ○ • BR ◆ 46-47 L 6
Juazeiro do Norte ○ • BR ◆ 46-47 M 6

60 Hedjaz — Juazeiro do Norte

Jūbā ☆ **SUD** ◆ 38-39 M 8
Jubba, Webi ~ **SP** ◆ 40-41 K 1
Jubilee Lake ○ **AUS** ◆ 36-37 F 5
Júcar, Río ~ **E** ◇ 24-25 G 5 ◆ 14-15 L 8
Judoma ~ **RUS** ◆ 28-29 Y 5
Jufra, Wāhāt al ∸ **LAR** ◆ 38-39 J 3
Juganskij, zapovednik ⊥ **RUS** ◆ 28-29 L 6
Jugorskij poluostrov ⌣ **RUS** ◆ 28-29 J 4
Jugorskij Šar, proliv ≈ ◆ 28-29 H 4
Jujuy □ **RA** ◆ 48 D 2
Jukagirskoe ploskogor'e ▲ **RUS** ◆ 28-29 b 4
Julaca ○ **BOL** ◆ 48 D 2
Juliaca ○ **PE** ◆ 46-47 E 8
Julia Creek ○ **AUS** ◆ 36-37 J 4
Julianehåb = Qaqortoq ○ **GRØ** ◆ 42-43 b 4
Jullundur ○ **IND** ◆ 32-33 M 4
Jumelles, Longué- ○ **F** ◇ 18-19 G 8 ◆ 14-15
Jūnāgadh ○· **IND** ◆ 32-33 L 6
Junaynah, Al- ○ **SUD** ◆ 38-39 K 6
Jundiaí ○ **BR** ◆ 48 H 2
Juneau ☆ **USA** ◆ 42-43 K 5
Junggar Pendi ∸ **CHN** ◆ 30-31 F 2
Junin, Parque Nacional ⊥ **PE** ◆ 46-47 D 7
Junín de los Andes ○ **RA** ◆ 48 C 5
Jur ~ **SUD** ◆ 38-39 L 7
Jurga ○ **RUS** ◆ 28-29 N 6
Jurien Bay ≈ ◆ 36-37 D 6
Juruá ○ **BR** ◆ 46-47 F 5
Juruá, Área Indígena X **BR** ◆ 46-47 F 5
Juruena, Rio ~ **BR** ◆ 46-47 H 6
Juruena ou Ananiná, Rio ~ **BR** ◆ 46-47 H 7
Jutai, Rio ~ **BR** ◆ 46-47 F 5
Jutai-Solimões, Reserva Ecológica ⊥ **BR** ◆ 46-47 F 5
Jutland ∸ **DK** ◇ 16-17 D 9 ◆ 14-15 N 4
Juventud, Isla de la = Pinos, Isla de ⌒·· **C** ◆ 44-45 K 6
Južno-Kurilsk ○ **RUS** ◆ 30-31 S 3
Južno-Sahalinsk ☆ **RUS** ◆ 28-29 Z 8
Južnoukrains'k ○ **UA** ◆ 14-15 T 6
Južnyj, mys ▲ **RUS** ◆ 28-29 c 6
Jyväskylä ☆ **FIN** ◆ 14-15 R 3

K

Kaap die Goeie Hoop = Cape of Good Hope ▲· **ZA** ◆ 40-41 E 8
Kaapstad = Cape Town ☆·· **ZA** ◆ 40-41 E 8
Kabaena, Pulau ⌒ **RI** ◆ 34-35 H 8
Kabale ○ **EAU** ◆ 40-41 G 2
Kabalo ○ **ZRE** ◆ 40-41 G 3
Kabambare ○ **ZRE** ◆ 40-41 G 2
Kabankalan ○ **RP** ◆ 34-35 H 5
Kabarai ○ **RI** ◆ 34-35 K 7
Kabardino-Balkarskaja Respublika □ **RUS** ◆ 14-15 U 7
Kabardino-Balkharie, République de □ **RUS** ◆ 14-15 U 7
Kabinda ○ **ZRE** ◆ 40-41 F 3
Kabkābiyah ○ **SUD** ◆ 38-39 K 6
Kabo ○ **RCA** ◆ 38-39 J 7
Kabompo ~ **Z** ◆ 40-41 F 4
Kabondo-Dianda ○ **ZRE** ◆ 40-41 G 3
Kabongo ○ **ZRE** ◆ 40-41 G 3
Kaboul = Kābul ★ **AFG** (KB) ◆ 32-33 K 4
Kabš, Ra's al- ▲ **OM** ◆ 32-33 H 6
Kābul ★ **AFG** (KB) ◆ 32-33 K 4
Kaburuang, Pulau ⌒ **RI** ◆ 34-35 J 6
Kabwe ☆ **Z** ◆ 40-41 G 4
Kachchh, Gulf of ≈ ◆ 32-33 K 6
Kachgar = Kashi ○· **CHN** ◆ 30-31 D 4
Kadavu ⌒ **FJI** ◆ 36-37 Q 3
Kadavu Passage ≈ ◆ 36-37 Q 3
Kaddam ○ **IND** ◆ 32-33 M 7
Kadijivka ○ **UA** ◆ 14-15 T 6
Kadoma ○ **ZW** ◆ 40-41 G 5
Kadugli ○ **SUD** ◆ 38-39 L 6
Kaduna ☆· **WAN** (KAD) ◆ 38-39 G 6
Kaédi ☆ **RIM** ◆ 38-39 C 5
Kaesŏng ○ **ROK** ◆ 30-31 O 4
Kafakumba ○ **ZRE** ◆ 40-41 F 3
Kaffrine ○ **SN** ◆ 38-39 B 6
Kafue ○ **Z** (Lus) ◆ 40-41 G 5
Kafue ~ **Z** ◆ 40-41 G 4
Kafue National Park ⊥ **Z** ◆ 40-41 G 4
Kaga Bandoro ☆ **RCA** ◆ 38-39 J 7
Kagangel Islands ⌒ **USA** ◆ 34-35 K 5
Kagera ~ **EAT** ◆ 40-41 H 2
Kagoshima ☆ **J** ◆ 30-31 P 5
Kahama ○ **EAT** ◆ 40-41 H 2
Kahayan ~ **RI** ◆ 34-35 F 7
Kahemba ○ **ZRE** ◆ 40-41 E 3
Kahnūg ○ **IR** ◆ 32-33 H 5
Kahoolawe ⌒ **USA** ◆ 44-45 b 6
Kahramanmaraş ☆· **TR** ◆ 14-15 T 8
Kahului ○ **USA** ◆ 44-45 b 6
Kahuzi-Biega, Parc National du ⊥··· **ZRE** ◆ 40-41 G 2
Kai, Kepulauan ⌒ **RI** ◆ 34-35 K 8
Kai Besar, Pulau ⌒ **RI** ◆ 34-35 K 8
Kai Dulah, Pulau ⌒ **RI** ◆ 34-35 K 8
Kaifeng ○· **CHN** ◆ 30-31 L 4
Kaikoura ○ **NZ** ◆ 36-37 P 8
Kaili ○ **CHN** ◆ 30-31 K 6
Kailua ○ **USA** ◆ 44-45 b 7
Kaimana ○ **RI** ◆ 34-35 K 7
Kainji Reservoir < **WAN** ◆ 38-39 F 6
Kaipara Harbour ≈ ◆ 36-37 P 7
Kairouan ☆·· **TN** ◆ 38-39 H 1
Kaiser Wilhelm II-Land ∸ **ARK** ◆ 13 G 9
Kaitaia ○ **NZ** ◆ 36-37 P 7
Kaiyuan ○ **CHN** ◆ 30-31 J 7
Kaiyuh Mountains ▲ **USA** ◆ 42-43 E 4
Kajaani ○ **FIN** ◆ 14-15 R 3
Kajnar ○ **KZ** ◆ 28-29 M 8
Kakadu National Park ⊥··· **AUS** ◆ 36-37 G 2
Kakamas ○ **ZA** ◆ 40-41 F 7
Kakamega ☆ **EAK** ◆ 40-41 H 1
Kakināda ○ **IND** ◆ 32-33 N 7
Kakuma ○ **EAK** ◆ 38-39 M 8
Kalaallit Nunaat = Grønland □ **GRØ** ◆ 42-43 b 2
Kalabahi ○ **RI** ◆ 34-35 H 8
Kalahari Desert ∸ **RB** ◆ 40-41 F 6
Kalahari Gemsbok National Park ⊥ **ZA** ◆ 40-41 F 7
Kalamáta ○ **GR** ◇ 26-27 J 6 ◆ 14-15 Q 8
Kalangali ○ **EAT** ◆ 40-41 H 3
Kalasin ○ **THA** ◆ 34-35 D 3
Kalāt ○· **PK** ◆ 32-33 K 5
Kalb, Ra's al- ▲ **Y** ◆ 32-33 F 8
Kalbarri National Park ⊥ **AUS** ◆ 36-37 C 5
Kale ☆ **TR** ◆ 14-15 S 8
Kalemie ○ **ZRE** ◆ 40-41 G 3
Kalewa ○ **MYA** ◆ 30-31 G 7
Kali ~ **NEP** ◆ 32-33 N 5
Kalibo ☆ **RP** ◆ 34-35 H 4
Kalimantan ⌒ ◆ 34-35 F 7
Kaliningrad ☆·· **RUS** ◇ 22-23 G 4 ◆ 14-15 Q 5
Kalispell ○ **USA** ◆ 42-43 O 7
Kaliua ○ **EAT** ◆ 40-41 H 3
Kalkaringi ○ **AUS** ◆ 36-37 G 3
Kalmar ☆ **S** ◇ 16-17 H 8 ◆ 14-15 P 4
Kalmouks, République des □ **RUS** ◆ 14-15 U 6
Kalmunai ○ **CL** ◆ 32-33 N 9
Kalomo ○ **Z** (SOU) ◆ 40-41 G 5
Kaluga ☆·· **RUS** ◇ 22-23 P 4 ◆ 14-15 T 5
Kalumburu X **AUS** ◆ 36-37 F 2
Kaluš ☆ **UA** ◆ 14-15 Q 6
Kalyān ○ **IND** ◆ 32-33 L 7
Kama ~ **RUS** ◆ 28-29 G 6
Kama, Réservoir de la = Kamskoe vodohranilišče < **RUS** ◆ 14-15 X 4
Kamaishi ○ **J** ◆ 30-31 R 4
Kamanjab ○ **NAM** ◆ 40-41 D 5
Kamarān ⌒ **Y** ◆ 32-33 E 7
Kamba ○ **WAN** ◆ 38-39 F 6
Kambia ○ **WAL** ◆ 38-39 C 7
Kamčatskij poluostrov ⌣ **RUS** ◆ 28-29 d 6
Kamčatskij zaliv ≈ ◆ 28-29 d 6
Kāmdēš ○· **AFG** ◆ 32-33 L 3
Kamenskoe ☆ **RUS** ◆ 28-29 e 5
Kamensk-Šahtinskij ○ **RUS** ◆ 14-15 U 6
Kamensk-Ural'skij ☆ **RUS** ◆ 28-29 J 6
Kamilin, al- ○ **SUD** ◆ 38-39 M 5
Kamina ○ **ZRE** (SHA) ◆ 40-41 G 3
Kam'janec'-Podil's'kyj ☆ **UA** ◆ 14-15 R 6
Kamloops ○ **CDN** ◆ 42-43 M 6
Kämmunizm, Qullai ▲ **TJ** ◆ 32-33 L 3
Kampa do Rio Amônea, Área Indígena X **BR** ◆ 46-47 E 6
Kampala ★· **EAU** ◆ 40-41 H 1
Kamparkan ~ **RI** ◆ 34-35 D 6
Kâmpóng Cham ○ **K** ◆ 34-35 E 4
Kâmpóng Chhnăng ○ **K** ◆ 34-35 D 4
Kâmpóng Saôm ○ **K** ◆ 34-35 D 4
Kâmpóng Thum ○ **K** ◆ 34-35 D 4
Kâmpôt ○ **K** ◆ 34-35 D 4
Kamrau, Teluk ≈ ◆ 34-35 K 7
Kamskoe vodohranilišče < **RUS** ◆ 14-15 X 4
Kamtchatka, Péninsule du ⌣ **RUS** ◆ 28-29 b 6
Kamyšin ○ **RUS** ◆ 14-15 V 5
Kamyzjak ☆ **RUS** ◆ 14-15 V 6
Kanamari do Rio Juruá, Área Indígena X **BR** ◆ 46-47 F 6
Kananga ☆ **ZRE** ◆ 40-41 F 3
Kanazawa ☆· **J** ◆ 30-31 Q 4
Kanbalu ○ **MYA** ◆ 30-31 H 7
Kančalan ~ **RUS** ◆ 28-29 g 4
Kanchana Buri ○ **THA** ◆ 34-35 C 4
Kānchipuram ○·· **IND** ◆ 32-33 M 8
Kandahar = Qandahār ☆·· **AFG** (QA) ◆ 32-33 K 4
Kandalakša ○ **RUS** ◆ 14-15 S 2
Kandangan ○ **RI** ◆ 34-35 G 7
Kandi ○ **DY** ◆ 38-39 F 6
Kandololo ○ **ZRE** ◆ 40-41 G 1
Kandreho ○ **RM** ◆ 40-41 L 5
Kandrian ○ **PNG** ◆ 34-35 N 8
Kandy ○··· **CL** ◆ 32-33 N 9
Kane Basin ≃ ◆ 42-43 W 1
Kang ○ **RB** ◆ 40-41 F 6
Kangān ○ **IR** ◆ 32-33 G 5
Kangaroo Island ⌒·· **AUS** ◆ 36-37 H 7
Kangean, Kepulauan ⌒ **RI** ◆ 34-35 G 8
Kangean, Pulau ⌒ **RI** ◆ 34-35 G 8
Kangerlussuaq ≈ ◆ 42-43 a 2
Kangerlussuaq = Søndrestrømfjord ○ **GRØ** ◆ 42-43 a 3
Kangnŭng ○ **ROK** ◆ 30-31 O 4
Kangsar, Kuala ○· **MAL** ◆ 34-35 D 6
Kaniama ○ **ZRE** ◆ 40-41 F 3
Kaniet Islands ⌒ **PNG** ◆ 34-35 N 7
Kanin, poluostrov ⌣ **RUS** ◆ 28-29 E 4
Kanin, Presqu'île de = Kanin, poluostrov ⌣ **RUS** ◆ 28-29 E 4
Kanin Nos, mys ▲ **RUS** ◆ 28-29 E 4
Kankan ☆ **RG** (KAN) ◆ 38-39 D 6
Kānker ○ **IND** ◆ 32-33 N 6
Kano ☆·· **WAN** (KAN) ◆ 38-39 G 6
Kanona ○ **Z** ◆ 40-41 H 4
Kanouri ∸ **RN** ◆ 38-39 H 6
Kanpur ○ **IND** ◆ 32-33 N 5
Kansas □ **USA** ◆ 44-45 F 3
Kansas City ○ **USA** ◆ 44-45 H 3
Kansas River ~ **USA** ◆ 44-45 G 3
Kansk ☆ **RUS** ◆ 28-29 Q 6
Kantchari ○ **BF** ◆ 38-39 F 6
Kanye ☆ **RB** ◆ 40-41 G 6
Kaohsiung ○ **RC** ◆ 30-31 N 7
Kaokoveld ∸ **NAM** ◆ 40-41 D 5
Kaolack ☆ **SN** ◆ 38-39 B 6
Kaoma ○ **Z** ◆ 40-41 F 4
Kapanga ○ **ZRE** ◆ 40-41 F 3
Kapiri Mposhi ○ **Z** ◆ 40-41 G 4
Kapka, Massif du ▲ **TCH** ◆ 38-39 K 5
Kaplankyrskij zapovednik ⊥ **TM** ◆ 32-33 H 2
Kapoeta ○ **SUD** ◆ 38-39 M 8
Kaposvár ○ **H** ◇ 20-21 O 5 ◆ 14-15 P 6
Kapšagaj bögeni < **KZ** ◆ 30-31 D 3
Kapuas ~ **RI** ◆ 34-35 F 6
Kapuskasing ○ **CDN** ◆ 42-43 U 7
Kara ☆ **RT** (DLK) ◆ 38-39 F 7
Kara, Détroit de = Karskie Vorota, proliv ≈ ◆ 28-29 H 3
Kara, Mer de ≈ ◆ 28-29 J 3
Karaba, Ra's ▲ **KSA** ◆ 32-33 D 5
Kara-Balty ○ **KS** ◆ 32-33 L 2
Karabük ☆ **TR** ◆ 14-15 S 7
Karačaevo-Čerkesskaja Respublika = Karačaj-Čerkes Resp. □ **RUS** ◆ 14-15 U 7
Karāchi ☆· **PK** (SIN) ◆ 32-33 K 6
Karād ○ **IND** ◆ 32-33 L 7
Karadeniz Boğazi = Bosporus ≈ ◆ 14-15 R 7
Karağ ○ **IR** ◆ 32-33 G 3
Karaganda ☆ **KZ** ◆ 28-29 L 8
Karaginskij, ostrov ⌒ **RUS** ◆ 28-29 d 6
Karaginskij zaliv ≈ ◆ 28-29 d 6
Karakelong, Kepulauan ⌒ **RI** ◆ 34-35 J 6
Karaklis ○ **AR** ◆ 14-15 U 7
Kara K'orē ○ **ETH** ◆ 38-39 N 6
Kara-Koum ∸ **KZ** ◆ 32-33 H 2
Karama ~ **RI** ◆ 34-35 G 7
Karaman ☆· **TR** ◆ 14-15 S 8
Karamay ○ **CHN** ◆ 30-31 E 2
Karamian, Pulau ⌒ **RI** ◆ 34-35 F 8
Karangasem = Amlapura ○· **RI** ◆ 34-35 G 8
Kāranja ○ **IND** ◆ 32-33 M 6
Kararaô, Área Indígena X **BR** ◆ 46-47 J 5
Karas, Pulau ⌒ **RI** ◆ 34-35 K 7
Karasburg ☆ **NAM** ◆ 40-41 E 7
Karasuk ☆ **RUS** ◆ 28-29 M 7
Ķaratau žotasy ▲ **KZ** ◆ 32-33 K 2
Karatchaïs-Tcherkesses, République des □ **RUS** ◆ 44-45 U 7
Karaudanawa ○ **GUY** ◆ 46-47 H 4
Karaul ○ **RUS** ◆ 28-29 N 3
Karawang ○ **RI** ◆ 34-35 E 8
Ķaražal ☆ **KZ** ◆ 28-29 L 8
Karbalā' ☆ **IRQ** (KAR) ◆ 32-33 E 4
Kârdžali ○ **BG** ◆ 14-15 R 7
Karé, Monts ▲ **RCA** ◆ 38-39 J 7
Kareeberge ▲ **ZA** ◆ 40-41 F 8
Kargasok ☆ **RUS** ◆ 28-29 N 6
Kargat ☆ **RUS** ◆ 28-29 N 6
Kargopol' ☆ **RUS** ◆ 14-15 T 3
Kariba ○ **ZW** ◆ 40-41 G 5
Kariba, Lake < **Z** ◆ 40-41 G 5
Karibib ☆ **NAM** ◆ 40-41 E 6
Karikari, Cape ▲ **NZ** ◆ 36-37 P 6
Karima ○ **SUD** ◆ 38-39 M 5
Karimata, Détroit de ≈ ◆ 34-35 E 7
Karimata, Kepulauan ⌒ **RI** ◆ 34-35 E 7
Karimunjawa, Pulau ⌒ **RI** ◆ 34-35 F 8
Karin ○ **SP** ◆ 38-39 P 6
Kar'jak ○ **RUS** ◆ 28-29 N 5
Ķarķaraly ○ **KZ** ◆ 28-29 M 8
Karkar Island ⌒ **PNG** ◆ 34-35 N 7
Karkonosze ▲ **PL** ◇ 20-21 N 3 ◆ 14-15 P 5
Karkov = Charkiv ○ **UA** ◆ 14-15 T 6
Karlik ▲ **CHN** ◆ 30-31 G 3
Karlskrona ☆· **S** ◇ 16-17 G 8 ◆ 14-15 P 4
Karlstad ☆·· **S** ◇ 16-17 F 7 ◆ 14-15 O 4
Karma ○· **SUD** ◆ 38-39 M 5
Karmāla ○· **IND** ◆ 32-33 M 7
Karnataka □ **IND** ◆ 32-33 L 8
Karoi ○ **ZW** ◆ 40-41 G 5
Karonga ○ **MW** ◆ 40-41 H 3
Karoo National Park ⊥ **ZA** ◆ 40-41 F 8
Kárpathos ⌒ **GR** ◇ 26-27 L 7 ◆ 14-15 R 8
Karrats Fjord ≈ ◆ 42-43 a 2
Kars ☆· **TR** ◆ 14-15 U 7
Ķarši ☆ **UZ** ◆ 32-33 K 3
Karskie Vorota, proliv ≈ ◆ 28-29 H 3
Karuḥ ○· **AFG** ◆ 32-33 J 4
Karumba ○ **AUS** ◆ 36-37 J 3
Karūr ○ **IND** ◆ 32-33 M 8
Kārwār ○ **IND** ◆ 32-33 L 8
Kasai ~ **ZRE** ◆ 40-41 F 3
Kasaji ○ **ZRE** ◆ 40-41 F 4
Kasama ☆ **Z** ◆ 40-41 H 4
Kāšān ○· **IR** ◆ 32-33 G 4
Kasane ☆ **RB** ◆ 40-41 G 5
Kasanka National Park ⊥ **Z** ◆ 40-41 H 4
Kāsaragod ○ **IND** ◆ 32-33 L 8
Kasba Lake ○ **CDN** ◆ 42-43 Q 4
Kasempa ○ **Z** ◆ 40-41 G 4
Kasenga ○ **ZRE** ◆ 40-41 G 4
Kasese ○ **EAU** ◆ 40-41 H 1
Kashi ○· **CHN** ◆ 30-31 D 4
Kasiruta, Pulau ⌒ **RI** ◆ 34-35 J 7
Kasongo ○ **ZRE** ◆ 40-41 G 2
Kasongo-Lunda ○ **ZRE** ◆ 40-41 E 3
Kaspij maņy sineklizasy = Prikaspijskaja nizmennost' ⌣ **RUS** ◆ 44-45 V 6
Kaspijsk ○ **RUS** ◆ 14-15 V 7
Kassalā ☆· **SUD** ◆ 38-39 N 5
Kassel ○· **D** ◇ 20-21 K 3 ◆ 14-15 N 5
Kasserine ☆ **TN** ◆ 38-39 G 1
Kastamonu ☆· **TR** ◆ 14-15 S 7
Kastéli ○ **GR** ◇ 26-27 J 7 ◆ 14-15 Q 8
Kasungu ○ **MW** ◆ 40-41 H 4
Kasungu National Park ⊥ **MW** ◆ 40-41 H 4
Kataba ○ **Z** ◆ 40-41 G 5
Katahdin, Mount ▲ **USA** ◆ 42-43 X 7
Kataka = Cuttack ○ **IND** ◆ 32-33 O 6
Katako-Kombe ○ **ZRE** ◆ 40-41 F 2
Katavi National Park ⊥ **EAT** ◆ 40-41 H 3
Katchall Island ⌒ **IND** ◆ 34-35 B 5
Katengo ○ **ZRE** ◆ 40-41 G 3
Katete ○ **Z** ◆ 40-41 H 4
Katha ○ **MYA** ◆ 30-31 H 7
Katherine ○ **AUS** ◆ 36-37 G 2
Kathmandu ★··· **NEP** ◆ 32-33 O 5
Katihar ○ **IND** ◆ 32-33 O 5
Katima Mulilo ☆ **NAM** ◆ 40-41 F 5
Katiola ☆ **CI** ◆ 38-39 D 7
Katiti Aboriginal Land X **AUS** ◆ 36-37 G 5
Katmai, Mount ▲ **USA** ◆ 42-43 F 5
Katmai National Park and Preserve ⊥ **USA** ◆ 42-43 E 5
Katmandou = Kathmandu ★··· **NEP** ◆ 32-33 O 5
Katompi ○ **ZRE** ◆ 40-41 G 3
Katonga ~ **EAU** ◆ 40-41 H 1
Katoomba-Wentworth Falls ○ **AUS** ◆ 36-37 L 6
Katowice ☆·· **PL** (KAT) ◇ 20-21 P 3 ◆ 14-15 P 5
Katrina, Ğabal ▲ **ET** ◆ 38-39 M 3
Katsina ○ **WAN** ◆ 38-39 G 6
Katsina-Ala ○ **WAN** ◆ 38-39 G 7
Kattaķŭrgon ○ **UZ** ◆ 32-33 K 3
Kattara, Dépression de ∸ **ET** ◆ 38-39 L 3
Kattegat ≈ ◇ 16-17 E 8 ◆ 14-15 O 4
Katun' ~ **RUS** ◆ 28-29 O 7
Kau, Teluk ≈ ◆ 34-35 J 6
Kauai ⌒ **USA** ◆ 44-45 b 6
Kauai Channel ≈ ◆ 44-45 b 6
Kaudom Game Park ⊥ **NAM** ◆ 40-41 F 5
Kaukauveld ∸ **NAM** ◆ 40-41 F 5
Kaula ⌒ **USA** ◆ 44-45 b 6
Kavála ○ **GR** ◇ 26-27 K 4 ◆ 14-15 Q 7
Kavali ○ **IND** ◆ 32-33 N 8
Kavaratti ○ **IND** ◆ 32-33 L 8
Kavieng ☆ **PNG** ◆ 34-35 O 7
Kavir, Dašt-e ∸ **IR** ◆ 32-33 G 4
Kavkazkij zapovednik ⊥ **RUS** ◆ 14-15 U 7
Kawakawa ○ **NZ** ◆ 36-37 P 7
Kawambwa ○ **Z** ◆ 40-41 G 3
Kawassi ○ **RI** ◆ 34-35 J 7
Kawlin ○ **MYA** ◆ 30-31 H 7
Kaxgar He ~ **CHN** ◆ 30-31 D 4
Kaya ☆ **BF** ◆ 38-39 E 6
Kayak Island ⌒ **USA** ◆ 42-43 H 5
Kayan ~ **RI** ◆ 34-35 G 6
Kayapó, Área Indígena X **BR** ◆ 46-47 J 6
Kayes ☆ **RMM** (KAY) ◆ 38-39 C 6
Kayoa, Pulau ⌒ **RI** ◆ 34-35 J 6
Kayseri ☆·· **TR** ◆ 14-15 T 8
Kazakhes, Steppes ∸ **KZ** ◆ 28-29 L 7
Kazakhs, Plateaux ∸ **KZ** ◆ 28-29 L 8
Kazakhstan ■ **KZ** ◆ 28-29 J 8
Kazan' ☆·· **RUS** ◆ 14-15 V 4
Kazan River ~ **CDN** ◆ 42-43 R 4
Kāzerūn ○ **IR** ◆ 32-33 G 5
Kazumba ○ **ZRE** ◆ 40-41 F 3
Kazungula ○ **Z** ◆ 40-41 G 5
Kebnekaise ▲·· **S** ◇ 16-17 J 3 ◆ 14-15 P 2
Kebumen ○ **RI** ◆ 34-35 E 8
Kech ~ **PK** ◆ 32-33 J 5
Kecskemét ○ **H** ◇ 20-21 P 5 ◆ 14-15 P 6
Kediri ○ **RI** ◆ 34-35 F 8
Kédougou ○ **SN** ◆ 38-39 C 6
Keele Peak ▲ **CDN** ◆ 42-43 L 4
Keele River ~ **CDN** ◆ 42-43 L 4
Keelung ○· **RC** ◆ 30-31 N 6
Keenjhar Lake ○·· **PK** ◆ 32-33 K 6
Keetmannshoop ☆ **NAM** ◆ 40-41 E 7
Kefaloniá ⌒ **GR** ◇ 26-27 H 5 ◆ 14-15 Q 8
Kefamenanu ○ **RI** ◆ 34-35 H 8
K'eftya ○ **ETH** ◆ 38-39 N 6
Keita ou Douka, Bahr ~ **TCH** ◆ 38-39 J 7
Keith ○ **AUS** ◆ 36-37 J 7
Keith Arm ○ **CDN** ◆ 42-43 M 3
Kejimkujik National Park ⊥ **CDN** ◆ 42-43 X 8
K'elafo ○ **ETH** ◆ 38-39 O 7
Kelil'vun, gora ▲ **RUS** ◆ 28-29 e 4
Kéllé ○ **RCB** ◆ 40-41 D 2
Keller Lake ○ **CDN** ◆ 42-43 M 4
Kellet, Cape ▲ **CDN** ◆ 42-43 L 2
Kellett Strait ≈ ◆ 42-43 N 1
Kelo ○ **TCH** ◆ 38-39 J 7
Kelowna ○ **CDN** ◆ 42-43 N 7
Kem' ○ **RUS** (KAR) ◆ 14-15 S 3
Kembé ○ **RCA** ◆ 38-39 K 8
Kembé, Chutes de ~ **RCA** ◆ 38-39 K 8
Kemerovo ☆ **RUS** ◆ 28-29 O 6
Kemi ○ **FIN** ◆ 14-15 Q 2
Kemijoki ~ **FIN** ◆ 14-15 R 2
Kemkara ○ **RUS** ◆ 28-29 Y 6
Kemp Land ∸ **ARK** ◆ 13 G 6
Kemp Peninsula ⌣ **ARK** ◆ 13 F 30
Kemps Bay ○ **BS** ◆ 44-45 L 6
Kempten (Allgäu) ○· **D** ◇ 20-21 L 5 ◆ 14-15 O 6
Kenai ○· **USA** ◆ 42-43 F 4
Kenai Fjords National Park ⊥ **USA** ◆ 42-43 F 5
Kenai Peninsula ⌣ **USA** ◆ 42-43 F 4
Kendall ○ **USA** (FL) ◆ 44-45 K 5
Kendall, Mount ▲ **NZ** ◆ 36-37 P 8
Kendall River ~ **AUS** ◆ 36-37 J 2
Kendari ☆ **RI** ◆ 34-35 H 7
Kendawangan ○ **RI** ◆ 34-35 F 7
Kèndégué ○ **TCH** ◆ 38-39 J 6
Kendujhargarh ○ **IND** ◆ 32-33 O 6
Kenema ☆ **WAL** ◆ 38-39 C 7
Kenge ○ **ZRE** ◆ 40-41 E 2
Keng Tung ○ **MYA** ◆ 30-31 H 7
Kenhardt ○ **ZA** ◆ 40-41 F 7
Kenitra = Al-Q'nitra ☆ **MA** ◆ 38-39 D 2
Kennewick ○ **USA** ◆ 42-43 N 7
Keno City ○ **CDN** ◆ 42-43 J 4
Kenora ○ **CDN** ◆ 42-43 S 7
Kenosha ○ **USA** ◆ 42-43 T 8
Kentau ○ **KZ** ◆ 32-33 K 2
Kent Group ⌒ **AUS** ◆ 36-37 K 7
Kent Peninsula ⌣ **CDN** ◆ 42-43 P 3
Kentucky □ **USA** ◆ 44-45 J 3
Kentucky Lake ○ **USA** ◆ 44-45 J 3
Kenya ■ **EAK** ◆ 40-41 J 1
Kenya, Mount ▲·· **EAK** ◆ 40-41 J 2
Kenya National Park, Mount ⊥ **EAK** ◆ 40-41 J 2
Keperveem ○ **RUS** ◆ 28-29 e 4
Kępno ○ **PL** ◇ 20-21 O 3 ◆ 14-15 P 5
Keppel Bay ≈ ◆ 36-37 L 4
Kerala □ **IND** ◆ 32-33 M 8
Kéran, Parc National de la ⊥ **RT** ◆ 38-39 F 6
Kerč ○ **UA** ◆ 14-15 T 6
Kerema ☆ **PNG** ◆ 34-35 N 8
Kerinci, Gunung ▲ **RI** ◆ 34-35 D 7
Kerkenah, Îles de ⌒ **TN** ◆ 38-39 H 2
Kerki ○ **TM** ◆ 32-33 K 3
Kerkouane ∴··· **TN** ◆ 38-39 H 1
Kermadec Islands ⌒ **NZ** ◆ 12 K 5
Kermadec Ridge ≃ ◆ 36-37 K 6
Kermān ☆· **IR** (KER) ◆ 32-33 H 4
Kérouané ○ **RG** ◆ 38-39 D 7
Kerrville ○ **USA** ◆ 44-45 G 4
Kertch = Kerč ○ **UA** ◆ 14-15 T 6
Ket' ~ **RUS** ◆ 28-29 O 6
Keta ○ **GH** ◆ 38-39 F 7
Ketapang ○ **RI** (KBA) ◆ 34-35 E 7
Ketchikan ○ **USA** ◆ 42-43 K 5
Ketoj, ostrov ⌒ **RUS** ◆ 28-29 b 8
Ketsko-Tymskaja, ravnina ⌣ **RUS** ◆ 28-29 N 5
Keweenaw Peninsula ⌣ **USA** ◆ 42-43 T 7
Key Largo ○ **USA** ◆ 44-45 K 5
Key Like Mine ○ **CDN** ◆ 42-43 P 5
Key West ○· **USA** ◆ 44-45 K 6
Kežma ○ **RUS** ◆ 28-29 R 6
Khabarovsk = Habarovsk ○ **RUS** ◆ 28-29 Y 8
Khadwa ○ **IND** ◆ 32-33 M 6
Khairpur ○· **PK** (SIN) ◆ 32-33 K 5
Khakassie □ **RUS** ◆ 28-29 O 7
Khakhea ○ **RB** ◆ 40-41 F 6
Khambhat ○ **IND** ◆ 32-33 L 6
Khambhat, Gulf of ≈ ◆ 32-33 L 6
Khami Ruins ∴··· **ZW** ◆ 40-41 G 6
Khāmis, ash-Shallāl al-= 5th Cataract ~ **SUD** ◆ 38-39 M 5
Khānewāl ○ **PK** ◆ 32-33 L 4
Khanka, Lac = Hanka, ozero ○ **RUS** ◆ 28-29 X 8
Khānpur ○ **PK** (PU) ◆ 32-33 L 5
Kharagpur ○ **IND** ◆ 32-33 O 6
Kharga = al-Ḫariğa ☆· **ET** ◆ 38-39 M 4
Khargon ○ **IND** ◆ 32-33 M 6
Kharguèh = Ḫāriğa, al- ☆· **ET** ◆ 38-39 M3
Khartoum = al-Harṭum ★·· **SUD** ◆ 38-39 M 5
Khartoum-Nord = Harṭūm Bahri, al- ○ **SUD** ◆ 38-39 M 5
Khachm al Qirbah ○ **SUD** ◆ 38-39 N 6
Khatanga, Baie de la = Hatangskij zaliv ≈ ◆ 28-29 S 3
Khatt Atoui ~ **RIM** ◆ 38-39 B 4
Khingan, Grand ▲ **CHN** ◆ 30-31 M 3
Kholmsk = Holmsk ○ **RUS** ◆ 28-29 Z 8
Khon Kaen ○ **THA** ◆ 34-35 D 3
Khouribga ☆ **MA** ◆ 38-39 D 2
Khulna ○ **BD** ◆ 32-33 O 6
Khushāb ○ **PK** ◆ 32-33 L 4
Khuzdār ○ **PK** ◆ 32-33 K 5
Kiambi ○ **ZRE** ◆ 40-41 G 3
Kibali ~ **ZRE** ◆ 38-39 M 8
Kibangou ○ **RCB** ◆ 40-41 D 2
Kibaya ○ **EAT** ◆ 40-41 J 3
Kibombo ○ **ZRE** ◆ 40-41 G 2
Kibondo ○ **EAT** ◆ 40-41 H 2
Kıbrıs □ **TR** ◆ 44-45 S 8
Kibwezi ○ **EAK** ◆ 40-41 J 2
Kičmengskij Gorodok ☆ **RUS** ◆ 14-15 V 4
Kidal ○ **RMM** ◆ 38-39 F 5
Kidatu ○ **EAT** ◆ 40-41 J 3
Kidepo National Park ⊥ **EAU** ◆ 38-39 M 8
Kidira ○ **SN** ◆ 38-39 C 6
Kiel ☆· **D** ◇ 20-21 L 1 ◆ 14-15 O 5
Kielce ☆· **PL** ◇ 20-21 Q 3 ◆ 14-15 Q 5
Kiffa ☆ **RIM** ◆ 38-39 C 5
Kigali ★ **RWA** ◆ 40-41 H 2
Kigoma ☆ **EAT** (KIG) ◆ 40-41 G 2
Kikori ○ **PNG** ◆ 34-35 M 8
Kikori River ~ **PNG** ◆ 34-35 M 8
Kikwit ○ **ZRE** ◆ 40-41 E 3
Kilbuck Mountains ▲ **USA** ◆ 42-43 D 4
Kili Bulak ○ **CHN** ◆ 30-31 G 5
Kilifi ○ **EAK** ◆ 40-41 J 2
Kilimandjaro = Kilimanjaro ▲·· **EAT** ◆ 40-41 J 2
Kilimanjaro ▲·· **EAT** ◆ 40-41 J 2
Kilimanjaro National Park ⊥··· **EAT** ◆ 40-41 J 2
Killeen ○ **USA** ◆ 44-45 G 4
Kilombero ~ **EAT** ◆ 40-41 J 3
Kilwa ○ **ZRE** ◆ 40-41 G 3
Kilwa Kisiwani ∴··· **EAT** ◆ 40-41 J 3
Kilwa Kivinje ○ **EAT** ◆ 40-41 J 3
Kimba ○ **AUS** ◆ 36-37 H 6
Kimbe ☆ **PNG** ◆ 34-35 O 8
Kimberley ∸ **AUS** ◆ 36-37 F 3
Kimberley ☆ **ZA** ◆ 40-41 F 7
Kimchaek ○ **KOR** ◆ 30-31 O 3
Kinabalu, Gunung ▲·· **MAL** ◆ 34-35 G 5
Kinchega National Park ⊥ **AUS** ◆ 36-37 J 6
Kindia ☆ **RG** (KIN) ◆ 38-39 C 6
Kindu ○ **ZRE** ◆ 40-41 G 2
Kinešma ☆ **RUS** ◇ 22-23 S 3 ◆ 14-15 U 4
King, Lake ○ **AUS** ◆ 36-37 E 5
Kingaroy ○ **AUS** ◆ 36-37 L 5
King Christian Island ⌒ **CDN** ◆ 42-43 Q 1
King Edward VIIIth Gulf ≈ ◆ 13 G 6
King George Island ⌒ **ARK** ◆ 13 G 31
King George Islands ⌒ **CDN** ◆ 42-43 V 5
King George Sound ≈ ◆ 36-37 D 7
King George VIth Sound ≈ ◆ 13 F 30
King George Vth Land ∸ **ARK** ◆ 13 F 16
King Island ⌒ **AUS** ◆ 36-37 J 7
King Island ⌒ **USA** ◆ 42-43 C 4
King Leopold Ranges ▲ **AUS** ◆ 36-37 E 3
Kingoonya ○ **AUS** ◆ 36-37 H 6
Kingscote ○ **AUS** ◆ 36-37 H 7
King Sound ≈ ◆ 36-37 E 3
Kings Peak ▲ **USA** ◆ 44-45 D 2
Kingston ○ **AUS** ◆ 36-37 K 8
Kingston ○ **CDN** ◆ 42-43 V 8
Kingston ★· **JA** ◆ 44-45 L 7
Kingston S.E. ○ **AUS** ◆ 36-37 H 7
Kingston upon Hull ○· **GB** ◇ 18-19 G 5 ◆ 14-15 L 5
Kingstown ★ **WV** ◆ 44-45 O 8
Kingsville ○ **USA** ◆ 44-45 G 5
King William Island ⌒ **CDN** ◆ 42-43 R 3
Kinkala ☆ **RCB** ◆ 40-41 D 2
Kinoosao ○ **CDN** ◆ 42-43 Q 5
Kinshasa ★· **ZRE** (Kin) ◆ 40-41 E 2
Kinston ○ **USA** ◆ 44-45 L 3
Kintampo ○ **GH** ◆ 38-39 E 7
Kintore, Mount ▲ **AUS** ◆ 36-37 G 5
Kinyeti ▲ **SUD** ◆ 38-39 M 8
Kipili ○ **EAT** ◆ 40-41 H 3
Kirenga ~ **RUS** ◆ 28-29 S 6
Kirensk ☆ **RUS** ◆ 28-29 S 6
Kirghizistan ■ **KS** ◆ 32-33 L 2
Kırıkkale ☆ **TR** ◆ 14-15 S 8
Kirit ○ **SP** ◆ 38-39 P 7
Kiritimati Island ⌒ **KIB** ◆ 12 M 2
Kiriwina Island ⌒ **PNG** ◆ 34-35 O 8
Kirkenes ○ **N** ◇ 16-17 P 2 ◆ 14-15 S 2
Kirkland Lake ○· **CDN** ◆ 42-43 V 7
Kırklareli ☆ **TR** ◆ 14-15 R 7
Kirksville ○ **USA** ◆ 44-45 H 2
Kirkūk ☆ **IRQ** ◆ 32-33 E 3
Kirkwall ○· **GB** ◇ 18-19 F 2 ◆ 14-15 L 4
Kirov ○ **RUS** (KIR) ◆ 14-15 V 4
Kirovohrad ☆ **UA** ◆ 14-15 S 6
Kırşehir ☆ **TR** ◆ 14-15 S 8
Kiruna ○· **S** ◇ 16-17 K 3 ◆ 14-15 Q 2
Kiš, Ğazīre-ye ⌒ **IR** ◆ 32-33 G 5
Kisangani ☆ **ZRE** ◆ 40-41 G 1
Kiselëvsk ○ **RUS** ◆ 28-29 O 7
Kishtwar ○· **IND** ◆ 32-33 M 4
Kisi ○ **WAN** ◆ 38-39 F 7
Kisigo Game Reserve ⊥ **EAT** ◆ 40-41 H 3
Kisii ○ **EAK** ◆ 40-41 H 2
Kismaanyo ☆ **SP** ◆ 40-41 K 2
Kissidougou ○ **RG** ◆ 38-39 C 7
Kisumu ☆ **EAK** ◆ 40-41 H 2
Kita ○ **RMM** ◆ 38-39 D 6
Kita lō shima ⌒ **J** ◆ 30-31 R 6
Kitakyūshū ○ **J** ◆ 30-31 P 5
Kitale ○ **EAK** ◆ 40-41 J 1
Kitami ○ **J** ◆ 30-31 R 3
Kitchener ○ **CDN** ◆ 42-43 U 8
Kitgum ○ **EAU** ◆ 38-39 M 8
Kíthira ⌒ **GR** ◇ 26-27 J 6 ◆ 14-15 Q 8
Kitimat ○ **CDN** ◆ 42-43 L 6
Kitui ○ **EAK** ◆ 40-41 J 2
Kitwe ○ **Z** ◆ 40-41 G 4
Kiunga ○ **PNG** ◆ 34-35 M 8
Kivu, Lac ○ **ZRE** ◆ 40-41 G 2
Kızılırmak ~ **TR** ◆ 14-15 T 8
Ķizilkum ∸ **UZ** ◆ 32-33 J 2
Kizyl Arvat ○ **TM** ◆ 32-33 H 3
Kjustendil ○· **BG** ◆ 14-15 Q 7
Kladno ○ **CZ** ◇ 20-21 N 3 ◆ 14-15 O 5
Klagenfurt ☆ **A** ◇ 20-21 N 5 ◆ 14-15 O 6
Klamath Falls ○ **USA** ◆ 42-43 M 8
Klamath Mountains ▲ **USA** ◆ 42-43 M 8
Klamath River ~ **USA** ◆ 42-43 M 8
Klang ○ **MAL** ◆ 34-35 D 6
Klarälven ~ **S** ◇ 16-17 F 6 ◆ 14-15 O 3
Kle ○ **LB** ◆ 38-39 C 7
Klein Karoo = Little Karoo ∸ **ZA** ◆ 40-41 F 8
Klerksdorp ○ **ZA** ◆ 40-41 G 7
Klincy ○ **RUS** ◇ 22-23 N 5 ◆ 14-15 S 5
Ključevskaja Sopka, vulkan ▲ **RUS** ◆ 28-29 d 6
Ključi ○ **RUS** ◆ 28-29 d 6
Klondike Plateau ▲ **CDN** ◆ 42-43 H 4
Kluane Lake ○ **CDN** ◆ 42-43 J 4
Kluane National Park=Tatshenshini-Alsek Kluane National Park ⊥··· **CDN** ◆ 42-43 H 4
Knewstubb Lake ○ **CDN** ◆ 42-43 M 6
Knob, Cape ▲ **AUS** ◆ 36-37 D 6
Knowles, Cape ▲ **ARK** ◆ 13 F 30
Knox Land ∸ **ARK** ◆ 13 G 11
Knoxville ○ **USA** (TN) ◆ 44-45 K 3
Knud Rasmussen Land ∸ **GRØ** ◆ 42-43 Z 1
Knysna ○ **ZA** ◆ 40-41 F 8
Koalla ○ **BF** ◆ 38-39 E 6
Kobe ☆ **J** ◆ 30-31 Q 5
Kobe ○ **RI** ◆ 34-35 J 6
København ★·· **DK** ◇ 16-17 E 9 ◆ 14-15 O 4
Kobroor, Pulau ⌒ **RI** ◆ 34-35 K 8
Kobuk River ~ **USA** ◆ 42-43 F 3
Kobuk Valley National Park ⊥ **USA** ◆ 42-43 E 3
Kocaeli (İzmit) ☆ **TR** ◆ 14-15 R 7
Kočečum ~ **RUS** ◆ 28-29 R 4
Kōchi ☆· **J** ◆ 30-31 P 5
Koch Island ⌒ **CDN** ◆ 42-43 V 3
Kočubej ○ **RUS** ◆ 14-15 V 7
Kodiak ○ **USA** ◆ 42-43 F 5
Kodiak Island ⌒ **USA** ◆ 42-43 F 5
Kodok ○ **SUD** ◆ 38-39 M 7
Koës ○ **NAM** ◆ 40-41 E 7
Koettlitz Glacier ⊂ **ARK** ◆ 13 F 16
Koforidua ☆ **GH** ◆ 38-39 E 7
Kōfu ☆ **J** (YMN) ◆ 30-31 Q 4
Kogalym ○ **RUS** ◆ 28-29 L 5
Kohāt ○· **PK** ◆ 32-33 L 4
Kohima ☆·· **IND** ◆ 32-33 P 5
Kohler Range ▲ **ARK** ◆ 13 F 25
Kohtla-Järve ○·· **EST** ◇ 22-23 K 2 ◆ 14-15 R 4
Koidu ○ **WAL** ◆ 38-39 C 7
Kojonup ○ **AUS** ◆ 36-37 D 6
Kokkola ○ **FIN** ◆ 14-15 Q 3
Kökpektí ○ **KZ** ◆ 30-31 E 2
Kökšetau ☆ **KZ** ◆ 28-29 K 7
Koksoak, Rivière ~ **CDN** ◆ 42-43 X 5
Kokstad ○ **ZA** ◆ 40-41 G 8
Koktchetav = Kökšetau ☆ **KZ** ◆ 28-29 K 7
Kola, Péninsule de ⌣ **RUS** ◆ 14-15 S 2
Kola, Pulau ⌒ **RI** ◆ 34-35 K 8
Kolaka ○ **RI** ◆ 34-35 H 7
Kolbeinsey ⌒ **IS** ◆ 44-45 H 2
Kolbio ○ **EAK** ◆ 40-41 K 2
Kolda ☆ **SN** ◆ 38-39 C 6
Kolendo, Mount ▲ **AUS** ◆ 36-37 H 6
Kolguev, ostrov ⌒ **RUS** ◆ 28-29 F 4
Kolhāpur ○·· **IND** (MAH) ◆ 32-33 L 7
Koljučinskaja guba ≈ ◆ 28-29 j 4
Köln ○·· **D** ◇ 20-21 J 3 ◆ 14-15 N 5
Kolokani ○ **RMM** ◆ 38-39 D 6
Kolomna ☆·· **RUS** ◇ 22-23 Q 4 ◆ 14-15 T 4
Kolonedale ○ **RI** ◆ 34-35 H 7
Kolonia = Pohnpei ★ **FSM** ◆ 12 G 2
Kolpaševo ☆ **RUS** ◆ 28-29 N 6
Kolpino ○ **RUS** ◇ 22-23 M 2 ◆ 14-15 S 4
Kolwezi ○ **ZRE** ◆ 40-41 G 4
Kolyma ~ **RUS** ◆ 28-29 b 4
Kolyma, Monts de la = Kolymskoe nagor'e ▲ **RUS** ◆ 28-29 b 5
Kolymskaja nizmennost' ⌣ **RUS** ◆ 28-29 b 4
Kolymskoe nagor'e ▲ **RUS** ◆ 28-29 b 5
Komering ~ **RI** ◆ 34-35 D 7
Komis, République des □ **RUS** ◆ 28-29 G 5
Komono ○ **RCB** ◆ 40-41 D 2
Komoran, Pulau ⌒ **RI** ◆ 34-35 L 8
Komotiní ○ **GR** ◇ 26-27 K 4 ◆ 14-15 R 7
Komsomolec, ostrov ⌒ **RUS** ◆ 28-29 P 1
Komsomol'sk-na-Amure ○· **RUS** ◆ 28-29 Y 7
Komsomol'skoj Pravdy, ostrova ⌒ **RUS** ◆ 28-29 S 2
Komsomolsk-sur-l'Amour = Komsomol'sk-na-Amure ○· **RUS** ◆ 28-29 Y 7
Kona ○ **RMM** ◆ 38-39 E 6
Konaweha ~ **RI** ◆ 34-35 H 7
Konda ~ **RUS** ◆ 28-29 K 6
Kondoa ○ **EAT** ◆ 40-41 J 2
Koné ☆· **F** ◆ 36-37 N 4
Konecbor ○ **RUS** ◆ 28-29 H 5
Köneürgenč ☆ **TM** ◆ 32-33 H 2
Kong Christian IX Land ∸ **GRØ** ◆ 42-43 d 3
Kong Frederik IX Land ∸ **GRØ** ◆ 42-43 a 3
Kong Frederik VI Kyst ∸ **GRØ** ◆ 42-43 c 4
Kong Leopold og Dronning Astrid land ∸ **ARK** ◆ 13 F 9
Kongolo ○ **ZRE** ◆ 40-41 G 3
Kongur Shan ▲ **CHN** ◆ 30-31 D 4
Koni, poluostrov ⌣ **RUS** ◆ 28-29 b 6
Konoša ○ **RUS** ◇ 22-23 R 1 ◆ 14-15 U 3
Konotop ○ **UA** ◆ 14-15 S 5
Konta ○ **IND** ◆ 32-33 N 7
Kontagora ○ **WAN** ◆ 38-39 G 6
Kontcha ○ **CAM** ◆ 38-39 H 7
Kontinemo, Área Indígena X **BR** ◆ 46-47 J 5
Kon Tum ○ **VN** ◆ 34-35 E 4
Konya ☆·· **TR** ◆ 14-15 S 8
Konžakovskij Kamen', gora ▲ **RUS** ◆ 14-15 X 4
Kookooligit Mountains ▲ **USA** ◆ 42-43 B 4
Koolyanobbing ○ **AUS** ◆ 36-37 D 6
Kootenay River ~ **CDN** ◆ 42-43 N 6
Ko Phangan ⌒ **THA** ◆ 34-35 D 5
Ko Phuket ⌒·· **THA** ◆ 34-35 C 5
Koppe Dāġ ▲ **IR** ◆ 32-33 H 3
K'orahē ○ **ETH** ◆ 38-39 O 7
K'oran, Ēl ○ **ETH** ◆ 38-39 O 7
Kora National Park ⊥ **EAK** ◆ 40-41 J 2
Korbu, Gunung ▲ **MAL** ◆ 34-35 D 6
Korçë ☆·· **AL** ◇ 26-27 H 4 ◆ 14-15 Q 7
Korf ○ **RUS** ◆ 28-29 e 5
Korfa, zaliv ≈ ◆ 28-29 e 5
Korhogo ☆· **CI** ◆ 38-39 D 7
Koriakski, Monts = Korjakskoe nagor'e ▲ **RUS** ◆ 28-29 e 5
Kórinthos ○ **GR** ◇ 26-27 J 6 ◆ 14-15 Q 8
Korjakskaja Sopka, vulkan ▲ **RUS** ◆ 28-29 c 7
Korjakskoe nagor'e ▲ **RUS** ◆ 28-29 e 5
Korla ○ **CHN** ◆ 30-31 F 3
Koro ⌒ **FJI** ◆ 36-37 Q 3
Koroba ○ **PNG** ◆ 34-35 M 8
Koronadal ○ **RP** ◆ 34-35 H 5
Koror ★ **PAL** ◆ 34-35 K 5
Koro Sea ≈ ◆ 36-37 Q 3
Korosten' ○ **UA** ◆ 14-15 R 5
Korotčaevo ○ **RUS** ◆ 28-29 M 4
Korsakow ○ **RUS** ◆ 28-29 Z 8
Korsika ⌒ **F** ◇ 26-27 B 4 ◆ 14-15 N 7
Korup, Park National de ⊥ **CAM** ◆ 38-39 G 7
Ko Samui ⌒·· **THA** ◆ 34-35 D 5
Kosciusko, Mount ▲ **AUS** ◆ 36-37 K 7
Kosciusko National Park ⊥ **AUS** ◆ 36-37 K 7
Košice ○ **SK** ◇ 20-21 Q 4 ◆ 14-15 Q 6
Kosong ○ **KOR** ◆ 30-31 O 4
Kossou, Lac de < **CI** ◆ 38-39 D 7
Ķostanaj ☆ **KZ** ◆ 28-29 J 7

Jūbā — Ķostanaj **61**

Kostroma o· **RUS** (KOS) ◆ 22-23 R 3 ◆ 14-15 U 4
Koszalin ☆· **PL** ◆ 20-21 O 1 ◆ 14-15 P 5
Kota o **IND** (MAP) ◆ 32-33 N 6
Kota o **IND** (RAJ) ◆ 32-33 M 5
Kotabaru o **RI** ◆ 34-35 G 7
Kota Bharu ☆ **MAL** ◆ 34-35 D 5
Kota Bumi o **RI** ◆ 34-35 D 7
Kota Kinabalu ☆· **MAL** ◆ 34-35 G 5
Kotamobagu o **RI** ◆ 34-35 H 6
Kot Diji o·· **PK** ◆ 32-33 K 5
Koteľnyj, ostrov ⌒ **RUS** ◆ 28-29 Y 2
Kotido o **EAU** ◆ 38-39 M 8
Kotlas ☆ **RUS** ◆ 28-29 F 5
Kottagūdem o **IND** ◆ 32-33 N 7
Kotto ∼ **RCA** ◆ 38-39 K 7
Kotuj ∼ **RUS** ◆ 28-29 R 3
Kotzebue o **USA** ◆ 42-43 D 3
Kotzebue Sound ≈ ◆ 42-43 D 3
Kouango o **RCA** ◆ 38-39 J 7
Koudougou ☆ **BF** ◆ 38-39 E 6
Kouh Roud = Qohrūd, Kūhhā-ye ▲ **IR** ◆ 32-33 G 4
Koukdjuak, Great Plain of the ∸ **CDN** ◆ 42-43 W 3
Koulamoutou ☆ **G** ◆ 40-41 D 2
Koulikoro o **RMM** ◆ 38-39 D 6
Koundara o **RG** ◆ 38-39 C 6
Koupéla o **BF** ◆ 38-39 E 6
Kourou o **F** ◆ 46-47 J 3
Kouroussa o **RG** ◆ 38-39 D 6
Koussi, Emi ▲ **TCH** ◆ 38-39 J 5
Koustanaï = Kostanaj ☆ **KZ** ◆ 28-29 J 7
Koutiala o **RMM** ◆ 38-39 D 6
Kouyou ∼ **RCB** ◆ 40-41 E 2
Kovil' o **UA** ◆ 44-45 Q 6
Kovrov ☆ **RUS** ◆ 22-23 R 3 ◆ 14-15 U 4
Koweït ■ **KWT** ◆ 32-33 F 5
Koyukuk National Wildlife Refuge ⊥ **USA** ◆ 42-43 E 3
Koyukuk River ∼ **USA** ◆ 42-43 E 3
Kozáni ☆· **GR** ◆ 26-27 H 4 ◆ 14-15 Q 7
Kpalimé o· **RT** ◆ 38-39 F 7
Krâchéh o **K** ◆ 34-35 E 4
Kragujevac o· **YU** ◆ 26-27 H 2 ◆ 14-15 Q 7
Kraków ☆··· **PL** (KRA) ◆ 20-21 P 3 ◆ 14-15 P 5
Kralendijk o **NA** ◆ 44-45 N 8
Kraljevo o **YU** ◆ 26-27 H 3 ◆ 14-15 Q 7
Kramators'k o **UA** ◆ 14-15 T 6
Kraolândia, Área Indígena ✕ **BR** ◆ 46-47 K 6
Krasneno o **RUS** ◆ 28-29 f 5
Krasnodar ☆· **RUS** ◆ 14-15 T 6
Krasnoj Armii, proliv ≈ ◆ 28-29 P 2
Krasnojarsk ☆· **RUS** ◆ 28-29 P 6
Krasnojarskoe, vodohranilišče ⊖ **RUS** ◆ 28-29 P 7
Krasnokamensk ☆ **RUS** ◆ 28-29 U 7
Krasnokamsk o **RUS** ◆ 14-15 X 4
Kremenčuk o **UA** ◆ 14-15 S 6
Krenitzin Islands ⌒ **USA** ◆ 42-43 C 6
Kresta, zaliv ≈ ◆ 28-29 h 4
Kribi o· **CAM** ◆ 38-39 G 8
Krishna ∼ **IND** ◆ 32-33 M 7
Krishnagiri o **IND** ◆ 32-33 M 8
Kristiansand ☆ **N** ◆ 16-17 C 7 ◆ 14-15 N 4
Kristiansund ☆ **N** ◆ 16-17 C 5 ◆ 14-15 N 3
Krivyj Rih o **UA** ◆ 14-15 S 6
Krohnwodoke o **LB** ◆ 38-39 D 8
Krŏng Kaôh Kŏng o **K** ◆ 34-35 D 4
Kronockij, zaliv ≈ ◆ 28-29 d 7
Kronockij zapovednik ⊥ **RUS** ◆ 28-29 d 7
Kronockoe, ozero ⊖ **RUS** ◆ 28-29 d 7
Kronprinsesse Mærtha land ∸ **ARK** ◆ 13 F 35
Kronprins Olav land ∸ **ARK** ◆ 13 G 5
Kroonstad o **ZA** ◆ 40-41 G 7
Kropotkin o **RUS** ◆ 14-15 U 6
Kruger National Park ⊥·· **ZA** ◆ 40-41 H 6
Krugersdorp o **ZA** ◆ 40-41 G 7
Krui o **RI** ◆ 34-35 D 8
Kruis, Kaap = Cross, Cape ▲ **NAM** ◆ 40-41 D 6
Kryms'kyj pivostriv ⌣ **UA** ◆ 14-15 S 6
'Ksan Indian Village ·· **CDN** ◆ 42-43 L 5
Kuala Dungun o· **MAL** ◆ 34-35 D 6
Kualakapus o **RI** ◆ 34-35 F 7
Kuala Lumpur ★·· **MAL** ◆ 34-35 D 6
Kuala Terengganu ☆· **MAL** ◆ 34-35 D 5
Kuantan ☆·· **MAL** ◆ 34-35 D 6
Kuching ☆· **MAL** ◆ 34-35 F 6
Kudat o **MAL** ◆ 34-35 G 5
Kudus o· **RI** ◆ 34-35 F 8
Kufra, Wāhāt al ∸ **LAR** ◆ 38-39 K 4
Kūh-e Bahūn ▲ **IR** ◆ 32-33 H 5
Kūh-e Vāhān ▲ **AFG** ◆ 32-33 L 3
Kuiseb Canyon ∸·· **NAM** ◆ 40-41 E 6
Kuito ☆ **ANG** ◆ 40-41 E 4
Kujbyšev ☆· **RUS** ◆ 28-29 M 6
Kujdusun o **RUS** ◆ 28-29 Z 5
Kukawa o **WAN** ◆ 38-39 H 6
Kular, hrebet ▲ **RUS** ◆ 28-29 X 4
Kulgera o **AUS** ◆ 36-37 G 5
Kulim o **MAL** ◆ 34-35 D 5
Kulin o **AUS** ◆ 36-37 D 6
Kuljab ☆ **TJ** ◆ 32-33 K 3
Kūlsary ☆ **KZ** ◆ 44-45 W 6
Kulu ☆ **TR** ◆ 14-15 S 8
Kulunda ☆ **RUS** ◆ 28-29 M 7
Kulungu o **ZRE** ◆ 40-41 E 2
Kumamba, Kepulauan ⌒ **RI** ◆ 34-35 L 7
Kumamoto ☆· **J** ◆ 30-31 P 5
Kumanovo o· **MK** ◆ 26-27 H 3 ◆ 14-15 Q 7
Kumarina Roadhouse o **AUS** ◆ 36-37 D 4
Kumasi ☆··· **GH** ◆ 38-39 E 7
Kumba o **CAM** ◆ 38-39 G 8
Kumbakonam o **IND** ◆ 32-33 M 8
Kumbe o **RI** ◆ 34-35 M 8
Kumon Taungdan ▲ **MYA** ◆ 30-31 H 6
Kumta o **IND** ◆ 32-33 L 8
Kunašir, ostrov ⌒ **RUS** ◆ 30-31 S 3
Kundelungu, Parc National de ⊥ **ZRE** ◆ 40-41 G 4
Kundūz ☆· **AFG** ◆ 32-33 K 3
Kunene ∼ **NAM** ◆ 40-41 D 5
Kŭngirod o **UZ** ◆ 32-33 H 2
Kungu o **ZRE** ◆ 38-39 J 8
Kungur ☆ **RUS** ◆ 14-15 X 4
Kunlun Shan ▲ **CHN** ◆ 30-31 D 4
Kunming ☆· **CHN** ◆ 30-31 J 6
Kunsan o **ROK** ◆ 30-31 O 4
Kununurra o **AUS** ◆ 36-37 F 3
Kuonamka, Bol'šaja ∼ **RUS** ◆ 28-29 T 3
Kuopio ☆ **FIN** ◆ 14-15 R 3
Kupang ☆ **RI** ◆ 34-35 H 9
Kupiano o **PNG** ◆ 34-35 N 9
Kupreanof Island ⌒ **USA** ◆ 42-43 K 5
Kuqa o **CHN** ◆ 30-31 E 3
Kura ∼ **AZ** ◆ 14-15 V 7
Kura = Kür ∼ **AZ** ◆ 14-15 V 7
Kurdufān ∸ **SUD** ◆ 38-39 L 6
Küre Dağları ▲ **TR** ◆ 14-15 S 7
Kurejka ∼ **RUS** ◆ 28-29 P 4
Kurejskoe vodohranilišče ‹ **RUS** ◆ 28-29 O 4
Kuressaare o·· **EST** ◆ 22-23 H 2 ◆ 14-15 Q 4
Kurgan ☆ **RUS** ◆ 28-29 K 6
Kurgan-Tjube ☆ **TJ** ◆ 32-33 K 3
Kuril'sk o **RUS** ◆ 28-29 a 8
Kuril'skaja kotl. ≃ ◆ 10-11 O 4
Kuril'skaja kotlovina ≃ ◆ 28-29 a 8
Kurmuk o **SUD** ◆ 38-39 M 6
Kurnool o **IND** ◆ 32-33 M 7
Kuror, Ğabal ▲ **SUD** ◆ 38-39 M 4
Kursk o **RUS** ◆ 14-15 T 5
Kuruktag ▲ **CHN** ◆ 30-31 F 3
Kuruman o **ZA** (CAP) ◆ 40-41 F 7
Kuruman ∼ **ZA** ◆ 40-41 F 7
Kurumkan ☆ **RUS** ◆ 28-29 T 7
Kurunegala o **CL** ◆ 32-33 N 9
Kushiro o **J** ◆ 30-31 R 3
Kusiwigasi, Mount ▲ **PNG** ◆ 34-35 M 7
Kuskokwim Bay ≈ ◆ 42-43 D 5
Kuskokwim Mountains ▲ **USA** ◆ 42-43 E 4
Kuskokwim River ∼ **USA** ◆ 42-43 D 4
Ķusmūryn o **KZ** ◆ 28-29 J 7
Kūstī ☆ **SUD** ◆ 38-39 M 6
Kūt, al- ☆ **IRQ** ◆ 32-33 F 4
Kütahya ☆ **TR** ◆ 14-15 R 8
Kutaisi o· **GE** ◆ 14-15 U 7
Kutana o **RUS** ◆ 28-29 X 6
Kutch, Golfe de = Kachchh, Gulf of ≈ ◆ 32-33 K 6
Kutop'jugan o **RUS** ◆ 28-29 L 4
Kutse Game Reserve ⊥ **RB** ◆ 40-41 F 6
Kutu o **ZRE** ◆ 40-41 E 2
Kuujjuaq o **CDN** ◆ 42-43 X 5
Kuusamo o **FIN** ◆ 14-15 R 2
Kuwait, al- ★ **KWT** ◆ 32-33 F 5
Kuytun o **CHN** ◆ 30-31 E 3
Kuzneck o **RUS** ◆ 14-15 V 5
Kvichak Bay ≈ ◆ 42-43 E 5
Kvitøya ⌒ **N** ◆ 13 A 15
Kwadacha Wilderness Provincial Park ⊥ **CDN** ◆ 42-43 L 5
Kwamouth o **ZRE** ◆ 40-41 E 2
Kwangju o **ROK** ◆ 30-31 O 4
Kwango ∼ **ZRE** ◆ 40-41 E 3
Kwania, Lake ⊖ **EAU** ◆ 40-41 H 1
Kwara □ **WAN** ◆ 38-39 F 7
Kwekwe o **ZW** ◆ 40-41 G 5
Kwenge ∼ **ZRE** ◆ 40-41 E 3
Kwiambana Game Reserve ⊥ **WAN** ◆ 38-39 G 6
Kwilu ∼ **ZRE** ◆ 40-41 E 3
Kwinana o **AUS** ◆ 36-37 D 6
Kyancutta o **AUS** ◆ 36-37 H 6
Kyaukme o **MYA** ◆ 30-31 H 7
Kyaukpyu o **MYA** ◆ 34-35 B 3
Kyjiv ★··· **UA** ◆ 14-15 S 5
Kynuna o **AUS** ◆ 36-37 J 4
Kyoga, Lake ⊖ **EAU** ◆ 40-41 H 1
Kyōto ☆··· **J** ◆ 30-31 Q 5
Kyren o **RUS** ◆ 28-29 R 7
Kystyk, plato ▲ **RUS** ◆ 28-29 V 3
Kytyl-Djura o **RUS** ◆ 28-29 W 5
Kyūshū ⌒ **J** ◆ 30-31 P 5
Kyushu-Palau, Seuil ≃ ◆ 30-31 P 6
Kyzyl ☆ **RUS** ◆ 28-29 P 7
Kyzylorda ☆ **KZ** ◆ 32-33 K 2
Kyzyltu ☆ **KZ** ◆ 28-29 L 7

L

Laascaanood o **SP** ◆ 38-39 P 7
Laasqoray o **SP** ◆ 38-39 P 6
Labasa o **FJI** ◆ 36-37 Q 3
Labbezzanga o **RMM** ◆ 38-39 F 6
Labdah ∴··· **LAR** ◆ 38-39 H 2
Labé ☆ **RG** (LAB) ◆ 38-39 C 6
Laboulaye o **RA** ◆ 48 E 4
Labrador ∸ **CDN** ◆ 42-43 W 5
Labrador, Bassin du ≃ ◆ 42-43 a 5
Labrador, Cape ▲ **CDN** ◆ 42-43 Y 4
Labrador, Coast of ∸ **CDN** ◆ 42-43 Y 5
Labrador, Mer du ≈ ◆ 42-43 Z 4
Labrador City o **CDN** ◆ 42-43 X 6
Lábrea o **BR** ◆ 46-47 G 6
Lacanau o **F** ◆ 18-19 G 9 ◆ 14-15
Lacanau-Océan o **F** ◆ 18-19 G 9 ◆ 14-15
Lacaune o **F** ◆ 18-19 J 10 ◆ 14-15
Lac Blanc = Beloe, ozero ⊖ **RUS** ◆ 22-23 P 1 ◆ 14-15 T 3
Lac Eyre, Bassin du = Lake Eyre Basin ⌣ **AUS** ◆ 36-37 H 5
La Corogne = Coruña, A ☆·· **E** ◆ 24-25 C 3 ◆ 14-15 K 7
La Crosse o **USA** ◆ 44-45 H 2
Lac Seul o **CDN** ◆ 42-43 S 6
Lādiqiya, al- ☆ **SYR** ◆ 32-33 D 3
Ladožskoe ozero ⊖ **RUS** ◆ 14-15 S 3
Lady Newnes Ice Shelf ⊂ **ARK** ◆ 13 F 18
Ladysmith o **ZA** ◆ 40-41 G 7
Lae ☆ **PNG** ◆ 34-35 N 8
Lafayette o **USA** (IN) ◆ 44-45 J 2
Lafayette o· **USA** (LA) ◆ 44-45 H 4
Lafia o **WAN** ◆ 38-39 G 7
Lafoi, Chute de la ∼·· **ZRE** ◆ 40-41 G 4
Lagan' ☆ **RUS** ◆ 14-15 V 6
Lågen ∼ **N** ◆ 16-17 E 6 ◆ 14-15 N 3
Lages o **BR** ◆ 48 G 3
Laǧǧ, Umm o **KSA** ◆ 32-33 D 5
Laghouart o· **DZ** ◆ 38-39 F 2
Lago Piratuba, Parque Natural do ⊥ **BR** ◆ 46-47 J 4
Lagos o **P** ◆ 24-25 C 6 ◆ 14-15 K 8
Lagos ☆· **WAN** (LAG) ◆ 38-39 F 7
Lagossa o **EAT** ◆ 40-41 G 3
La Grange ✕ **AUS** ◆ 36-37 E 3
La Grange Bay ≈ ◆ 36-37 E 3
Laguna o· **BR** ◆ 48 H 3
Laguna de Chacahua, Parque Natural ⊥ **MEX** ◆ 44-45 G 7
Laguna San Rafael, Parque Nacional ⊥ **RCH** ◆ 48 C 7
Laguna Yema o **RA** ◆ 48 E 2
La Habana ★··· **C** ◆ 44-45 K 6
Lahat o **RI** ◆ 34-35 D 7
La Havane = La Habana ★··· **C** ◆ 44-45 K 6
Lahore ☆··· **PK** ◆ 32-33 L 4
Lahti o **FIN** ◆ 14-15 R 3
Laï ☆ **TCH** ◆ 38-39 J 7
Lai Châu ☆ **VN** ◆ 34-35 D 2
Lailā o **KSA** ◆ 32-33 F 6
Laingsburg o **ZA** ◆ 40-41 F 8
Laiwu o **CHN** ◆ 30-31 M 4
Laiyang o **CHN** ◆ 30-31 N 4
Laiyuan o **CHN** ◆ 30-31 L 4
Laizhou Wan ≈ ◆ 30-31 M 4
Lajes o **BR** ◆ 46-47 M 6
Lake Charles o **USA** ◆ 44-45 H 4
Lake Clark National Park and Preserve ⊥ **USA** ◆ 42-43 F 4
Lake District National Park ⊥ **GB** ◆ 18-19 F 4 ◆ 14-15 L 5
Lake Eyre Basin ⌣ **AUS** ◆ 36-37 H 5
Lake Eyre National Park ⊥ **AUS** ◆ 36-37 H 5
Lake Gairdner National Park ⊥ **AUS** ◆ 36-37 H 6
Lake Grace o **AUS** ◆ 36-37 D 6
Lake Harbour o **CDN** ◆ 42-43 X 4
Lake Havasu City o **USA** ◆ 44-45 D 4
Lake Mackay Aboriginal Land ✕ **AUS** ◆ 36-37 F 4
Lake Malawi National Park ⊥··· **MW** ◆ 40-41 H 4
Lake Torrens National Park ⊥ **AUS** ◆ 36-37 H 6
Lake Wales o **USA** ◆ 44-45 K 5
Lakhimpur o **IND** ◆ 32-33 N 5
Lakhpat o **IND** ◆ 32-33 K 6
Lakselv o **N** ◆ 16-17 M 1 ◆ 14-15 Q 1
Lakshadweep □ **IND** ◆ 32-33 L 8
Lakshadweep Sea ≈ ◆ 32-33 L 8
Lakuramau o **PNG** ◆ 34-35 O 7
Lālezār, Kūh-e ▲ **IR** ◆ 32-33 H 5
Lalibela o··· **ETH** ◆ 38-39 N 6
Lalindu ∼ **RI** ◆ 34-35 H 7
Lalitpur o **IND** ◆ 32-33 M 6
Lalitpur o·· **NEP** ◆ 32-33 O 5
Lamalaga ∸ **WSA** ◆ 38-39 B 4
Lamassa o **PNG** ◆ 34-35 O 7
Lamballe o **F** ◆ 18-19 F 7 ◆ 14-15
Lambaréné ☆· **G** ◆ 40-41 D 2
Lambert Glacier ⊂ **ARK** ◆ 13 F 8
Lambton, Cape ▲ **CDN** ◆ 42-43 M 2
Lame Burra Game Reserve ⊥ **WAN** ◆ 38-39 G 6
La Mecque = Makka ☆·· **KSA** ◆ 32-33 D 6
Lamía o **GR** ◆ 26-27 J 5 ◆ 14-15 Q 8
Lamon Bay ≈ ◆ 34-35 H 3
Lamotrek Atoll ⌒ **FSM** ◆ 34-35 N 5
Lampang o **THA** ◆ 34-35 C 3
Lampedusa, Ísola di ⌒ **I** ◆ 26-27 D 7 ◆ 14-15 O 8
Lamu o· **EAK** ◆ 40-41 K 2
Lamu Island ⌒ **EAK** ◆ 40-41 K 2
Lanai ⌒ **USA** ◆ 44-45 b 6
Lancang o **CHN** ◆ 30-31 J 7
Lancang Jiang ∼ **CHN** ◆ 30-31 J 7
Lancaster o **USA** (SC) ◆ 44-45 K 4
Lancaster o **USA** (CA) ◆ 44-45 C 4
Lancaster Sound ≈ ◆ 42-43 T 2
Lander River ∼ **AUS** ◆ 36-37 G 4
Landes de Gascogne, Parc Naturel Régional des ⊥ **F** ◆ 18-19 G 9 ◆ 14-15 L 7
Land's End ▲·· **GB** ◆ 18-19 E 6 ◆ 14-15 K 5
Landshut o·· **D** ◆ 20-21 M 4 ◆ 14-15 O 6
Lan'ga Co ⊖ **CHN** ◆ 30-31 E 5
Langeac o **F** ◆ 18-19 J 9 ◆ 14-15
Langfang o **CHN** ◆ 30-31 M 4
Langkawi, Pulau ⌒ **MAL** ◆ 34-35 C 5
Langogne o **F** ◆ 18-19 J 9 ◆ 14-15
Langon o **F** ◆ 18-19 G 9 ◆ 14-15
Langres o· **F** ◆ 18-19 K 8 ◆ 14-15 N 6
Langsa o **RI** ◆ 34-35 C 6
Lạng So'n ☆ **VN** ◆ 34-35 E 2
Lang Suan o **THA** ◆ 34-35 C 5
Längtans udde ▲ **ARK** ◆ 13 G 31
Langudi Rassa National Park ⊥ **ETH** ◆ 38-39 O 6
Languedoc ∸ **F** ◆ 18-19 J 10 ◆ 14-15
Languedoc-Roussillon □ **F** ◆ 18-19 J 10 ◆ 14-15
Lanín, Parque Nacional ⊥ **RA** ◆ 48 C 5
Lankaran o· **AZ** ◆ 32-33 F 3
Lannemezan o **F** ◆ 18-19 H 10 ◆ 14-15
Lannion o **F** ◆ 18-19 F 7 ◆ 14-15 L 6
L'Anse aux Meadows National Historic Park ⊥··· **CDN** ◆ 42-43 Z 6
Lansing ☆ **USA** (MI) ◆ 42-43 U 8
Lanthenay, Romorantin- o **F** ◆ 18-19 H 8 ◆ 14-15
Lanxi o **CHN** (HEI) ◆ 30-31 O 2
Lanyu ⌒ **RC** ◆ 30-31 N 7
Lanzarote ⌒ **E** ◆ 38-39 C 3
Lanzhou ☆· **CHN** ◆ 30-31 J 4
Laoag ☆ **RP** ◆ 34-35 H 3
Laohekou o **CHN** ◆ 30-31 L 5
Laon ☆· **F** ◆ 18-19 J 7 ◆ 14-15
Laoong o **RP** ◆ 34-35 J 4
Laos ■ **LAO** ◆ 34-35 D 3
Lapa o **BR** ◆ 48 H 3
Lapalisse o **F** ◆ 18-19 J 8 ◆ 14-15
La Pampa □ **RA** ◆ 48 D 5
La Paz ★· **BOL** ◆ 46-47 F 8
La Paz ☆· **MEX** ◆ 44-45 D 6
La Pérouse, Détroit de ≈ ◆ 28-29 Z 8
La Plata ☆· **RA** ◆ 48 F 4
Lappeenranta o· **FIN** ◆ 14-15 R 3
Lappland ∸ ◆ 16-17 H 3 ◆ 14-15 P 2
Laptev, Mer des ≈ ◆ 28-29 U 2
Laquedives, Îles ⌒ **IND** ◆ 32-33 L 9
Laquedives, Îles = Lakshadweep □ **IND** ◆ 32-33 L 8
Laquedives, Mer des = Lakshadweep Sea ≈ ◆ 32-33 L 8
Laramie o **USA** ◆ 44-45 E 2
Laramie Mountains ▲ **USA** ◆ 44-45 E 2
Larantuka o **RI** ◆ 34-35 H 8
Laredo o **USA** ◆ 44-45 G 5
Largeau ☆ **TCH** ◆ 38-39 J 5
Largo, Cayo ⌒ **C** ◆ 44-45 K 6
La Rioja □ **RA** ◆ 48 D 3
Lárissa o **GR** ◆ 26-27 J 5 ◆ 14-15 Q 8
Lārkāna o· **PK** ◆ 32-33 K 5
Larnaka o· **CY** ◆ 14-15 S 9
Larocu, Qaṣr o **LAR** ◆ 38-39 H 3
La Romana ☆ **DOM** ◆ 44-45 N 7
la Ronge, Lac ⊖ **CDN** ◆ 42-43 P 5
Larrey Point ▲ **AUS** ◆ 36-37 D 3
Larrimah o **AUS** ◆ 36-37 G 3
Lars Christensen land ∸ **ARK** ◆ 13 G 7
Larsen Is-shelf ⊂ **ARK** ◆ 13 G 30
Lascaux, Grotte de ··· **F** ◆ 18-19 H 9 ◆ 14-15
Lascelles o **AUS** ◆ 36-37 J 7
Laškargāh ☆· **AFG** ◆ 32-33 J 4
La Spézia o·· **I** ◆ 26-27 B 2 ◆ 14-15 N 7
Lassen Volcanic National Park ⊥ **USA** ◆ 44-45 B 2
Lastoursville o **G** ◆ 40-41 D 2
Las Tunas ☆ **C** ◆ 44-45 L 6
Las Vegas o **USA** (NM) ◆ 44-45 E 3
Las Vegas o·· **USA** (NV) ◆ 44-45 C 3
Latacunga ☆ **EC** ◆ 46-47 D 5
Latady Island ⌒ **ARK** ◆ 13 F 29
Latina ☆ **I** ◆ 26-27 D 4 ◆ 14-15 O 7
Lattaquié = Lādiqiya, al- ☆ **SYR** ◆ 32-33 D 3
Lātūr o **IND** ◆ 32-33 M 7
Lauca, Parque Nacional ⊥ **RCH** ◆ 46-47 F 8
Laudar o **Y** ◆ 32-33 F 8
Lauge Koch Kyst ∸ **GRØ** ◆ 42-43 Y 1
Laughlen, Mount ▲ **AUS** ◆ 36-37 G 4
Launceston o **AUS** ◆ 36-37 K 8
Laura o **AUS** (QLD) ◆ 36-37 J 3
Laurel o **USA** (MS) ◆ 44-45 J 4
Laurie Island ⌒ **ARK** ◆ 13 G 32
Lausanne ☆· **CH** ◆ 20-21 J 5 ◆ 14-15 N 6
Laut, Pulau ⌒ **RI** ◆ 34-35 E 6
Laut, Pulau ⌒ **RI** ◆ 34-35 G 7
Lautaret, Col du ▲· **F** ◆ 18-19 L 9 ◆ 14-15
Laut Kecil, Kepulauan ⌒ **RI** ◆ 34-35 G 7
Lautoka o **FJI** ◆ 36-37 Q 3
Laval ☆· **F** ◆ 18-19 G 7 ◆ 14-15 L 6
Lāvān, Ğazīre-ye ⌒ **IR** ◆ 32-33 G 5
Lavapié, Punta ▲ **RCH** ◆ 48 C 5
Lavaur o **F** ◆ 18-19 H 10 ◆ 14-15
Laverton o **AUS** ◆ 36-37 E 5
Lavongai = New Hanover ⌒ **PNG** ◆ 34-35 O 7
Lavras o **BR** ◆ 48 J 2
Lavumisa o **SD** ◆ 40-41 H 7
Lawowa o **RI** ◆ 34-35 H 7
Lawrence o **USA** (KS) ◆ 44-45 G 3
Lawton o **USA** (TX) ◆ 44-45 G 4
Lawushi Manda National Park ⊥ **Z** ◆ 40-41 H 4
Lazarev o **RUS** ◆ 28-29 Z 7
Lazarevskoe o **RUS** ◆ 14-15 T 7
Lázaro Cárdenas o **MEX** (MIC) ◆ 44-45 F 7
Learmonth o **AUS** ◆ 36-37 C 4
Lebanon o **USA** (MO) ◆ 44-45 H 3
Lebanon o **USA** (KS) ◆ 44-45 G 3
Lebo o **ZRE** ◆ 38-39 K 8
Lebu o **RCH** ◆ 48 C 5
Le Caire = al-Qāhira ★··· **ET** ◆ 38-39 M 3
Le Cap = Cape Town/Kaapstad ☆·· **ZA** ◆ 40-41 E 8
Lecce ☆· **I** ◆ 26-27 G 4 ◆ 14-15 P 7
Ledjanaja, gora ▲ **RUS** ◆ 28-29 f 5
Lednikovaja, gora ▲ **RUS** ◆ 28-29 S 2
Leeds o· **GB** ◆ 18-19 G 5 ◆ 14-15 L 5
Leeuwin, Cape ▲ **AUS** ◆ 36-37 D 6
Leeward Islands ⌒ ◆ 44-45 O 7
Léfini, Réserve de chasse de la ⊥ **RCB** ◆ 40-41 E 2
Lefkáda ⌒ **GR** ◆ 26-27 H 5 ◆ 14-15 Q 8
Lefkosia ★·· **CY** ◆ 14-15 S 8
Lefroy, Lake ⊖ **AUS** ◆ 36-37 E 6
Legazpi ☆ **RP** ◆ 34-35 H 4
Legnica ☆· **PL** ◆ 20-21 O 3 ◆ 14-15 P 5
Leh o· **IND** ◆ 32-33 M 4
Le Havre o **F** ◆ 18-19 H 7 ◆ 14-15 M 6
Leiah o **PK** ◆ 32-33 L 4
Leichhardt, Mount ▲ **AUS** ◆ 36-37 G 4
Leigh Creek o **AUS** ◆ 36-37 H 6
Leipzig o·· **D** ◆ 20-21 M 3 ◆ 14-15 O 5
Leiyang o **CHN** ◆ 30-31 L 6
Leizhou Bandao ⌣ **CHN** ◆ 30-31 L 7
Leleque o **RA** ◆ 48 C 6
Lelingluang o **RI** ◆ 34-35 K 8
Le Maire, Estrecho de ≈ ◆ 48 D 8
Lemankoa o **PNG** ◆ 34-35 O 8
Le Mans o· **F** ◆ 18-19 H 8 ◆ 14-15 M 6
Lemesos o· **CY** ◆ 14-15 S 9
Lemieux Islands ⌒ **CDN** ◆ 42-43 X 4
Le Mont Saint-Michel o··· **F** ◆ 18-19 G 7 ◆ 14-15
Lena ∼ **RUS** ◆ 28-29 V 4
Lena, Delta de la ⌣ **RUS** ◆ 28-29 W 3
Lençóis o **BR** ◆ 46-47 L 7
Lenge, Bandar-e o· **IR** ◆ 32-33 G 5
Lengua de Vaca, Punta ▲ **RCH** ◆ 48 C 4
Lengwe National Park ⊥ **MW** ◆ 40-41 H 5
Lenin, Qullai ▲ **KS** ◆ 32-33 L 3
Leninogorsk ☆ **RUS** ◆ 14-15 W 5
Leninsk-Kuzneckij ☆ **RUS** ◆ 28-29 O 7
Leno-Angarskoe plato ∸ **RUS** ◆ 28-29 R 7
Lens o **F** ◆ 18-19 J 6 ◆ 14-15
Lensk ☆· **RUS** ◆ 28-29 T 5
Léo o **BF** ◆ 38-39 E 6
León o· **E** ◆ 24-25 E 3 ◆ 14-15 K 7
Léon o **F** ◆ 18-19 G 10 ◆ 14-15
León o· **MEX** ◆ 44-45 F 6
León ☆·· **NIC** ◆ 44-45 J 8
León, Cerro ▲ **MEX** ◆ 44-45 G 7
Leonardville o **NAM** ◆ 40-41 E 6
Leonora o **AUS** ◆ 36-37 E 5
Lepsí o **KZ** ◆ 28-29 M 8
Leptis Magna = Labdah ∴··· **LAR** ◆ 38-39 H 2
Lérida = Lleida o·· **E** ◆ 24-25 H 4 ◆ 14-15 M 7
Lerwick o **GB** ◆ 18-19 G 1 ◆ 14-15 L 3
Lescoff o **F** ◆ 18-19 E 7 ◆ 14-15
Leshan o **CHN** ◆ 30-31 J 6
Leskino o **RUS** ◆ 28-29 M 3
Lesosibirsk o **RUS** ◆ 28-29 P 6
Lesotho ■ **LS** ◆ 40-41 G 7
Lesperon o **F** ◆ 18-19 G 10 ◆ 14-15
Lesser Slave Lake ⊖ **CDN** ◆ 42-43 N 5
Lesvos ⌒ **GR** ◆ 26-27 L 5 ◆ 14-15 R 8
Leszno ☆· **PL** ◆ 20-21 O 3 ◆ 14-15 P 5
Lethbridge o· **CDN** ◆ 42-43 O 7
Lethem ☆ **GUY** ◆ 46-47 H 4
Leti, Kepulauan ⌒ **RI** ◆ 34-35 J 8
Leticia o **CO** ◆ 46-47 F 5
Lettonie ■ **LV** ◆ 22-23 J 3 ◆ 14-15 Q 4
Leveque, Cape ▲ **AUS** ◆ 36-37 E 3
Leverett Glacier ⊂ **ARK** ◆ 13 E 0
Levick, Mount ▲ **ARK** ◆ 13 F 17
Levroux o **F** ◆ 18-19 H 8 ◆ 14-15
Lewis ⌒ **GB** ◆ 18-19 D 2 ◆ 14-15 K 4
Lewis Range ▲ **USA** ◆ 42-43 O 7
Lewiston o **USA** (ID) ◆ 42-43 N 7
Lexington o **USA** (KY) ◆ 44-45 K 3
Leyte ⌒ **RP** ◆ 34-35 H 4
LG Deux, Réservoir de ⊖ **CDN** ◆ 42-43 V 6
L'gotny, mys ▲ **RUS** ◆ 28-29 Y 6
Lhasa ☆··· **CHN** ◆ 30-31 G 6
Lhokseumawe o **RI** ◆ 34-35 C 5
Lianga o **RP** ◆ 34-35 J 5
Liangpran, Gunung ▲ **RI** ◆ 34-35 F 6
Lianyuan o **CHN** ◆ 30-31 L 6
Lianyungang o **CHN** ◆ 30-31 M 5
Liaodong, Golfe de = Liaodong Wan ≈ ◆ 30-31 N 3
Liaodong Wan ≈ ◆ 30-31 N 3
Liao He ∼ **CHN** ◆ 30-31 N 3
Liaoning □ **CHN** ◆ 30-31 N 3
Liaoyuan o **CHN** ◆ 30-31 O 3
Liard Plateau ▲ **CDN** ◆ 42-43 L 4
Liard River ∼ **CDN** ◆ 42-43 M 4
Liban ■ **RL** ◆ 32-33 D 4
Libenge o **ZRE** ◆ 38-39 J 8
Liberal o **USA** ◆ 44-45 F 3
Liberia ☆ **CR** ◆ 44-45 J 8
Liberia ■ **LB** ◆ 38-39 C 7
Liboi o **EAK** ◆ 40-41 K 1
Libourne o **F** ◆ 18-19 G 9 ◆ 14-15
Libreville ★· **G** ◆ 40-41 C 1
Libye ■ **LAR** ◆ 38-39 H 3
Libye, Désert de ∸ **LAR** ◆ 38-39 K 3
Lichinga ☆ **MOC** ◆ 40-41 J 4
Lichtenburg o **ZA** ◆ 40-41 G 7
Liebig, Mount ▲ **AUS** ◆ 36-37 G 4
Liechtenstein ■ **FL** ◆ 20-21 K 5 ◆ 14-15 N 6
Liège ☆· **B** ◆ 20-21 H 3 ◆ 14-15 N 5
Lienz o **A** ◆ 20-21 M 5 ◆ 14-15 O 6
Lifou ⌒ **F** ◆ 36-37 O 4
Light, Cape ▲ **ARK** ◆ 13 F 30
Ligne, Îles de la ⌒ **KIB** ◆ 12 M 2
Ligonha, Rio ∼ **MOC** ◆ 40-41 J 5
Ligua, La o **RCH** (COQ) ◆ 48 C 4
Ligunga o **EAT** ◆ 40-41 J 4
Ligurienne, Mer ≈ ◆ 26-27 B 3 ◆ 14-15 N 7
Lihir Group ⌒ **PNG** ◆ 34-35 O 7
Lihou Reefs and Cays ⌒ **AUS** ◆ 36-37 L 3
Lihue o **USA** ◆ 44-45 b 6
Lijiang o· **CHN** (YUN) ◆ 30-31 J 6
Likasi o **ZRE** ◆ 40-41 G 4
Likati o **ZRE** (Hau) ◆ 38-39 K 8
Likouala ∼ **RCB** ◆ 40-41 E 1
Lille ☆ **F** ◆ 18-19 J 6 ◆ 14-15 M 5
Lillehammer ☆ **N** ◆ 16-17 E 6 ◆ 14-15 O 3
Lilongwe ★· **MW** ◆ 40-41 H 4
Lima ★··· **PE** ◆ 46-47 D 7
Lima o **PY** ◆ 48 F 2
Lima o **USA** ◆ 44-45 K 2
Limay, Río ∼ **RA** ◆ 48 D 5
Limba Limba ∼ **EAT** ◆ 40-41 H 3
Limbé o· **CAM** ◆ 38-39 G 8
Limeira o **BR** (PAU) ◆ 48 H 2
Limerick = Luimneach o **IRL** ◆ 18-19 C 5 ◆ 14-15 K 5
Limmen Bight River ∼ **AUS** ◆ 36-37 H 3
Límnos ⌒ **GR** ◆ 26-27 K 5 ◆ 14-15 R 8
Limoges ☆· **F** ◆ 18-19 H 9 ◆ 14-15 M 6
Limousin □ **F** ◆ 18-19 H 9 ◆ 14-15
Limoux o **F** ◆ 18-19 J 10 ◆ 14-15
Limpopo ∼ **ZA** ◆ 40-41 G 6
Limpopo, Rio ∼ **MOC** ◆ 40-41 H 6
Linares o **E** ◆ 24-25 F 5 ◆ 14-15 L 8
Linares o **MEX** ◆ 44-45 G 6
Linares o **RCH** ◆ 48 C 5
Lincang o **CHN** ◆ 30-31 J 7
Linchuan o **CHN** ◆ 30-31 M 6
Lincoln o **RA** ◆ 48 E 4
Lincoln ☆ **USA** (NE) ◆ 44-45 G 2
Lincoln Island = Dong Dao ⌒ **CHN** ◆ 34-35 F 3
Lincoln National Park ⊥ **AUS** ◆ 36-37 H 6
Linde ∼ **RUS** ◆ 28-29 U 4
Lindi ☆· **EAT** ◆ 40-41 J 3
Lindi ∼ **ZRE** ◆ 40-41 G 1
Lindi Bay ≈ ◆ 40-41 J 3
Linfen o **CHN** ◆ 30-31 L 4
Lingayen Gulf ≈ ◆ 34-35 H 3
Lingga, Pulau ⌒ **RI** ◆ 34-35 D 7
Linguère o **SN** ◆ 38-39 B 5
Linh, Ngọc ▲ **VN** ◆ 34-35 E 3
Linhai o **CHN** ◆ 30-31 N 6
Linhares o **BR** ◆ 46-47 L 8
Linhe o **CHN** ◆ 30-31 K 3
Linköping ☆· **S** ◆ 16-17 G 7 ◆ 14-15 P 4
Linkou o **CHN** ◆ 30-31 P 2
Lins o **BR** ◆ 48 H 2
Linxia o **CHN** ◆ 30-31 J 4
Linyanti ∼ **RB** ◆ 40-41 F 5
Linyi o **CHN** (SHD) ◆ 30-31 M 4
Linz ☆·· **A** ◆ 20-21 N 4 ◆ 14-15 O 6
Lion, Golfe du ≈ ◆ 18-19 J 10 ◆ 14-15 M 7
Liouesso o **RCB** ◆ 40-41 E 1
Lipeck o **RUS** ◆ 22-23 Q 5 ◆ 14-15 T 5
Lipobane, Ponta ▲ **MOC** ◆ 40-41 J 5
Lira o **EAU** ◆ 38-39 M 8
Liranga o **RCB** ◆ 40-41 E 2
Lisala o **ZRE** ◆ 38-39 K 8
Lisboa ★··· **P** ◆ 24-25 C 5 ◆ 14-15 K 8
Lisbonne = Lisboa ★··· **P** ◆ 24-25 C 5 ◆ 14-15 K 8
Lisburne, Cape ▲ **USA** ◆ 42-43 C 3
Lishui o **CHN** ◆ 30-31 M 6
Lisieux o· **F** ◆ 18-19 H 7 ◆ 14-15
Lisjanskogo, poluostrov ⌣ **RUS** ◆ 28-29 a 6
Liski o **RUS** ◆ 14-15 T 5
Lismore o **AUS** (NSW) ◆ 36-37 L 5
Lister, Mount ▲ **ARK** ◆ 13 F 17
Litang o **CHN** (SIC) ◆ 30-31 J 5
Lithgow o **AUS** ◆ 36-37 L 6
Litke, proliv ≈ ◆ 28-29 d 6
Little Andaman ⌒ **IND** ◆ 34-35 B 4
Little Colorado River ∼ **USA** ◆ 44-45 E 4
Little Mecatina River ∼ **CDN** ◆ 42-43 Y 6
Little Missouri River ∼ **USA** ◆ 42-43 Q 7
Little Nicobar Island ⌒ **IND** ◆ 34-35 B 5
Little Rock ☆ **USA** ◆ 44-45 H 4
Lituanie ■ **LT** ◆ 22-23 G 4 ◆ 14-15 Q 4
Liupanshui o **CHN** ◆ 30-31 J 6
Liuwa Plain National Park ⊥ **Z** ◆ 40-41 F 4
Liuzhou o· **CHN** ◆ 30-31 K 7
Livadiá o· **GR** ◆ 26-27 J 5 ◆ 14-15 Q 8
Livermore, Mount ▲ **USA** ◆ 44-45 F 4
Liverpool o· **GB** ◆ 18-19 F 5 ◆ 14-15 L 5
Liverpool Bay ≈ ◆ 42-43 K 3
Livingstone ☆ **Z** ◆ 40-41 G 5
Livingston Island ⌒ **ARK** ◆ 13 G 30
Livorno o **I** ◆ 26-27 C 3 ◆ 14-15 O 7
Livourne = Livorno o **I** ◆ 26-27 C 3 ◆ 14-15 O 7
Livradois-Forez, Parc Naturel Régional ⊥ **F** ◆ 18-19 J 9 ◆ 14-15
Liwale o **EAT** ◆ 40-41 J 3
Liwonde National Park ⊥ **MW** ◆ 40-41 J 4
Lizarda o **BR** ◆ 46-47 K 6
Ljahovskie ostrova ⌒ **RUS** ◆ 28-29 Y 3
Ljubljana ★· **SLO** ◆ 26-27 E 1 ◆ 14-15 O 6
Ljusnan ∼ **S** ◆ 16-17 G 6 ◆ 14-15 P 3
Llano Estacado ⌣ **USA** ◆ 44-45 F 4
Lleida o·· **E** ◆ 24-25 H 4 ◆ 14-15 M 7
Lloydminster o **CDN** ◆ 42-43 O 6
Llullaillaco, Volcán ▲ **RCH** ◆ 48 D 2
Loange ∼ **ZRE** ◆ 40-41 F 2
Lobatse ☆ **RB** ◆ 40-41 F 7
Lobaye ∼ **RCA** ◆ 38-39 J 8
Lobito o **ANG** ◆ 40-41 D 4
Lobuja o **RUS** ◆ 28-29 b 4
Loche, La o **CDN** ◆ 42-43 P 5
Loches o· **F** ◆ 18-19 H 8 ◆ 14-15
Lochinvar National Park ⊥ **Z** ◆ 40-41 G 5
Lockhart River ✕ **AUS** ◆ 36-37 J 2
Locri o **I** ◆ 26-27 F 5 ◆ 14-15 P 8
Lodève o **F** ◆ 18-19 J 10 ◆ 14-15
Lodja o **ZRE** ◆ 40-41 F 2
Lodmalasin ▲ **EAT** ◆ 40-41 J 2
Łódź ☆·· **PL** ◆ 20-21 P 3 ◆ 14-15 P 5
Loei o **THA** ◆ 34-35 D 3
Lofoten ⌒· **N** ◆ 16-17 F 2 ◆ 14-15 O 2
Logan o **USA** (UT) ◆ 44-45 D 2
Logan, Mount ▲·· **CDN** ◆ 42-43 H 4
Logan Mountains ▲ **CDN** ◆ 42-43 L 4
Logaškino o **RUS** ◆ 28-29 b 3
Loge ∼ **ANG** ◆ 40-41 D 3
Logone ∼ **TCH** ◆ 38-39 J 6
Lohéac o **F** ◆ 18-19 G 8 ◆ 14-15
Lohjanan o **RI** ◆ 34-35 G 7
Loir ∼ **F** ◆ 18-19 H 8 ◆ 14-15
Loire ∼ **F** ◆ 18-19 H 8 ◆ 14-15 L 6
Loja ☆ **EC** ◆ 46-47 D 5
Lokichar o **EAK** (RIF) ◆ 38-39 N 8
Lokitaung o **EAK** ◆ 38-39 N 8
Lokoja o **WAN** ◆ 38-39 G 7
Lokossa ☆ **DY** ◆ 38-39 F 7
Loks Land ⌒ **CDN** ◆ 42-43 Y 4
Lol ∼ **SUD** ◆ 38-39 L 7
Lolland ⌒ **DK** ◆ 16-17 E 9 ◆ 14-15 O 5
Lom ∼ **CAM** ◆ 38-39 H 7
Lomami ∼ **ZRE** ◆ 40-41 G 2
Loma Mountains ▲ **WAL** ◆ 38-39 C 7
Lomblen (Kawela), Pulau ⌒ **RI** ◆ 34-35 H 8
Lombok ⌒ **RI** (NBA) ◆ 34-35 G 8
Lombok, Selat ≈ ◆ 34-35 G 8
Lomé ★· **RT** ◆ 38-39 F 7
Lomela o **ZRE** (KOR) ◆ 40-41 F 2
Lomela ∼ **ZRE** ◆ 40-41 F 2
Lomitas, Las o **RA** ◆ 48 E 2
Lomonossov, Crête de ≃ ◆ 13 A 25
Lonāvale o· **IND** ◆ 32-33 L 7
Loncoche o **RCH** ◆ 48 C 5
London o· **CDN** ◆ 42-43 U 8
London ★··· **GB** ◆ 18-19 G 6 ◆ 14-15 L 5
Londonderry ☆· **GB** ◆ 18-19 D 4 ◆ 14-15 K 5
Londonderry, Cape ▲ **AUS** ◆ 36-37 F 2
Londonderry, Isla ⌒ **RCH** ◆ 48 C 8
Londrina o **BR** ◆ 48 G 2
Longa o **ANG** ◆ 40-41 E 4
Longa, Détroit de = Longa, proliv ≈ ◆ 28-29 g 3
Longa, proliv ≈ ◆ 28-29 g 3
Longa-Mavinga, Coutada Pública do ⊥ **ANG** ◆ 40-41 E 5
Long Bay ≈ ◆ 44-45 L 4
Long Beach o **USA** ◆ 44-45 C 4
Longiram o **RI** ◆ 34-35 G 7
Long Island ⌒ **BS** ◆ 44-45 L 6
Long Island ⌒ **CDN** (NWT) ◆ 42-43 V 6
Long Island ⌒ **PNG** ◆ 34-35 N 8
Long Island ⌒ **USA** ◆ 44-45 M 2
Long Island Sound ≈ ◆ 44-45 M 2
Longkou o **CHN** ◆ 30-31 N 4
Long Range Mountains ▲ **CDN** ◆ 42-43 Z 7
Longreach o **AUS** ◆ 36-37 J 4
Longs Peak ▲ **USA** ◆ 44-45 E 2
Longview o **USA** (TX) ◆ 44-45 H 4
Longview o **USA** (WA) ◆ 42-43 M 7
Long Xuyên ☆ **VN** ◆ 34-35 E 4
Longyan o **CHN** ◆ 30-31 M 6
Lons-le-Saunier o **F** ◆ 18-19 K 8 ◆ 14-15
Lookout, Cape ▲ **USA** (NC) ◆ 44-45 L 4
Loongana o **AUS** ◆ 36-37 F 6
Lopatina, gora ▲ **RUS** ◆ 28-29 Z 7
Lopatka, mys ▲ **RUS** ◆ 28-29 c 7
Lopez o **RP** ◆ 34-35 H 4
Lopez, Cap ▲ **G** ◆ 40-41 C 2
Lop Nur ⊖ **CHN** ◆ 30-31 G 3
Lopori ∼ **ZRE** ◆ 40-41 F 1
Loralāi o **PK** (BEL) ◆ 32-33 K 4
Lorca o **E** ◆ 24-25 G 6 ◆ 14-15 L 8
Lord Howe, Chaîne de ≃ ◆ 36-37 M 5
Lord Howe, Seuil de ≃ ◆ 36-37 N 5
Lord Howe Island ⌒··· **AUS** ◆ 36-37 M 6
Lord Mayor Bay ≈ ◆ 42-43 S 3
Lorena o **BR** ◆ 48 H 2
Lorengau ☆ **PNG** ◆ 34-35 N 7
Lorentz ∼ **RI** ◆ 34-35 L 8
Loreto o **BR** (MAR) ◆ 46-47 K 6
Loreto o **CO** ◆ 46-47 E 5
Loreto o· **MEX** (BCS) ◆ 44-45 D 5
Lorian Swamp ⊖ **EAK** ◆ 40-41 J 1
Lorica o **CO** ◆ 46-47 D 3
Lorient o **F** ◆ 18-19 F 8 ◆ 14-15 L 6
Lorino o **RUS** ◆ 28-29 j 4
Lormes o **F** ◆ 18-19 J 8 ◆ 14-15
Lorraine □ **F** ◆ 18-19 K 7 ◆ 14-15
Losai National Reserve ⊥ **EAK** ◆ 40-41 J 1
Los Angeles o· **USA** ◆ 44-45 C 4
Los Mochis o **MEX** ◆ 44-45 E 5
Lospatos o **RI** ◆ 34-35 J 8
Los Roques, Islas ⌒ **YV** ◆ 46-47 F 2
Lot ∼ **F** ◆ 18-19 H 9 ◆ 14-15 M 7
Louangphrabang o·· **LAO** ◆ 34-35 D 3
Loubomo ☆ **RCB** ◆ 40-41 D 2
Loudéac o **F** ◆ 18-19 F 7 ◆ 14-15
Loudi o **CHN** ◆ 30-31 L 6
Loudun o **F** ◆ 18-19 H 8 ◆ 14-15
Louga ☆ **SN** ◆ 38-39 B 5
Lougheed Island ⌒ **CDN** ◆ 42-43 P 1
Louisiade Archipelago ⌒ **PNG** ◆ 34-35 O 9
Louisiade Rise ≃ ◆ 36-37 M 2
Louisiana □ **USA** ◆ 44-45 H 4
Louisiane = Louisiana □ **USA** ◆ 44-45 H 4
Louis Trichardt o **ZA** ◆ 40-41 G 6
Louisville o **USA** (KY) ◆ 44-45 J 3
Loup River ∼ **USA** ◆ 44-45 G 2
Louqsor = al-Uqṣur ☆·· **ET** ◆ 38-39 M 3
Louqsor = Uqṣur, al- ☆·· **ET** ◆ 38-39 M 3
Lourdes o· **F** ◆ 18-19 G 10 ◆ 14-15
Lout, Désert de = Lūt, Dašt-e ∸ **IR** ◆ 32-33 H 4
Louth o **AUS** ◆ 36-37 K 6
Louviers o **F** ◆ 18-19 H 7 ◆ 14-15
Low, Cape ▲ **CDN** ◆ 42-43 T 4

62 Kostroma — Low, Cape

Lowa ~ ZRE ◆ 40-41 G 2
Lowell ○ USA (MA) ◆ 42-43 W 8
Lower Hutt ○ NZ ◆ 36-37 P 8
Lower Pensinsula ∪ USA ◆ 42-43 T 8
Lower Red Lake ⊖ USA ◆ 42-43 R 7
Lower Valley of the Awash ··· ETH ◆ 38-39 O 6
Lower Zambezi National Park ⊥ Z ◆ 40-41 G 5
Loxton ○ ZA ◆ 40-41 F 8
Loyauté, Îles ⌒ F ◆ 36-37 O 4
Loyoro ○ EAU ◆ 38-39 M 8
Lozère, Mont ▲ F ◇ 18-19 J 9 ◆ 14-15
Luacano ○ ANG ◆ 40-41 F 4
Luachimo ○ ANG ◆ 40-41 F 3
Luali ○ ZRE ◆ 40-41 D 3
Luama ~ ZRE ◆ 40-41 G 2
Lu'an ○ CHN ◆ 30-31 M 5
Luanda ★• ANG ◆ 40-41 D 3
Luando, Reserva Natural Integral do ⊥ ANG ◆ 40-41 E 4
Luanginga ~ Z ◆ 40-41 F 4
Luangue ~ ANG ◆ 40-41 E 3
Luangwa ~ Z ◆ 40-41 H 4
Luan He ~ CHN ◆ 30-31 M 3
Luanping ○ CHN ◆ 30-31 M 3
Luanshya ○ Z ◆ 40-41 G 4
Lubahanbajo ○ RI ◆ 34-35 G 8
Lubango ☆ ANG ◆ 40-41 D 4
Lubao ○ ZRE ◆ 40-41 G 3
Lubbock ○ USA ◆ 44-45 F 4
Lübeck ○··· D ◇ 20-21 L 2 ◆ 14-15 O 5
Lubefu ○ ZRE (KOR) ◆ 40-41 F 2
Lubefu ~ ZRE ◆ 40-41 F 2
Lubero ○ ZRE (KIV) ◆ 40-41 G 2
Lubilanji ~ ZRE ◆ 40-41 F 3
Lublin ☆ PL ◇ 20-21 R 3 ◆ 14-15 Q 5
Lubny ○ UA ◆ 14-15 S 6
Lubudi ○ ZRE (SHA) ◆ 40-41 G 3
Lubuklinggau ○ RI ◆ 34-35 D 7
Lubumbashi ☆• ZRE ◆ 40-41 G 4
Lubungu ○ Z ◆ 40-41 G 4
Lubutu ○ ZRE (KIV) ◆ 40-41 G 2
Lucapa ☆ ANG ◆ 40-41 F 3
Lucena ☆ RP ◆ 34-35 H 4
Lucira ○ ANG ◆ 40-41 D 4
Luc'k ○ UA ◆ 14-15 R 5
Lucknow ☆·· IND ◆ 32-33 N 5
Luçon ○ F ◇ 18-19 G 8 ◆ 14-15
Luçon ⌒ RP ◆ 34-35 H 3
Luçon, Détroit de ≈ ◆ 34-35 H 2
Lucusse ○ ANG ◆ 40-41 F 4
Luda = Dalian ○ CHN ◆ 30-31 N 4
Lüderitz ☆• NAM ◆ 40-41 E 7
Lüderitzbaai ≈ ◆ 40-41 E 7
Luebo ○ ZRE (KOC) ◆ 40-41 F 3
Luena ☆ ANG ◆ 40-41 E 4
Luena ~ Z ◆ 40-41 F 4
Luengué, Coutada Pública do ⊥ ANG ◆ 40-41 E 5
Lufeng ○ CHN (GDG) ◆ 30-31 M 7
Lufkin ○ USA ◆ 44-45 H 4
Luganville ☆• VAN ◆ 36-37 O 3
Lugenda ~ MOC ◆ 40-41 J 4
Lugo ○ E ◇ 24-25 D 3 ◆ 14-15 K 7
Luhans'k ☆ UA ◆ 14-15 T 6
Luiana ~ ANG ◆ 40-41 F 5
Luiana, Coutada Pública do ⊥ ANG ◆ 40-41 F 5
Luilaka ~ ZRE ◆ 40-41 F 2
Luimneach = Limerick ○ IRL ◇ 18-19 C 5 ◆ 14-15 K 5
Luishia ○ ZRE ◆ 40-41 G 4
Luis Moya ○ MEX ◆ 44-45 F 6
Luiza ○ ZRE ◆ 40-41 F 3
Luján ○• RA (BUA) ◆ 48 F 4
Lukenie ~ ZRE ◆ 40-41 F 2
Lukolela ○ ZRE (BAN) ◆ 40-41 E 2
Lukuga ~ ZRE ◆ 40-41 G 3
Lukusuzi National Park ⊥ Z ◆ 40-41 H 4
Luleå ○• S ◇ 16-17 L 4 ◆ 14-15 Q 2
Luleälven ~ S ◇ 16-17 K 3 ◆ 14-15 Q 2
Lulonga ~ ZRE ◆ 40-41 E 1
Lulua ~ ZRE ◆ 40-41 F 3
Lumajang ○ RI ◆ 34-35 F 8
Lumbala ○ ANG ◆ 40-41 F 4
Lumbala N'guimbo ○ ANG ◆ 40-41 F 4
Lumeje ○ ANG ◆ 40-41 F 4
Lumi ○ PNG ◆ 34-35 M 7
Lundazi ○ Z ◆ 40-41 H 4
Lunéville ○• F ◇ 18-19 L 7 ◆ 14-15
Lunga ~ Z ◆ 40-41 G 4
Lunga Lunga ○ EAK ◆ 40-41 J 2
Lungué-Bungo ~ ANG ◆ 40-41 F 4
Luohe ○ CHN ◆ 30-31 L 5
Luoyang ○• CHN ◆ 30-31 L 5
Lúrio, Rio ~ MOC ◆ 40-41 J 4
Lusaka ★• Z (Lus) ◆ 40-41 G 5
Lusambo ○ ZRE ◆ 40-41 F 2
Lūt, Dašt-e ⏊ IR ◆ 32-33 H 4
Lützow-Holm bukt ≈ ◆ 13 G 4
Luuq ○ SP ◆ 38-39 O 8
Luvua ~ ZRE ◆ 40-41 G 3
Luwingu ○ Z ◆ 40-41 G 4
Luwuk ○ RI ◆ 34-35 H 7
Luxembourg ■ L ◇ 20-21 H 4 ◆ 14-15 N 6
Luxembourg ★·· L ◇ 20-21 J 4 ◆ 14-15 N 6
Luz ○ BR ◆ 46-47 K 8
Luzern ☆·· CH ◇ 20-21 K 5 ◆ 14-15 N 6
Luzhou ○ CHN ◆ 30-31 K 6
Luziania ○ BR ◆ 46-47 K 8
Luzilândia ○ BR ◆ 46-47 L 5
Luzy ○ F ◇ 18-19 J 8 ◆ 14-15
L'viv ☆·· UA ◆ 14-15 Q 6
L'vov = L'viv ☆·· UA ◆ 14-15 Q 6
Lydenburg ○ ZA ◆ 40-41 H 7
Lynchburg ○ USA ◆ 44-45 L 3
Lyon ☆·· F ◆ 44-45 M 6
Lyra Reef ⌒ PNG ◆ 34-35 O 7
Lysaja, gora ▲ RUS ◆ 28-29 P 6

M

Ma'ān ☆ JOR ◆ 32-33 D 4
Ma'arrat an-Nu'mān ○• SYR ◆ 32-33 D 3
Maas ~ NL ◇ 20-21 J 3 ◆ 14-15 N 5
Maasin ☆ RP ◆ 34-35 H 4
Maastricht ☆·· NL ◇ 20-21 H 3 ◆ 14-15 N 5
M.A.B., Réserve ⊥ ZRE ◆ 40-41 F 4
Mabote ○ MOC ◆ 40-41 H 6
Mabuasehube Game Reserve ⊥ RB ◆ 40-41 F 6
Mabuki ○ EAT ◆ 40-41 H 2
Macaé ○ BR ◆ 48 J 2
MacAlpine Lake ⊖ CDN ◆ 42-43 Q 3
Macao □ P ◆ 30-31 L 7
Macao ☆·· P ◆ 30-31 L 7
Macapá ☆ BR ◆ 46-47 J 4
Macará ○ EC ◆ 46-47 D 5
Macarena, Parque Nacional la ⊥ CO ◆ 46-47 E 4
Macas ○ EC ◆ 46-47 D 5
Macassar, Détroit de ≈ ◆ 34-35 G 7
Macaú ○ BR ◆ 46-47 M 6
Macclesfield Bank ≌ ◆ 34-35 F 3
MacDonald, Lake ⊖ AUS ◆ 36-37 F 4
Macdonnell Ranges ▲▲• AUS ◆ 36-37 G 4
Macédoine ■ MK ◇ 26-27 H 4 ◆ 14-15 Q 7
Macenta ○ RG ◆ 38-39 D 7
Machachi ○ EC ◆ 46-47 D 5
Machaila ○ MOC ◆ 40-41 H 6
Machakos ○ EAK ◆ 40-41 J 2
Machala ☆ EC ◆ 46-47 D 5
Machecoul ○ F ◇ 18-19 G 8 ◆ 14-15
Macheng ○ CHN ◆ 30-31 M 5
Mācherla ○ IND ◆ 32-33 M 7
Machilipatnam ○ IND ◆ 32-33 N 7
Machu Picchu ··· PE ◆ 46-47 E 7
Mackay ○ AUS ◆ 36-37 K 4
Mackay, Lake ⊖ AUS ◆ 36-37 F 4
MacKay Lake ⊖ CDN ◆ 42-43 O 4
Mackenzie Bay ≈ ◆ 42-43 J 3
Mackenzie Delta ⏊·· CDN ◆ 42-43 K 3
Mackenzie Highway II CDN ◆ 42-43 N 5
Mackenzie King Island ⌒ CDN ◆ 42-43 O 1
Mackenzie Mountains ▲▲ CDN ◆ 42-43 K 3
Mackenzie River ~ CDN ◆ 42-43 N 4
Maclean ○ AUS ◆ 36-37 L 5
Maclean Strait ≈ ◆ 42-43 P 1
Maclear ○ ZA ◆ 40-41 G 8
MacLeod, Lake ⊖ AUS ◆ 36-37 C 4
Macomér ○ I ◇ 26-27 B 4 ◆ 14-15 N 7
Macomia ○ MOC ◆ 40-41 K 4
Mâcon ☆• F ◇ 18-19 K 8 ◆ 14-15
Macon ○ USA (GA) ◆ 44-45 K 4
Macondo ○ ANG (MOX) ◆ 40-41 F 4
Macquarie Harbour ≈ ◆ 36-37 K 8
Macumba River ~ AUS ◆ 36-37 H 5
Macusani ○ PE ◆ 46-47 E 7
Madagascar ■ RM ◆ 40-41 K 6
Madagascar ⌒ RM ◆ 40-41 L 6
Madagascar, Bassin de ≌ ◆ 40-41 M 6
Madagascar, Crête de ≌ ◆ 40-41 K 8
Mada'in Salih ·· KSA ◆ 32-33 D 5
Madang ☆• PNG ◆ 34-35 N 8
Madaoua ○ RN ◆ 38-39 G 6
Madeira ⌒ P ◆ 38-39 B 2
Madeira, Arquipélago da ⌒ P ◆ 38-39 B 2
Madeira, Rio ~ BR ◆ 46-47 G 6
Madeleine, Îles de la ⌒ CDN ◆ 42-43 Y 7
Madère, Plaine Abyssale de ≌ ◆ 14-15 G 9
Madère, Seuil de ≌ ◆ 14-15 H 9
Madhya Pradesh □ IND ◆ 32-33 M 6
Madikeri ○• IND ◆ 32-33 M 8
Madimba ○ ZRE ◆ 40-41 E 2
Madina, al- ☆·· KSA ◆ 32-33 D 6
Madison ☆• USA (WI) ◆ 42-43 T 8
Madiun ○ RI ◆ 34-35 F 8
Madley, Mount ▲ AUS ◆ 36-37 E 4
Mado Gashi ○ EAK ◆ 40-41 J 1
Madraka, Ra's ▲ OM ◆ 32-33 H 7
Madras = Chennai ☆·· IND ◆ 32-33 N 8
Madre, Laguna ≈ ◆ 44-45 G 5
Madre de Chiapas, Sierra ▲▲ MEX ◆ 44-45 H 7
Madre de Dios, Isla ⌒ RCH ◆ 48 B 8
Madre de Dios, Río ~ BOL ◆ 46-47 F 7
Madrid ★·· E ◇ 24-25 F 4 ◆ 14-15 L 7
Madura, Pulau ⌒ RI ◆ 34-35 F 8
Madura, Selat ≈ ◆ 34-35 F 8
Madurai ○·· IND ◆ 32-33 M 9
Madura Motel ○ AUS ◆ 36-37 F 6
Madurāntakam ○ IND ◆ 32-33 M 8
Maebashi ☆ J ◆ 30-31 Q 4
Mae Hong Son ○ THA ◆ 34-35 C 3
Mae Sariang ○ THA ◆ 34-35 C 3
Maestra, Sierra ▲▲ C ◆ 44-45 L 6
Maewo = Île Aurora ⌒ VAN ◆ 36-37 O 3
Mafia Channel ≈ ◆ 40-41 J 3
Mafia Island ⌒ EAT ◆ 40-41 J 3
Mafra ○ BR ◆ 48 H 3
Mafraq ○ Y ◆ 32-33 E 8
Magadan ☆·· RUS ◆ 28-29 b 6
Magadanskij Kava-Čelomdžinskoe lesničestvo, zapovednik ⊥ RUS ◆ 28-29 a 5
Magadanskij Ol'skoe lesničestvo, zapovednik ⊥ RUS ◆ 28-29 b 6
Magadi ○ EAK ◆ 40-41 J 2
Magangue ○ CO ◆ 46-47 E 3
Magaria ○ RN ◆ 38-39 G 6
Magburaka ○ WAL ◆ 38-39 C 7
Magdalena ○ BOL ◆ 46-47 G 7
Magdalena, Isla ⌒ MEX ◆ 44-45 D 6
Magdalena, Isla ⌒ RCH ◆ 48 C 6
Magdalena, Río ~ MEX ◆ 44-45 D 4
Magdebourg = Magdeburg ☆• D ◇ 20-21 L 2 ◆ 14-15 O 5
Magdeburg ☆• D ◇ 20-21 L 2 ◆ 14-15 O 5
Magelang ○ RI ◆ 34-35 F 8
Magga Range ▲▲ ARK ◆ 13 F 35
Magistral'nyj ○ RUS ◆ 28-29 S 6
Maǧma'a, al- ○ KSA ◆ 32-33 F 5
Magnetic Pole Area ANT ◆ 42-43 Q 2
Magnitogorsk ○ RUS ◆ 14-15 X 5
Màgoé ○ MOC ◆ 40-41 H 5
Maguari, Cabo ▲ BR ◆ 46-47 K 5
Magude ○ MOC ◆ 40-41 H 7
Mahābād ○• IR ◆ 32-33 F 3
Mahačkala ☆ RUS ◆ 14-15 V 7
Mahād ○ IND ◆ 32-33 L 7
Mahaicony ○ GUY ◆ 46-47 H 3
Mahajanga ☆ RM (Mjg) ◆ 40-41 L 5
Mahakam ~ RI ◆ 34-35 G 6
Mahākik, al- ⏊ KSA ◆ 32-33 G 6
Mahalapye ○ RB ◆ 40-41 G 6
Mahānadi ~ IND ◆ 32-33 N 6
Mahanoro ○ RM ◆ 40-41 L 5
Maharashtra □ IND ◆ 32-33 L 7
Mahavelona ○ RM (TMA) ◆ 40-41 L 5
Mahdia ○ GUY ◆ 46-47 H 3
Mahe ○• IND ◆ 32-33 M 8
Mahé Island ⌒ SY ◆ 40-41 N 2
Mahenge ○ EAT ◆ 40-41 J 3
Mahesāna ○ IND ◆ 32-33 L 6
Mahia Peninsula ∪ NZ ◆ 36-37 Q 7
Mahilëv ○• BY ◇ 22-23 M 5 ◆ 14-15 S 5
Mahra, al- ⏊ Y ◆ 32-33 G 7
Mahuva ○ IND ◆ 32-33 L 6
Maiama ○ PNG ◆ 34-35 N 8
Maiduguri ☆ WAN ◆ 38-39 H 6
Maiko ~ ZRE ◆ 40-41 G 2
Maiko, Parc National de la ⊥ ZRE ◆ 40-41 G 2
Maimana ☆• AFG ◆ 32-33 J 3
Main ~ D ◇ 20-21 L 3 ◆ 14-15 O 5
Mai-Ndombe, Lac ⊖ ZRE ◆ 40-41 E 2
Maine □ USA ◆ 42-43 X 7
Maine, Gulf of ≈ ◆ 42-43 X 8
Maïné-Soroa ○ RN ◆ 38-39 H 6
Maintirano ○ RM ◆ 40-41 K 5
Mainz ☆• D ◇ 20-21 K 4 ◆ 14-15 N 6
Maiquetía ○ YV ◆ 46-47 F 2
Maitland ○ AUS (NSW) ◆ 36-37 L 6
Maíz, Ciudad del ○ MEX ◆ 44-45 G 6
Maja ~ RUS ◆ 28-29 X 5
Majene ○ RI ◆ 34-35 G 7
Majkapcigaj ○ KZ ◆ 28-29 O 8
Majkop ☆ RUS ◆ 14-15 U 7
Majmeča ~ RUS ◆ 28-29 R 3
Majn ~ RUS ◆ 28-29 f 4
Majorque = Mallorca ⌒ E ◇ 24-25 J 5 ◆ 14-15 M 8
Majuro ⌒ MAI ◆ 12 J 2
Makale ○ RI ◆ 34-35 G 7
Makambako ○ EAT ◆ 40-41 H 3
Makasar = Ujung Pandang ☆ RI ◆ 34-35 G 8
Makeni ☆ WAL ◆ 38-39 C 7
Makgadikgadi Pans Game Park ⊥ RB ◆ 40-41 G 6
Makijivka ○ UA ◆ 14-15 T 6
Maki National Park ⊥ ETH ◆ 38-39 N 7
Makka ☆·· KSA ◆ 32-33 D 6
Makkovik ○ CDN ◆ 42-43 Z 5
Makokou ☆ G ◆ 40-41 D 1
Makongolosi ○ EAT ◆ 40-41 H 3
Makoua ○ RCB ◆ 40-41 E 1
Makran Central, Chaîne du = Central Makrān Range ▲▲ PK ◆ 32-33 J 5
Makrān Coast Range ▲▲ PK ◆ 32-33 J 5
Makurdi ☆ WAN ◆ 38-39 G 7
Makuti ○ ZW ◆ 40-41 G 5
Makuyuni ○ EAT ◆ 40-41 J 2
Mala, Punta ▲ PA ◆ 46-47 D 3
Malabar, Côte de = Malabar Coast ∪ IND ◆ 32-33 L 8
Malabar Coast ∪ IND ◆ 32-33 L 8
Malabo ★ GQ ◆ 38-39 G 8
Malacca, Détroit de ≈ ◆ 34-35 C 6
Maladzečna ☆ BY ◇ 22-23 K 4 ◆ 14-15 R 5
Málaga ○ E ◇ 24-25 E 6 ◆ 14-15 L 8
Malagarasi ~ EAT ◆ 40-41 H 3
Malaimbandy ○ RM ◆ 40-41 L 6
Malaise, PÄeninsule ⌒ MAL ◆ 34-35 D 5
Malaja Heta ○ RUS ◆ 28-29 N 4
Malakāl ☆ SUD ◆ 38-39 M 7
Malakheti ○ NEP ◆ 32-33 N 5
Malakula = Île Mallicolo ⌒ VAN ◆ 36-37 O 3
Malalaua ○ PNG ◆ 34-35 N 8
Malang ○• RI ◆ 34-35 F 8
Malanje ☆ ANG ◆ 40-41 E 3
Malargüe ○ RA ◆ 48 D 5
Malaspina Glacier ⊏ USA ◆ 42-43 H 5
Malatya ☆ TR ◆ 14-15 T 8
Malaut ○ IND ◆ 32-33 L 4
Malawi ■ MW ◆ 40-41 H 4
Malawi, Lake ⊖ MW ◆ 40-41 H 4
Malāyer ○• IR ◆ 32-33 F 4
Malaysia ■ MAL ◆ 34-35 D 6
Malden Island ⌒ KIB ◆ 12 M 3
Maldives, Îles ⌒ MV ◆ 10-11 G 8
Maldonado ☆ ROU ◆ 48 G 4
Mālegaon ○ IND (MAH) ◆ 32-33 L 6
Malema ○ MOC ◆ 40-41 J 4
Malha ○ SUD ◆ 38-39 L 5
Mali ■ RMM ◆ 38-39 D 6
Malindi ○·· EAK ◆ 40-41 K 2
Mallacoota Inlet • AUS ◆ 36-37 K 7
Mallawi ○ ET ◆ 38-39 M 3
Mallorca ⌒ E ◇ 24-25 J 5 ◆ 14-15 M 8
Malmesbury ○ ZA ◆ 40-41 E 8
Malmö ○·· S ◇ 16-17 F 9 ◆ 14-15 O 4
Malpelo, Isla de ⌒ CO ◆ 46-47 C 4
Mālpura ○ IND ◆ 32-33 M 5
Maltahöhe ☆ NAM ◆ 40-41 E 6
Malte ■ M ◇ 26-27 E 7 ◆ 14-15 O 8
Malunda ○ RI ◆ 34-35 G 7
Malūt ○ SUD ◆ 38-39 M 6
Mālvan ○ IND ◆ 32-33 L 7
Malyj Ljahovskij, ostrov ⌒ RUS ◆ 28-29 Y 3
Mama ○ RUS ◆ 28-29 T 6
Mamasa ○ RI ◆ 34-35 G 7
Mambasa ○ ZRE ◆ 40-41 G 1
Mamberamo ~ RI ◆ 34-35 L 7
Mamfé ○ CAM ◆ 38-39 G 7
Māmī, Ra's ▲ Y ◆ 32-33 G 8
Mamiá, Lago ⊖ BR ◆ 46-47 G 5
Mamljutka ☆ KZ ◆ 28-29 K 7
Mamoadate, Áreas Indígenas ✗ BR ◆ 46-47 E 7
Mamou ○ RG ◆ 38-39 C 6
Mamuju ○ RI ◆ 34-35 G 7
Mamuno ○ RB ◆ 40-41 F 6
Man ☆·· CI ◆ 38-39 D 7
Manacapurú ○ BR ◆ 46-47 G 5
Manado ☆ RI ◆ 34-35 H 6
Managua ★ NIC ◆ 44-45 J 8
Managua, Lago de ⊖ NIC ◆ 44-45 J 8
Manāḫa ○• Y ◆ 32-33 E 7
Manakara ○ RM ◆ 40-41 L 6
Manali ○• IND ◆ 32-33 M 4
Manāma, al- ★• BRN ◆ 32-33 G 5
Mananara Avaratra ○ RM ◆ 40-41 L 5
Mananjary ○ RM (FNS) ◆ 40-41 L 6
Manantali, Lac de ‹ RMM ◆ 38-39 C 6
Manantenina ○ RM ◆ 40-41 L 6
Mana Pools National Park ⊥··· ZW ◆ 40-41 G 5
Manapouri, Lake ⊖ NZ ◆ 36-37 O 9
Manas He ~ CHN ◆ 30-31 F 2
Manaus ☆ BR (AMA) ◆ 46-47 G 5
Manche ≈ ◇ 18-19 F 7 ◆ 14-15 L 5
Manche = English Channel ≈ ◇ 18-19 F 6 ◆ 14-15 L 5
Manchester ○• GB ◇ 18-19 F 5 ◆ 14-15 L 5
Máncora ○ PE ◆ 46-47 C 5
Manda, Parc National de ⊥ TCH ◆ 38-39 J 7
Mandabe ○ RM ◆ 40-41 K 6
Mandala, Puncak ▲ RI ◆ 34-35 M 7
Mandalay ☆·· MYA ◆ 30-31 H 7
Mandalgov' ☆ MAU ◆ 30-31 K 2
Mandara Mountains ▲▲ WAN ◆ 38-39 H 6
Mandasor ○ IND ◆ 32-33 M 6
Mandchourie ⏊ CHN ◆ 30-31 N 3
Mandera ○ EAK ◆ 38-39 O 8
Mandi ○• IND ◆ 32-33 M 4
Mandimba ○ MOC ◆ 40-41 J 4
Mandioli, Pulau ⌒ RI ◆ 34-35 J 7
Mandla ○ IND ◆ 32-33 N 6
Mandritsara ○ RM ◆ 40-41 L 5
Mandurah ○• AUS ◆ 36-37 D 6
Manfredónia ○ I ◇ 26-27 E 4 ◆ 14-15 P 7
Manga ○ BR ◆ 46-47 L 7
Manga ⏊ RN ◆ 38-39 H 6
Mangabeiras, Chapada das ▲▲ BR ◆ 46-47 K 6
Manga Grande ○ ANG ◆ 40-41 D 3
Mangalmé ○ TCH ◆ 38-39 J 6
Mangalore ○• IND ◆ 32-33 L 8
Manggar ○ RI ◆ 34-35 E 7
Mangkalihat, Tanjung ▲ RI ◆ 34-35 G 6
Manglares, Cabo ▲ CO ◆ 46-47 D 4
Mangoky ~ RM ◆ 40-41 L 6
Mangole, Pulau ⌒ RI ◆ 34-35 J 7
Mangueira, Lagoa ⊖ BR ◆ 48 G 4
Mangui ○ CHN ◆ 30-31 N 1
Mangyšlak, plato ▲▲ KZ ◆ 32-33 G 2
Manhuaçu ○ BR ◆ 48 J 2
Mania ~ RM ◆ 40-41 L 6
Manicoré ○ BR ◆ 46-47 G 6
Manicouagan ○ CDN ◆ 42-43 X 6
Manicouagan, Réservoir ⊥·· CDN (QUE) ◆ 42-43 X 6
Manicouagan, Rivière ~ CDN ◆ 42-43 X 6
Manila ★·· RP ◆ 34-35 H 4
Manille = Manila ★·· RP ◆ 34-35 H 4
Manipur □ IND ◆ 32-33 P 6
Manisa ☆• TR ◆ 14-15 R 8
Manitoba □ CDN ◆ 42-43 Q 5
Manitoba, Lake ⊖ CDN ◆ 42-43 R 6
Manitoulin Island ⌒ CDN ◆ 42-43 U 7
Manizales ☆ CO ◆ 46-47 D 3
Manjimup ○ AUS ◆ 36-37 D 6
Mankanza ○ ZRE ◆ 40-41 E 1
Mankato ○ USA (MN) ◆ 42-43 S 8
Mankono ☆ CI ◆ 38-39 D 7
Maņkyšlaķ ☆ KZ ◆ 32-33 G 2
Maņkystau ▲▲ KZ ◆ 32-33 G 2
Manna ○ RI ◆ 34-35 D 7
Mannar, Golfe de = Mannar, Gulf of ≈ ◆ 32-33 M 9
Mannar, Gulf of ≈ ◆ 32-33 M 9
Mannheim ○• D ◇ 20-21 K 4 ◆ 14-15 N 6
Manokwari ○ RI ◆ 34-35 K 7
Manombo Atsimo ○ RM ◆ 40-41 K 6
Manono ○ ZRE ◆ 40-41 G 3
Manosque ○ F ◇ 18-19 K 10 ◆ 14-15
Manresa ○ E ◇ 24-25 H 4 ◆ 14-15 M 7
Mansa ☆ Z ◆ 40-41 G 4
Mansa Konko ☆• WAG ◆ 38-39 B 6
Mansel Island ⌒ CDN ◆ 42-43 V 4
Mansle ○ F ◇ 18-19 H 9 ◆ 14-15
Manṣūra, al- ☆ ET ◆ 38-39 K 2
Manta ○ EC ◆ 46-47 C 5
Mantalingajan, Mount ▲ RP ◆ 34-35 G 5
Mante, Ciudad ○ MEX ◆ 44-45 G 6
Mantena ○ BR ◆ 46-47 L 8
Mantiqueira, Serra da ▲▲ BR ◆ 48 H 2
Manú ○ PE ◆ 46-47 E 7
Manú, Parque Nacional ⊥··· PE ◆ 46-47 E 7
Manuel ○ MEX ◆ 44-45 G 6
Manui, Pulau ⌒ RI ◆ 34-35 H 7
Manuripi Heath, Reserve Natural ⊥ BOL ◆ 46-47 F 7
Manus Island ⌒ PNG ◆ 34-35 N 7
Manyinga ○ Z ◆ 40-41 F 4
Manyoni ○ EAT ◆ 40-41 H 3
Manzanillo ○ C ◆ 44-45 L 6
Manzanillo ○• MEX ◆ 44-45 F 7
Manzhouli ○ CHN ◆ 30-31 M 2
Manzini ○ SD ◆ 40-41 H 7
Maó ○ E ◇ 24-25 K 5 ◆ 14-15 M 8
Mao ☆ TCH ◆ 38-39 J 6
Maoke, Pegunungan ▲▲ RI ◆ 34-35 L 7
Maoming ○ CHN ◆ 30-31 L 7
Mapane ○ RI ◆ 34-35 H 7
Mapare Island ⌒ MS ◆ 40-41 N 5
Mapia, Kepulauan ⌒ RI ◆ 34-35 K 6
Mapinhane ○ MOC ◆ 40-41 J 6
Mapire ○ YV ◆ 46-47 G 3
Maprik ○ PNG ◆ 34-35 M 7
Mapuera, Rio ~ BR ◆ 46-47 H 4
Maputo ★ MOC (MAP) ◆ 40-41 H 7
Maputo, Baia do ≈ ◆ 40-41 H 7
Maputo, Reserva de Elefantes do ⊥ MOC ◆ 40-41 H 7
Maqṭeīr ⏊ RIM ◆ 38-39 C 4
Maqueze ○ MOC ◆ 40-41 H 6
Maquinchao ○ RA ◆ 48 D 6
Mar, Serra do ▲▲ BR ◆ 48 H 3
Maraã ○ BR ◆ 46-47 F 5
Marabá ○ BR ◆ 46-47 K 6
Maracá, Ilha de ⌒ BR ◆ 46-47 J 4
Maracaibo ☆ YV ◆ 46-47 E 2
Maracaju ○ BR ◆ 48 F 2
Maracajú, Serra de ▲▲ BR ◆ 46-47 H 9
Maracay ☆ YV ◆ 46-47 F 2
Marādah ○ LAR ◆ 38-39 J 3
Maradi ☆ RN ◆ 38-39 G 6
Marāḡe ○• IR ◆ 32-33 F 3
Marajó, Baia de ≈ ◆ 46-47 K 5
Marajó, Ilha de ⌒ BR ◆ 46-47 J 5
Maralal ○ EAK ◆ 40-41 J 1
Maralinga ○ AUS ◆ 36-37 G 6
Maralinga -Tjarutja Aboriginal Lands ✗ AUS ◆ 36-37 G 5
Maranhão □ BR ◆ 46-47 K 6
Marañón, Río ~ PE ◆ 46-47 E 5
Maraoué, Parc National de la ⊥ CI ◆ 38-39 D 7
Marat, Ǧabal ▲▲ Y ◆ 32-33 G 7
Marawi = Merowe ○ SUD ◆ 38-39 M 5
Marble Bar ○ AUS ◆ 36-37 D 4
Marche ⏊ F ◇ 18-19 H 8 ◆ 14-15
Marchena, Isla ⌒ EC ◆ 46-47 A 4
Marchinbar Island ⌒ AUS ◆ 36-37 H 2
Mar Chiquita, Laguna ⊖ RA (COD) ◆ 48 E 4
Marcona ○ PE ◆ 46-47 D 8
Marcus Baker, Mount ▲ USA ◆ 42-43 G 4
Mar del Plata ○• RA ◆ 48 F 5
Mardin ☆ TR ◆ 14-15 U 8
Maré ⌒ F ◆ 36-37 O 4
Mareeba ○ AUS ◆ 36-37 K 3
Maréna ○ RMM ◆ 38-39 C 6
Marennes ○ F ◇ 18-19 G 9 ◆ 14-15
Margarita, Isla de ⌒·· YV ◆ 46-47 G 2
Margeride, Monts de la ▲▲ F ◇ 18-19 J 9 ◆ 14-15
Marguerite, Baie ≈ ◆ 13 G 30
Marha ~ RUS ◆ 28-29 U 4
Maria Island ⌒ AUS (NT) ◆ 36-37 H 2
Mariannes, Fosse des ≌ ◆ 34-35 M 4
Mariannes, Îles ⌒ USA ◆ 34-35 M 4
Marias, Islas ⌒ MEX ◆ 44-45 E 6
Ma'rib ○• Y ◆ 32-33 F 7
Marica ~ BG ◆ 14-15 R 7
Maridi ○ SUD ◆ 38-39 L 8
Marié, Rio ~ BR ◆ 46-47 F 5
Marie-Galante ⌒ F ◆ 44-45 O 7
Mariehamn ☆ FIN ◆ 14-15 P 3
Mariel ○ C ◆ 44-45 K 6
Mariental ☆ NAM ◆ 40-41 E 6
Marignane ○ F ◇ 18-19 K 10 ◆ 14-15
Mariinsk ☆ RUS ◆ 28-29 O 6
Marii Prončiščevoj, buhta ≈ ◆ 28-29 T 2
Marijampolė ☆·· LT ◇ 22-23 H 4 ◆ 14-15 Q 5
Marinduque Island ⌒ RP ◆ 34-35 H 4
Marine National Park ⊥ ER ◆ 38-39 O 5
Marine National Reserve ⊥ EAK ◆ 40-41 K 2
Maringá ○ BR ◆ 48 G 2
Maringa ~ ZRE ◆ 40-41 F 1
Marion, Lake ⊖ USA ◆ 44-45 K 4
Marion Reef ⌒ AUS ◆ 36-37 L 3
Maripasoula ○ F ◆ 46-47 J 4
Maris, République des □ RUS ◆ 14-15 V 4
Mariscal Estigarribia ○ PY ◆ 48 E 2
Mariveles ○ RP ◆ 34-35 H 4
Marj, al ☆·· LAR ◆ 38-39 K 2
Marka ☆ SP ◆ 40-41 K 1
Markam ○ CHN ◆ 30-31 H 6
Markham, Mount ▲ ARK ◆ 13 E 0
Marktredwitz ○ D (BAY) ◇ 20-21 M 4 ◆ 14-15 O 5
Marla ○ AUS ◆ 36-37 G 5
Marlborough ○ AUS ◆ 36-37 K 4
Marmande ○ F ◇ 18-19 H 9 ◆ 14-15
Marmara, Mer de = Marmara Denizi ≈ ◆ 14-15 R 7
Marmara Denizi ≈ ◆ 14-15 R 7
Marne ~ F ◇ 18-19 K 7 ◆ 14-15
Marne-au-Rhin, Canal de la ‹ F ◇ 18-19 L 7 ◆ 14-15
Maroa ○ YV ◆ 46-47 F 4
Maroantsetra ○ RM ◆ 40-41 L 5
Maroc ■ MA ◆ 38-39 D 2
Maroni ~ SME ◆ 46-47 J 3
Maroua ☆• CAM ◆ 38-39 H 6
Marovoalavo, Lembalemban'i ▲▲ RM ◆ 40-41 L 5
Marovoay ○ RM ◆ 40-41 L 5
Marquette ○ USA ◆ 42-43 T 7
Marquises, Îles ⌒ F (987) ◆ 12 N 3
Marra, Ǧabal ▲▲·· SUD ◆ 38-39 K 6
Marrakech ☆··· MA ◆ 38-39 D 2
Marrawah ○ AUS ◆ 36-37 J 8
Marree ○ AUS ◆ 36-37 H 5
Marromeu ○ MOC ◆ 40-41 J 5
Marromeu, Reserva de ⊥ MOC ◆ 40-41 J 5
Marrupa ○ MOC ◆ 40-41 J 4
Marsá al Burayqah ○ LAR ◆ 38-39 J 2
Marsabit ○ EAK ◆ 38-39 N 8
Marsabit National Reserve ⊥ EAK ◆ 38-39 N 8
Marsā l-'Alam ○ ET ◆ 38-39 M 3
Marsā Maṭrūḥ ☆• ET ◆ 38-39 L 2
Marsden ○ AUS ◆ 36-37 K 6
Marseille ☆• F ◇ 18-19 K 10 ◆ 14-15 N 7
Marsh Harbour ○ BS ◆ 44-45 L 5
Marsh Island ⌒ USA ◆ 44-45 H 5
Martaban, Golfe de = Mòktama Kwe ≈ ◆ 34-35 C 3
Martapura ○ RI ◆ 34-35 F 7
Martha's Vineyard ⌒ USA ◆ 44-45 M 2
Martigues ○ F ◇ 18-19 K 10 ◆ 14-15
Martin, Lake ‹ USA ◆ 44-45 J 4
Martinas, Las ○ C ◆ 44-45 K 6
Martinique □ F ◆ 44-45 O 8
Martinique Passage ≈ ◆ 44-45 O 8
Martin Peninsula ∪ ARK ◆ 13 F 25
Martre, Lac la ⊖ CDN ◆ 42-43 N 4
Marungu ▲▲ ZRE ◆ 40-41 G 3
Mary ☆• TM ◆ 32-33 J 3
Mary Anne Passage ≈ ◆ 36-37 D 4
Maryborough ○ AUS (QLD) ◆ 36-37 L 5
Maryland □ USA ◆ 44-45 L 3
Mary River ~ AUS ◆ 36-37 G 2
Maryupol' ○ UA ◆ 14-15 T 6
Marzūq ☆ LAR ◆ 38-39 H 3
Masai Mara National Reservat ⊥ EAK ◆ 40-41 H 2
Masaka ☆ EAU ◆ 40-41 H 2
Masalembobesar, Pulau ⌒ RI ◆ 34-35 F 8
Masamba ○ RI ◆ 34-35 H 7
Masan ○ ROK ◆ 30-31 O 4
Masasi ○ EAT ◆ 40-41 J 4
Masawa ○ RI ◆ 34-35 G 7
Masbate ☆ RP (MAS) ◆ 34-35 H 4
Masbate ⌒ RP (MAS) ◆ 34-35 H 4
Mascareignes ⌒ ◆ 40-41 N 6
Mascareignes, Bassin des ≌ ◆ 40-41 N 4
Mascareignes, Crête des ≌ ◆ 40-41 O 5
Mascareignes, Plaine Abyssale des ≌ ◆ 40-41 M 5
Mascate = Masqaṭ ★·· OM ◆ 32-33 H 6
Maseru ★ LS ◆ 40-41 G 7
Mašğed-e Soleimān ○• IR ◆ 32-33 F 4
Mašhad ☆·· IR ◆ 32-33 H 3
Masi-Manimba ○ ZRE ◆ 40-41 E 2
Maṣīra, Ǧazīrat ⌒ OM ◆ 32-33 H 6
Masira, Golfe de = Maṣīra, Gulf of ≈ ◆ 32-33 H 5
Maṣīra, Gulf of ≈ ◆ 32-33 H 5
Masira, Île = Maṣīra, Ǧazīrat ⌒ OM ◆ 32-33 H 6
Masoala, Tanjona ▲ RM ◆ 40-41 M 5
Mason City ○ USA ◆ 44-45 H 2
Masqaṭ ★·· OM ◆ 32-33 H 6
Massaango ○ ANG ◆ 40-41 E 3
Massachusetts □ USA ◆ 42-43 W 8
Massaguet ○ TCH ◆ 38-39 J 6
Massakory ○ TCH ◆ 38-39 J 6
Massangena ○ MOC ◆ 40-41 H 6
Massena ○ USA ◆ 42-43 W 8
Massenya ○ TCH ◆ 38-39 J 6
Massey Sound ≈ ◆ 42-43 R 1
Massiac ○ F ◇ 18-19 J 9 ◆ 14-15
Massif Central ▲▲ F ◇ 18-19 J 9 ◆ 14-15 M 6
Massinga ○ MOC ◆ 40-41 J 6
Masson Island ⌒ ARK ◆ 13 G 10
Mastic Point ○ BS ◆ 44-45 L 5
Mastung ○• PK ◆ 32-33 K 5
Masvingo ☆ ZW (Mvi) ◆ 40-41 H 6
Maswa Game Reservat ⊥ EAT ◆ 40-41 H 2
Matadi ☆• ZRE ◆ 40-41 D 3
Matagalpa ☆ NIC ◆ 44-45 J 8
Matagami ○ CDN ◆ 42-43 V 7
Matagorda Bay ≈ ◆ 44-45 G 5
Matakil, Chutes de ~·· RCA ◆ 38-39 K 7
Matala ○ ANG ◆ 40-41 E 4
Matamoros ○ MEX (TAM) ◆ 44-45 G 5
Ma'tan as Sarah ○ LAR ◆ 38-39 K 4
Matandu ~ EAT ◆ 40-41 J 3
Matane ○ CDN ◆ 42-43 X 7
Matanzas ○·· C ◆ 44-45 K 6
Matara ○ CL ◆ 32-33 N 9
Mataram ☆ RI ◆ 34-35 G 8
Mataranka ○ AUS ◆ 36-37 G 2
Mategua ○ BOL ◆ 46-47 G 7
Matehuala ○ MEX ◆ 44-45 F 6
Mateur ○ TN ◆ 38-39 G 1
Mathura ○·· IND ◆ 32-33 M 5
Mati ☆ RP ◆ 34-35 J 5
Matías Romero ○ MEX ◆ 44-45 G 7
Matočkin Šar ○ RUS ◆ 28-29 H 3
Mato Grosso □ BR ◆ 46-47 H 7
Mato Grosso, Planalto do ⏊ BR ◆ 46-47 H 7
Mato Grosso do Sul □ BR ◆ 48 F 1
Maṭraḥ ○• OM ◆ 32-33 H 6
Matsue ○ J ◆ 30-31 P 4
Matsumoto ○ J ◆ 30-31 Q 4
Matsuyama ☆ J ◆ 30-31 P 5
Matsuzaka ○ J ◆ 30-31 Q 5
Mattagami River ~ CDN ◆ 42-43 U 6
Matthews Ridge ○ GUY ◆ 46-47 G 3
Matthew Town ○ BS ◆ 44-45 M 6
Matuku ⌒ FJI ◆ 36-37 Q 3
Maturín ☆ YV ◆ 46-47 G 3
Matusadona National Park ⊥ ZW ◆ 40-41 G 5
Maués ○ BR ◆ 46-47 H 5
Maués, Rio ~ BR ◆ 46-47 H 5
Maug Islands ⌒ USA ◆ 34-35 N 2
Maui ⌒ USA ◆ 44-45 b 6
Maulamyaing ○ MYA ◆ 34-35 C 3
Maun ☆ RB ◆ 40-41 F 5
Mauna Kea ▲ USA ◆ 44-45 b 7
Maunoir, Lac ⊖ CDN ◆ 42-43 M 3
Maure, Col de ▲ F ◇ 18-19 L 9 ◆ 14-15
Maurice ■ MS ◆ 40-41 N 6
Maurice, Lake ⊖ AUS ◆ 36-37 G 5
Mauritanie ■ RIM ◆ 38-39 C 5
Mavinga ○ ANG ◆ 40-41 F 5
Mawa ○ ZRE ◆ 38-39 L 8
Mawlaik ○ MYA ◆ 30-31 G 7
Mawson ○ ARK ◆ 13 G 7
Maya, Pulau ⌒ RI ◆ 34-35 E 7
Mayaguana Island ⌒ BS ◆ 44-45 M 6
Mayagüez ○ USA ◆ 44-45 N 7
Mayala ○ ZRE ◆ 40-41 E 3
Mayarí ○ C ◆ 44-45 L 6
Maych'ew ○ ETH ◆ 38-39 N 6
Maydena ○ AUS ◆ 36-37 K 8
Maydh ⌒ SP ◆ 38-39 P 6
Mayence = Mainz ☆• D ◇ 20-21 K 4 ◆ 14-15 N 6
Mayenne ○ F ◇ 18-19 G 7 ◆ 14-15
Mayenne ~ F ◇ 18-19 G 7 ◆ 14-15
Maymyo ○ MYA ◆ 30-31 H 7
Maynas ⏊ PE ◆ 46-47 D 5
Mayo, Río ~ RA ◆ 48 C 7
Mayombé ▲▲ G ◆ 40-41 D 2
Mayotte ⌒ F ◆ 40-41 L 4
Mayran, Desierto de ⏊ MEX ◆ 44-45 F 5
Mayumba ○ G ◆ 40-41 D 2
Mazabuka ○ Z ◆ 40-41 G 5
Mazagão ○ BR ◆ 46-47 J 5
Mazamet ○ F ◇ 18-19 J 10 ◆ 14-15
Mazār-e Šarīf ☆ AFG ◆ 32-33 K 3
Mazatenango ☆ GCA ◆ 44-45 H 8
Mazatlán ○• MEX ◆ 44-45 E 6
Mazyr ○ BY ◇ 22-23 L 5 ◆ 14-15 R 5
Mbabane ★ SD ◆ 40-41 H 7
Mbaïki ☆ RCA ◆ 38-39 J 8
Mbakaou, Lac de ‹ CAM ◆ 38-39 H 7
Mbala ○• Z ◆ 40-41 H 3
Mbalabala ○ ZW ◆ 40-41 G 6
Mbale ☆• EAU ◆ 40-41 H 1
Mbamba Bay ○ EAT ◆ 40-41 H 4
Mbandaka ☆ ZRE ◆ 40-41 E 1
M'banza Congo ☆ ANG ◆ 40-41 D 3
Mbanza-Ngungu = Thysville ○ ZRE ◆ 40-41 D 3
Mbarara ☆ EAU ◆ 40-41 H 2
Mbari ~ RCA ◆ 38-39 K 7
Mbé ○ RCB ◆ 40-41 D 2
Mbeya ☆ EAT ◆ 40-41 H 3
Mbinda ○ RCB ◆ 40-41 D 2
Mbomou ~ RCA ◆ 38-39 K 8
Mbout ○ RIM ◆ 38-39 C 5
Mbrés ○• RCA ◆ 38-39 J 7
Mbuji-Mayi ☆ ZRE ◆ 40-41 F 3
McAlester ○ USA ◆ 44-45 G 4
Mc Arthur River ~ AUS ◆ 36-37 H 3
McCarthy ○ USA ◆ 42-43 H 4
McClintock Channel ≈ ◆ 42-43 Q 2
McClure Strait ≈ ◆ 42-43 M 1
McGrath ○ USA (AK) ◆ 42-43 E 4
McKinlay ○ AUS ◆ 36-37 J 4
McKinley, Mount ▲·· USA ◆ 42-43 F 4
McLaughlin Bank ≌ ◆ 34-35 N 5
McLeod Bay ⊖ CDN ◆ 42-43 O 4
McMinnville ○ USA (OR) ◆ 42-43 M 7
McMurdo ○ ARK ◆ 13 F 17
Mc Murdo Sound ≈ ◆ 13 F 17
McRobertson Land ⏊ ARK ◆ 13 G 7
McVicar Arm ⊖ CDN ◆ 42-43 M 4
Meaux ○ F ◇ 18-19 J 7 ◆ 14-15
Mebo, Gunung ▲ RI ◆ 34-35 K 7
Mebridege ~ ANG ◆ 40-41 D 3
Mecheria ○ DZ ◆ 38-39 E 2
Mechhed = Mašhad ☆·· IR ◆ 32-33 H 3
Mecula ○ MOC ◆ 40-41 J 4
Medan ☆ RI ◆ 34-35 C 6
Médéa ☆ DZ ◆ 38-39 F 1
Medellín ○ CO ◆ 46-47 D 3
Medenine ☆ TN ◆ 38-39 H 2
Medford ○• USA (OR) ◆ 42-43 M 8
Medicine Hat ○ CDN ◆ 42-43 O 6
Medine = Madina, al- ☆·· KSA ◆ 32-33 D 6
Médio-Atlantique, Dorsale ≌ ◆ 46-47 L 2
Médio-Pacifique, Chaîne ≌ ◆ 34-35 O 2
Mednyj ostrov ⌒ RUS ◆ 28-29 e 7
Medo, El ○ ETH ◆ 38-39 O 7
Médoc ⏊ F ◇ 18-19 G 9 ◆ 14-15 L 6
Medvedica ~ RUS ◆ 14-15 U 5
Medvež'i ostrova ⌒ RUS ◆ 28-29 d 3
Medvežka ○ RUS ◆ 28-29 d 4
Meekatharra ○ AUS ◆ 36-37 D 5
Meerut ○ IND ◆ 32-33 M 5
Mèga ○ ETH ◆ 38-39 N 8
Mega ○ RI ◆ 34-35 K 7
Meghālaya □ IND ◆ 32-33 P 5
Mehrān, Rūd-e ~ IR ◆ 32-33 G 5
Meidānšahr ☆• AFG ◆ 32-33 K 4
Meihekou ○ CHN ◆ 30-31 O 3
Meiktila ○ MYA ◆ 30-31 H 7
Meizhou ○ CHN ◆ 30-31 M 7
Mejillones ○ RCH ◆ 48 C 2
Mékambo ○ G ◆ 40-41 D 1
Mek'elē ☆• ETH ◆ 38-39 N 6
Meknès = Miknās ☆ MA ◆ 38-39 D 2
Mekong ~ K ◆ 34-35 E 4
Mékong, Bouches du = Cửu Long, Cửa Sông ⏊ VN ◆ 34-35 E 5
Melaka ☆• MAL (MEL) ◆ 34-35 D 6
Mélanésie ⌒ ◆ 34-35 M 7
Mélanésien, Bassin ≌ ◆ 12 G 2
Melbourne ☆·· AUS ◆ 36-37 J 7
Melbourne ○ USA (FL) ◆ 44-45 K 5
Melchor, Isla ⌒ RCH ◆ 48 C 7
Melchor Múzquiz ○ MEX ◆ 44-45 F 5
Meleck ○ RUS ◆ 28-29 P 6
Mélèzes, Rivière aux ~ CDN ◆ 42-43 W 5
Mélfi ○ TCH ◆ 38-39 J 6
Melilla ○• E ◇ 24-25 F 7 ◆ 14-15 L 8
Melipilla ○ RCH ◆ 48 C 4
Melitopol' ○ UA ◆ 14-15 T 6
Mellish Reef ⌒ AUS ◆ 36-37 M 3
Melo ☆ ROU ◆ 48 G 4
Melrhir, Chott ⊖ DZ ◆ 38-39 G 2
Melton ○ AUS ◆ 36-37 J 7
Melun ☆ F ◇ 18-19 J 7 ◆ 14-15
Melville, Cape ▲ AUS ◆ 36-37 J 2
Melville, Lake ⊖ CDN ◆ 42-43 Z 6

Lowa — Melville, Lake 63

Melville Bay ≈ ◆ 36-37 H 2
Melville Bugt ≈ ◆ 42-43 Y 1
Melville Hills ▲ CDN ◆ 42-43 M 3
Melville Island ⌒ AUS ◆ 36-37 G 2
Melville Island ⌒ CDN ◆ 42-43 O 1
Melville Peninsula ∪ CDN ◆ 42-43 U 3
Memboro o RI ◆ 34-35 G 8
Memphis ∴ ⋯ ET ◆ 38-39 M 3
Memphis o USA (TN) ◆ 44-45 H 3
Menabe ∸ RM ◆ 40-41 K 6
Ménaka o RMM ◆ 38-39 F 5
Menarandra ~ RM ◆ 40-41 L 6
Menawashei o SUD ◆ 38-39 K 6
Mendana, Zone de Fracture de ≃ ◆ 46-47 A 8
Mendawai ~ RI ◆ 34-35 F 7
Mende o • F ◇ 18-19 J 9 ◆ 14-15
Mendi o ETH ◆ 38-39 N 7
Mendi ☆ PNG ◆ 34-35 M 8
Mendocino, Cape ▲ USA ◆ 44-45 B 2
Mendoza □ RA ◆ 48 D 5
Mendoza ☆ • RA (MEN) ◆ 48 D 4
Mengzi o CHN ◆ 30-31 J 7
Menindee o AUS ◆ 36-37 J 6
Menkerja o RUS ◆ 28-29 V 4
Menominee o USA ◆ 42-43 T 7
Menominee Indian Reservation ✕ USA ◆ 42-43 T 7
Menongue ☆ ANG ◆ 40-41 E 4
Menorca ⌒ E ◇ 24-25 J 4 ◆ 14-15 M 7
Mentawai, Détroit des ≈ ◆ 34-35 C 7
Mentawai, Kepulauan ⌒ RI ◆ 34-35 C 7
Menton o F ◇ 18-19 L 10 ◆ 14-15
Menzies o AUS ◆ 36-37 E 5
Menzies, Mount ▲ ARK ◆ 13 F 7
Merak o RI ◆ 34-35 E 8
Merauke o RI ◆ 34-35 M 8
Mer Blanche ≈ ◆ 14-15 T 2
Mercantour, Parc National du ⊥ • F ◇ 18-19 L 9 ◆ 14-15
Merced o USA ◆ 44-45 B 3
Mercedario, Cerro ▲ RA ◆ 48 C 4
Mercedes o RA (SLU) ◆ 48
Mercedes o RA (CO) ◆ 48 F 3
Mer Celtique ≈ ◇ 18-19 D 6 ◆ 14-15 K 5
Merchants Bay ≈ ◆ 42-43 Y 3
Mercy, Cape ▲ CDN ◆ 42-43 Y 4
Mer dEOkhotsk ≈ ◆ 28-29 a 7
Meredith, Cape ▲ GB ◆ 48 E 8
Mergui o MYA ◆ 34-35 C 4
Mergui, Archipel ⌒ MYA ◆ 34-35 C 4
Mergui Archipelago = Myeik Kyûnzu ⌒ MYA ◆ 34-35 C 4
Mérida ☆ •• MEX ◆ 44-45 J 6
Mérida ☆ • YV ◆ 46-47 E 3
Mérida, Cordillera de ▲ YV ◆ 46-47 E 3
Meridian o USA (MS) ◆ 44-45 J 4
Merín, Laguna ⊖ ROU ◆ 48 G 4
Mer Ionienne ≈ ◇ 26-27 F 6 ◆ 14-15 P 8
Merir ⌒ USA ◆ 34-35 K 6
Mer Jaune ≈ ◆ 30-31 N 4
Mer Méditerranée ≈ ◇ 26-27 E 6 ◆ 14-15 M 8
Mer Noire ≈ ◆ 14-15 S 7
Meroe ∴ SUD ◆ 38-39 M 5
Merredin o AUS ◆ 36-37 D 6
Merritt o CDN ◆ 42-43 M 6
Mer Rouge ≈ ◆ 32-33 D 5
Mersin = İçel o TR ◆ 14-15 S 8
Mertz Glacier ⊂ ARK ◆ 13 G 15
Meru o EAK ◆ 40-41 J 1
Meru ▲ •• EAT ◆ 40-41 J 2
Meru National Park ⊥ EAK ◆ 40-41 J 1
Mesa o USA (AZ) ◆ 44-45 D 4
Mesa Verde National Park ⊥ ⋯ USA ◆ 44-45 E 3
Mescalero Apache Indian Reservation ✕ USA ◆ 44-45 E 4
Mesopotamia ∸ RA ◆ 48 F 4
Mésopotamie ∸ IRQ ◆ 32-33 E 3
Messalo ~ MOC ◆ 40-41 J 4
Messina o I ◇ 26-27 E 5 ◆ 14-15 P 8
Messina o ZA ◆ 40-41 H 6
Messine, Détroit de ≈ ◇ 26-27 E 5 ◆ 14-15 O 8
Metaca o MOC ◆ 40-41 J 4
Meta Incognita Peninsula ∪ CDN ◆ 42-43 W 4
Metán o RA ◆ 48 E 3
Metangula o MOC ◆ 40-41 H 4
Metema o ETH ◆ 38-39 N 6
Metoro o MOC ◆ 40-41 J 4
Metz ☆ • F ◇ 18-19 L 7 ◆ 14-15 N 6
Meulaboh o RI ◆ 34-35 C 6
Meuse ~ F ◇ 18-19 K 7 ◆ 14-15
Meuse, Côtes de ∸ • F ◇ 18-19 K 7 ◆ 14-15
Mexicains, Hauts Plateau ▲ MEX ◆ 44-45 F 5
Mexicali ☆ MEX ◆ 44-45 C 4
México = Ciudad de México ★ ⋯ MEX ◆ 44-45 G 7
México, Golfo de ≈ ◆ 44-45 G 6
Mexico, Gulf of ≈ ◆ 44-45 H 5
Mexique ■ MEX ◆ 44-45 E 5
Mexique, Golfe du ≈ ◆ 6 E 6
Meždurečensk o RUS ◆ 28-29 O 7
Mezen' o RUS ◆ 28-29 E 4
Mezen' ~ RUS ◆ 28-29 E 4
Mézenc, Mont ▲ • F ◇ 18-19 K 9 ◆ 14-15
Mezenskaja guba ≈ ◆ 28-29 E 4
Mézier, Charleville ☆ F ◇ 18-19 K 7 ◆ 14-15
Miahuatlán, Sierra de ▲ MEX ◆ 44-45 G 7
Miami o USA (OK) ◆ 44-45 H 3
Miami o • USA (FL) ◆ 44-45 K 5
Miami Beach o • USA ◆ 44-45 K 5
Miandrivazo o RM ◆ 40-41 L 5
Miangas, Pulau ⌒ RI ◆ 34-35 J 5
Mianwali o PK ◆ 32-33 L 4
Mianyang o CHN ◆ 30-31 J 5
Miaodao Qundao ⌒ CHN ◆ 30-31 N 4
Miass ☆ RUS (CEL) ◆ 28-29 J 6
Michelson, Mount ▲ USA ◆ 42-43 H 3
Michigan □ USA ◆ 42-43 T 7
Michigan, Lake ⊖ USA ◆ 42-43 T 8
Michipicoten Island ⌒ CDN ◆ 42-43 T 7
Miconge o ZRE ◆ 40-41 D 2
Micronésie ⌒ FSM ◆ 34-35 M 5
Mičurinsk o RUS ◇ 22-23 R 5 ◆ 14-15 U 5
Midai, Pulau ⌒ RI ◆ 34-35 E 6
Middelburg o ZA (CAP) ◆ 40-41 G 8
Middelburg o ZA (TRA) ◆ 40-41 G 7
Middle Andaman ⌒ IND ◆ 34-35 B 4
Middlesboro o USA ◆ 44-45 K 3
Middleton o AUS ◆ 36-37 J 4
Middleton Reef ⌒ AUS ◆ 36-37 M 5
Midi, Canal du < F ◇ 18-19 J 10 ◆ 14-15
Midi-Pyrénées □ F ◇ 18-19 H 10 ◆ 14-15
Midland o USA (TX) ◆ 44-45 F 4
Midouze ~ F ◇ 18-19 G 10 ◆ 14-15
Midu o CHN ◆ 30-31 J 6
Mielec o • PL ◇ 20-21 Q 3 ◆ 14-15 Q 5
Mihajlovka o RUS ◆ 14-15 U 5
Mihrād, al- ∸ KSA ◆ 32-33 G 6
Mijek o WSA ◆ 38-39 C 4
Mikkeli ☆ FIN ◆ 14-15 R 3
Miknās ☆ MA ◆ 38-39 D 2
Mikumi National Park ⊥ EAT ◆ 40-41 J 3
Mikun' o RUS ◆ 28-29 G 5
Miladummadulu Atoll ⌒ MV ◆ 32-33 L 9
Milan = Milano ☆ ⋯ I ◇ 26-27 B 2 ◆ 14-15 N 6
Milando, Reserva Especial do ⊥ ANG ◆ 40-41 E 3
Milange o ZRE ◆ 40-41 G 2
Milano ☆ ⋯ I ◇ 26-27 B 2 ◆ 14-15 N 6
Mildura o AUS ◆ 36-37 J 6
Miles o AUS ◆ 36-37 L 5
Miles City o USA (MT) ◆ 42-43 P 7
Mi'ēso o ETH ◆ 38-39 O 7
Milford Sound ≈ ◆ 36-37 O 8
Milhana o MOC ◆ 40-41 J 4
Milim o PNG ◆ 34-35 O 8
Milk, Wādi al- ~ SUD ◆ 38-39 M 5
Milk River ~ CDN ◆ 42-43 O 7
Millas o F ◇ 18-19 J 10 ◆ 14-15
Millau o F ◇ 18-19 J 9 ◆ 14-15
Mille Lacs Lake ⊖ USA ◆ 42-43 S 7
Millevaches, Plateau de ▲ F ◇ 18-19 H 9 ◆ 14-15
Millicent o AUS ◆ 36-37 J 7
Mill Island ⌒ ARK ◆ 13 G 11
Mill Island ⌒ CDN ◆ 42-43 V 4
Millstream Chichester National Park ⊥ AUS ◆ 36-37 D 4
Milo ~ RG ◆ 38-39 D 6
Milos ⌒ GR ◇ 26-27 K 6 ◆ 14-15 Q 8
Milparinka o AUS ◆ 36-37 J 5
Milton o NZ ◆ 36-37 O 9
Milwaukee o • USA ◆ 42-43 T 8
Mimizan o F ◇ 18-19 G 9 ◆ 14-15
Mimongo o G ◆ 40-41 D 2
Minami-Daitō-shima ⌒ J ◆ 30-31 P 6
Minas ☆ ROU ◆ 48 F 4
Minas de Matahambre o C ◆ 44-45 K 6
Minas Gerais □ BR ◆ 46-47 K 8
Minatitlán o • MEX (VER) ◆ 44-45 H 7
Minbu o MYA ◆ 30-31 G 7
Mindanao ⌒ RP ◆ 34-35 J 5
Mindona Lake ⊖ AUS ◆ 36-37 J 6
Mindoro ⌒ RP ◆ 34-35 H 4
Mindoro Strait ≈ ◆ 34-35 H 4
Mingaçevir o • AZ ◆ 32-33 F 2
Minghoshan = Dunhuang o • CHN ◆ 30-31 G 3
Mingora o • PK ◆ 32-33 L 4
Minh Hpai o VN ◆ 34-35 E 5
Minigwal, Lake ⊖ AUS ◆ 36-37 E 5
Minna ☆ WAN ◆ 38-39 G 7
Minneapolis o • USA (MN) ◆ 42-43 S 8
Minnesota □ USA ◆ 42-43 R 7
Minnesota River ~ USA ◆ 42-43 R 8
Minorque = Menorca ⌒ E ◇ 24-25 J 4 ◆ 14-15 M 7
Minot o USA ◆ 42-43 Q 7
Minsk ★ BY ◇ 22-23 K 5 ◆ 14-15 R 5
Minto o CDN (YT) ◆ 42-43 J 4
Minto, Lac ⊖ CDN ◆ 42-43 V 5
Minusinsk ☆ RUS ◆ 28-29 P 7
Min Xian o CHN ◆ 30-31 J 5
Minyā, al- ☆ ET ◆ 38-39 M 3
Miracema de Tocantins o BR ◆ 46-47 K 6
Mirador o BR (MAR) ◆ 46-47 L 6
Mirador, Parque Nacional de ⊥ BR ◆ 46-47 K 6
Miraflores o CO (VAU) ◆ 46-47 E 4
Miramar o RA ◆ 48 F 5
Miranda o BR (GSU) ◆ 48 F 2
Mirğāve o IR ◆ 32-33 J 5
Miri o MAL ◆ 34-35 F 6
Mirnyj o ARK ◆ 13 G 10
Mirnyj ☆ • RUS ◆ 28-29 T 5
Mirpur Khās o • PK ◆ 32-33 K 5
Misima Island ⌒ PNG ◆ 34-35 O 9
Misiones □ RA ◆ 48 F 3
Miskitos, Cayos ⌒ NIC ◆ 44-45 K 8
Miskolc o H ◇ 20-21 Q 4 ◆ 14-15 Q 6
Mismār o SUD ◆ 38-39 N 5
Misool, Pulau ⌒ RI ◆ 34-35 K 7
Miṣrātah ☆ LAR ◆ 38-39 J 2
Missinaibi River ~ CDN ◆ 42-43 U 6
Mississippi □ USA ◆ 44-45 H 4
Mississippi River ~ USA ◆ 44-45 H 4
Mississippi River Delta ∪ USA ◆ 44-45 J 5
Missoula o USA ◆ 42-43 O 7
Missouri □ USA ◆ 44-45 H 3
Missouri River ~ USA ◆ 44-45 G 2
Mistassini, Lac ⊖ CDN ◆ 42-43 W 6
Mitchell o AUS ◆ 36-37 K 5
Mitchell o USA (SD) ◆ 44-45 G 2
Mitchell, Mount ▲ USA ◆ 44-45 K 3
Mitchell River ~ AUS ◆ 36-37 J 3
Mithankot o PK ◆ 32-33 L 5
Mithi o PK ◆ 32-33 K 6
Mitiaro Island ⌒ NZ ◆ 12 M 4
Mitilíni ☆ • GR ◇ 26-27 L 5 ◆ 14-15 R 8
Mito ☆ J ◆ 30-31 R 4
Mitsinjo o RM ◆ 40-41 L 5
Mitsio, Nosy ⌒ RM ◆ 40-41 L 4
Mits'iwa o • ER ◆ 38-39 N 5
Mitu ☆ CO ◆ 46-47 E 4
Mitumba, Monts ▲ ZRE ◆ 40-41 G 2
Mitwaba o ZRE ◆ 40-41 G 3
Mitzic o G ◆ 40-41 D 1
Miyako shima ⌒ J ◆ 30-31 O 7
Miyāne o • IR ◆ 32-33 F 3
Miyazaki ☆ J ◆ 30-31 P 5
Mizan Teferi o ETH ◆ 38-39 N 7
Mizdah o LAR ◆ 38-39 H 2
Mizoram □ IND ◆ 32-33 P 6
Mkambati Nature Reserve ⊥ ZA ◆ 40-41 G 8
Mkomazi Game Reserve ⊥ EAT ◆ 40-41 J 2
Mkuzi Game Reserve ⊥ ZA ◆ 40-41 H 7
Mlandizi o EAT ◆ 40-41 J 3
Mmabatho ☆ ZA ◆ 40-41 F 7
Moa ~ WAL ◆ 38-39 C 7
Moa, Pulau ⌒ RI ◆ 34-35 J 8
Moa Island ⌒ AUS ◆ 36-37 J 2
Moala ⌒ FJI ◆ 36-37 Q 3
Moamba o MOC ◆ 40-41 H 7
Moanda o G ◆ 40-41 D 2
Moba o ZRE ◆ 40-41 G 3
Mobaye ☆ • RCA ◆ 38-39 K 8
Mobile o USA ◆ 44-45 J 4
Mobridge o USA ◆ 42-43 Q 7
Mocajuba o BR ◆ 46-47 K 5
Moçambique o MOC (Nam) ◆ 40-41 K 5
Moçambique, Ilha de ⌒ ⋯ MOC ◆ 40-41 K 5
Mocha = al-Muhā o •• Y ◆ 32-33 E 8
Mocha, Isla ⌒ RCH ◆ 48 C 5
Mocha = Muhā, al- o •• Y ◆ 32-33 E 8
Mochis, Los o MEX ◆ 44-45 E 5
Mochudi ☆ RB ◆ 40-41 G 6
Mocimboa da Praia o MOC ◆ 40-41 K 4
Môco ▲ ANG ◆ 40-41 E 4
Mocoa ☆ CO ◆ 46-47 D 4
Mocuba o MOC ◆ 40-41 J 5
Modane o F ◇ 18-19 L 9 ◆ 14-15
Modena o I ◇ 26-27 C 2 ◆ 14-15 O 7
Modesto o USA ◆ 44-45 B 3
Moero, Lac = Lake Mweru ⊖ ZRE ◆ 40-41 G 3
Moe-Yallourn o AUS ◆ 36-37 K 7
Mogadiscio = Mugdiisho = Muqdisho ★ SP ◆ 38-39 P 8
Mogadiscio = Muqdisho ★ SP ◆ 38-39 P 8
Mogincual o MOC ◆ 40-41 K 5
Mogoča ☆ RUS ◆ 28-29 U 7
Mogotes, Punta ▲ RA ◆ 48 F 5
Mohican, Cape ▲ USA ◆ 42-43 C 4
Moili ⌒ COM ◆ 40-41 K 4
Mo i Rana o N ◇ 16-17 G 3 ◆ 14-15 O 2
Moisie, Rivière ~ CDN ◆ 42-43 X 6
Moissac o F ◇ 18-19 H 9 ◆ 14-15
Moïssala o TCH ◆ 38-39 J 7
Mojave Desert ∸ USA ◆ 44-45 C 3
Mojos, Llanos de ∸ BOL ◆ 46-47 F 7
Mojynkum ∸ KZ ◆ 28-29 J 8
Mokāma o IND ◆ 32-33 O 5
Mokp'o o ROK ◆ 30-31 O 5
Mōktama Kwe ≈ ◆ 34-35 C 3
Moldavie ■ MD ◆ 14-15 R 6
Moldoveanu ▲ RO ◆ 14-15 Q 6
Mole National Park ⊥ GH ◆ 38-39 E 7
Moliro o ZRE ◆ 40-41 H 3
Mollendo o PE ◆ 46-47 E 8
Molodežnaja o ARK ◆ 13 G 5
Molokai ⌒ USA ◆ 44-45 b 6
Molopo ~ RB ◆ 40-41 F 7
Moloundou o CAM ◆ 38-39 J 8
Molsheim o • F ◇ 18-19 L 7 ◆ 14-15
Moluques ⌒ RI ◆ 34-35 J 7
Moluques, Mer des ≈ ◆ 34-35 H 7
Moma o MOC ◆ 40-41 J 5
Moma ~ RUS ◆ 28-29 Z 4
Moma, Monts = Momskij hrebet ▲ RUS ◆ 28-29 Z 4
Mombasa ☆ •• EAK ◆ 40-41 J 2
Mombasa Marine National Reserve ⊥ EAK ◆ 40-41 J 2
Mombetsu o J (HOK) ◆ 30-31 R 3
Mombongo o ZRE (HAU) ◆ 40-41 F 1
Mömpelgard o • F ◇ 18-19 L 8 ◆ 14-15
Momskij hrebet ▲ RUS ◆ 28-29 Z 4
Mona, Isla ⌒ USA ◆ 44-45 N 7
Monaco ■ MC ◇ 18-19 L 10 ◆ 14-15 N 7
Mona Passage ≈ ◆ 44-45 N 7
Monashee Mountains ▲ CDN ◆ 42-43 N 6
Monastir ☆ TN ◆ 38-39 H 1
Mončegorsk o RUS ◆ 14-15 S 2
Monclova o MEX ◆ 44-45 F 5
Moncton o CDN ◆ 42-43 Y 7
Monga o ZRE ◆ 38-39 K 8
Mongala ~ ZRE ◆ 38-39 K 8
Mongers Lake ⊖ AUS ◆ 36-37 D 5
Mong Hsan o MYA ◆ 30-31 H 7
Mong Mit o MYA ◆ 30-31 H 7
Mongo ☆ TCH ◆ 38-39 J 6
Mongol, Plateau = Nei Mongol Gaoyuan ∸ CHN ◆ 30-31 K 3
Mongol Altajn Nuruu ▲ MAU ◆ 30-31 F 2
Mongolie ■ MAU ◆ 30-31 H 2
Mongolie Intérieure □ CHN ◆ 30-31 J 4
Mongu ☆ Z ◆ 40-41 F 5
Monkoto o ZRE ◆ 40-41 F 2
Mono ~ DY ◆ 38-39 F 7
Mono Lake ⊖ USA ◆ 44-45 C 3
Monroe o USA (LA) ◆ 44-45 H 4
Monrovia ★ • LB ◆ 38-39 C 7
Montagne Centrale = Sredinnyj hrebet ▲ RUS ◆ 28-29 c 7
Montagne d'Ambre, Parc National de la ⊥ RM ◆ 40-41 L 4
Montagnes Rocheuses = Rocky Mountains ▲ ◆ 42-43 K 4
Montague Island ⌒ USA ◆ 42-43 G 4
Montaigu o F ◇ 18-19 G 8 ◆ 14-15
Montalegre o ANG ◆ 40-41 E 3
Montalto (Monte Cocuzza) ▲ I ◇ 26-27 E 5 ◆ 14-15 P 8
Montana □ USA ◆ 42-43 O 7
Montaña, La ∸ PE ◆ 46-47 E 6
Montargis o F ◇ 18-19 J 8 ◆ 14-15
Montauban ☆ • F ◇ 18-19 H 9 ◆ 14-15 M 7
Montbard o F ◇ 18-19 K 8 ◆ 14-15
Montbéliard o • F ◇ 18-19 L 8 ◆ 14-15
Mont Blanc ▲ •• F ◇ 18-19 L 9 ◆ 14-15 N 6
Montceau-les-Mines o F ◇ 18-19 K 8 ◆ 14-15
Mont-de-Marsan ☆ F ◇ 18-19 G 10 ◆ 14-15 L 7
Mont-Dore o F ◆ 36-37 O 4
Mont-Dore, le o F ◇ 18-19 J 9 ◆ 14-15
Monte Alegre o BR ◆ 46-47 J 5
Montebello Islands ⌒ AUS ◆ 36-37 D 4
Monte-Carlo o MC ◇ 18-19 L 10 ◆ 14-15 N 7
Monte Caseros o RA ◆ 48 F 4
Monte Comán o RA ◆ 48 D 4
Monte Cristi ☆ DOM ◆ 44-45 M 7
Monte Dourado o BR ◆ 46-47 J 5
Montego Bay o •• JA ◆ 44-45 L 7
Montélimar o F ◇ 18-19 K 9 ◆ 14-15
Montemorelos o MEX ◆ 44-45 G 5
Monte Pascoal, Parque Nacional de ⊥ BR ◆ 46-47 M 8
Montepuez o MOC ◆ 40-41 J 4
Monte Quemado o RA ◆ 48 E 3
Monterey o • USA ◆ 44-45 B 3
Montería ☆ CO ◆ 46-47 D 3
Montero o BOL ◆ 46-47 G 8
Monte Rosa ▲ CH ◇ 20-21 J 6 ◆ 14-15 N 6
Monterrey ☆ • MEX ◆ 44-45 F 5
Monterrey Bay ≈ ◆ 44-45 B 3
Montes Claros o BR ◆ 46-47 L 8
Montevideo ★ • ROU ◆ 48 F 4
Montgomery ☆ • USA (AL) ◆ 44-45 J 4
Monticello o USA (UT) ◆ 44-45 E 3
Monticello o USA (AR) ◆ 44-45 H 4
Mont-Louis o F ◇ 18-19 J 10 ◆ 14-15
Montluçon o F ◇ 18-19 J 8 ◆ 14-15 M 6
Montmagny o CDN ◆ 42-43 W 7
Montmarault o F ◇ 18-19 J 8 ◆ 14-15
Monto o AUS ◆ 36-37 L 4
Montpelier ☆ USA (VT) ◆ 42-43 W 8
Montpellier ☆ • F ◇ 18-19 J 10 ◆ 14-15 M 7
Montréal o • CDN ◆ 42-43 W 7
Mont Saint-Michel, Le o ⋯ F ◇ 18-19 G 7 ◆ 14-15
Montserrat □ GB ◆ 44-45 O 7
Monts Métalliques = Erzgebirge ▲ D ◇ 20-21 M 3 ◆ 14-15 O 5
Monza o • I ◇ 26-27 B 2 ◆ 14-15 N 6
Monze o Z ◆ 40-41 G 5
Moonie o AUS ◆ 36-37 L 5
Moora o AUS ◆ 36-37 D 6
Moore, Lake ⊖ AUS ◆ 36-37 D 5
Moorhead o USA ◆ 42-43 R 7
Moose River ~ CDN ◆ 42-43 U 6
Moosonee o CDN ◆ 42-43 U 6
Mopti ☆ RMM (MOP) ◆ 38-39 E 6
Moquegua ☆ PE ◆ 46-47 E 8
Moradabad o IND ◆ 32-33 M 5
Morafenobe o RM ◆ 40-41 K 5
Moramanga o RM ◆ 40-41 L 5
Moranbah o AUS ◆ 36-37 K 4
Moratuwa o CL ◆ 32-33 M 9
Morawa o AUS ◆ 36-37 D 5
Moray Firth ≈ ◇ 18-19 E 3 ◆ 14-15 L 4
Mordovie □ RUS ◇ 22-23 S 4 ◆ 14-15 U 5
Moree o AUS ◆ 36-37 K 5
Morehead o PNG ◆ 34-35 M 8
Morelia ☆ ⋯ MEX ◆ 44-45 F 7
Morella o AUS ◆ 36-37 J 4
Morembe o RM ◆ 40-41 K 6
Moremi Wildlife Reserve ⊥ RB ◆ 40-41 F 5
Moresby Island ⌒ CDN ◆ 42-43 K 6
Moreton Bay ≈ ◆ 36-37 L 5
Moreton Island ⌒ AUS ◆ 36-37 L 5
Morfou o TR ◆ 14-15 S 8
Morgan o AUS ◆ 36-37 H 6
Morgantown o USA (WV) ◆ 44-45 L 3
Morioka ☆ • J ◆ 30-31 R 4
Morkoka ~ RUS ◆ 28-29 S 4
Morlaix o F ◇ 18-19 F 7 ◆ 14-15
Mornington, Isla ⌒ RCH ◆ 48 B 7
Mornington, Plaine Abyssale de ≃ ◆ 7 C 10
Mornington Island ⌒ AUS ◆ 36-37 H 3
Morogoro ☆ EAT ◆ 40-41 J 3
Morokweng o ZA ◆ 40-41 F 7
Morón o C ◆ 44-45 L 6
Mörön ☆ MAU ◆ 30-31 J 2
Morón o RA ◆ 48 F 4
Morondava o RM ◆ 40-41 K 6
Moroni ★ • COM ◆ 40-41 K 4
Morotai, Pulau ⌒ RI ◆ 34-35 J 6
Moroto, Mount ▲ EAU ◆ 38-39 M 8
Morrinhos o BR (GOI) ◆ 46-47 K 8
Morrumbala o MOC ◆ 40-41 J 5
Morteros o RA ◆ 48 E 4
Mortes, Rio das ~ BR ◆ 46-47 J 7
Morton National Park ⊥ AUS ◆ 36-37 L 6
Morvan, Parc Naturel Régional du ⊥ F ◇ 18-19 K 6 ◆ 14-15 M 6
Morven o AUS ◆ 36-37 K 5
Morwell o AUS ◆ 36-37 K 7
Moscou = Moskva ★ ⋯ RUS (MOS) ◇ 22-23 P 4 ◆ 14-15 T 4
Moselle ~ F ◇ 18-19 L 7 ◆ 14-15
Moses Lake o • USA ◆ 42-43 N 7
Moshi ☆ EAT ◆ 40-41 J 2
Moskva ★ ⋯ RUS (MOS) ◇ 22-23 P 4 ◆ 14-15 T 4
Mosquitos, Costa de ∪ NIC ◆ 44-45 K 8
Mosquitos, Golfo de los ≈ ◆ 44-45 K 9
Mossaka o RCB ◆ 40-41 E 2
Mosselbaai = Mossel Bay o ZA ◆ 40-41 F 8
Mossel Bay = Mosselbaai o ZA ◆ 40-41 F 8
Mossman o AUS ◆ 36-37 K 3
Mossoró o BR ◆ 46-47 M 6
Moss Vale o AUS ◆ 36-37 L 6
Most o CZ ◇ 20-21 M 3 ◆ 14-15 O 5
Mostaganem ☆ DZ ◆ 38-39 F 1
Mostar o • BIH ◇ 26-27 F 3 ◆ 14-15 P 7
Mostardas o BR ◆ 48 G 4
Motihari o IND ◆ 32-33 N 5
Motygino ☆ RUS ◆ 28-29 P 6
Moudjéria o RIM ◆ 38-39 C 5
Mougalaba, Reserve de la ⊥ G ◆ 40-41 D 2
Mouila ☆ G ◆ 40-41 D 2
Mould Bay o CDN ◆ 42-43 N 1
Moulins ☆ • F ◇ 18-19 J 8 ◆ 14-15
Moulmein = Maulamyaing o MYA ◆ 34-35 C 3
Moulouya, Oued ~ MA ◆ 38-39 E 2
Moundou ☆ TCH ◆ 38-39 J 7
Mount Amhurst o AUS ◆ 36-37 F 3
Mount Aspiring National Park ⊥ NZ ◆ 36-37 O 8
Mount Barker o AUS (WA) ◆ 36-37 D 6
Mount Cook National Park ⊥ ⋯ NZ ◆ 36-37 P 8
Mount Coolon o AUS ◆ 36-37 K 4
Mount Gambier o AUS ◆ 36-37 J 7
Mount Garnet o AUS ◆ 36-37 K 3
Mount Hagen ☆ •• PNG ◆ 34-35 N 8
Mount Hope o AUS (SA) ◆ 36-37 H 6
Mount Isa o •• AUS ◆ 36-37 H 4
Mount Magnet o AUS ◆ 36-37 D 5
Mount Mulligan o AUS ◆ 36-37 J 3
Mount Rainier National Park ⊥ USA ◆ 42-43 M 7
Mount Rushmore National Memorial ∴ USA ◆ 44-45 F 2
Mount Vernon o USA (IL) ◆ 44-45 J 3
Moura o BR ◆ 46-47 G 5
Mourdi, Dépression du ∸ TCH ◆ 38-39 K 5
Mourdiah o RMM ◆ 38-39 D 6
Mourmansk, Seuil de ≃ ◆ 14-15 T 1
Moussoro o TCH ◆ 38-39 J 6
Moustiers-Sainte-Marie o F ◇ 18-19 L 10 ◆ 14-15
Mouths of the Indus ~ PK ◆ 32-33 K 6
Moûtiers o F ◇ 18-19 L 9 ◆ 14-15
Moyale o EAK ◆ 38-39 N 8
Moyamba o WAL ◆ 38-39 C 7
Moyen Atlas ▲ MA ◆ 38-39 D 2
Moyobamba ☆ PE ◆ 46-47 D 6
Mozambique ■ MOC ◆ 40-41 H 6
Mozambique, Bassin du ≃ ◆ 40-41 J 7
Mozambique, Canal du ≈ ◆ 40-41 J 6
Mozambique, Plateau du ≃ ◆ 40-41 J 8
Mpanda o EAT ◆ 40-41 H 3
Mpika o Z ◆ 40-41 H 4
Mporokoso o Z ◆ 40-41 H 3
Mpume o ZRE ◆ 40-41 F 2
Mtwara ☆ EAT ◆ 40-41 K 4
Mualama o MOC ◆ 40-41 J 5
Muanda o ZRE ◆ 40-41 D 3
Muang Khammouan o LAO ◆ 34-35 D 3
Muang Không o LAO ◆ 34-35 E 4
Muang Pakxan o LAO ◆ 34-35 D 3
Muang Sing o LAO ◆ 34-35 D 2
Muarabungo o RI ◆ 34-35 D 7
Muarateweh o RI ◆ 34-35 F 7
Mubarraz o KSA ◆ 32-33 F 5
Mubende o EAU ◆ 40-41 H 1
Mubi o WAN ◆ 38-39 H 6
Mucajaí, Rio ~ BR ◆ 46-47 G 4
Mucajaí, Serra ▲ BR ◆ 46-47 G 4
Muchea o AUS ◆ 36-37 D 6
Muchinga Mountains ▲ Z ◆ 40-41 H 4
Muconda o ANG ◆ 40-41 F 4
Mucusso, Coutada Pública do ⊥ ANG ◆ 40-41 F 5
Mudanjiang o CHN ◆ 30-31 O 3
Mudgee o AUS ◆ 36-37 K 6
Mueda o MOC ◆ 40-41 J 4
Mufulira o Z ◆ 40-41 G 4
Mugdiisho = Muqdisho ★ SP ◆ 38-39 P 8
Mughsail o OM ◆ 32-33 G 7
Muğla ☆ TR ◆ 32-33 B 3
Muglad, al- o SUD ◆ 38-39 L 6
Muhā, al- o •• Y ◆ 32-33 E 8
Muhammad, Ra's ▲ ET ◆ 38-39 M 3
Mühlig-Hofmann-fjella ▲ ARK ◆ 13 F 1
Muhoro o EAT ◆ 40-41 J 3
Mũi Cà Mau ▲ VN ◆ 34-35 D 5
Mujeres, Isla ⌒ •• MEX ◆ 44-45 J 6
Mŭjnok ☆ UZ ◆ 32-33 H 2
Mukačeve ☆ UA ◆ 14-15 Q 6
Mukdahan o THA ◆ 34-35 D 3
Mukoshima-rettō ⌒ J ◆ 30-31 R 6
Mulaiiih, al- o KSA ◆ 32-33 D 6
Mulanje o MW ◆ 40-41 J 5
Mulanje Mountains ▲ MW ◆ 40-41 J 5
Mulhouse o F ◇ 18-19 L 8 ◆ 14-15 N 6
Müller, Pegunungan ▲ RI ◆ 34-35 F 6
Mullewa o AUS ◆ 36-37 D 5
Mulobezi o Z ◆ 40-41 G 5
Mulu, Gunung ▲ MAL ◆ 34-35 F 6
Mumbeji o Z ◆ 40-41 F 4
Muna ~ RUS ◆ 28-29 U 4
München ☆ •• D ◇ 20-21 L 4 ◆ 14-15 O 6
Muncho Lake Provincial Park ⊥ CDN ◆ 42-43 L 5
Muncie o USA ◆ 44-45 J 2
Mundo Novo o BR (BAH) ◆ 46-47 L 7
Mundubbera o AUS ◆ 36-37 L 5
Mundurucânia, Reserva Florestal ⊥ BR ◆ 46-47 H 6
Munduruçu, Área Indígena ✕ BR ◆ 46-47 H 6
Mungbere o ZRE ◆ 38-39 L 8
Mungindi o AUS ◆ 36-37 K 5
Mungo o SME ◆ 46-47 J 3
Munich = München ☆ •• D ◇ 20-21 L 4 ◆ 14-15 O 6
Muntok o RI ◆ 34-35 E 7
Mupa, Parque Nacional da ⊥ ANG ◆ 40-41 E 5
Muqdisho ★ SP ◆ 38-39 P 8
Muratus, Pegunungan ▲ RI ◆ 34-35 G 7
Murchison, Cape ▲ CDN ◆ 42-43 Y 4
Murchison Falls National Park ⊥ EAU ◆ 38-39 M 8
Murchison River ~ AUS ◆ 36-37 C 5
Murcia o E ◇ 24-25 G 6 ◆ 14-15 L 8
Murcie = Murcia o E ◇ 24-25 G 6 ◆ 14-15 L 8
Mureş ~ RO ◆ 14-15 Q 6
Muret o F ◇ 18-19 H 10 ◆ 14-15
Murgab ~ TM ◆ 32-33 J 3
Muriaé o BR ◆ 48 J 2
Muritiba o BR ◆ 46-47 M 7
Murmansk ☆ RUS ◆ 14-15 S 2
Murom ☆ RUS ◇ 22-23 S 4 ◆ 14-15 U 4
Muroran o J ◆ 30-31 R 3
Murray, Lake ⊖ PNG ◆ 34-35 M 8
Murray Bridge o • AUS ◆ 36-37 H 7
Murray River ~ AUS ◆ 36-37 H 6
Murray River Basin ∸ AUS ◆ 36-37 J 6
Mururoa Atoll ⌒ F (987) ◆ 12 O 5
Murwāra o IND ◆ 32-33 N 6
Murwillumbah o AUS ◆ 36-37 L 5
Musa Ali Terara ▲ DJI ◆ 38-39 O 6
Musa'id o Q ◆ 32-33 G 5
Mušbih, Ǧabal ▲ ET ◆ 38-39 M 4
Musgrave, Port ≈ ◆ 36-37 J 2
Musgrave Ranges ▲ AUS ◆ 36-37 G 5
Mus-Haja, gora ▲ RUS ◆ 28-29 Z 5
Mushie o ZRE ◆ 40-41 E 2
Musi ~ RI ◆ 34-35 D 7
Musin o WAN ◆ 38-39 F 7
Muskogee o USA ◆ 44-45 G 3
Musoma ☆ EAT ◆ 40-41 H 2
Mussau Island ⌒ PNG ◆ 34-35 N 7
Musselshell River ~ USA ◆ 42-43 P 7
Mussende o ANG ◆ 40-41 E 4
Mussolo o ANG ◆ 40-41 E 3
Mūt o ET ◆ 38-39 L 3
Mutare ☆ • ZW ◆ 40-41 H 5
Mutis, Gunung ▲ RI ◆ 34-35 H 8
Mutoto o ZRE (SHA) ◆ 40-41 G 3
Mutsamudu o • COM ◆ 40-41 K 4
Mutshatsha o ZRE ◆ 40-41 F 4
Mutsu o J ◆ 30-31 R 3
Muttaburra o AUS ◆ 36-37 J 4
Mu Us Shamo ∸ CHN ◆ 30-31 K 4
Muxima o ANG ◆ 40-41 D 3
Muyinga o BU ◆ 40-41 H 2
Muzaffargarh o PK ◆ 32-33 L 4
Muzaffarnagar o IND ◆ 32-33 M 5
Muzaffarpur o IND ◆ 32-33 O 5
Mvuma o ZW ◆ 40-41 H 5
Mwanza ☆ • EAT (MWA) ◆ 40-41 H 2
Mwanza o ZRE ◆ 40-41 G 3
Mweka o ZRE ◆ 40-41 F 2
Mwene-Ditu o ZRE ◆ 40-41 F 3
Mweru, Lake = Lac Moero ⊖ Z ◆ 40-41 G 3
Mweru Wantipa National Park ⊥ Z ◆ 40-41 G 3
Mwinilunga o Z ◆ 40-41 F 4
Myanmar ■ MYA ◆ 30-31 G 7
Myingyan o MYA ◆ 30-31 H 7
Myitkyina o MYA ◆ 30-31 H 6
Mykolajiv o UA ◆ 14-15 S 6
Mymensingh o BD ◆ 32-33 P 6
Myohaung o MYA ◆ 30-31 G 7
Myrtle Beach o USA ◆ 44-45 L 4
Mysore o •• IND ◆ 32-33 M 8
My Tho ☆ • VN ◆ 34-35 E 4
M'Zab ∸ ⋯ DZ ◆ 38-39 F 2
Mziha o EAT ◆ 40-41 J 3
Mzimba o MW ◆ 40-41 H 4
Mzimkulwana Nature Reserve ⊥ ZA ◆ 40-41 G 7
Mzuzu ☆ MW ◆ 40-41 H 4

N

Nabire o RI ◆ 34-35 L 7
Nabouwalu o FJI ◆ 36-37 Q 3
Nacala o MOC ◆ 40-41 K 4
Nacaroa o MOC ◆ 40-41 J 4
Nad-e 'Ali o AFG ◆ 32-33 J 4
Nadiād o IND ◆ 32-33 L 6
Nadjaf = Naǧaf, an- ☆ IRQ (NAG) ◆ 32-33 E 4
Nadym o RUS ◆ 28-29 L 4
Nafūd ad-Dahi ∸ KSA ◆ 32-33 E 6
Nafūd al-Kubrā, an- ∸ KSA ◆ 32-33 E 5
Naga o RP (CAS) ◆ 34-35 H 4
Naga o RP (CEB) ◆ 34-35 H 4
Naǧaf, an- ☆ IRQ (NAG) ◆ 32-33 E 4
Naǧafābād o IR ◆ 32-33 G 4
Nagai Island ⌒ USA ◆ 42-43 D 5
Nāgāland □ IND ◆ 32-33 P 5
Nagano o J ◆ 30-31 Q 4
Nagasaki ☆ •• J ◆ 30-31 O 5
Nāgaur o IND ◆ 32-33 L 5
Naǧd ∸ KSA ◆ 32-33 E 5
Nāgda o IND ◆ 32-33 M 6
Nāgercoil o IND ◆ 32-33 M 9
Naǧ 'Hammādi o ET ◆ 38-39 M 3
Nagornyj ☆ RUS ◆ 28-29 g 5
Nagoya ☆ • J ◆ 30-31 Q 4
Nāgpur o • IND ◆ 32-33 M 6
Nagqu o CHN ◆ 30-31 G 5
Naǧrān ☆ • KSA ◆ 32-33 E 7
Naha o J ◆ 30-31 O 6
Nahanni National Park ⊥ ⋯ CDN ◆ 42-43 L 4
Nahodka o RUS ◆ 28-29 X 9
Nahūd, En o SUD ◆ 38-39 L 6
Nahuel Huapi, Parque Nacional ⊥ RA ◆ 48 C 6
Nain o CDN ◆ 42-43 Y 5
Nāin o • IR ◆ 32-33 G 4
Nairai ⌒ FJI ◆ 36-37 Q 3
Nairobi ☆ • EAK (NAI) ◆ 40-41 J 2
Naivasha o EAK ◆ 40-41 J 2
Nakanno o RUS ◆ 28-29 S 5
Nak'fa o ER ◆ 38-39 N 5
Nakhchyvan = Naxçıvan ☆ AZ ◆ 32-33 F 3
Nakhon Pathom o THA ◆ 34-35 D 4
Nakhon Sawan o THA ◆ 34-35 D 3
Nakhon Si Thammarat o •• THA ◆ 34-35 C 5
Nakina o CDN ◆ 42-43 T 6
Naknek o USA ◆ 42-43 E 5
Nakuru ☆ EAK ◆ 40-41 J 2
Nal'čik ☆ • RUS ◆ 14-15 U 7
Nālūt o LAR ◆ 38-39 H 2
Namacurra o MOC ◆ 40-41 J 5
Namak, Daryā-ye ⊖ IR ◆ 32-33 G 4
Namaksār ⊖ AFG ◆ 32-33 J 4
Namakwaland ∸ ZA ◆ 40-41 E 8
Namaland ∸ NAM ◆ 40-41 E 7
Namangan o UZ ◆ 32-33 L 2
Namapa o MOC ◆ 40-41 J 4
Namatanai o PNG ◆ 34-35 O 7
Nambikwara, Área Indígena ✕ BR ◆ 46-47 H 7
Nam Co ⊖ CHN ◆ 30-31 G 5
Nametil o MOC ◆ 40-41 J 5
Namib Desert = Namibwoestyn ∸ NAM ◆ 40-41 D 6
Namibe ☆ • ANG ◆ 40-41 D 5
Namibe, Reserva de ⊥ ANG ◆ 40-41 D 5
Namibie ■ NAM ◆ 40-41 E 6
Namibie, Plaine Abyssale de ≃ ◆ 40-41 B 7
Namib-Naukluft Park ⊥ NAM ◆ 40-41 D 6
Namibwoestyn = Namib Desert ∸ NAM ◆ 40-41 D 6
Namlea o RI ◆ 34-35 J 7
Namonuito Atoll ⌒ FSM ◆ 34-35 N 5
Nampala o RMM ◆ 38-39 D 5
Nampo o KOR ◆ 30-31 O 4
Nampula ☆ MOC (Nam) ◆ 40-41 J 5
Namsos o N ◇ 16-17 E 4 ◆ 14-15 O 3
Namtu o MYA ◆ 30-31 H 7
Namtumbo o EAT ◆ 40-41 J 4
Namuli, Monte ▲ MOC ◆ 40-41 J 5
Namwala o Z ◆ 40-41 G 5
Nan o THA ◆ 34-35 D 3
Nana ~ RCA ◆ 38-39 J 7
Nana Barya, Réserve de la ⊥ RCA ◆ 38-39 J 7
Nanchang ☆ • CHN ◆ 30-31 M 6
Nanchong o CHN ◆ 30-31 K 5
Nancy ☆ ⋯ F ◇ 18-19 L 7 ◆ 14-15 N 6
Nanded o IND ◆ 32-33 M 7
Nandi o FJI ◆ 12 J 4
Nandi o ZW ◆ 40-41 H 6
Nandikotkūr o IND ◆ 32-33 M 7
Nandurbār o IND ◆ 32-33 L 6
Nanga Eboko o CAM ◆ 38-39 H 8
Nangah Pinoh o RI ◆ 34-35 F 7
Nanga Parbat ▲ PK ◆ 32-33 L 3
Nanga Tayap o RI ◆ 34-35 F 7
Nangong o CHN ◆ 30-31 M 4
Nanjing ☆ • CHN ◆ 30-31 M 5
Nankin = Nanjing ☆ • CHN ◆ 30-31 M 5
Nan Ling ▲ CHN ◆ 30-31 L 6
Nanning ☆ CHN ◆ 30-31 K 7
Nanping o CHN (FUJ) ◆ 30-31 M 6
Nansei-shotō ⌒ J ◆ 30-31 O 6
Nantes ☆ • F ◇ 18-19 G 8 ◆ 14-15 L 6
Nantong o CHN ◆ 30-31 N 5
Nantucket Island ⌒ USA ◆ 44-45 M 2
Nanumea ⌒ TUV ◆ 12 J 3
Nanuque o BR ◆ 46-47 L 8
Nanutarra Roadhouse o AUS ◆ 36-37 D 4
Nanyang o CHN ◆ 30-31 L 5
Nanyuki o EAK ◆ 40-41 J 1
Não, Cabo de la ▲ E ◇ 24-25 H 5 ◆ 14-15 M 8
Naococane, Lac ⊖ CDN ◆ 42-43 W 6
Napaiskak o USA ◆ 42-43 D 4
Napier o NZ ◆ 36-37 Q 7
Napier Mountains ▲ ARK ◆ 13 G 6
Naples o USA (FL) ◆ 44-45 K 5
Naples = Napoli ☆ ⋯ I ◇ 26-27 E 4 ◆ 14-15 O 7
Napo, Río ~ EC ◆ 46-47 D 5
Napo, Río ~ PE ◆ 46-47 E 5
Napoli ☆ ⋯ I ◇ 26-27 E 4 ◆ 14-15 O 7
Nara o RMM ◆ 38-39 D 5
Naracoorte o AUS ◆ 36-37 J 7
Naranjas, Punta ▲ PA ◆ 44-45 K 9
Narathiwat ☆ THA ◆ 34-35 D 5
Narbonne o F ◇ 18-19 J 10 ◆ 14-15 M 7
Nares, Plaine Abyssale de ≃ ◆ 44-45 N 6
Nares Stræde ≈ ◆ 42-43 W 1
Narimanov ☆ RUS ◆ 14-15 V 6
Nar'jan-Mar ☆ RUS ◆ 28-29 G 4
Narmada ~ IND ◆ 32-33 L 6
Narodnaja, gora ▲ RUS ◆ 28-29 J 5
Narok o EAK ◆ 40-41 J 2
Narooma o AUS ◆ 36-37 L 7
Narrabri o AUS ◆ 36-37 K 6
Narrandera o AUS ◆ 36-37 K 6
Narrogin o AUS ◆ 36-37 D 6
Narsarsuaq o GRØ ◆ 42-43 b 4
Narsimhapur o IND ◆ 32-33 M 6

64 Melville Bay — Narsimhapur

Narva ○• EST ◇ 22-23 L 2 ◆ 14-15 R 4
Narvik ○•• N ◇ 16-17 H 2 ◆ 14-15 P 2
Naryn ○ KS ◆ 32-33 M 2
Nāshik ○ IND ◆ 32-33 L 7
Nāṣir ○ SUD ◆ 38-39 M 7
Nāṣir, Buhairat < ET ◆ 38-39 M 4
Nāṣiriya, an- ☆ IRQ ◆ 32-33 F 4
Nasondoye ○ ZRE ◆ 40-41 G 4
Nassau ★•• BS ◆ 44-45 L 5
Nasser, Lac = Nāṣir, Buhairat < ET ◆ 38-39 M 4
Nass River ~ CDN ◆ 42-43 L 5
Nastapoka Islands ⌒ CDN ◆ 42-43 V 5
Nata ○ RB (CEN) ◆ 40-41 G 6
Natal Basin = Mozambique Basin ≃ ◆ 40-41 H 7
Natal Valley ≃ ◆ 9 G 9
Natashquan, Rivière ~ CDN ◆ 42-43 Y 6
Natashquan River ~ CDN ◆ 42-43 Y 6
Natchez ○ USA ◆ 44-45 H 4
Natewa Bay ≈ ◆ 36-37 Q 3
Nationalpark i Nordgrønland og Østgrønland ⊥ GRØ ◆ 42-43 c 1
Nationalpark Niedersächsisches Wattenmeer ⊥ D ◇ 20-21 J 2 ◆ 14-15 N 5
Nationalpark Schleswig-Holsteinisches Wattenmeer ⊥ D ◇ 20-21 K 1 ◆ 14-15 N 5
Natitingou ☆ DY ◆ 38-39 F 6
Natividade ○ BR ◆ 46-47 K 7
Natron, Lac = Natron, Lake ⊖ EAT ◆ 40-41 J 2
Natron, Lake ⊖ EAT ◆ 40-41 J 2
Natuna, Laut ≈ ◆ 34-35 E 6
Natuna Besar, Pulau ⌒ RI ◆ 34-35 E 6
Naturaliste, Cape ▲ AUS (WA) ◆ 36-37 D 6
Naturaliste Plateau ≃ ◆ 36-37 C 6
Nauru ⌒ NAU ◆ 12 H 3
Nauta ○ PE ◆ 46-47 E 5
Navajo Indian Reservation ⊥ USA ◆ 44-45 D 3
Navajo Mountain ▲ USA ◆ 44-45 D 3
Navarin, mys ▲ RUS ◆ 28-29 g 5
Navarino, Isla ⌒ RCH ◆ 48 D 8
Navoij ☆ UZ ◆ 32-33 K 2
Navojoa ○ MEX ◆ 44-45 E 5
Navsāri ○ IND ◆ 32-33 L 6
Nawābshāh ○ PK ◆ 32-33 K 5
Nawākshūt = Nouakchott ★• RIM ◆ 38-39 B 5
Naxçıvan ☆ AZ ◆ 32-33 F 3
Náxos ⌒ GR ◇ 26-27 K 6 ◆ 14-15 R 8
Nazca, Dorsale de ≃ ◆ 46-47 C 9
Nazrēt ○ ETH ◆ 38-39 N 7
Nazwā ○• OM ◆ 32-33 H 6
Nchelenge ○ Z ◆ 40-41 G 3
Ncue ○ GQ ◆ 38-39 H 8
N'Dalatando ☆ ANG ◆ 40-41 D 3
Ndélé ☆• RCA ◆ 38-39 K 7
Ndendé ○ G ◆ 40-41 D 2
N'djaména ★• TCH ◆ 38-39 J 6
Ndjolé ○ G ◆ 40-41 D 2
Ndola ☆ Z ◆ 40-41 G 4
Nebitdag ○ TM ◆ 32-33 G 3
Neblina, Cerro de la ▲ YV ◆ 46-47 F 4
Nebo ○ AUS ◆ 36-37 K 4
Nebraska ■ USA ◆ 44-45 F 2
Nechako Plateau ▲ CDN ◆ 42-43 L 6
Nechisar National Park ⊥ ETH ◆ 38-39 N 7
Necker Island ⌒ USA ◆ 30-31 M 5
Necochea ○ RA ◆ 48 F 5
Nédéley ○ TCH ◆ 38-39 J 5
Nedrata ○ ETH ◆ 38-39 N 6
Nedumangad ○ IND ◆ 32-33 M 9
Neftejugansk ☆ RUS ◆ 28-29 L 5
Neftekamsk ☆ RUS ◆ 14-15 W 4
Negara ○ RI ◆ 34-35 G 7
Negēlē ○ ETH ◆ 38-39 N 7
Negev, ha- ⊥ IL ◆ 32-33 C 4
Negombo ○• CL ◆ 32-33 M 9
Negra, Punta ▲ PE ◆ 46-47 C 6
Negro, Cerro ▲ PA ◆ 44-45 K 9
Negro, Rio ~ BR ◆ 46-47 H 8
Negro, Río ~ RA ◆ 48 D 5
Negros ⌒ RP ◆ 34-35 H 5
Neijiang ○ CHN ◆ 30-31 K 6
Nei Mongol Gaoyuan ⊥ CHN ◆ 30-31 K 3
Neiriz ○• IR ◆ 32-33 G 5
Neiva ☆ CO ◆ 46-47 D 4
Nek'emte ☆ ETH ◆ 38-39 N 7
Nellore ○ IND ◆ 32-33 M 8
Nelson ○ NZ ◆ 36-37 P 8
Nelson, Cape ▲ AUS ◆ 36-37 J 7
Nelson, Port ≈ ◆ 42-43 S 5
Nelson Island ⌒ USA ◆ 42-43 C 4
Nelson Lakes National Park ⊥ NZ ◆ 36-37 P 8
Nelson River ~ CDN ◆ 42-43 R 5
Nelspruit ○• ZA ◆ 40-41 H 7
Néma ☆ RIM ◆ 38-39 D 5
Nemours ○ F ◇ 18-19 J 7 ◆ 14-15
Nemrut Daği ••• TR ◆ 14-15 T 8
Nemunas ~ LT ◇ 22-23 H 4 ◆ 14-15 Q 4
Nemyriv ☆ UA ◆ 14-15 R 6
Nendo Island ⌒ SOL ◆ 36-37 O 2
Nenjiang ○ CHN ◆ 30-31 O 2
Nen Jiang ~ CHN ◆ 30-31 N 2
Neosho River ~ USA ◆ 44-45 G 3
Nepa ○ RUS ◆ 28-29 S 6
Népal ■ NEP ◆ 32-33 N 5
Nepalganj ○ NEP ◆ 32-33 N 5
Nérac ○ F ◇ 18-19 H 9 ◆ 14-15
Nerča ~ RUS ◆ 28-29 U 7
Neriquinha ○ ANG ◆ 40-41 F 5
Nerjungri ☆• RUS ◆ 28-29 V 6
Nerojka, gora ▲ RUS ◆ 28-29 H 5
Neššpür ○• IR ◆ 32-33 H 3
Netanya ☆ IL ◆ 32-33 C 4
Nettilling Lake ⊖ CDN ◆ 42-43 W 3
Neubrandenburg ○ D ◇ 20-21 M 2 ◆ 14-15 O 5
Neufchâteau ○ F ◇ 18-19 K 7 ◆ 14-15
Neufchâtel-en-Bray ○ F ◇ 18-19 H 7 ◆ 14-15
Neuquén ■ RA ◆ 48 C 5
Neuquén ☆ RA (NEU) ◆ 48 D 5
Neuse River ~ USA ◆ 44-45 L 3
Neusiedler See ⊖ A ◇ 20-21 O 5 ◆ 14-15 P 6
Nevada ○ USA (MO) ◆ 44-45 H 3
Nevada ■ USA ◆ 44-45 C 3
Nevada, Sierra ▲ USA ◆ 44-45 B 2
Nevado, Cerro el ▲ RA ◆ 48 D 5
Neve, Serra do ▲ ANG ◆ 40-41 D 4
Nevers ☆• F ◇ 18-19 J 8 ◆ 14-15
Nevertire ○ AUS ◆ 36-37 K 6
Nevinnomyssk ○ RUS ◆ 14-15 U 7
Nevşehir ☆• TR ◆ 14-15 S 8
Newala ○ EAT ◆ 40-41 J 4
New Amsterdam ○ GUY ◆ 46-47 H 3
Newark ○ USA (NJ) ◆ 44-45 M 2
New Bedford ○ USA ◆ 44-45 M 2
New Bern ○ USA ◆ 44-45 L 3
New Britain ⌒ PNG ◆ 34-35 N 8
New Britain Trench ≃ ◆ 34-35 N 8
New Brunswick ■ CDN ◆ 42-43 X 7
New Bussa ○ WAN ◆ 38-39 F 7
Newcastle ○ AUS ◆ 36-37 L 6
Newcastle ○ CDN (NB) ◆ 42-43 X 7
New Castle ○ USA (PA) ◆ 44-45 K 2
Newcastle ○ USA (WY) ◆ 44-45 F 2
Newcastle upon Tyne ☆ GB ◇ 18-19 G 4 ◆ 14-15 L 5
Newcastle Waters ○ AUS ◆ 36-37 G 3
New Delhi ★• IND ◆ 32-33 M 5
New England Range ▲ AUS ◆ 36-37 L 6
New England Seamounts ≃ ◆ 44-45 O 3
Newenham, Cape ▲ USA ◆ 42-43 D 5
Newfoundland ■ CDN ◆ 42-43 Y 5
Newfoundland, Island of ⌒ CDN ◆ 42-43 Z 7
New Glasgow ○ CDN ◆ 42-43 Y 7
New Hampshire ■ USA ◆ 42-43 W 8
New Hanover ⌒ PNG ◆ 34-35 O 7
New Haven ○ USA ◆ 44-45 M 2
New Hazelton ○ CDN ◆ 42-43 L 5
New Hebrides Trench ≃ ◆ 36-37 O 3
New Iberia ○ USA ◆ 44-45 H 4
New Ireland ⌒ PNG ◆ 34-35 O 7
New Jersey ■ USA ◆ 44-45 M 3
Newman ○ AUS ◆ 36-37 D 4
New Mexico ■ USA ◆ 44-45 E 4
New Orleans ○•• USA ◆ 44-45 H 5
New Plymouth ○ NZ ◆ 36-37 P 7
New Providence Island ⌒ BS ◆ 44-45 L 5
New South Wales ■ AUS ◆ 36-37 J 6
New York ○•• USA (NY) ◆ 44-45 M 2
New York ■ USA ◆ 42-43 V 8
Nezahualcóyotl, Ciudad ○ MEX ◆ 44-45 G 7
Nez Perce Indian Reservation ⚔ USA ◆ 42-43 N 7
Ngabang ○ RI ◆ 34-35 E 6
Ngala ○ WAN ◆ 38-39 H 6
Ngangla Ringco ⊖ CHN ◆ 30-31 E 5
Nganglong Kangri ▲ CHN ◆ 30-31 E 5
Ngaoundéré ☆ CAM ◆ 38-39 H 7
Ngato ○ CAM ◆ 38-39 H 8
Ngazidja ⌒ COM ◆ 40-41 K 4
N'Giva ☆ ANG ◆ 40-41 E 5
Ngoko ~ CAM ◆ 40-41 E 1
Ngourti ○ RN ◆ 38-39 H 5
Ngovayang ▲ CAM ◆ 38-39 H 8
Nguigmi ○ RN ◆ 38-39 H 6
Ngulu Atoll ⌒ FSM ◆ 34-35 L 5
Nguni ○ EAK ◆ 40-41 J 2
Nguru ○ WAN ◆ 38-39 H 6
Nhamundá Mapuera, Área Indígena ⚔ BR ◆ 46-47 H 5
Nharêa ○ ANG ◆ 40-41 E 4
Nha Trang ○•• VN ◆ 34-35 E 4
Nhulunbuy (Gove) ○ AUS ◆ 36-37 H 2
Niafounké ○ RMM ◆ 38-39 E 5
Niagara Falls ○ CDN (ONT) ◆ 42-43 V 8
Niagara Falls ~•• CDN ◆ 42-43 V 8
Niamey ★• RN (NIA) ◆ 38-39 F 6
Niangara ○ ZRE ◆ 38-39 L 8
Nia-Nia ○ ZRE ◆ 40-41 G 1
Niari ~ RCB ◆ 40-41 D 2
Nias, Pulau ⌒ RI ◆ 34-35 C 6
Niassa, Reserva do ⊥ MOC ◆ 40-41 J 4
Niau ⌒ F (987) ◆ 12 N 4
Nicaragua ■ NIC ◆ 44-45 J 8
Nicaragua, Lago de ⊖ NIC ◆ 44-45 J 8
Nice ○• F ◇ 18-19 L 1 ◆ 14-15 N 7
Nice ☆• F ◇ 18-19 L 10
Nicholson ○ AUS ◆ 36-37 F 3
Nickol Bay ≈ ◆ 36-37 D 4
Nicobar, Îles ⌒ IND ◆ 34-35 B 5
Nicosie = Lefkosia ★•• CY ◆ 14-15 S 8
Nicoya, Península de ⌣ CR ◆ 44-45 J 9
Nido, El ○ RP ◆ 34-35 G 4
Niellé ○ CI ◆ 38-39 D 6
Niémen = Nemunas ~ LT ◇ 22-23 H 4 ◆ 14-15 Q 4
Nieuw Amsterdam ☆ SME ◆ 46-47 H 3
Nieuw Nickerie ☆ SME ◆ 46-47 H 3
Niğde ☆• TR ◆ 14-15 S 8
Niger ~ ◆ 38-39 G 7
Niger ■ RN ◆ 38-39 G 5
Niger, Cône de ≃ ◆ 38-39 F 8
Niger, Parc National du W. du ⊥ BF ◆ 38-39 F 6
Niger Delta ⌣ WAN ◆ 38-39 G 8
Nigeria ■ WAN ◆ 38-39 G 7
Nihoa ⌒ USA ◆ 44-45 a 6
Niigata ☆ J ◆ 30-31 Q 4
Niihau ⌒ USA ◆ 44-45 a 6
Nijnekama, Réservoir de = Nižnekamskoe vodohranilišče < RUS ◆ 14-15 W 4
Nikolaevsk-na-Amure ☆• RUS ◆ 28-29 Z 7
Nikopol' ○ UA ◆ 14-15 S 6
Nil, an- ~ ET ◆ 38-39 M 5
Nil = Nil, an- ~ ET ◆ 38-39 M 5
Nil blanc ~ SUD ◆ 38-39 M 6
Nil Bleu ~ ETH ◆ 38-39 N 7
Nilópolis ○ BR ◆ 48 J 2
Nimach ○ IND ◆ 32-33 L 6
Nimba, Monts ▲••• RG ◆ 38-39 D 7
Nîmes ☆•• F ◇ 18-19 K 10 ◆ 14-15 M 7
Nimmitabel ○ AUS ◆ 36-37 K 7
Nimule ○ SUD ◆ 38-39 M 8
Nimule National Park ⊥ SUD ◆ 38-39 M 8
Nine Degree Channel ≈ ◆ 32-33 L 9
Ninety Mile Beach ⊥• AUS ◆ 36-37 K 7
Ning'an ○ CHN ◆ 30-31 O 3
Ningbo ○• CHN ◆ 30-31 N 6
Ningming ○ CHN ◆ 30-31 K 7
Ningxia Huizu Zizhiqu ■ CHN ◆ 30-31 K 4
Ninigo Group ⌒ PNG ◆ 34-35 M 7
Ninnis Glacier ⊂ ARK ◆ 13 G 15
Niokolo-Koba, Parc National du ⊥••• SN ◆ 38-39 C 6
Niono ○ RMM ◆ 38-39 D 6
Nioro du Sahel ○ RMM ◆ 38-39 D 5
Niort ☆• F ◇ 18-19 G 8 ◆ 14-15 L 6
Nipigon ○ CDN ◆ 42-43 T 7
Nipigon, Lake ⊖ CDN ◆ 42-43 T 7
Nipissing, Lake ⊖ CDN ◆ 42-43 V 7
Nippon Kai = Japan, Sea of ≈ ◆ 30-31 P 3
Niquelândia ○ BR ◆ 46-47 K 7
Niš ○•• YU ◇ 26-27 H 3 ◆ 14-15 Q 7
Niterói ○ BR ◆ 48 J 2
Nitmiluk (Katherine Gorge) National Park ⊥•• AUS ◆ 36-37 G 2
Nitra ○•• SK ◇ 20-21 P 4 ◆ 14-15 P 6
Nizāmābād ○ IND ◆ 32-33 M 7
Nizkij, mys ▲ RUS ◆ 28-29 f 5
Nižnekamskoe vodohranilišče < RUS ◆ 14-15 W 4
Nižnekolymsk ○ RUS ◆ 28-29 d 4
Nižneudinsk ☆ RUS ◆ 28-29 Q 7
Nižnevartovsk ☆ RUS ◆ 28-29 M 5
Nižnij Novgorod ☆•• RUS ◇ 22-23 S 3 ◆ 14-15 U 4
Nižnij Odes ○ RUS ◆ 28-29 G 5
Nižnij Tagil ☆ RUS ◆ 14-15 X 4
Nižnjaja Tunguska ~ RUS ◆ 28-29 R 5
Nižyn ○ UA ◆ 14-15 S 5
Njagan' ○ RUS ◆ 28-29 K 5
Njombe ○ EAT ◆ 40-41 H 3
Njuja ~ RUS ◆ 28-29 T 5
Njurba ☆• RUS ◆ 28-29 U 5
Nkayi ○ RCB ◆ 40-41 D 2
Nkhotakota ○ MW ◆ 40-41 H 4
Nkongsamba ○ CAM ◆ 38-39 G 8
Noatak National Preserve ⊥ USA ◆ 42-43 D 3
Noatak River ~ USA ◆ 42-43 E 3
Nobeoka ○ J ◆ 30-31 P 5
Nobres ○ BR ◆ 46-47 H 7
Nockatunga ○ AUS ◆ 36-37 J 5
Nogales ○• MEX (SON) ◆ 44-45 D 4
Nogent-le-Rotrou ○ F ◇ 18-19 H 7 ◆ 14-15
Nogent-sur-Seine ○ F ◇ 18-19 J 7 ◆ 14-15
Noginsk ☆ RUS ◇ 22-23 Q 4 ◆ 14-15 T 4
Nogliki ☆ RUS ◆ 28-29 Z 7
Noirmoutier, Île de ⌒ F ◇ 18-19 F 8 ◆ 14-15
Noirmoutier-en-l'Île ○ F ◇ 18-19 F 8 ◆ 14-15
Nojabr'sk ○ RUS ◆ 28-29 M 5
Nokha ○ IND ◆ 32-33 L 5
Nokou ○ TCH ◆ 38-39 H 6
Nola ☆• RCA ◆ 38-39 J 8
Nome ○ USA ◆ 42-43 C 4
Nonacho Lake ⊖ CDN ◆ 42-43 P 4
Nong'an ○ CHN ◆ 30-31 O 3
Nongoma ☆ ZA ◆ 40-41 H 7
Nootka Island ⌒ CDN ◆ 42-43 L 7
Nord, Île du = North Island ⌒ NZ ◆ 36-37 Q 7
Nord, Mer du ≈ ◇ 18-19 J 3 ◆ 14-15 M 4
Nordenšel'da, arhipelag ⌒ RUS ◆ 28-29 P 2
Nordkapp ▲•• N ◇ 16-17 M 1 ◆ 14-15 R 1
Nördlicher Polarkreis ◆ 13 C 4
Nord-Pas-de-Calais ■ F ◇ 18-19 J 6 ◆ 14-15
Nordre Strømfjord ≈ ◆ 42-43 a 3
Nord-Scotia, Dorsale ≃ ◆ 7 F 10
Nordvik ○ RUS ◆ 28-29 T 3
Norfolk ○ USA (NE) ◆ 44-45 G 2
Norfolk Basin ≃ ◆ 36-37 P 6
Norfolk Island ⌒ AUS ◆ 36-37 O 5
Noril'sk ○ RUS ◆ 28-29 O 4
Normanby Island ⌒ PNG ◆ 34-35 O 8
Normandia ○ BR ◆ 46-47 H 4
Normandie ⊥ F ◇ 18-19 G 7 ◆ 14-15 L 6
Norman River ~ AUS ◆ 36-37 J 3
Normanton ○ AUS ◆ 36-37 J 3
Norman Wells ○ CDN ◆ 42-43 L 3
Norquinco ○ RA ◆ 48 C 6
Norrköping ☆• S ◇ 16-17 H 7 ◆ 14-15 P 4
Norseman ○ AUS ◆ 36-37 E 6
Norte, Cabo do ▲ BR ◆ 46-47 K 4
Norte, Serra do ▲ BR ◆ 46-47 H 7
Norte del Cabo San Antonio, Punta ▲ RA ◆ 48 F 5
Northam ○ AUS ◆ 36-37 D 6
Northampton ○ AUS ◆ 36-37 C 5
North Andaman ⌒ IND ◆ 34-35 B 4
North Arm ⊖ CDN ◆ 42-43 N 4
North Battleford ○ CDN ◆ 42-43 P 6
North Bay ○ CDN ◆ 42-43 V 7
North Cape ▲ NZ ◆ 36-37 P 6
North Caribou Lake ⊖ CDN ◆ 42-43 S 6
North Carolina ■ USA ◆ 44-45 L 3
North Cascades National Park ⊥• USA ◆ 42-43 M 7
North Channel ≈ ◇ 18-19 E 4 ◆ 14-15 K 4
North Dakota ■ USA ◆ 42-43 Q 7
Northern Mariana Islands ⌒ USA ◆ 34-35 N 3
Northern Territory ■ AUS ◆ 36-37 G 4
Northern Yukon National Park ⊥ CDN ◆ 42-43 H 3
North Goulburn Island ⌒ AUS ◆ 36-37 G 2
North Horr ○ EAK ◆ 38-39 N 8
North Island ⌒ NZ ◆ 36-37 Q 7
North Lakhimpur ○ IND ◆ 32-33 P 5
North Lincoln Land ⊥ CDN ◆ 42-43 U 1
North Luangwa National Park ⊥ Z ◆ 40-41 H 4
North Malosmadulu Atoll ⌒ MV ◆ 32-33 L 9
North Platte ○ USA ◆ 44-45 F 2
North Platte River ~ USA ◆ 44-45 E 2
North Saskatchewan River ~ CDN ◆ 42-43 P 6
North Slope ⊥ USA ◆ 42-43 E 3
North Taranaki Bight ≈ ◆ 36-37 P 7
Northumberland National Park ⊥ GB ◇ 18-19 F 4 ◆ 14-15 L 4
Northumberland Strait ≈ ◆ 42-43 Y 7
North West Basin ⊥ AUS ◆ 36-37 C 4
North West Cape ▲ AUS ◆ 36-37 C 4
Northwest Territories ■ CDN ◆ 42-43 L 3
North York Moors National Park ⊥ GB ◇ 18-19 G 4 ◆ 14-15 L 5
Norton Bay ≈ ◆ 42-43 D 4
Norton Sound ≈ ◆ 42-43 D 4
Norvège ■ N ◇ 16-17 D 7 ◆ 14-15 N 3
Norvège, Mer de ≈ ◇ 16-17 A 3 ◆ 14-15 K 2
Norvégien, Bassin ≃ ◆ 14-15 L 2
Norvégienne, Fosse ⊥ N ◇ 16-17 B 7 ◆ 14-15 N 4
Norway House ○ CDN ◆ 42-43 R 6
Norwegia, Kapp ▲ ARK ◆ 13 F 35
Norwegian Bay ≈ ◆ 42-43 S 1
Norwich ○•• GB ◇ 18-19 H 5 ◆ 14-15 M 5
Noşratābād ○• IR ◆ 32-33 H 5
Nossob ~ NAM ◆ 40-41 E 6
Nosy Be ⌒ RM ◆ 40-41 L 4
Nosy Mitsio ⌒ RM ◆ 40-41 L 4
Nosy Radama ⌒ RM ◆ 40-41 L 4
Nosy Varika ○ RM ◆ 40-41 L 6
Noto-hantō ⌣ J ◆ 30-31 Q 4
Notre-Dame, Monts ▲ CDN ◆ 42-43 X 7
Notre Dame Bay ≈ ◆ 42-43 Z 7
Nottaway, Rivière ~ CDN ◆ 42-43 V 6
Nottingham ○ GB ◇ 18-19 G 5 ◆ 14-15 L 5
Nottingham Island ⌒ CDN ◆ 42-43 V 4
Nouâdhibou ☆ RIM ◆ 38-39 B 4
Nouâdhibou, Râs ▲ RIM ◆ 38-39 B 4
Nouâmghâr ○ RIM ◆ 38-39 B 5
Noukous = Nukus ☆ UZ ◆ 32-33 H 2
Nouméa ☆• F ◆ 36-37 O 4
Nouveau-Brunswick = New Brunswick ■ CDN ◆ 42-43 X 7
Nouveau-QuÉbec, Cratère du ▲ CDN ◆ 42-43 W 4
Nouvelle-Bretagne, Fosse de = New Britain Trench ≃ ◆ 34-35 N 8
Nouvelle-Bretagne = New Britain ⌒ PNG ◆ 34-35 N 8
Nouvelle-Calédonie, Bassin du ≃ ◆ 36-37 O 4
Nouvelle-Calédonie, Île ⌒ F ◆ 36-37 N 4
Nouvelle-Écosse = Nova Scotia ■ CDN ◆ 42-43 Y 8
Nouvelle Galles du Sud = New South Wales ■ AUS ◆ 36-37 J 6
Nouvelle-Géorgie ⌒ SOL ◆ 34-35 P 8
Nouvelle-Guinée ⌒ RI ◆ 34-35 L 7
Nouvelle-Guinée, Fosse de ≃ ◆ 34-35 L 7
Nouvelle-Hébrides ⌒ VAN ◆ 36-37 O 2
Nouvelle-Irlande = New Ireland ⌒ PNG ◆ 34-35 O 7
Nouvelle-Orléans, La = New Orleans ○•• USA ◆ 44-45 H 5
Nouvelle-Sibérie, Archipel de la ⌒ RUS ◆ 28-29 Z 3
Nouvelle Souabe ⊥ ARK ◆ 13 F 36
Nouvelle-Zélande ■ NZ ◆ 36-37 O 8
Nouvelle-Zélande ⌒ NZ ◆ 36-37 O 8
Nouvelle-Zélande, Alpes de = Southern Alps ▲ NZ ◆ 36-37 O 8
Nouvelle-Zemble ⌒ RUS ◆ 28-29 G 3
Nouvelle-Zemble, Fosse de = Novozemel'skaja vpadina ≃ ◆ 28-29 H 3
Nova Iguaçu ○ BR ◆ 48 J 2
Novaja Igirma ○ RUS ◆ 28-29 R 6
Novaja Sibir', ostrov ⌒ RUS ◆ 28-29 a 2
Nova Kachovka ○ UA ◆ 14-15 S 6
Nova Mambone ○ MOC ◆ 40-41 J 6
Nova Olinda do Norte ○ BR ◆ 46-47 H 5
Novara ☆ I ◇ 26-27 B 2 ◆ 14-15 N 6
Nova Scotia ■ CDN ◆ 42-43 Y 8
Nova Xavantina ○ BR ◆ 46-47 J 7
Novgorod ☆••• RUS ◇ 22-23 M 2 ◆ 14-15 S 4
Novo Aripuanã ○ BR ◆ 46-47 G 6
Novodvinsk ○ RUS ◆ 14-15 U 3
Novo Hamburgo ○ BR ◆ 48 G 3
Novokuzneck ☆ RUS ◆ 28-29 O 7
Novolazarevskaja ○ ARK ◆ 13 F 1
Novomoskovsk ☆ RUS ◇ 22-23 Q 4 ◆ 14-15 T 5
Novomoskovs'k ○ UA ◆ 14-15 T 6
Novorossijsk ○• RUS ◆ 14-15 T 7
Novorybnaja ○ RUS ◆ 28-29 S 3
Novošahtinsk ○ RUS ◆ 14-15 T 6
Novosibirsk ☆• RUS ◆ 28-29 N 6
Novotroick ○ RUS ◆ 14-15 X 5
Novozemel'skaja vpadina ≃ ◆ 28-29 H 3
Novyj Port ○ RUS ◆ 28-29 L 4
Novyj Uojan ○ RUS ◆ 28-29 T 6
Novyj Urengoj ○ RUS ◆ 28-29 M 4
Novyj Uzen' ○ KZ ◆ 32-33 G 2
Nowra-Bomaderry ○ AUS ◆ 36-37 L 6
Noyon ○ F ◇ 18-19 J 7 ◆ 14-15
Nritu Ga ○ MYA ◆ 30-31 H 6
Ntchisi ○ MW ◆ 40-41 H 4
Ntomba, Lac ⊖• ZRE ◆ 40-41 E 2
Nubie ⊥ SUD ◆ 38-39 L 5
Nubie, Désert de ⊥ SUD ◆ 38-39 M 4
Nueces River ~ USA ◆ 44-45 G 5
Nueltin Lake ⊖ CDN ◆ 42-43 R 4
Nueva Gerona ☆ C ◆ 44-45 K 6
Nueva Rosita ○ MEX ◆ 44-45 F 5
Nuevo Andoas ○ PE ◆ 46-47 D 5
Nuevo Casas Grandes ○ MEX ◆ 44-45 E 4
Nuevo Laredo ○ MEX ◆ 44-45 G 5
Nu Jiang ~ CHN ◆ 30-31 H 6
Nuku'alofa ★• TON ◆ 12 K 5
Nuku-Hiva ⌒ F (987) ◆ 12 N 3
Nukulaelae Atoll ⌒ TUV ◆ 12 J 3
Nukus ☆ UZ ◆ 32-33 H 2
Nulato ○ USA ◆ 42-43 E 4
Nullagine ○ AUS ◆ 36-37 E 4
Nullarbor National Park ⊥ AUS ◆ 36-37 F 6
Nullarbor Plain ⊥ AUS ◆ 36-37 F 6
Num, Pulau ⌒ RI ◆ 34-35 L 7
Numan ○ WAN ◆ 38-39 H 7
Nū'mān, Ma'arrat an- ○• SYR ◆ 32-33 D 3
Numfor, Pulau ⌒ RI ◆ 34-35 K 7
Nunavik ⌣ GRØ ◆ 42-43 a 2
Nunivak Island ⌒ USA ◆ 42-43 C 4
Nunligran ○ RUS ◆ 28-29 h 5
Nuqay, Jabal ▲ LAR ◆ 38-39 J 4
Nuremberg = Nürnberg ○ D ◇ 20-21 L 4 ◆ 14-15 O 6
Nuri •• SUD ◆ 38-39 M 5
Nürnberg ○ D ◇ 20-21 L 4 ◆ 14-15 O 6
Nushki ○ PK ◆ 32-33 K 5
Nuuk = Godthåb ☆ GRØ ◆ 42-43 a 4
Nuussuaq Halvø ⌣ GRØ ◆ 42-43 a 2
Nuyts Archipelago ⌒ AUS ◆ 36-37 G 6
Nxai Pan National Park ⊥ RB ◆ 40-41 F 5
Nyagassola ○ RG ◆ 38-39 D 6
Nyainqêntanglha Shan ▲ CHN ◆ 30-31 F 6
Nyalā ○ SUD ◆ 38-39 K 6
Nyamandhlovu ○ ZW ◆ 40-41 G 5
Nyanga ~ G ◆ 40-41 D 2
Nyaunglebin ○ MYA ◆ 34-35 C 3
Nyeri ☆ EAK ◆ 40-41 J 2
Nyima ○ CHN ◆ 30-31 F 5
Nyingchi ○ CHN ◆ 30-31 G 6
Nyíregyháza ○ H ◇ 20-21 Q 5 ◆ 14-15 Q 6
Nykia National Park ⊥ MW ◆ 40-41 H 4
Nykia Plateau ▲•• MW ◆ 40-41 H 4
Nylstroom ○ ZA ◆ 40-41 G 6
Nyngan ○ AUS ◆ 36-37 K 6
Nyong ~ CAM ◆ 38-39 H 8
Nyons ○ F ◇ 18-19 K 9 ◆ 14-15
Nyunzu ○ ZRE ◆ 40-41 G 3
Nzega ○ EAT ◆ 40-41 H 2
Nzérékoré ■ RG ◆ 38-39 D 7
N'Zeto ○ ANG ◆ 40-41 D 3

O

Oahu ⌒ USA ◆ 44-45 b 6
Oamaru ○ NZ ◆ 36-37 P 9
Oates Land ⊥ ARK ◆ 13 F 17
Oaxaca de Juárez ☆••• MEX ◆ 44-45 G 7
Ob' ~ RUS ◆ 28-29 K 4
Ob, Golfe de l' = Obskaja guba ≈ ◆ 28-29 L 4
Obe ○• AFG ◆ 32-33 J 4
Obe = Île Aoba ⌒ VAN ◆ 36-37 O 3
Obera ○• RA ◆ 48 F 3
Obi, Pulau ⌒ RI ◆ 34-35 J 7
Óbidos ○ BR ◆ 46-47 H 5
Obihiro ○ J ◆ 30-31 R 3
Obluč'e ○ RUS ◆ 28-29 X 8
Obninsk ○ RUS ◇ 22-23 P 4 ◆ 14-15 T 4
Obo ☆ RCA ◆ 38-39 L 7
Oboa ▲ EAU ◆ 40-41 H 1
Obock ○ DJI ◆ 38-39 O 6
Obouya ○ RCB ◆ 40-41 E 2
Obregón, Ciudad ○ MEX ◆ 44-45 E 5
Obruchev, Seuil d' ≃ ◆ 28-29 d 7
Obščij syrt ▲ RUS ◆ 14-15 V 5
Obskaja guba ≈ ◆ 28-29 L 4
Ocala ○ USA ◆ 44-45 K 5
Ocaña ○ CO ◆ 46-47 E 3
Ocapi, Parc National de la ⊥ ZRE ◆ 38-39 L 8
Océan Arctique ≈ ◆ 28-29 V 2
Océan Indien ≈ ◆ 34-35 B 6
Oceanside ○ USA ◆ 44-45 C 4
Očenyrd, gora ▲ RUS ◆ 28-29 K 4
Ocho Rios ○• JA ◆ 44-45 L 7
Ocotal ☆ NIC ◆ 44-45 J 8
Ocotlán ○ MEX (JAL) ◆ 44-45 F 6
Octy, Mount ▲ AUS ◆ 36-37 G 4
Odense ○• DK ◇ 16-17 E 9 ◆ 14-15 O 4
Odesa ☆•• UA ◆ 14-15 S 6
Odessa ○ USA (TX) ◆ 44-45 F 4
Odessa = Odesa ☆ UA ◆ 44-45 S 6
Odessa = Odesa ☆•• UA ◆ 14-15 S 6
Odienné ☆• CI ◆ 38-39 D 7
Odra ~ PL ◇ 20-21 N 2 ◆ 14-15 O 5
Odzala, Parc National d' ⊥ RCB ◆ 40-41 D 1
Ogaden ⊥ ETH ◆ 38-39 O 7
Oganda, Parc National de l' ⊥ G ◆ 40-41 D 2
Ogasawara shotō ⌣ J ◆ 30-31 R 6
Ogbomoso ○ WAN ◆ 38-39 F 7
Ogden ○ USA (UT) ◆ 44-45 D 2
Ogilvie Mountains ▲ CDN ◆ 42-43 H 3
Ognon ~ F ◇ 18-19 L 8 ◆ 14-15
Ogoki Reservoir < CDN ◆ 42-43 T 6
Ogoki River ~ CDN ◆ 42-43 T 6
Ogooué ~ G ◆ 40-41 D 2
Ogr ○ SUD ◆ 38-39 L 6
Oha ☆• RUS ◆ 28-29 Z 7
Ohio ■ USA ◆ 44-45 K 2
Ohio River ~ USA ◆ 44-45 K 3
Ohota ~ RUS ◆ 28-29 Z 5
Ohotsk ☆• RUS ◆ 28-29 Z 6
Ohotsk, Sea of ≈ ◆ 28-29 a 7
Ohrid ○••• MK ◇ 26-27 H 4 ◆ 14-15 Q 7
Oiapoque ~ BR ◆ 46-47 J 4
Oiapoque, Reserva Biológica de ⊥ BR ◆ 46-47 J 4
Oise ~ F ◇ 18-19 J 7 ◆ 14-15
Ōita ☆ J ◆ 30-31 P 5
Ojmjakonskoe nagor'e ▲ RUS ◆ 28-29 Z 5
Ojos del Salado, Nevado ▲ RCH ◆ 48 D 3
Oka ~ RUS ◆ 28-29 R 7
Oka ~ RUS ◇ 22-23 P 4 ◆ 14-15 T 5
Okahandja ☆ NAM ◆ 40-41 E 6
Okanagan Lake ⊖ CDN ◆ 42-43 N 7
Okano ~ G ◆ 40-41 D 1
Okanogan River ~ USA ◆ 42-43 N 7
Okavango ~ NAM ◆ 40-41 F 5
Okavango, Marais de l' ⊥ RB ◆ 40-41 F 5
Okavango Basin ⊥ RB ◆ 40-41 F 5
Okayama ○ J ◆ 30-31 P 5
Okeechobee, Lake ⊖ USA ◆ 44-45 K 5
Okha = Oha ☆• RUS ◆ 28-29 Z 7
Okinawa-shima ⌒ J ◆ 30-31 O 6
Okinawa-shotō ⌒ J ◆ 30-31 O 6
Okinoerabu-shima ⌒ J ◆ 30-31 O 6
Okino-Tori-Shima ⌒ J ◆ 30-31 Q 7
Oki-shotō ⌒ J ◆ 30-31 P 4
Oklahoma ■ USA ◆ 44-45 G 3
Oklahoma City ☆ USA ◆ 44-45 G 3
Oktjabr' ☆ KZ ◆ 44-45 X 6
Oktjabr'skij ○ RUS (KMC) ◆ 28-29 c 7
Oktjabr'skij ○ RUS (BAS) ◆ 14-15 W 5
Oktjabr'skoj Revoljucii, ostrov ⌒ RUS ◆ 28-29 P 2
Okushiri-tō ⌣ J ◆ 30-31 Q 3
Okwa ~ RB ◆ 40-41 E 6
Olaf Prydz bukt ≈ ◆ 13 G 8
Öland ⌒• S ◇ 16-17 H 8 ◆ 14-15 P 4
Olary ○ AUS ◆ 36-37 J 6
Olavarría ○ RA ◆ 48 E 5
Olbia ○ I ◇ 26-27 B 4 ◆ 14-15 N 7
Old Crow ○ CDN ◆ 42-43 J 3
Oldeani ▲ EAT (ARU) ◆ 40-41 J 2
Olëkma ○ RUS (AMR) ◆ 28-29 V 6
Olëkma ~ RUS ◆ 28-29 V 6
Olëkminsk ☆• RUS ◆ 28-29 V 5
Olëkminskij zapovednik ⊥ RUS ◆ 28-29 V 6
Oleksandriyka ○ UA ◆ 14-15 S 6
Olenëk ○ RUS (SAH) ◆ 28-29 T 4
Olenëk ~ RUS ◆ 28-29 S 4
Olenek, Baie de l' = Olenëkskij zaliv ≈ ◆ 28-29 U 3
Olenëkskij zaliv ≈ ◆ 28-29 U 3
Olenij, ostrov ⌒ RUS (JAN) ◆ 28-29 M 3
Oléron, Île d' ⌒ F ◇ 18-19 G 9 ◆ 14-15 L 6
Ol'ga ○ RUS ◆ 28-29 Y 9
Ölgij ☆ MAU ◆ 30-31 F 2
Ol'ginsk ○ RUS ◆ 28-29 X 7
Olifants ~ NAM ◆ 40-41 E 6
Olifantsrivier ~ ZA ◆ 40-41 G 6
Olimarao ⌒ FSM ◆ 12 F 2
Olimarao Atoll ⌒ FSM ◆ 34-35 N 5
Ólimpos ▲ GR ◇ 26-27 J 4 ◆ 14-15 Q 7
Oljutorskij, mys ▲ RUS ◆ 28-29 f 6
Oljutorskij poluostrov ⌣ RUS ◆ 28-29 f 5
Oljutorskij zaliv ≈ ◆ 28-29 e 5
Ollagüe, Volcán ▲ BOL ◆ 48 D 2
Olmos ○ PE ◆ 46-47 D 6
Oloči ○ RUS ◆ 28-29 U 7
Ologbo Game Reserve ⊥ WAN ◆ 38-39 G 7
Oloj ~ RUS ◆ 28-29 d 4
Olojskij hrebet ▲ RUS ◆ 28-29 c 4
Olomouc ○ CZ ◇ 20-21 O 4 ◆ 14-15 P 6
Oloron-Sainte-Marie ○• F ◇ 18-19 G 10 ◆ 14-15
Olsztyn ☆• PL ◇ 20-21 Q 2 ◆ 14-15 Q 5
Olt ~ RO ◆ 14-15 Q 6
Oluanpi ○ RC ◆ 30-31 N 7
Olympia ••• GR ◇ 26-27 H 6 ◆ 14-15 Q 8
Olympia ☆ USA ◆ 42-43 M 7
Olympic National Park ⊥••• USA ◆ 42-43 M 7
Om' ~ RUS ◆ 28-29 M 6
Omaha ○ USA (NE) ◆ 44-45 G 2
Oman ■ OM ◆ 32-33 H 7
Oman, Golfe d' ≈ ◆ 32-33 H 6
Omapere ○ NZ ◆ 36-37 P 7
Omaruru ☆ NAM ◆ 40-41 E 6
Omatako ~ NAM ◆ 40-41 F 5
Omboué ○ G ◆ 40-41 C 2
Omdurman = Umm Durmān ○•• SUD ◆ 38-39 M 5
Ometepe, Isla de ⌒ NIC ◆ 44-45 J 8
Omgon, mys ▲ RUS ◆ 28-29 c 6
Omineca Mountains ▲ CDN ◆ 42-43 L 5
Ōmiya ○ J ◆ 30-31 Q 4
Ommanney Bay ≈ ◆ 42-43 Q 2
Omoloj ~ RUS ◆ 28-29 X 4
Omolon ~ RUS ◆ 28-29 c 4
Omo National Park ⊥ ETH ◆ 38-39 N 7
Omo Wenz ~ ETH ◆ 38-39 N 7
Omsk ☆• RUS ◆ 28-29 L 7
Omsukčan ☆ RUS ◆ 28-29 c 5
Omsukčanskij hrebet ▲ RUS ◆ 28-29 b 5
Omutninskij ☆ RUS ◆ 28-29 K 6
Oncócua ○ ANG ◆ 40-41 D 5
Öndörhaan ☆ MAU ◆ 30-31 L 2
Onega ○ RUS ◆ 14-15 T 3
Onega ~ RUS ◆ 14-15 T 3
Onega, Baie de l' = Onežskaja guba ≈ ◆ 14-15 T 3
Onekotan, ostrov ⌒ RUS ◆ 28-29 b 8
Onežskaja guba ≈ ◆ 14-15 T 3
Onežskoe ozero ⊖ RUS ◆ 14-15 T 3
Ongjin ○ KOR ◆ 30-31 O 4
Ongole ○ IND ◆ 32-33 N 7
Onitsha ☆ WAN ◆ 38-39 G 7
Onon ~ RUS ◆ 28-29 U 7
Onslow ○ AUS ◆ 36-37 D 4
Onslow Bay ≈ ◆ 44-45 L 4
Ontario ■ CDN ◆ 42-43 S 6
Ontario, Lake ⊖ ◆ 42-43 V 8
Oodnadatta ○ AUS ◆ 36-37 H 5
Oos-Londen = East London ☆• ZA ◆ 40-41 G 8
Opala ○ ZRE ◆ 40-41 F 2
Opava ○ CZ ◇ 20-21 O 4 ◆ 14-15 P 6
Opelika ○ USA ◆ 44-45 J 4
Opienge ○ ZRE ◆ 40-41 G 1
Opole ☆• PL ◇ 20-21 O 3 ◆ 14-15 P 5
Opotiki ○ NZ ◆ 36-37 Q 7
Opunake ○ NZ ◆ 36-37 P 7
Opuwo ☆ NAM ◆ 40-41 D 5
Or, Côte d' ⌣ GH ◆ 38-39 E 8
Öræfajökull ▲ IS ◇ 16-17 e 2 ◆ 14-15 H 3
Orai ○ IND ◆ 32-33 M 5
Oral ☆ KZ ◆ 14-15 W 5
Orange ○ AUS ◆ 36-37 K 6
Orange ○•• F ◇ 18-19 K 9 ◆ 14-15
Orange ~ ZA ◆ 40-41 E 7
Orange, Cap ▲ F ◆ 46-47 J 4
Orango, Ilha de ⌒ GNB ◆ 38-39 B 6
Oranje, Cône de l' ≃ ◆ 40-41 D 8
Oranje Gebergte ▲ SME ◆ 46-47 H 4
Oranjerivier ~ ZA ◆ 40-41 F 7
Oranjestad ☆ ARU ◆ 44-45 M 8
Oratia, Mount ▲ USA ◆ 42-43 D 5
Orb ~ F ◇ 18-19 J 10 ◆ 14-15
Orbost ○ AUS ◆ 36-37 K 7
Orcadas ○ ARK ◆ 13 G 32
Orcades ⌒ GB ◇ 18-19 F 2 ◆ 14-15 L 4
Ord, Mount ▲ AUS ◆ 36-37 F 3
Ordos, Plateau de l' = Mu Us Shamo ⊥ CHN ◆ 30-31 K 4
Ord River ~ AUS ◆ 36-37 F 3
Ordu ☆ TR ◆ 14-15 T 7
Örebro ☆• S ◇ 16-17 G 7 ◆ 14-15 P 4
Oregon ■ USA ◆ 42-43 M 8
Orehovo-Zuevo ☆ RUS ◇ 22-23 Q 4 ◆ 14-15 T 4
Orel ○ RUS ◇ 22-23 P 5 ◆ 14-15 T 5
Orenburg ☆ RUS ◆ 14-15 X 5
Orénoque, Delta de l' = Orinoco, Delta del ≈ ◆ 46-47 G 3
Orénoque = Orinoco, Río ~ YV ◆ 46-47 G 3
Orhon gol ~ MAU ◆ 30-31 J 2
Orillia ○ CDN ◆ 42-43 V 8
Orinduik ○ GUY ◆ 46-47 G 4
Orinoco, Delta del ≈ ◆ 46-47 G 3
Orinoco, Llanos del ⊥ ◆ 46-47 E 4
Orinoco, Río ~ YV ◆ 46-47 G 3
Orissa ■ IND ◆ 32-33 N 6
Oristano ○• I ◇ 26-27 B 5 ◆ 14-15 N 8
Oriximiná ○ BR ◆ 46-47 H 5
Orizaba ○• MEX ◆ 44-45 G 7
Orlando ○• USA ◆ 44-45 K 5
Orléanais ⌒ F ◇ 18-19 H 8 ◆ 14-15
Orléans ○ F ◇ 18-19 H 8 ◆ 14-15 M 6
Orle River Game Reserve ⊥ WAN ◆ 38-39 G 7
Orlik ☆ RUS ◆ 28-29 Q 7
Ormāra, Rās ▲ PK ◆ 32-33 J 5
Ormoc ○ RP ◆ 34-35 H 4
Ormuz, Détr. d' ≈ ◆ 32-33 H 5
Orne ~ F ◇ 18-19 G 7 ◆ 14-15
Örnsköldsvik ○ S ◇ 16-17 J 5 ◆ 14-15 P 3
Orocue ○ CO ◆ 46-47 E 4
Orol dengizi = Aral tenizi ⊖ ◆ 32-33 H 1
Orotukan ○ RUS ◆ 28-29 b 5
Oroya, La ○ PE ◆ 46-47 D 7
Orša ☆ BY ◇ 22-23 M 4 ◆ 14-15 S 5
Orsk ○ RUS ◆ 14-15 X 5
Orthez ○ F ◇ 18-19 G 10 ◆ 14-15
Orūmīye ☆• IR ◆ 32-33 F 3
Orūmīye, Daryāče-ye ⊖ IR ◆ 32-33 E 3
Oruro ☆ BOL ◆ 46-47 F 8
Orville Escarpment ▲ ARK ◆ 13 F 30
Oš ☆ KS ◆ 32-33 L 2
Osa, Península de ⌣ CR ◆ 44-45 K 9
Ōsaka ☆• J ◆ 30-31 Q 5
Osasco ○ BR ◆ 48 H 2
Oshakati ○ NAM ◆ 40-41 E 5
Oshawa ○ CDN ◆ 42-43 V 8
Ō-shima ⌒ J (KGA) ◆ 30-31 O 6
Ōshima ⌒ J (TOK) ◆ 30-31 Q 5
Oshivelo ○ NAM ◆ 40-41 E 5
Oshwe ○ ZRE ◆ 40-41 E 2
Osinniki ☆ RUS ◆ 28-29 O 7
Öskemen ○ KZ ◆ 28-29 N 8
Os'kino ○ RUS (IRK) ◆ 28-29 S 5
Oslo ★•• N ◇ 16-17 E 7 ◆ 14-15 O 4
Osmaniye ☆ TR ◆ 14-15 T 8
Osnabrück ○• D ◇ 20-21 K 2 ◆ 14-15 N 5
Osogbo ○• WAN ◆ 38-39 F 7
Osorno ○ RCH ◆ 48 C 6
Osprey Reef ⌒ AUS ◆ 36-37 K 2
Ossa, Mount ▲ AUS ◆ 36-37 K 8
Ossélé ○ RCB ◆ 40-41 D 2
Ossétie du Nord ■ RUS ◆ 14-15 U 7
Ostapazifisches Südpolarbecken ≈ ◆ 13 G 27
Östersund ☆• S ◇ 16-17 G 5 ◆ 14-15 O 3

Narva — Östersund 65

Ostrava o CZ ◆ 20-21 P 4 ◆ 14-15 P 6
Ostrowiec Świętokrzyski o PL ◆ 20-21 Q 3 ◆ 14-15 Q 5
Ōsumi, Détroit d' = Ōsumi-kaikyō ≈ ◆ 30-31 P 5
Ōsumi-kaikyō ≈ ◆ 30-31 P 5
Otago Peninsula ⌣ •• NZ ◆ 36-37 P 9
Otaki o NZ ◆ 36-37 Q 8
Otaru o J ◆ 30-31 R 3
Otavi o NAM ◆ 40-41 E 5
Oti ~ GH ◆ 38-39 F 7
Otjiwarongo ☆ NAM ◆ 40-41 E 6
Otranto, Canale d' ≈ ◆ 26-27 G 4 ◆ 14-15 P 7
Ottawa ★ • CDN ◆ 42-43 V 7
Ottawa Islands ⌒ CDN ◆ 42-43 U 5
Ottawa River ~ CDN ◆ 42-43 V 7
Ottumwa o USA ◆ 44-45 H 2
Otuzco o PE ◆ 46-47 D 6
Otway, Cape ▲ AUS ◆ 36-37 J 7
Ouachita Mountains ▲ USA ◆ 44-45 G 4
Ouachita River ~ USA ◆ 44-45 H 4
Ouadda o RCA ◆ 38-39 K 7
Ouagadougou ★ • BF ◆ 38-39 E 6
Ouahigouya ☆ BF ◆ 38-39 E 6
Oualâta o RIM ◆ 38-39 D 5
Ouanda Djallé o • RCA ◆ 38-39 K 7
Ou'Apelle River ~ CDN ◆ 42-43 Q 6
Ouarâne ⊥ RIM ◆ 38-39 D 4
Ouargla ☆ • DZ ◆ 38-39 G 2
Ouarkziz, Jbel ⊥ MA ◆ 38-39 C 3
Ouarzazate ☆ MA ◆ 38-39 D 2
Oubangui ~ RCB ◆ 40-41 E 1
Oudâne o • RIM ◆ 38-39 C 4
Oudmourtes, République des ■ RUS ◆ 14-15 W 4
Oudtshoorn o ZA ◆ 40-41 F 8
Ouémé ~ DY ◆ 38-39 F 7
Ouessant ⌒ F ◆ 18-19 E 7 ◆ 14-15
Ouezzane o MA ◆ 38-39 D 2
Oufa = Ufa ☆ RUS ◆ 14-15 X 5
Oufa = Ufa ~ RUS ◆ 14-15 X 4
Ouganda ■ EAU ◆ 40-41 H 1
Ouliedinenija, Île = Uedinenija, ostrov ⌒ RUS ◆ 28-29 N 2
Oulan-Bator = Ulaanbaatar ★ MAU ◆ 30-31 K 2
Oulan-Oude = Ulan-Udė ☆ • RUS ◆ 28-29 S 7
Oulu ☆ FIN ◆ 14-15 R 2
Oulujärvi ~ FIN ◆ 14-15 R 3
Oum-Chalouba o TCH ◆ 38-39 K 5
Oum-Hadjer o TCH ◆ 38-39 J 6
Oumm ed Droûs Guebli, Sebkhet ⊖ RIM ◆ 38-39 C 4
Oumm ed Droûs Telli, Sebkhet ⊖ RIM ◆ 38-39 C 4
Ounasjoki ~ FIN ◆ 14-15 Q 2
Ounianga Kébir o TCH ◆ 38-39 K 5
Oural ▲ RUS ◆ 28-29 H 7
Ourense (Orense) o E ◆ 24-25 D 3 ◆ 14-15 K 7
Ourgentch = Urganč ☆ UZ ◆ 32-33 J 2
Ourinhos o BR ◆ 48 H 2
Ouro Sogui o SN ◆ 38-39 C 5
Ouroumtchi = Ürümqi ☆ CHN ◆ 30-31 F 3
Ours, Grand Lac de l' = Great Bear Lake ⊖ CDN ◆ 42-43 M 3
Ours, Îles des = Medvež'i ostrova ⌒ RUS ◆ 28-29 d 3
Ousolie-Sibirskoïe = Usol'e-Sibirskoe o RUS ◆ 28-29 R 7
Oussourisk = Ussurijsk o RUS ◆ 28-29 X 9
Oust-Ilimsk = Ust'-Ilimsk ☆ RUS ◆ 28-29 R 6
Oust-Nera = Ust'-Nera ☆ • RUS ◆ 28-29 Z 5
Outamba-Kilimbi National Park ⊥ WAL ◆ 38-39 C 7
Outaouais, Rivière des ~ CDN ◆ 42-43 V 7
Outer Bailey Bank ≃ ◆ 18-19 A 1 ◆ 14-15 J 3
Outjo ☆ NAM ◆ 40-41 E 6
Ouzbékistan ■ UZ ◆ 32-33 H 2
Ovalau ⌒ FJI ◆ 36-37 Q 3
Ovalle o RCH ◆ 48 C 4
Ovamboland ⊥ NAM ◆ 40-41 D 5
Ovana, Cerro ▲ YV ◆ 46-47 F 4
Overlander Roadhouse o AUS ◆ 36-37 C 5
Oviedo = Uviéu ☆ ••• E ◆ 24-25 E 3 ◆ 14-15 K 7
Owando ☆ RCB ◆ 40-41 E 2
Owen, Zone de Fracture d' ≃ ◆ 40-41 M 1
Owensboro o USA ◆ 44-45 J 3
Owen Sound o • CDN ◆ 42-43 U 8
Owen Stanley Range ▲ PNG ◆ 34-35 N 8
Owerri ☆ WAN ◆ 38-39 G 7
Owo o WAN ◆ 38-39 G 7
Owyhee River ~ USA ◆ 42-43 N 8
Oyem ☆ G ◆ 40-41 D 1
Ozark Plateau ▲ USA ◆ 44-45 H 3
Ozarks, Lake of the ⊖ USA ◆ 44-45 H 3
Ozernoj, mys ▲ RUS ◆ 28-29 d 6
Ozernoj, poluostrov ⌣ RUS ◆ 28-29 d 6
Ozernoj, zaliv ≈ ◆ 28-29 d 6
Ozernovskij o RUS ◆ 28-29 c 7
Ožogina ~ RUS ◆ 28-29 a 4

P

Paamiut = Frederikshåb o GRØ ◆ 42-43 b 4
Pabna o BD ◆ 32-33 O 6
Pab Range ▲ PK ◆ 32-33 K 5
Pacaás Novos, Parque Nacional de ⊥ BR ◆ 46-47 G 7
Pacaás Novos, Serra dos ▲ BR ◆ 46-47 G 7
Pacajus o BR ◆ 46-47 M 5
Pacaraima, Sierra ▲ YV ◆ 46-47 G 4
Pacasmayo o PE ◆ 46-47 D 6
Pacaya-Samiria, Reserva Nacional ⊥ PE ◆ 46-47 E 5
Pachuca de Soto ☆ MEX ◆ 44-45 G 6
Pacific Ranges ▲ CDN ◆ 42-43 L 6
Pacifique-Atlantique, Bassin du ≈ ◆ 13 G 27
Packsaddle o AUS ◆ 36-37 J 6
Pacoval o BR ◆ 46-47 J 5
Padang ☆ RI ◆ 34-35 D 7
Padangpanjang o RI ◆ 34-35 D 7
Padang Sidempuan o RI ◆ 34-35 C 6
Padilla o BOL ◆ 46-47 G 8
Padoue = Padova ☆ • I ◆ 26-27 C 2 ◆ 14-15 O 6
Padova ☆ • I ◆ 26-27 C 2 ◆ 14-15 O 6
Padre Island ⌒ USA ◆ 44-45 G 5
Padrón o • E ◆ 24-25 C 3 ◆ 14-15 K 7
Paducah o USA (KY) ◆ 44-45 J 3
Pafos o ••• CY ◆ 14-15 S 9
Pafúri o MOC ◆ 40-41 H 6
Pagadian ☆ RP ◆ 34-35 H 5
Pagai Selatan, Pulau ⌒ RI ◆ 34-35 D 7
Pagalu, Isla de = Annobón, Isla de ⌒ GQ ◆ 40-41 C 2
Pagan ⌒ USA ◆ 34-35 N 3
Pagatan o RI ◆ 34-35 G 7
Page o USA (AZ) ◆ 44-45 D 3
Paget, Mount ▲ GB ◆ 48 K 8
Paimpol o F ◆ 18-19 F 7 ◆ 14-15
Painted Desert ⊥ USA ◆ 44-45 D 3
Paita o PE ◆ 46-47 C 6
Pajer, gora ▲ RUS ◆ 28-29 J 4
Pakaá-Nova, Área Indígena ⨯ BR ◆ 46-47 F 7
Pakistan ■ PK ◆ 32-33 J 5
Pakokku o MYA ◆ 30-31 H 7
Pakwach o EAU ◆ 38-39 M 8
Pakxé o •• LAO ◆ 34-35 E 3
Pala o TCH ◆ 38-39 H 7
Palaïs, le o F ◆ 18-19 F 8 ◆ 14-15
Palana ☆ RUS ◆ 28-29 c 6
Palangän, Küh-e ▲ IR ◆ 32-33 J 4
Palangkaraya ☆ RI ◆ 34-35 F 7
Pālanpur o IND ◆ 32-33 L 6
Palapye o RB ◆ 40-41 G 6
Palau ⌒ PAL ◆ 12 E 2
Palau = Belau ■ PAL ◆ 34-35 K 5
Palau Islands ⌒ PAL ◆ 34-35 K 5
Palau Trench ≃ ◆ 34-35 K 5
Palawan ⌒ RP ◆ 34-35 G 5
Palawan, Canal de = Palawan Passage ≈ ◆ 34-35 G 5
Palawan Passage ≈ ◆ 34-35 G 5
Palāyankottai o IND ◆ 32-33 M 9
Palembang ☆ RI ◆ 34-35 D 7
Palermo o I ◆ 26-27 D 5 ◆ 14-15 O 8
Palesse ⌣ BY ◆ 22-23 J 5 ◆ 14-15 R 5
Paletwa o MYA ◆ 30-31 G 7
Palghāt o IND ◆ 32-33 M 8
Palgrave, Mount ▲ AUS ◆ 36-37 D 4
Pāli o IND ◆ 32-33 L 5
Paljavaam ~ RUS ◆ 28-29 f 4
Palk, Détroit de = Palk Strait ≈ ◆ 32-33 M 9
Palk Strait ≈ ◆ 32-33 M 9
Palliser, Cape ▲ NZ ◆ 36-37 Q 8
Palma o MOC ◆ 40-41 K 4
Palma, La ⌒ E ◆ 38-39 B 3
Palma de Mallorca ☆ E ◆ 24-25 J 5 ◆ 14-15 M 8
Palmas, Cap ▲ CI ◆ 38-39 D 8
Palmas de Gran Canaria, Las ☆ • E ◆ 38-39 B 3
Palmer o ARK ◆ 13 G 30
Palmer o USA ◆ 42-43 G 4
Palmerston Atoll ⌒ NZ ◆ 12 L 4
Palmerston North o NZ ◆ 36-37 Q 8
Palmira o CO ◆ 46-47 D 4
Palm Islands ⌒ AUS ◆ 36-37 K 3
Palmyra Island ⌒ USA ◆ 12 L 2
Palomar Mountain ▲ USA ◆ 44-45 C 4
Palopo o RI ◆ 34-35 H 7
Palpa o PE ◆ 46-47 D 7
Palu ☆ RI ◆ 34-35 G 7
Pama o BF ◆ 38-39 F 6
Pamiers o F ◆ 18-19 H 10 ◆ 14-15
Pamir ▲ TJ ◆ 32-33 L 3
Pamlico Sound ≈ ◆ 44-45 L 3
Pampa, La ■ RA ◆ 48 D 5
Pampa Húmeda ⊥ RA ◆ 48 E 5
Pampa Seca ⊥ RA ◆ 48 D 4
Pamplona o • CO ◆ 46-47 E 3
Pamplona (Iruña) o •• E ◆ 24-25 G 3 ◆ 14-15 L 7
Panaji ☆ • IND ◆ 32-33 L 7
Panamá ■ PA ◆ 46-47 C 3
Panamá ★ •• PA (Pan) ◆ 46-47 D 3
Panama Canal <• PA ◆ 44-45 L 9
Panama City o USA ◆ 44-45 J 4
Panay ⌒ RP ◆ 34-35 H 4
Panay ~ RP ◆ 34-35 H 4
Pandharpur o • IND ◆ 32-33 M 7
Pangala o RCB ◆ 40-41 D 2
Pangani ~ EAT ◆ 40-41 J 2
Pangar Djerem, Réserve ⊥ CAM ◆ 38-39 H 7
Pangkajene o RI ◆ 34-35 G 7
Pangkalanbuun o RI ◆ 34-35 F 7
Pangkalpinang o RI ◆ 34-35 E 7
Pangnirtung o CDN ◆ 42-43 X 3
Panial, Danau ⊖ RI ◆ 34-35 L 7
Panié, Massif du ▲ F ◆ 36-37 N 4
Panipat o IND ◆ 32-33 M 5
Panjgūr o PK ◆ 32-33 J 5
Pantanal Matogrossense ~ BR ◆ 46-47 H 8
Pantanal Matogrossense, Parque Nacional do ⊥ BR ◆ 46-47 H 8
Pantelleria, Isola di ⌒ I ◆ 26-27 D 6 ◆ 14-15 O 8
Pantoja o PE ◆ 46-47 D 5
Pánuco, Río ~ MEX ◆ 44-45 G 6
Pan Xian o CHN ◆ 30-31 J 6
Panyčevo o RUS ◆ 28-29 N 6
Panzhihua o CHN ◆ 30-31 J 6
Papagayo, Golfo de ≈ ◆ 44-45 J 8
Papago Indian Reservation ⨯ USA ◆ 44-45 D 4
Papouasie-Nouvelle-Guinée ■ PNG ◆ 34-35 M 7
Papua, Gulf of ≈ ◆ 34-35 M 8
Parabubure, Área Indígena ⨯ BR ◆ 46-47 J 7
Paraburdoo o AUS ◆ 36-37 D 4
Paracanã, Área Indígena ⨯ BR ◆ 46-47 J 5
Paracas, Península de ⌣ PE ◆ 46-47 D 7
Paracas, Reserva Nacional ⊥ PE ◆ 46-47 D 7
Paracatu o BR ◆ 46-47 K 8
Paracels, Îles = Dongsha Dao ⌒ CHN ◆ 30-31 M 7
Parachilna o AUS ◆ 36-37 H 6
Paradise o USA (NV) ◆ 44-45 C 3
Paragua, La o YV ◆ 46-47 G 3
Paragua, Reserva Forestal La ⊥ YV ◆ 46-47 G 3
Paraguai, Rio ~ BR ◆ 46-47 H 8
Paraguaipoa o YV ◆ 46-47 E 2
Paraguana, Península de ⌣ YV ◆ 46-47 E 2
Paraguay ■ PY ◆ 48 E 2
Paraíba ■ BR ◆ 46-47 M 6
Parakou ☆ DY ◆ 38-39 F 7
Paramaribo ★ • SME ◆ 46-47 H 3
Paramillo, Nudo de ▲ CO ◆ 46-47 D 3
Paramillo, Parque Nacional ⊥ CO ◆ 46-47 D 3
Paramirim o BR ◆ 46-47 L 7
Paramušir, ostrov ⌒ RUS ◆ 28-29 c 7
Paraná o BR ◆ 46-47 K 7
Paraná ■ BR ◆ 48 G 3
Paraná ☆ • RA ◆ 48 E 4
Paraná, Rio ~ BR ◆ 46-47 K 7
Paraná, Río ~ RA ◆ 48 E 4
Paranaguá o BR ◆ 48 H 3
Paranaíba o BR ◆ 46-47 J 8
Paranapanema, Rio ~ BR ◆ 48 G 2
Paranatinga o BR ◆ 46-47 J 7
Paranavaí o BR ◆ 48 G 2
Parapol'skij Dol, ravnina ⌣ RUS ◆ 28-29 d 5
Paratinga o BR ◆ 46-47 L 7
Paraúna o BR ◆ 46-47 J 8
Paray-le-Monial o • F ◆ 18-19 K 8 ◆ 14-15
Parbhani o IND ◆ 32-33 M 7
Parc Naturel Régional d'Armorique ⊥ F ◆ 18-19 F 7 ◆ 14-15
Parc Naturel Régional de Brière ⊥ F ◆ 18-19 F 8 ◆ 14-15
Parc Naturel Régional de Brotonne ⊥ F ◆ 18-19 H 7 ◆ 14-15
Parc Naturel Régional de Camargue ⊥ • F ◆ 18-19 K 10 ◆ 14-15
Parc Naturel Régional du Marais Potevin Val de Sèvre et ⊥ F ◆ 18-19 G 8 ◆ 14-15
Parc Provincial de Mistassini ⊥ CDN ◆ 42-43 W 6
Parc Régional des Landes de Gascogne ⊥ F ◆ 18-19 G 9 ◆ 14-15
Parc Régional des Volcans d'Auvergne ⊥ F ◆ 18-19 J 9 ◆ 14-15
Parc Régional du Luberon ⊥ F ◆ 18-19 K 10 ◆ 14-15
Parc Régional du Morvan ⊥ F ◆ 18-19 J 8 ◆ 14-15
Parc Régional du Vercors ⊥ F ◆ 18-19 K 9 ◆ 14-15
Pardo, Rio ~ BR ◆ 46-47 J 9
Pardo, Rio ~ BR ◆ 46-47 L 8
Pardubice o CZ ◆ 20-21 N 3 ◆ 14-15 P 5
Parece-Vela, Bassin de ≃ ◆ 34-35 L 3
Parecis, Chapada dos ▲ BR ◆ 46-47 G 7
Parepare o RI ◆ 34-35 G 7
Paresi, Área Indígena ⨯ BR ◆ 46-47 H 7
Pargua o RCH ◆ 48 C 6
Paria, Golfo de ≈ ◆ 46-47 G 2
Parima, Reserva Florestal ⊥ BR ◆ 46-47 G 4
Parima, Serra ▲ BR ◆ 46-47 G 4
Pariñas, Punta ▲ PE ◆ 46-47 C 5
Parintins o BR ◆ 46-47 H 5
Paris ★ ••• F ◆ 20-21 G 4 ◆ 14-15 M 6
Paris o USA (TX) ◆ 44-45 G 4
Parkersburg o USA (WV) ◆ 44-45 K 3
Parkes o AUS ◆ 36-37 K 6
Park Range ▲ USA ◆ 44-45 E 2
Parma o•• I ◆ 26-27 C 2 ◆ 14-15 O 7
Parme = Parma o •• I ◆ 26-27 C 2 ◆ 14-15 O 7
Parnaíba o BR ◆ 46-47 L 5
Parnaíba, Rio ~ BR ◆ 46-47 K 6
Paroo River ~ AUS ◆ 36-37 K 5
Parque Internacional del Río Bravo ⊥ MEX ◆ 44-45 F 5
Parral o RCH ◆ 48 C 5
Parry, Cape ▲ CDN ◆ 42-43 M 2
Parry Bay ≈ ◆ 42-43 U 3
Parry Islands ⌒ CDN ◆ 42-43 O 1
Parthenay o F ◆ 18-19 G 8 ◆ 14-15
Paru, Rio ~ BR ◆ 46-47 J 4
Pasadena o USA (TX) ◆ 44-45 G 5
Pasadena o USA (CA) ◆ 44-45 C 4
Pasaje o EC ◆ 46-47 D 5
Pascagoula o USA ◆ 44-45 J 4
Pasley, Cape ▲ AUS ◆ 36-37 E 6
Pasni o PK ◆ 32-33 J 5
Paso de Indios o RA ◆ 48 D 6
Paso de los Toros o ROU ◆ 48 F 4
Passau o D ◆ 20-21 M 4 ◆ 14-15 O 6
Passo Fundo o BR ◆ 48 G 3
Passos o BR ◆ 48 H 2
Pastaza, Río ~ PE ◆ 46-47 D 5
Pasto ☆ CO ◆ 46-47 D 4
Pasuruan o RI ◆ 34-35 F 8
Patacamaya o BOL ◆ 46-47 F 8
Patagonian Shelf ≈ ◆ 7 E 10
Patagónica, Cordillera ▲ RCH ◆ 48 C 8
Patagonie ⊥ ◆ 48 C 7
Pate Island ⌒ EAK ◆ 40-41 K 2
Patía = El Bordo o CO ◆ 46-47 D 4
Patiala o IND ◆ 32-33 M 4
Patna ☆ IND ◆ 32-33 O 5
Patomskoe, nagor'e ⊥ RUS ◆ 28-29 T 6
Patos o BR (PA) ◆ 46-47 M 6
Patos, Lagoa dos ⊖ BR ◆ 48 G 4
Patos de Minas o BR ◆ 46-47 K 8
Patquia o RA ◆ 48 D 4
Pátra ☆ • GR ◆ 26-27 H 5 ◆ 14-15 Q 8
Pattani ☆ THA ◆ 34-35 D 5
Pattaya o •• THA ◆ 34-35 D 4
Patu o BR ◆ 46-47 M 6
Patuca, Río ~ HN ◆ 44-45 K 7
Pau ☆ • F ◆ 18-19 G 10 ◆ 14-15
Pauini o BR ◆ 46-47 F 6
Paulatuk o CDN ◆ 42-43 M 3
Paulistana o BR ◆ 46-47 L 6
Paulo Afonso o • BR ◆ 46-47 M 6
Pavlodar ☆ • KZ ◆ 28-29 M 7
Pavlohrad o UA ◆ 14-15 T 6
Paya, Parque Nacional la ⊥ CO ◆ 46-47 E 4
Payakumbuh o RI ◆ 34-35 D 7
Paynes Find o AUS ◆ 36-37 D 5
Paysandú ☆ ROU ◆ 48 F 4
Pays-Bas ■ NL ◆ 20-21 G 2 ◆ 14-15 N 5
Pays de la Loire ■ F ◆ 18-19 G 8 ◆ 14-15
Paz, La o RA (MEN) ◆ 48
Paz, La o RA (ERI) ◆ 48 F 4
Pazardžik o • BG ◆ 14-15 Q 7
Peace River o CDN (ALB) ◆ 42-43 N 5
Peace River ~ CDN ◆ 42-43 N 5
Peacock Bay ≈ ◆ 13 F 26
Pearl River ~ USA ◆ 44-45 J 4
Peary Channel ≈ ◆ 42-43 Q 1
Pebane o MOC ◆ 40-41 J 5
Pebas o PE ◆ 46-47 E 5
Peć o • YU ◆ 26-27 H 3 ◆ 14-15 Q 7
Peças, Ilha das ⌒ BR ◆ 48 H 3
Peche-Merle, Grotte du • F ◆ 18-19 H 9 ◆ 14-15
Pečora ☆ RUS (KOM) ◆ 28-29 H 4
Pečora ~ RUS ◆ 28-29 H 5
Pečoro-Ilyčskij, zapovednik ⊥ RUS ◆ 28-29 H 5
Pečorskoe more ≈ ◆ 28-29 G 4
Pecos o USA ◆ 44-45 F 4
Pecos River ~ USA ◆ 44-45 F 4
Pedreiras o BR (MAR) ◆ 46-47 L 5
Pedrera, La o CO ◆ 46-47 F 5
Pedro Afonso o BR ◆ 46-47 K 6
Pedro Cays ⌒ JA ◆ 44-45 L 7
Pedro II o BR ◆ 46-47 L 5
Pedro Juan Caballero ☆ PY ◆ 48 F 2
Pee Dee River ~ USA ◆ 44-45 L 4
Peel River ~ CDN ◆ 42-43 K 3
Peel River Game Reserve ⊥ CDN ◆ 42-43 K 3
Peel Sound ≈ ◆ 42-43 R 2
Peera Peera Poolanna Lake ⊖ AUS ◆ 36-37 H 5
Pégases, Baie = Pegasus Bay ≈ ◆ 36-37 P 8
Pegasus Bay ≈ ◆ 36-37 P 8
Pegu o MYA ◆ 34-35 C 3
Pegunungan Barisan ▲ RI ◆ 34-35 D 7
Pehuajó o RA ◆ 48 E 5
Pekalongan o RI ◆ 34-35 E 8
Pekanbaru ☆ RI ◆ 34-35 D 6
Pékin = Beijing ★ ••• CHN ◆ 30-31 M 4
Pekul'nej, hrebet ▲ RUS ◆ 28-29 f 4
Peleng, Pulau ⌒ RI ◆ 34-35 H 7
Pelly Bay ≈ ◆ 42-43 T 3
Pelly Mountains ▲ CDN ◆ 42-43 K 4
Pelly River ~ CDN ◆ 42-43 K 4
Pelopónnissos ⌣ GR ◆ 26-27 H 6 ◆ 14-15 Q 8
Pelotas o BR ◆ 48 G 4
Pemalang o RI ◆ 34-35 E 8
Pemangkat o RI ◆ 34-35 E 6
Pematangsiantar o RI ◆ 34-35 C 6
Pemba ☆ MOC ◆ 40-41 K 4
Pemba Channel ≈ ◆ 40-41 J 3
Pemba Island ⌒ EAT ◆ 40-41 J 3
Pembroke o CDN ◆ 42-43 V 7
Peña Nevada, Cerro ▲ MEX ◆ 44-45 G 6
Penang, Pulau ⌒ •• MAL ◆ 34-35 D 5
Peñas, Golfo de ≈ ◆ 48 B 7
Penck, Cape ▲ ARK ◆ 13 G 9
Pender Bay ≈ ◆ 36-37 E 3
Pendleton o USA (OR) ◆ 42-43 N 7
Penghu Islands ⌒ RC ◆ 30-31 M 7
Pengkou o CHN ◆ 30-31 M 6
Peniche o • P ◆ 24-25 C 5 ◆ 14-15 K 8
Penitente, Serra do ▲ BR ◆ 46-47 K 6
Penmarc'h o • F ◆ 18-19 E 8 ◆ 14-15
Penmarc'h, Pointe de ▲ • F ◆ 18-19 E 8 ◆ 14-15
Pennsylvania ■ USA ◆ 44-45 L 2
Penny Strait ≈ ◆ 42-43 R 1
Penonomé ☆ •• PA ◆ 44-45 K 9
Penrhyn, Bassin ≃ ◆ 12 M 3
Pensacola o USA ◆ 44-45 J 4
Pensacola Mountains ▲ ARK ◆ 13 E 0
Pentecost Island = Île Pentecôte ⌒ VAN ◆ 36-37 O 3
Penza ☆ RUS ◆ 14-15 V 5
Penžina ~ RUS ◆ 28-29 e 5
Penžinskaja guba ≈ ◆ 28-29 d 5
Penžinskij hrebet ▲ RUS ◆ 28-29 d 5
Peoria o USA (IL) ◆ 44-45 J 2
Perabumulih o RI ◆ 34-35 D 7
Percival Lakes ⊖ AUS ◆ 36-37 E 4
Pereira ☆ CO ◆ 46-47 D 4
Pergamino o RA ◆ 48 E 4
Péribonca, Rivière ~ CDN ◆ 42-43 W 6
Périgueux ☆ •• F ◆ 18-19 H 9 ◆ 14-15
Perito Moreno o RA ◆ 48 C 7
Perlas, Archipiélago de las ⌒ PA ◆ 44-45 L 9
Perlas, Punta de ▲ NIC ◆ 44-45 K 8
Perm' ☆ RUS ◆ 14-15 X 4
Pernambuco ■ BR ◆ 46-47 L 6
Pernik o BG ◆ 14-15 Q 7
Pérou ■ PE ◆ 46-47 D 5
Pérou, Bassin du ≃ ◆ 46-47 B 7
Pérou-Chili, Fosse du ≃ ◆ 46-47 C 6
Perpignan ☆ • F ◆ 18-19 J 10 ◆ 14-15 M 7
Perryville o USA (AK) ◆ 42-43 E 5
Persepolis ∴ ••• IR ◆ 32-33 G 5
Perseverancia o BOL ◆ 46-47 G 7
Perth ☆ • AUS (WA) ◆ 36-37 D 6
Perúgia ☆ • I ◆ 26-27 D 3 ◆ 14-15 O 7
Peruíbe o BR ◆ 48 H 2
Pervomajs'k ☆ UA (NIK) ◆ 14-15 S 6
Pervoural'sk ☆ RUS ◆ 14-15 X 4
Pésaro o I ◆ 26-27 D 3 ◆ 14-15 O 7
Pescara ☆ • I ◆ 26-27 E 3 ◆ 14-15 O 7
Peshāwar ☆ •• PK ◆ 32-33 L 4
Pesquería, Río ~ MEX ◆ 44-45 F 5
Petauke o Z ◆ 40-41 H 4
Petchaburi o THA ◆ 34-35 C 4
Petchili, Golfe de = Bo Hai ≈ ◆ 30-31 M 4
Petchora, Mer de = Pečorskoe more ≈ ◆ 28-29 G 4
Petchora = Pečora ~ RUS ◆ 28-29 H 5
Peterborough o AUS (VIC) ◆ 36-37 J 7
Peterborough o • CDN ◆ 42-43 V 8
Petermann Aboriginal Land ⨯ AUS ◆ 36-37 F 4
Peter Pond Lake ⊖ CDN ◆ 42-43 P 5
Peter Pond Lake Indian Reserve ⨯ CDN ◆ 42-43 P 5
Petersburg o USA (VA) ◆ 44-45 L 3
Petersburg o USA (AK) ◆ 42-43 K 5
Petites Antilles ⊥ ◆ 44-45 N 8
Petit Khingan ▲ CHN ◆ 30-31 O 1
Petit Loango, Parc National du ⊥ G ◆ 40-41 C 2
Petit Mécatina, Rivière du ~ CDN ◆ 42-43 Y 6
Petitot River ~ CDN ◆ 42-43 M 5
Peto o MEX ◆ 44-45 J 6
Petra, ostrova ⌒ RUS ◆ 28-29 T 2
Petra I, ostrov ⌒ ARK ◆ 13 G 27
Petra Velikogo, zaliv ≈ ◆ 30-31 P 3
Petrified Forest National Park ∴ USA ◆ 44-45 E 4
Petrolina o BR ◆ 46-47 L 6
Petropavl ☆ • KZ ◆ 28-29 K 7
Petropavlovsk-Kamčatskij ☆ • RUS ◆ 28-29 c 7
Petrópolis o BR ◆ 48 J 2
Petrozavodsk ☆ RUS ◆ 14-15 S 3
Pevek o RUS ◆ 28-29 f 4
Pézenas o F ◆ 18-19 J 10 ◆ 14-15
Pforzheim o D ◆ 20-21 K 4 ◆ 14-15 N 6
Phalodi o IND ◆ 32-33 L 5
Phan Rang Tháp Chàm o VN ◆ 34-35 E 4
Phan Thiêt ☆ VN ◆ 34-35 E 4
Pharr o USA ◆ 44-45 G 5
Phatthalung o THA ◆ 34-35 D 5
Phetchabun o THA ◆ 34-35 D 3
Phichit o THA ◆ 34-35 D 3
Philadelphia o USA (PA) ◆ 44-45 L 3
Philae ∴ ••• ET ◆ 38-39 M 4
Philippines ■ RP ◆ 34-35 G 3
Philippines ⌒ RP ◆ 34-35 G 4
Philippines, Bassin des ≃ ◆ 34-35 J 3
Philippines, Fosse des ≃ ◆ 34-35 J 4
Philippines, Mer des ≈ ◆ 34-35 J 3
Philip Smith Mountains ▲ USA ◆ 42-43 G 3
Phillip Bay, Port ≈ ◆ 36-37 J 7
Phillips Mountains ▲ ARK ◆ 13 F 23
Philpots Island ⌒ CDN ◆ 42-43 V 2
Phitsanulok o THA ◆ 34-35 D 3
Phnom Penh = Phnum Pénh ★ • K ◆ 34-35 D 4
Phnum Pénh ★ • K ◆ 34-35 D 4
Phoenix ☆ • USA ◆ 44-45 D 4
Phoenix Islands ⌒ KIB ◆ 12 K 3
Phranakhon Si Ayutthaya = Ayutthaya o ••• THA ◆ 34-35 D 4
Phuket o • THA ◆ 34-35 C 5
Phù Qùy = Cù Lao Thu ⌒ VN ◆ 34-35 E 4
Piaçabuçu o BR ◆ 46-47 M 7
Piacenza ☆ • I ◆ 26-27 B 2 ◆ 14-15 N 6
Piatra-Neamţ ☆ • RO ◆ 14-15 R 6
Piauí ■ BR ◆ 46-47 L 6
Pibor ~ SUD ◆ 38-39 M 7
Pibor Post o SUD ◆ 38-39 M 7
Picardie ■ F ◆ 18-19 H 6 ◆ 14-15
Pichanal o RA ◆ 48 E 2
Pichilemu o RCH ◆ 48 C 4
Pico, Ilha do ⌒ P ◆ 44-45 F 8
Pico da Neblina, Parque Nacional do ⊥ BR ◆ 46-47 F 4
Picos o BR ◆ 46-47 L 6
Pico Truncado o RA ◆ 48 D 7
Picton o NZ ◆ 36-37 P 8
Piedras Negras o MEX ◆ 44-45 F 5
Piekenaarskloof ▲ ZA ◆ 40-41 E 8
Pierre ☆ USA ◆ 42-43 Q 8
Pierre le Grand, Baie de = Petra Velikogo, zaliv ≈ ◆ 30-31 P 3
Pietermaritzburg ☆ •• ZA ◆ 40-41 H 7
Pietersburg o ZA ◆ 40-41 G 6
Piet Retief o • ZA ◆ 40-41 H 7
Pikelot ⌒ FSM ◆ 34-35 N 5
Piketberg o ZA ◆ 40-41 E 8
Pilar ☆ PY ◆ 48 F 3
Pilbara ⊥ AUS ◆ 36-37 D 4
Pilón o C ◆ 44-45 L 7
Pimba o AUS ◆ 36-37 H 6
Pimenta Bueno o BR ◆ 46-47 G 7
Pimentel Barbosa, Área Indígena ⨯ BR ◆ 46-47 J 7
Pinar del Río ☆ C ◆ 44-45 K 6
Pinçon, Mont ▲ F ◆ 18-19 G 7 ◆ 14-15
Pindaré, Rio ~ BR ◆ 46-47 K 5
Píndos Óros ▲ GR ◆ 26-27 H 5 ◆ 14-15 Q 8
Pine Bluff o USA ◆ 44-45 H 4
Pine Creek o • AUS ◆ 36-37 G 2
Pine Dock o CDN ◆ 42-43 R 6
Pinega ~ RUS ◆ 14-15 U 3
Pine Island Bay ≈ ◆ 13 F 26
Pine Ridge Indian Reservation ⨯ USA ◆ 44-45 F 2
Pingdingshan o CHN ◆ 30-31 L 5
Pingliang o CHN ◆ 30-31 K 4
Pingxiang o CHN (JXI) ◆ 30-31 L 6
Pingyang o CHN ◆ 30-31 N 6
Pinheiro o BR ◆ 46-47 K 5
Pinjarra o • AUS ◆ 36-37 D 6
Pinnaroo o AUS ◆ 36-37 J 7
Pinotepa Nacional o • MEX ◆ 44-45 G 7
Pins, Île des = Kunye ⌒ F ◆ 36-37 O 4
Pinsk o BY ◆ 22-23 K 5 ◆ 14-15 R 5
Pinta, Isla ⌒ EC ◆ 46-47 A 4
Pinto o RA ◆ 48 E 3
Pioner, ostrov ⌒ RUS ◆ 28-29 P 2
Piorini, Lago ⊖ BR ◆ 46-47 G 5
Piparia o IND ◆ 32-33 M 6
Pipi, Gorges de la •• RCA ◆ 38-39 K 7
Pipinas o RA ◆ 48 F 5
Pipistone River ~ CDN ◆ 42-43 S 6
Pipmuacan, Réservoir < CDN ◆ 42-43 W 7
Piracicaba o BR ◆ 48 H 2
Piraí do Sul o BR ◆ 48 H 2
Pirámide, Cerro ▲ RCH ◆ 48 C 7
Pirané o RA ◆ 48 F 3
Piranhas o BR (ALA) ◆ 46-47 M 6
Pirapora o BR ◆ 46-47 L 8
Piréas o GR ◆ 26-27 J 6 ◆ 14-15 Q 8
Pírgos o GR ◆ 26-27 H 6 ◆ 14-15 Q 8
Piripiri o BR ◆ 46-47 L 5
Piru o RI ◆ 34-35 J 7
Pisa o ••• I ◆ 26-27 C 3 ◆ 14-15 O 7
Pisagua o RCH ◆ 46-47 E 8
Pisco o PE ◆ 46-47 D 7
Pitcairn Island ⌒ GB ◆ 12 O 5
Piteälven ~ S ◆ 16-17 J 4 ◆ 14-15 P 2
Pitești ☆ • RO ◆ 14-15 Q 7
Pithara o AUS ◆ 36-37 D 6
Pithiviers o F ◆ 18-19 J 7 ◆ 14-15
Pitjantjatjara Aboriginal Land ⨯ AUS ◆ 36-37 G 5
Pitt Island ⌒ CDN ◆ 42-43 L 6
Pittsburg o USA (KS) ◆ 44-45 H 3
Pittsburgh o USA ◆ 44-45 L 2
Pivdennyj Buh ~ UA ◆ 14-15 S 6
P'jagina, poluostrov ⌣ RUS ◆ 28-29 b 6
Pjasina ~ RUS ◆ 28-29 O 3
Pjasinskij zaliv ≈ ◆ 28-29 N 3
Pjatigorsk o • RUS ◆ 14-15 U 7
Pjat'-Jah o RUS ◆ 28-29 L 5
Placentia Bay ≈ ◆ 42-43 a 7
Plainview o USA (TX) ◆ 44-45 F 4
Planaltina o BR (FED) ◆ 46-47 K 8
Planalto Brasileiro ⊥ BR ◆ 46-47 K 8
Plate, Île ⌒ SY ◆ 40-41 N 5
Platinum o USA ◆ 42-43 D 5
Platte River ~ USA ◆ 44-45 G 2
Playas o EC ◆ 46-47 C 5
Plây Ku ☆ VN ◆ 34-35 E 4
Plaza Huincul o RA ◆ 48 D 5
Plenty, Bay of ≈ ◆ 36-37 Q 7
Pleven o BG ◆ 14-15 Q 7
Ploërmel o F ◆ 18-19 F 8 ◆ 14-15
Ploiești ☆ • RO ◆ 14-15 R 7
Plouézec o F ◆ 18-19 F 7 ◆ 14-15
Plouguer, Carhaix- o F ◆ 18-19 F 7 ◆ 14-15
Plovdiv ☆ BG ◆ 14-15 Q 7
Plumas, Las o RA ◆ 48 D 6
Plumridge Lakes ⊖ AUS ◆ 36-37 F 5
Plumtree o ZW ◆ 40-41 G 6
Plutarco Elías Calles, Presa < MEX ◆ 44-45 E 5
Plymouth o GB (ENG) ◆ 18-19 E 6 ◆ 14-15 L 5
Plzeň o CZ ◆ 20-21 M 4 ◆ 14-15 O 6
Pô o BF ◆ 38-39 E 6
Po ~ I ◆ 26-27 C 2 ◆ 14-15 O 6
Pô, Parc National de ⊥ BF ◆ 38-39 E 6
Pobeda, gora ▲ RUS ◆ 28-29 a 4
Pocatello o USA ◆ 44-45 D 2
Pocklington Reef ⌒ SOL ◆ 34-35 P 9
Poções o BR ◆ 46-47 L 7
Pocone o BR ◆ 46-47 H 8
Poços de Caldas o BR ◆ 48 H 2
Podgorica ☆ YU ◆ 26-27 G 3 ◆ 14-15 P 7
Podkamennaja Tunguska ~ RUS ◆ 28-29 P 5
Podol'sk ☆ • RUS ◆ 22-23 P 4 ◆ 14-15 T 4
Pofadder o ZA ◆ 40-41 E 7
Pointe-Noire ☆ RCB ◆ 40-41 D 2
Pointe Parent o CDN ◆ 42-43 Y 6
Point Lake ⊖ CDN ◆ 42-43 O 3
Poitiers ☆ • F ◆ 18-19 H 8 ◆ 14-15 M 6
Poitou ⊥ F ◆ 18-19 G 8 ◆ 14-15
Poitou-Charentes ■ F ◆ 18-19 G 8 ◆ 14-15
Poix-de-Picardie o F ◆ 18-19 H 7 ◆ 14-15
Pokaran o IND ◆ 32-33 L 5
Pokataroo o AUS ◆ 36-37 K 5
Pokhara o • NEP ◆ 32-33 N 5
Polack ☆ •• BY ◆ 22-23 L 4 ◆ 14-15 R 4
Polar Bear Provincial Park ⊥ CDN ◆ 42-43 T 5
Pôle Nord ◆ 13 A 28
Pôle Sud ARK ◆ 13 E 0
Pôle Sud, Plateau du ▲ ARK ◆ 13 E 31
Polewali o RI ◆ 34-35 G 7
Poli o CAM ◆ 38-39 H 7
Polis'ke o UA ◆ 14-15 R 5
Poljarnyj o RUS (CUK) ◆ 28-29 g 4
Polläch o IND ◆ 32-33 M 8
Polillo Islands ⌒ RP ◆ 34-35 H 4
Pologne ■ PL ◆ 20-21 O 3 ◆ 14-15 P 5
Polonnaruwa o ••• CL ◆ 32-33 N 9
Polousnyj krjaž ▲ RUS ◆ 28-29 Z 4
Poltava ☆ UA ◆ 14-15 S 6
Poluj ~ RUS ◆ 28-29 K 4
Polynésie ⌒ ◆ 12 L 2
Pomasi, Cerro de ▲ PE ◆ 46-47 E 8
Pombal o BR (PA) ◆ 46-47 M 6
Pomio o PNG ◆ 34-35 O 8
Ponape ⌒ FSM ◆ 12 G 2
Ponca City o USA ◆ 44-45 G 3
Ponce o USA ◆ 44-45 N 7
Pondicherry ■ IND ◆ 32-33 M 8
Pondicherry ☆ •• IND ◆ 32-33 M 8
Ponferrada o • E ◆ 24-25 D 3 ◆ 14-15 K 7
Pongo ~ SUD ◆ 38-39 L 7
Ponoj o RUS (MUR) ◆ 28-29 E 4
Ponta Delgada ☆ P ◆ 44-45 F 8
Ponta de Pedras o BR ◆ 46-47 K 5
Ponta do Zumbi o BR ◆ 46-47 L 5
Ponta Grossa o BR ◆ 48 G 3
Ponta Porã o BR ◆ 48 F 2
Pontarlier o • F ◆ 18-19 L 8 ◆ 14-15
Pont-Audemer o F ◆ 18-19 H 7 ◆ 14-15
Pontchartrain, Lake ⊖ USA ◆ 44-45 H 4
Pontchâteau o F ◆ 18-19 F 8 ◆ 14-15
Pont du Gard ••• F ◆ 18-19 K 10 ◆ 14-15
Pontes e Lacerda o BR ◆ 46-47 H 8
Pontianak ☆ RI ◆ 34-35 E 7
Pontique, Chaîne ▲ TR ◆ 14-15 S 7
Pontivy o F ◆ 18-19 F 7 ◆ 14-15
Ponto-Caspienne, Dépression ⌣ RUS ◆ 14-15 U 6
Pontoise ☆ F ◆ 18-19 J 7 ◆ 14-15
Pontorson o F ◆ 18-19 G 7 ◆ 14-15
Poopó o BOL ◆ 46-47 F 8
Poopó, Lago de ⊖ BOL ◆ 46-47 F 8
Popayan ☆ •• CO ◆ 46-47 D 4
Poplar Bluff o USA ◆ 44-45 H 3
Popocatepetl, Volcán ▲ •• MEX ◆ 44-45 G 7
Popokabaka o ZRE ◆ 40-41 E 3
Popondetta ☆ PNG ◆ 34-35 N 8
Porangatu o BR ◆ 46-47 K 7
Porbandar o •• IND ◆ 32-33 K 6
Porcupine, Plaine Abyssale ≃ ◆ 14-15 H 5
Porcupine River ~ USA ◆ 42-43 H 3
Porekautimbu, Gunung ▲ RI ◆ 34-35 H 7
Pori o FIN ◆ 14-15 Q 3
Porlamar o YV ◆ 46-47 G 2
Poronajsk o RUS ◆ 28-29 Z 8
Porpoise Bay ≈ ◆ 13 G 13
Portage la Prairie o CDN ◆ 42-43 R 7
Portal o USA ◆ 42-43 Q 7
Port Alberni o CDN ◆ 42-43 M 7
Port Alfred o ZA ◆ 40-41 G 8
Port Antonio o • JA ◆ 44-45 L 7
Port Arthur o • AUS ◆ 36-37 K 8
Port Arthur o USA ◆ 44-45 H 5
Port Augusta o AUS ◆ 36-37 H 6
Port au Port Peninsula ⌣ CDN ◆ 42-43 Z 7
Port-au-Prince ★ • RH ◆ 44-45 M 7
Port Blair ☆ IND ◆ 34-35 B 4
Port Burwell o CDN ◆ 42-43 U 8
Port-de-Paix ☆ RH ◆ 44-45 M 7
Portel o BR ◆ 46-47 J 5
Port Elizabeth o ZA ◆ 40-41 G 8
Porterville o ZA ◆ 40-41 E 8
Port-Gentil ☆ G ◆ 40-41 C 2
Port-Harcourt ☆ WAN ◆ 38-39 G 8
Port Hardy o CDN ◆ 42-43 L 6
Port Hedland o AUS ◆ 36-37 D 4
Port Heiden o USA ◆ 42-43 E 5
Port Kenny o AUS ◆ 36-37 G 6
Portland o AUS ◆ 36-37 J 7
Portland o USA (OR) ◆ 42-43 M 7
Portland o USA (ME) ◆ 42-43 W 8
Portland, Cape ▲ AUS ◆ 36-37 K 8
Portland Bay ≈ ◆ 36-37 J 7
Port Lincoln o •• AUS ◆ 36-37 H 6
Port Louis ★ • MS ◆ 40-41 N 6
Port Macquarie o AUS ◆ 36-37 L 6
Port Menier o CDN ◆ 42-43 Y 7
Port Moresby ★ • PNG ◆ 34-35 N 8
Port Nolloth o ZA ◆ 40-41 E 7
Porto ☆ • P ◆ 24-25 C 4 ◆ 14-15 K 7
Porto Alegre ☆ BR (RSU) ◆ 48 G 4
Porto Amboim o ANG ◆ 40-41 D 4
Porto Esperidião o BR ◆ 46-47 H 8
Port of Spain ★ TT ◆ 44-45 O 8
Porto Nacional o BR ◆ 46-47 K 7
Porto-Novo ★ • DY ◆ 38-39 F 7
Porto Rico ■ USA ◆ 44-45 N 7
Porto Rico o USA (PR) ◆ 44-45 N 7
Porto Rico, Fosse de ≃ ◆ 44-45 N 7
Porto Santo ⌒ P ◆ 38-39 B 2
Porto Seguro o • BR ◆ 46-47 M 8
Pôrto Valter o BR ◆ 46-47 E 6
Porto Velho ☆ BR ◆ 46-47 G 6
Portoviejo ☆ EC ◆ 46-47 C 5
Port Pirie o AUS ◆ 36-37 H 6
Port-Saïd = Bûr Sa'îd ☆ ET ◆ 38-39 M 2
Port Saint Johns o ZA ◆ 40-41 G 8
Port-Saint-Louis-du-Rhône o F ◆ 18-19 K 10 ◆ 14-15
Port Shepstone o ZA ◆ 40-41 H 8
Portsmouth o USA (NH) ◆ 42-43 W 8
Portsmouth o USA (OH) ◆ 44-45 K 3
Portsmouth o USA (VA) ◆ 44-45 L 3
Portugal ■ P ◆ 24-25 B 4 ◆ 14-15 J 8
Port-Vendres o F ◆ 18-19 J 10 ◆ 14-15
Port-Vila ★ • VAN ◆ 36-37 O 3
Port Wakefield o AUS ◆ 36-37 H 6
Port Welshpool o AUS ◆ 36-37 K 7
Posadas ☆ RA ◆ 48 F 3
Poso, Danau ⊖ RI ◆ 34-35 H 7
Posse o BR ◆ 46-47 K 7
Possoš' o RUS ◆ 14-15 T 5
Postmasburg o ZA ◆ 40-41 F 7

66 Ostrava — Postmasburg

Potchefstroom o ZA ◆ 40-41 G 7
Potenza ☆ • I ◇ 26-27 E 4 ◆ 14-15 P 7
Potgietersrus o ZA ◆ 40-41 G 6
Poti o • GE ◆ 14-15 U 7
Potiskum o WAN ◆ 38-39 H 6
Potsdam ☆ ••• D ◇ 20-21 M 2 ◆ 14-15 O 5
Poum o F ◆ 36-37 N 4
Pouso Alegre o BR ◆ 48 H 2
Poŭthisăt o K ◆ 34-35 D 4
Poutorana, Monts = Putorana, plato ▲ RUS ◆ 28-29 P 4
Poverty Bay ≈ ◆ 36-37 Q 7
Powder River ~ USA ◆ 42-43 P 7
Powell, Lake < USA ◆ 44-45 D 3
Powell River o CDN ◆ 42-43 M 7
Poxoréo o BR ◆ 46-47 J 8
Poyang, Lac = Poyang Hu ⊂ CHN ◆ 30-31 M 6
Poyang Hu ⊂ CHN ◆ 30-31 M 6
Poza Rica o MEX ◆ 44-45 G 6
Poznań ☆ •• PL ◇ 20-21 O 2 ◆ 14-15 P 5
Pozo Colorado ☆ PY ◆ 48 F 2
Prachuap Khirikhan o THA ◆ 34-35 C 4
Prado o BR ◆ 46-47 M 8
Prague = Praha ★ ••• CZ ◇ 20-21 N 3 ◆ 14-15 O 5
Praha ★ ••• CZ ◇ 20-21 N 3 ◆ 14-15 O 5
Praia o BR ◆ 46-47 J 5
Prapat o RI ◆ 34-35 C 6
Praslin Island ⌒ SY ◆ 40-41 N 2
Prato o I ◇ 26-27 C 3 ◆ 14-15 O 7
Prats-de-Mollo-la-Preste o F ◇ 18-19 J 10 ◆ 14-15
Praya o RI ◆ 34-35 G 8
Precordillera ▲ RA ◆ 48 D 4
Predbajkal'skaja vpadina ⊥ RUS ◆ 28-29 S 7
Predporožnyj o RUS ◆ 28-29 Z 4
Prescott o USA (AZ) ◆ 44-45 D 4
Prescott Island ⌒ CDN ◆ 42-43 R 2
Presidencia Roque Sáenz Peña o RA ◆ 48 E 3
Presidente Barros Dutra o BR ◆ 46-47 L 6
Presidente Epitácio o BR ◆ 48 G 2
Presidente Figueiredo o BR ◆ 46-47 G 5
Presidente Prudente o BR ◆ 48 G 2
Presque Isle o USA ◆ 42-43 X 7
Preto, Rio ~ BR ◆ 46-47 L 7
Prêto, Rio ~ BR ◆ 46-47 K 8
Pretoria ★ • ZA ◆ 40-41 G 7
Préveza o GR ◇ 26-27 H 5 ◆ 14-15 Q 8
Priangarskoe plato ⊥ RUS ◆ 28-29 Q 6
Pribilof Islands ⌒ USA ◆ 42-43 B 5
Pribrežnyj hrebet ▲ RUS ◆ 28-29 X 6
Pridnjaprovskaja nizina ⊻ BY ◇ 22-23 M 5 ◆ 14-15 S 5
Prieska o ZA ◆ 40-41 F 7
Prilenskoe, plato ⊥ RUS ◆ 28-29 T 5
Primeira Cruz o BR ◆ 46-47 L 5
Primrose Lake Air Weapons Range xx CDN ◆ 42-43 O 5
Prince Albert o CDN ◆ 42-43 P 6
Prince Albert Mountains ▲ ARK ◆ 13 F 17
Prince Albert Peninsula ⊻ CDN ◆ 42-43 N 2
Prince Albert Sound ≈ ◆ 42-43 N 2
Prince Alfred, Cape ▲ CDN ◆ 42-43 L 2
Prince Charles Island ⌒ CDN ◆ 42-43 V 3
Prince Charles Range ▲ ARK ◆ 13 F 7
Prince-de-Galles, Cap = Prince of Wales Cape ▲ USA ◆ 42-43 C 3
Prince-de-Galles, Île du = Prince of Wales Island ⌒ CDN ◆ 42-43 R 2
Prince Edward Island ◘ CDN ◆ 42-43 Y 7
Prince Edward Islands ⌒ ZA ◆ 9 G 10
Prince George o • CDN ◆ 42-43 M 6
Prince Gustav Adolf Sea ≈ ◆ 42-43 P 1
Prince of Wales, Cape ▲ USA ◆ 42-43 C 3
Prince of Wales Island ⌒ AUS ◆ 36-37 J 2
Prince of Wales Island ⌒ CDN ◆ 42-43 R 2
Prince of Wales Island ⌒ USA ◆ 42-43 K 5
Prince of Wales Strait ≈ ◆ 42-43 N 2
Prince Patrick Island ⌒ CDN ◆ 42-43 M 1
Prince Regent Inlet ≈ ◆ 42-43 S 2
Prince Rupert o • CDN ◆ 42-43 K 6
Princess Charlotte Bay ≈ ◆ 36-37 J 2
Princess Elizabeth Land ⌒ ARK ◆ 13 F 8
Princess Royal Island ⌒ CDN ◆ 42-43 L 6
Prince William Sound ≈ ◆ 42-43 G 4
Príncipe ⌒ STP ◆ 40-41 C 1
Prins Christian Sund ≈ ◆ 42-43 c 4
Prinsesse Astrid land ⊥ ARK ◆ 13 F 2
Prinsesse Ragnhild land ⊥ ARK ◆ 13 F 3
Prins Harald land ⊥ ARK ◆ 13 F 4
Prinzregent-Luitpold-Land ⊥ ARK ◆ 13 F 33
Priština o •• YU ◇ 26-27 H 3 ◆ 14-15 Q 7
Privolžskaja vozvyšennost' ▲ RUS ◆ 14-15 U 6
Prizren o •• YU ◇ 26-27 H 3 ◆ 14-15 Q 7
Proddatūr o IND ◆ 32-33 M 8
Progreso, El o HN ◆ 44-45 J 7
Prokop'evsk ☆ RUS ◆ 28-29 O 7
Prome o MYA ◆ 34-35 C 3
Promežutočnyj o RUS ◆ 28-29 f 4
Promissão, Represa < BR ◆ 48 H 2
Prončiščeva, bereg ⊻ RUS ◆ 28-29 S 2
Propriá o BR ◆ 46-47 M 7
Proserpine o AUS ◆ 36-37 K 4
Provence ⊥ F ◇ 18-19 K 10 ◆ 14-15 N 7
Provence-Alpes-Côtes d'Azur ◘ F ◇ 18-19 K 10 ◆ 14-15
Providence ☆ USA (RI) ◆ 44-45 M 2
Providence Island ⌒ SY ◆ 40-41 M 3
Providencia, Isla de ⌒ CO ◆ 46-47 C 2
Provins o • F ◇ 18-19 J 7 ◆ 14-15
Provo o USA ◆ 44-45 D 2
Prudhoe Bay o USA (AK) ◆ 42-43 G 2
Prut ~ MD ◆ 14-15 R 6
Prut ~ RO ◆ 14-15 R 6
Pryluky o UA ◆ 14-15 S 5
Prypjac' ~ BY ◇ 22-23 L 5 ◆ 14-15 R 5
Przemyśl ☆ •• PL ◇ 20-21 R 4 ◆ 14-15 Q 6
Prževal'sk ☆ KS ◆ 32-33 M 2
Pucallpa ☆ PE ◆ 46-47 E 6
Pucaurco o PE ◆ 46-47 E 5
Pucheng o CHN (SXI) ◆ 30-31 K 5
Puebla ☆ ••• MEX (PUE) ◆ 44-45 G 7
Pueblo o USA ◆ 44-45 F 3
Puelches o RA ◆ 48 D 5
Puerto Acosta o BOL ◆ 46-47 F 8
Puerto Aisén o RCH ◆ 48 C 7
Puerto Angel o • MEX ◆ 44-45 G 7
Puerto Arturo o PE ◆ 46-47 E 5
Puerto Asis o CO ◆ 46-47 D 4
Puerto Ayacucho ☆ YV ◆ 46-47 F 3
Puerto Bahía Negra o PY ◆ 48 F 2
Puerto Barrios o GCA ◆ 44-45 J 7
Puerto Berrío o CO ◆ 46-47 C 3
Puerto Cabezas o NIC ◆ 44-45 K 8
Puerto Carreño ☆ CO ◆ 46-47 F 3
Puerto Cisnes o RCH ◆ 48 C 6
Puerto del Rosario o E ◆ 38-39 C 3
Puerto de San José o GCA ◆ 44-45 H 8
Puerto Deseado o RA ◆ 48 D 7
Puerto Escondido o • MEX (OAX) ◆ 44-45 G 7
Puerto Gaitan o CO ◆ 46-47 E 4
Puerto Inírida ☆ CO ◆ 46-47 F 4
Puerto la Victoria o PY ◆ 48 F 2
Puerto Leguízamo o CO ◆ 46-47 E 5
Puerto Limón ☆ •• CR ◆ 44-45 K 9
Puerto Madryn o RA ◆ 48 D 6
Puerto Maldonado ☆ PE ◆ 46-47 F 7
Puerto Montt ☆ RCH ◆ 48 C 6
Puerto Natales o RCH ◆ 48 C 8
Puerto Pirámides o RA ◆ 48 E 6
Puerto Plata ☆ • DOM ◆ 44-45 M 7
Puerto Portillo o PE ◆ 46-47 E 6
Puerto Princesa ☆ RP ◆ 34-35 G 5
Puerto Rondón o CO ◆ 46-47 E 3
Puerto San Julián o RA ◆ 48 D 7
Puerto Santa Cruz o RA ◆ 48 D 8
Puerto Suárez o BOL ◆ 46-47 H 8
Puerto Vallarta o • MEX ◆ 44-45 E 6
Puerto Victoria o PE ◆ 46-47 E 6
Puerto Villamil o EC ◆ 46-47 A 5
Puerto Williams o RCH ◆ 48 D 8
Puig Major ▲ E ◇ 24-25 J 5 ◆ 14-15 M 8
Pujonryong Sanmaek ▲ KOR ◆ 30-31 O 3
Pukaskwa National Park ⊥ • CDN ◆ 42-43 T 7
Pula o HR ◇ 26-27 D 2 ◆ 14-15 O 7
Pulap Atoll ⌒ FSM ◆ 34-35 N 5
Pular, Cerro ▲ RCH ◆ 48 D 2
Pulaski o USA (VA) ◆ 44-45 K 3
Pulau ~ RI ◆ 34-35 L 8
Puławy o • PL ◇ 20-21 Q 3 ◆ 14-15 Q 5
Pulo Anna ⌒ USA ◆ 34-35 K 6
Puluwat Atoll ⌒ FSM ◆ 34-35 N 5
Puna, Isla ⌒ EC ◆ 46-47 C 5
Punakha o BHT ◆ 32-33 O 5
Puncak Jaya ▲ RI ◆ 34-35 L 7
Puncak Mandala ▲ RI ◆ 34-35 M 7
Pune o • IND ◆ 32-33 L 7
Punia o ZRE ◆ 40-41 G 2
Punilla, Sierra de la ▲ RA ◆ 48 D 3
Punjab ◘ IND ◆ 32-33 L 4
Punjab ◘ PK ◆ 32-33 L 4
Puno ☆ • PE ◆ 46-47 E 8
Punta Arenas ☆ RCH ◆ 48 C 8
Punta Delgada o RCH ◆ 48 D 8
Punta Eugenia o MEX ◆ 44-45 C 5
Punta Norte o RA ◆ 48 E 6
Puntarenas ☆ • CR ◆ 44-45 K 9
Puntas Negras, Cordón de ▲ RCH ◆ 48 D 2
Punto Fijo o YV ◆ 46-47 E 2
Puqi o CHN ◆ 30-31 L 6
Puquina o PE ◆ 46-47 E 8
Puquio o PE ◆ 46-47 E 7
Pur ~ RUS ◆ 28-29 M 4
Puracé, Volcán ▲ CO ◆ 46-47 D 4
Purari River ~ PNG ◆ 34-35 N 8
Purcell Mountains ▲ CDN ◆ 42-43 N 6
Puri o •• IND ◆ 32-33 O 7
Purus, Rio ~ BR ◆ 46-47 F 6
Purwakarta o RI ◆ 34-35 E 8
Purwokerto o RI ◆ 34-35 E 8
Pusan o ROK ◆ 30-31 O 4
Puškin o •• RUS ◇ 22-23 M 2 ◆ 14-15 S 4
Putao o MYA ◆ 30-31 H 6
Puthein (Bassein) o MYA ◆ 34-35 B 3
Putian o CHN ◆ 30-31 M 6
Puting, Tanjung ▲ RI ◆ 34-35 F 7
Putončany o RUS ◆ 28-29 P 5
Putorana, plato ▲ RUS ◆ 28-29 P 4
Putoranskij zapovednik ⊥ RUS ◆ 28-29 P 4
Puttalam o CL ◆ 32-33 M 9
Puttur o IND (KAR) ◆ 32-33 M 8
Putusibau o RI ◆ 34-35 F 6
Puyang o CHN ◆ 30-31 L 4
Puy-en-Velay, le ☆ • F ◇ 18-19 J 9 ◆ 14-15
Puymorens, Col de ▲ F ◇ 18-19 H 10 ◆ 14-15
Pweto o ZRE ◆ 40-41 G 3
Pyinmana o MYA ◆ 34-35 C 3
Pyongyang ★ KOR ◆ 30-31 O 4
Pyramid Lake ⊂ USA ◆ 44-45 C 2
Pyrenäen ▲ F ◇ 24-25 G 3 ◆ 14-15 L 7
Pyrénées ▲ F ◇ 24-25 G 3 ◆ 14-15 L 7
Pyrénées, Parc National des ⊥ • F ◇ 18-19 G 10 ◆ 14-15
Pyrjatyn o UA ◆ 14-15 S 5

Q

Qa'āmiyāt, al- ⊥ KSA ◆ 32-33 F 7
Qaanaaq = Thule ☆ GRØ ◆ 42-43 X 1
Qadam o SUD ◆ 38-39 L 6
Qaḍarif, al- o SUD ◆ 38-39 N 6
Qāhira, al- ★ ••• ET ◆ 38-39 M 2
Qaidam Pendi ⊥ CHN ◆ 30-31 G 4
Qalāt o AFG ◆ 32-33 K 4
Qal'a-ye Nau ☆ AFG ◆ 32-33 J 3
Qamdo o CHN ◆ 30-31 H 5
Qāmišlī, al- ☆ SYR ◆ 32-33 E 3
Qandahār ☆ •• AFG (QA) ◆ 32-33 K 4
Qandala o SP ◆ 38-39 P 6
Qaqortoq = Julianehåb o GRØ ◆ 42-43 b 4
Qarā', Ǧabal al- ▲ OM ◆ 32-33 G 7
Qara Dāġ ▲ IR ◆ 32-33 F 3
Qardho o SP ◆ 38-39 P 7
Qaryah ash Sharqiyah, Al o LAR ◆ 38-39 H 2
Qaṣr al-Farāfira o ET ◆ 38-39 L 3
Qaṣr Larocu o LAR ◆ 38-39 H 3
Qatar ■ Q ◆ 32-33 G 5
Qaṭrūn, Al o LAR ◆ 38-39 H 4
Qawz Rajab o SUD ◆ 38-39 N 5
Qazax o • AZ ◆ 32-33 F 2
Qazvīn o • IR ◆ 32-33 F 3
Qeqertarsuaq = Godhavn o GRØ ◆ 42-43 a 3
Qešm, Ǧazire-ye ⌒ IR ◆ 32-33 H 5
Qiemo o CHN ◆ 30-31 F 4
Qilian Shan ▲ CHN ◆ 30-31 H 4
Qinā ☆ ET ◆ 38-39 M 3
Qingdao ☆ CHN ◆ 30-31 N 4
Qinghai ◘ CHN ◆ 30-31 G 4
Qinghai Hu ⊂ CHN ◆ 30-31 H 4
Qingzhang Gaoyuan ⊂ CHN ◆ 30-31 E 5
Qinhuangdao o CHN ◆ 30-31 M 4
Qinzhou o CHN ◆ 30-31 K 7
Qiongzhou Haixia ≈ ◆ 30-31 K 7
Qiqihar o CHN ◆ 30-31 N 2
Qitaihe o CHN ◆ 30-31 P 2
Q'nitra, Al- ☆ MA ◆ 38-39 D 2
Qohrūd, Kūhhā-ye ▲ IR ◆ 32-33 G 4
Qom o •• IR ◆ 32-33 G 4
Qomše o IR ◆ 32-33 G 4
Quamby o AUS ◆ 36-37 J 4
Quảng Ngãi o •• VN ◆ 34-35 E 3
Quanzhou o • CHN (FUJ) ◆ 30-31 M 7
Quatre-vingts milles, Plage des = Eighty Mile Beach ⊥ AUS ◆ 36-37 E 3
Quba o • AZ ◆ 32-33 F 2
Qūčān o • IR ◆ 32-33 H 3
Québec ◘ CDN ◆ 42-43 W 6
Québec ☆ ••• CDN (QUE) ◆ 42-43 W 7
Quebo o GNB ◆ 38-39 C 6
Queen Alexandra Range ▲ ARK ◆ 13 E 0
Queen Charlotte City o CDN ◆ 42-43 K 6
Queen Charlotte Islands ⌒ CDN ◆ 42-43 K 6
Queen Charlotte Sound ≈ ◆ 42-43 L 6
Queen Charlotte Strait ≈ ◆ 42-43 L 6
Queen Elizabeth Islands ⌒ CDN ◆ 13 B 30
Queen Elizabeth National Park ⊥ EAU ◆ 40-41 G 2
Queen Mary Land ⊥ ARK ◆ 13 G 10
Queen Maud Gulf ≈ ◆ 42-43 Q 3
Queens Channel ≈ ◆ 36-37 F 2
Queensland ◘ AUS ◆ 36-37 H 4
Queensland, Plateau du ≃ ◆ 36-37 K 3
Queenstown o AUS ◆ 36-37 K 8
Queenstown o ZA ◆ 40-41 G 8
Quelimane ☆ MOC ◆ 40-41 J 5
Quellón o RCH ◆ 48 C 6
Querétaro ☆ •• MEX (QRO) ◆ 44-45 F 6
Quesnel o CDN ◆ 42-43 M 6
Quesso ☆ RCB ◆ 40-41 E 1
Quetta ☆ • PK ◆ 32-33 K 4
Quevedo o EC ◆ 46-47 D 5
Quezaltenango ☆ • GCA ◆ 44-45 H 8
Quezon o RP ◆ 34-35 G 5
Quezon City o RP ◆ 34-35 H 4
Quiaca, La o RA ◆ 48 D 2
Quibala o ANG ◆ 40-41 D 4
Quibdó ☆ CO ◆ 46-47 D 3
Quiberon o F ◇ 18-19 F 8 ◆ 14-15
Quicama, Parque Nacional do ⊥ ANG ◆ 40-41 D 3
Quilengues o ANG ◆ 40-41 D 4
Quillagua o RCH ◆ 48 D 2
Quillan o F ◇ 18-19 J 10 ◆ 14-15
Quill Lakes ⊂ CDN ◆ 42-43 Q 6
Quilmes o RA ◆ 48 F 4
Quilon o • IND ◆ 32-33 M 9
Quilpie o AUS ◆ 36-37 J 5
Quimantag ▲ CHN ◆ 30-31 G 4
Quimili o RA ◆ 48 E 3
Quimper ☆ • F ◇ 18-19 E 8 ◆ 14-15 L 6
Quince Mil o PE ◆ 46-47 E 7
Quincy o USA (IL) ◆ 44-45 H 3
Quines o RA ◆ 48 D 4
Quirima o ANG ◆ 40-41 E 4
Quirindi o AUS ◆ 36-37 L 6
Quissanga o MOC ◆ 40-41 K 4
Quito ★ ••• EC ◆ 46-47 D 5
Quixada o BR ◆ 46-47 M 5
Quixeramobim o BR ◆ 46-47 M 6
Qujing o CHN ◆ 30-31 J 6
Qumar Heyan o CHN ◆ 30-31 G 4
Qunaitira ☆ SYR ◆ 32-33 D 4
Qurayyāt, al- ☆ • KSA ◆ 32-33 D 4
Qurdūd o SUD ◆ 38-39 L 6
Quṣair, al- o ET ◆ 38-39 M 3
Quyen o AUS ◆ 36-37 G 6
Quy Nho'n ☆ • VN ◆ 34-35 E 4
Qūz, al- o KSA ◆ 32-33 E 7
Quzhou o CHN ◆ 30-31 M 6

R

Raanes Peninsula ⌒ CDN ◆ 42-43 T 1
Raba o • RI ◆ 34-35 G 8
Rabaul ☆ • PNG ◆ 34-35 O 7
Rābi', ash-Shallāl ar- = 4th Cataract ~ SUD ◆ 38-39 M 5
Radama, Nosy ⊥ RM ◆ 40-41 L 4
Rādhanpur o IND ◆ 32-33 L 6
Radisson o CDN (QUE) ◆ 42-43 V 6
Radom ☆ PL ◇ 20-21 Q 3 ◆ 14-15 Q 5
Radužnyj o RUS ◆ 28-29 M 5
Rae Isthmus ⊻ CDN ◆ 42-43 T 3
Rafaela o RA ◆ 48 E 4
Rafai o RCA ◆ 38-39 K 8
Rafhā' o KSA ◆ 32-33 E 5
Rāfiṭ, Ǧabal ▲ SUD ◆ 38-39 M 4
Rafsanǧān o • IR ◆ 32-33 H 4
Raga o SUD ◆ 38-39 L 7
Ragaing Yōma ▲ MYA ◆ 34-35 B 3
Ragusa o I ◇ 26-27 E 6 ◆ 14-15 O 8
Raha o RI ◆ 34-35 H 7
Rahad, ar- o SUD ◆ 38-39 M 6
Rahad, ar- ~ SUD ◆ 38-39 M 6
Rahad al-Bardi o SUD ◆ 38-39 K 6
Rahimyār Khān o PK ◆ 32-33 L 5
Rahole National Reserve ⊥ EAK ◆ 40-41 J 1
Rāichūr o • IND ◆ 32-33 M 7
Raigarh o IND ◆ 32-33 N 6
Rainbow Lake o CDN ◆ 42-43 N 5
Rainier, Mount ▲ USA ◆ 42-43 M 7
Rainy Lake ⊂ CDN ◆ 42-43 S 7
Raipur o IND (MAP) ◆ 32-33 N 6
Raivavae, Îles ⌒ F (987) ◆ 12 N 5
Rajada o BR ◆ 46-47 L 6
Rājahmundry o IND ◆ 32-33 N 7
Rajang ~ MAL ◆ 34-35 F 6
Rajasthan ◘ IND ◆ 32-33 L 5
Rajin o KOR ◆ 30-31 P 3
Rājkot o IND ◆ 32-33 L 6
Rāj-Nāndgaon o IND ◆ 32-33 N 6
Rakata, Pulau ⌒ •• RI ◆ 34-35 E 8
Rakiraki o FJI ◆ 36-37 Q 3
Rakops o RB ◆ 40-41 F 6
Rakwa o RI ◆ 34-35 K 7
Raleigh ☆ USA ◆ 44-45 L 3
Rama o NIC ◆ 44-45 K 8
Rāmabhadrapuram o IND ◆ 32-33 N 7
Ramādi, ar- ☆ IRQ ◆ 32-33 E 4
Rambouillet o F ◇ 18-19 H 7 ◆ 14-15
Rambrè ⌒ MYA ◆ 34-35 B 3
Ramlat al-Wahiba ⊥ OM ◆ 32-33 H 6
Ramlat as-Sab'atain ⊥ Y ◆ 32-33 F 7
Ramlat Rabyanah ⊥ LAR ◆ 38-39 K 3
Rampur o IND (UTP) ◆ 32-33 M 5
Ramu River ~ PNG ◆ 34-35 M 7
Rancagua ☆ RCH ◆ 48 C 4
Rānchi o •• IND ◆ 32-33 O 6
Rangiora o NZ ◆ 36-37 P 8
Rangkasbitung o RI ◆ 34-35 E 8
Rangnim Sanmaek ▲ KOR ◆ 30-31 O 3
Rangoon = Yangon ☆ •• MYA ◆ 34-35 C 3
Rangpur o BD ◆ 32-33 O 5
Rank, ar- o SUD ◆ 38-39 M 6
Rankins Springs o AUS ◆ 36-37 K 6
Rann de Kutch = Rann of Kachchh ⊥ IND ◆ 32-33 K 6
Rann of Kachchh ⊥ IND ◆ 32-33 K 6
Ranong o THA ◆ 34-35 C 5
Ransiki o RI ◆ 34-35 K 7
Rantauprapat o RI ◆ 34-35 C 6
Raohe o CHN ◆ 30-31 P 2
Rapa ⌒ F (987) ◆ 12 N 5
Raper, Cape ▲ CDN ◆ 42-43 X 3
Rapid City o USA ◆ 42-43 Q 8
Raposa Serra do Sol, Área Indígena ✕ BR ◆ 46-47 G 4
Raqqa, ar- ☆ SYR ◆ 32-33 D 3
Rarotonga Island ⌒ NZ ◆ 12 M 5
Ra's al-Ḫafǧi o KSA ◆ 32-33 F 5
Rashād o SUD ◆ 38-39 M 6
Rās Kōh ▲ PK ◆ 32-33 J 5
Rasmussen Basin ≈ ◆ 42-43 S 3
Rašt ☆ • IR ◆ 32-33 F 3
Rastro ▲ MEX ◆ 44-45 G 6
Ratcha Buri o THA ◆ 34-35 C 4
Rāth o IND ◆ 32-33 M 5
Ratisbonne = Regensburg o D ◇ 20-21 M 4 ◆ 14-15 O 6
Ratlām o IND ◆ 32-33 M 6
Ratnapura o CL ◆ 32-33 N 9
Rauḍa, ar- o Y ◆ 32-33 F 8
Raufarhöfn o IS ◇ 16-17 f 1
Rauma o •• FIN ◆ 14-15 Q 3
Raurkela o • IND ◆ 32-33 N 6
Ravenna ☆ •• I ◇ 26-27 D 2 ◆ 14-15 O 7
Ravenshoe o AUS ◆ 36-37 K 3
Ravensthorpe o AUS ◆ 36-37 E 6
Rāwalpindi o PK ◆ 32-33 L 4
Rawlinna o AUS ◆ 36-37 F 6
Rawlins o USA ◆ 44-45 E 2
Rawson ☆ RA ◆ 48 D 6
Rawu o CHN ◆ 30-31 H 6
Ray, Cape ▲ CDN ◆ 42-43 Z 7
Rayo ▲ MEX ◆ 44-45 E 6
Rayong o THA ◆ 34-35 D 4
Rayyān, ar- o Q ◆ 32-33 G 5
Raz, Pointe du ⊻ F ◇ 18-19 E 7 ◆ 14-15 L 6
Ré, Île de ⌒ F ◇ 18-19 G 8 ◆ 14-15 L 6
Reading o USA ◆ 44-45 L 2
Realico o RA ◆ 48 E 5
Rebecca, Lake ⊂ AUS ◆ 36-37 E 6
Rebun-tō ⌒ J ◆ 30-31 R 2
Recherche, Archipelago of the ⌒ AUS ◆ 36-37 E 6
Recife ☆ BR ◆ 46-47 M 6
Reconquista o RA ◆ 48 F 3
Recreo o RA ◆ 48 D 3
Red Deer o CDN ◆ 42-43 O 6
Red Deer River ~ CDN ◆ 42-43 O 6
Redding o USA ◆ 44-45 B 2
Redenção o BR (P) ◆ 46-47 K 6
Red Lake o CDN (ONT) ◆ 42-43 S 6
Red Lake Indian Reservation ✕ USA ◆ 42-43 R 7
Redon o F ◇ 18-19 F 8 ◆ 14-15
Red River ~ USA ◆ 44-45 G 4
Red River of the North ~ USA ◆ 42-43 R 7
Redwood Empire ⊥ USA ◆ 42-43 M 8
Redwood National Park ⊥ ••• USA ◆ 42-43 M 8
Reef Islands ⌒ SOL ◆ 36-37 O 2
Regência, Ponta de ▲ BR ◆ 46-47 M 8
Regensburg o D ◇ 20-21 M 4 ◆ 14-15 O 6
Rēgestān ⊥ AFG ◆ 32-33 J 4
Reggane o DZ ◆ 38-39 F 3
Réggio di Calàbria o I ◇ 26-27 E 5 ◆ 14-15 P 8
Regina ☆ CDN ◆ 42-43 Q 6
Regina o F ◆ 46-47 J 4
Registan, Désert du = Rēgestān ⊥ AFG ◆ 32-33 J 4
Registro o BR ◆ 48 H 2
Rehoboth o NAM ◆ 40-41 E 6
Reims ☆ ••• F ◇ 18-19 K 7 ◆ 14-15 M 6
Reindeer Lake ⊂ CDN ◆ 42-43 Q 5
Reine-Charlotte, Détroit de la = Queen Charlotte Sound ≈ ◆ 42-43 L 6
Reine-Charlotte, Îles de la = Queen Charlotte Islands ⌒ CDN ◆ 42-43 K 6
Reine-Élisabeth, Îles de la = Queen Elizabeth Islands ⌒ CDN ◆ 42-43 N 1
Reinga, Cape ▲ NZ ◆ 36-37 P 6
Reinosa o • E ◇ 24-25 E 3 ◆ 14-15 L 7
Reitz o ZA ◆ 40-41 G 7
Reliance o CDN ◆ 42-43 P 4
Remanso o BR ◆ 46-47 L 6
Remiremont o F ◇ 18-19 L 7 ◆ 14-15
Rengat o RI ◆ 34-35 D 7
Renmark o AUS ◆ 36-37 J 6
Rennell Island ⌒ SOL ◆ 36-37 N 2
Rennes ☆ • F ◇ 18-19 G 7 ◆ 14-15 L 6
Rennick Glacier ⊂ ARK ◆ 13 F 17
Reno o • USA ◆ 44-45 C 3
Reo o RI ◆ 34-35 H 8
Réole, la o F ◇ 18-19 G 9 ◆ 14-15
Republican River ~ USA ◆ 44-45 G 2
Republique de Bachkirie ◘ RUS ◆ 14-15 X 5
République Démocratique du Congo ■ ZRE ◆ 40-41 E 2
Repulse Bay ≈ ◆ 42-43 T 3
Repulse Bay o CDN (NWT) ◆ 42-43 T 3
Requena o PE ◆ 46-47 E 6
Réservoir Manicouagan ⊥ •• CDN ◆ 42-43 X 6
Resistencia ☆ RA ◆ 48 F 3
Resolution Island ⌒ CDN ◆ 42-43 X 4
Respublika Adygeja = Adygè Respublikèm ◘ RUS ◆ 14-15 T 7
Rethel o F ◇ 18-19 K 7 ◆ 14-15
Revelstoke o CDN ◆ 42-43 N 6
Revilla Gigedo, Islas ⌒ MEX ◆ 44-45 D 7
Revillagigedo Island ⌒ USA ◆ 42-43 K 5
Rewa o IND ◆ 32-33 N 6
Rewari o IND ◆ 32-33 M 5
Rex, Mount ▲ ARK ◆ 13 F 29
Reykjanes, Dorsale de ≃ ◆ 42-43 e 5
Reykjavík ★ • IS ◇ 16-17 c 2 ◆ 14-15 G 3
Reynosa o MEX ◆ 44-45 G 5
Rhein ~ D ◇ 20-21 J 3 ◆ 14-15 N 6
Rhinelander o USA ◆ 42-43 T 7
Rhir, Cap ▲ MA ◆ 38-39 D 2
Rhode Island ◘ USA ◆ 44-45 M 2
Rhodes = Ródos ⌒ GR ◇ 26-27 M 6 ◆ 14-15 R 8
Rhodes Matopos National Park ⊥ ZW ◆ 40-41 G 6
Rhône ~ F ◇ 18-19 K 10 ◆ 14-15 M 7
Rhône-Alpes ◘ F ◇ 18-19 K 9 ◆ 14-15
Ría Celestún, Parque Natural ⊥ MEX ◆ 44-45 H 6
Ribas do Rio Pardo o BR ◆ 48 G 2
Ribáuè o MOC ◆ 40-41 J 4
Ribeirão Preto o BR ◆ 48 H 2
Ribérac o F ◇ 18-19 H 9 ◆ 14-15
Riberalta o BOL ◆ 46-47 F 7
Richardsbaai = Richards Bay o ZA ◆ 40-41 H 7
Richards Bay = Richardsbaai o ZA ◆ 40-41 H 7
Richards Island ⌒ CDN ◆ 42-43 K 3
Richardson Mountains ▲ CDN ◆ 42-43 J 3
Richfield o USA (UT) ◆ 44-45 D 3
Richmond o AUS ◆ 36-37 J 4
Richmond ☆ USA (VA) ◆ 44-45 L 3
Richtersveld National Park ⊥ ZA ◆ 40-41 E 7
Riding Mountain National Park ⊥ CDN ◆ 42-43 Q 6
Rietfontein o ZA ◆ 40-41 F 7
Rifstangi ▲ IS ◆ 44-45 H 2
Rift Valley National Park ⊥ ETH ◆ 38-39 N 7
Riga ★ ••• LV ◇ 22-23 J 3 ◆ 14-15 Q 4
Riga, Golfe de = Rigas Jūras Līcis ≈ ◇ 22-23 H 3 ◆ 14-15 Q 4
Riga = Riga ★ •• LV ◇ 22-23 J 3 ◆ 14-15 Q 4
Rigas Jūras Līcis ≈ ◇ 22-23 H 3
Riiser-Larsen halvøy ⊥ ARK ◆ 13 G 4
Rijeka o HR ◇ 26-27 E 2 ◆ 14-15 O 6
Rimini o I ◇ 26-27 D 2 ◆ 14-15 O 7
Rinconada o RA ◆ 48 D 2
Rinjani, Gunung ▲ RI ◆ 34-35 G 8
Río Abiseo, Parque Nacional ⊥ ••• PE ◆ 46-47 D 6
Rio Acre, Estação Ecológica ⊥ BR ◆ 46-47 E 7
Rio Amazonas, Estuário do ~ BR ◆ 46-47 K 4
Riobamba o EC ◆ 46-47 D 5
Rio-Biá, Áreas Indígenas ✕ BR ◆ 46-47 F 5
Rio Branco ☆ BR (ACR) ◆ 46-47 F 6
Rio Branco, Área Indígena ✕ BR ◆ 46-47 G 7
Rio Branco, Parque Nacional do ⊥ BR ◆ 46-47 G 4
Río Bravo, Parque Internacional del ⊥ MEX ◆ 44-45 F 5
Rio Claro o BR ◆ 48 H 2
Rio Conchas o BR ◆ 46-47 H 7
Rio de Janeiro ◘ BR ◆ 48 J 2
Rio de Janeiro ☆ •• BR (RIO) ◆ 48 J 2
Río de la Plata ≈ ◆ 48 F 4
Rio Grande o BR (RSU) ◆ 48 G 4
Rio Grande ~ BR ◆ 46-47 K 7
Rio Grande ~ USA ◆ 44-45 F 5
Rio Grande do Norte ◘ BR ◆ 46-47 M 6
Rio Grande do Sul ◘ BR ◆ 48 G 3
Riohacha ☆ CO ◆ 46-47 E 2
Rio Hondo, Termas de o • RA ◆ 48 E 3
Rioja, La ◘ RA ◆ 48 D 3
Río Lagartos, Parque Natural ⊥ MEX ◆ 44-45 J 6
Riom o F ◇ 18-19 J 9 ◆ 14-15
Río Mulatos o BOL ◆ 46-47 F 8
Rio Negro ◘ RA ◆ 48 D 5
Rio Negro, Pantanal do ⊂ BR ◆ 46-47 H 8
Río Negro, Represa del < ROU ◆ 48 F 4
Rio Negro, Reserva Florestal do ⊥ BR ◆ 46-47 F 4
Rio Pardo de Minas o BR ◆ 46-47 L 8
Rio Trombetas, Reserva Biológica do ⊥ BR ◆ 46-47 H 5
Riou-Kiou, Îles = Nansei-shotō ⌒ J ◆ 30-31 O 6
Rio Verde o BR ◆ 46-47 J 8
Río Verde o MEX ◆ 44-45 G 6
Rio Verde de Mato Grosso o BR ◆ 46-47 J 8
Risasa o ZRE ◆ 40-41 G 2
Rishiri-tō ⌒ J ◆ 30-31 R 2
Rivadavia o RA (SAL) ◆ 48
Rivadavia o RCH ◆ 48 E 2
Rivera o RA ◆ 48 E 5
Rivera o ROU ◆ 48 F 4
River Cess o LB ◆ 38-39 D 7
Riverina ⊻ AUS ◆ 36-37 J 7
Rivesaltes o F ◇ 18-19 J 10 ◆ 14-15
Rivne o UA ◆ 14-15 R 5
Rivungo o ANG ◆ 40-41 F 5
Riyāḍ, ar- ★ •• KSA ◆ 32-33 F 6
Riyadh ★ •• KSA ◆ 32-33 F 6
Riyadh = Riyāḍ, ar- ★ •• KSA ◆ 32-33 F 6
Rize ☆ TR ◆ 14-15 U 7
Rizhao o CHN ◆ 30-31 M 4
Rizzuto, Capo ▲ I ◇ 26-27 F 5 ◆ 14-15 P 8
Rjazan' ☆ •• RUS ◇ 22-23 Q 4 ◆ 14-15 T 5
Road Town ☆ •• GB ◆ 44-45 O 7
Roanne o F ◇ 18-19 K 8 ◆ 14-15
Roanoke o USA (VA) ◆ 44-45 L 3
Roanoke River ~ USA ◆ 44-45 L 3
Roatán, Isla de ⌒ HN ◆ 44-45 J 7
Robertson Bay ≈ ◆ 13 F 18
Robertsons Øy ⌒ ARK ◆ 13 G 31
Roberval o CDN ◆ 42-43 W 7
Robinson Island ⌒ ARK ◆ 13 G 30
Robson, Mount ▲ CDN ◆ 42-43 N 6
Rocas Alijos ⌒ MEX ◆ 44-45 C 6
Rocha ☆ ROU ◆ 48 G 4
Rochefort o F ◇ 18-19 G 9 ◆ 14-15
Rochelle, la ☆ • F ◇ 18-19 G 8 ◆ 14-15 L 6
Rochester o USA (NY) ◆ 42-43 V 8
Rochester o USA (MN) ◆ 42-43 S 8
Roche-sur-Yon, la ☆ • F ◇ 18-19 G 8 ◆ 14-15
Rockall ⌒ GB ◆ 44-45 J 4
Rockall, Banc ≃ ◆ 14-15 H 4
Rockall, Fosse ≃ ◆ 14-15 H 5
Rockefeller Plateau ▲ ARK ◆ 13 F 24
Rockford o USA (IL) ◆ 42-43 T 8
Rockhampton o • AUS ◆ 36-37 L 4
Rockingham Bay ≈ ◆ 36-37 K 3
Rock Springs o USA (WY) ◆ 44-45 E 2
Rockstone o GUY ◆ 46-47 H 3
Rocky Mountain National Park ⊥ USA ◆ 44-45 E 2
Rocky Mountains ▲ ◆ 42-43 K 4
Rodagua, Lago ⊂ BOL ◆ 46-47 F 7
Rodez ☆ • F ◇ 18-19 J 9 ◆ 14-15
Rodope, Monts ▲ BG ◆ 14-15 Q 7
Ródos o •• GR ◇ 26-27 M 6 ◆ 14-15 R 8
Ródos ⌒ GR ◇ 26-27 M 6 ◆ 14-15 R 8
Rodrigues, Île ⌒ MS ◆ 40-41 O 5
Roebourne o AUS ◆ 36-37 D 4
Roebuck Bay ≈ ◆ 36-37 E 3
Roes Welcome Sound ≈ ◆ 42-43 T 4
Rogagua, Lago ⊂ BOL ◆ 46-47 F 7
Roggeveen, Bassin ≃ ◆ 7 B 8
Rogoaguado, Lago ⊂ BOL ◆ 46-47 F 7
Roi, Fosse du ≃ ◆ 14-15 G 7
Roi-Christian IX, Terre du = Kong Christian IX Land ⊥ GRØ ◆ 42-43 d 3
Roi Et o THA ◆ 34-35 D 3
Roi-Frédéric IX, Terre du = Kong Frederik IX Land ⊥ GRØ ◆ 42-43 a 3
Roi-Frédéric VI, Côte du = Kong Frederik VI Kyst ⊥ GRØ ◆ 42-43 c 4
Roi-Guillaume, Île du = King William Island ⌒ CDN ◆ 42-43 R 3
Rolla o USA (MO) ◆ 44-45 H 3
Rolleston o AUS ◆ 36-37 K 4
Roma o AUS ◆ 36-37 K 5
Roma ★ ••• I ◇ 26-27 D 4 ◆ 14-15 O 7
Roma, Pulau ⌒ RI ◆ 34-35 J 8
Romaine, Rivière ~ CDN ◆ 42-43 Y 6
Romanovka o RUS ◆ 28-29 T 7
Romans-sur-Isère o F ◇ 18-19 K 9 ◆ 14-15
Romanzof, Cape ▲ USA ◆ 42-43 C 4
Romblon Island ⌒ RP ◆ 34-35 H 4
Rome o USA (GA) ◆ 44-45 J 4
Rome = Roma ★ ••• I ◇ 26-27 D 4 ◆ 14-15 O 7
Romny o UA ◆ 14-15 S 5
Romorantin-Lanthenay o F ◇ 18-19 H 8 ◆ 14-15
Roncador, Serra do ▲ BR ◆ 46-47 J 7
Rondônia ◘ BR ◆ 46-47 G 7
Rondonópolis o BR ◆ 46-47 J 8
Ronne Bay ≈ ◆ 13 F 29
Roosevelt, Rio ~ BR ◆ 46-47 G 6
Roosevelt Island ⌒ ARK ◆ 13 F 21
Roper Bar o AUS ◆ 36-37 G 2
Roper River ~ AUS ◆ 36-37 G 2
Roquefort o F ◇ 18-19 G 9 ◆ 14-15
Roques, Islas los ⌒ YV ◆ 46-47 F 2
Roraima ◘ BR ◆ 46-47 G 4
Roraima, Mount ▲ GUY ◆ 46-47 G 3
Rosario o • RA (SAF) ◆ 48 E 4
Rosario de la Frontera o • RA ◆ 48 E 3
Rosário do Sul o BR ◆ 48 G 4
Rosa Zárate o EC ◆ 46-47 D 4
Roscoff o F ◇ 18-19 F 7 ◆ 14-15
Roseau ★ WD ◆ 44-45 O 7
Rosebud Indian Reservation ✕ USA ◆ 44-45 F 2
Rosenheim o D ◇ 20-21 M 5 ◆ 14-15 O 6
Ros Láir o IRL ◆ 44-45 K 5
Roslavl' o RUS ◇ 22-23 N 5 ◆ 14-15 S 5
Ross Ice Shelf ⊂ ARK ◆ 13 E 0
Ross Island ⌒ ARK ◆ 13 G 31
Rosso ☆ RIM ◆ 38-39 B 5
Ross River o CDN (NWT) ◆ 42-43 K 4
Ross Sea ≈ ◆ 13 F 19
Rostock o •• D ◇ 20-21 M 1 ◆ 14-15 O 5
Rostov-na-Donu ☆ RUS ◆ 14-15 T 6
Rostov-sur-le-Don = Rostov-na-Donu ☆ RUS ◆ 14-15 T 6
Rostrenen o F ◇ 18-19 F 7 ◆ 14-15
Roswell o USA (NM) ◆ 44-45 F 4
Rota ⌒ USA ◆ 34-35 N 4
Roti, Pulau ⌒ RI ◆ 34-35 H 9
Roto o AUS ◆ 36-37 K 6
Rotorua o •• NZ ◆ 36-37 Q 7
Rotterdam o • NL ◇ 20-21 H 3 ◆ 14-15 M 5
Roubaix o F ◇ 18-19 J 6 ◆ 14-15
Roudny = Rudnyj o KZ ◆ 28-29 J 7
Rouen ☆ • F ◇ 18-19 H 7 ◆ 14-15 M 6
Roumanie ■ RO ◆ 14-15 Q 6
Rouyn-Noranda o CDN ◆ 42-43 V 7
Rovno = Rivne o UA ◆ 14-15 R 5
Rovuma, Rio = Ruvuma ~ MOC ◆ 40-41 J 4
Rowley Island ⌒ CDN ◆ 42-43 V 3
Rowley Shoals ⌒ AUS ◆ 36-37 D 3
Roxas ☆ RP (CAP) ◆ 34-35 H 4
Royale, Isle ⌒ USA ◆ 42-43 T 7
Royal Society Range ▲ ARK ◆ 13 F 16
Royan o • F ◇ 18-19 G 9 ◆ 14-15
Royaume-Uni ■ GB ◇ 18-19 H 4 ◆ 14-15 L 4
Roye o F ◇ 18-19 J 7 ◆ 14-15
Ruacana Falls ~ •• NAM ◆ 40-41 D 5
Ruaha National Park ⊥ EAT ◆ 40-41 H 3
Ruahine Range ▲ NZ ◆ 36-37 Q 7
Ruapehu, Mount ▲ NZ ◆ 36-37 Q 7
Ruawai o NZ ◆ 36-37 P 7
Ru'ays, Wādi ar ~ LAR ◆ 38-39 J 3
Rub' al-Ḫālī, ar- ⊥ KSA ◆ 32-33 F 7
Rubcovsk o RUS ◆ 28-29 N 7
Rubeho Mountains ▲ EAT ◆ 40-41 J 3
Rubondo National Park ⊥ EAT ◆ 40-41 H 2
Ruby o USA ◆ 42-43 E 4
Rudall River National Park ⊥ AUS ◆ 36-37 E 4
Rudnyj o KZ ◆ 28-29 J 7
Rudol'fa, ostrov ⌒ RUS ◆ 28-29 H 1
Rufiji ~ EAT ◆ 40-41 J 3
Rufino o RA ◆ 48 E 4
Rufunsa o Z (LUS) ◆ 40-41 G 5
Rügen ⌒ D ◇ 20-21 M 1 ◆ 14-15 O 5
Ru'ian o CHN ◆ 30-31 N 6
Ruili o CHN ◆ 30-31 H 7
Rukwa, Lake ⊂ EAT ◆ 40-41 H 3
Ruma National Park ⊥ EAK ◆ 40-41 H 2
Rumbek o SUD ◆ 38-39 L 7
Rumberpon, Pulau ⌒ RI ◆ 34-35 K 7
Runaway, Cape ▲ NZ ◆ 36-37 Q 7
Runde ~ ZW ◆ 40-41 H 6
Rundu ☆ NAM ◆ 40-41 E 5
Rungwa o EAT (SIN) ◆ 40-41 H 3
Rungwa ~ EAT ◆ 40-41 H 3
Rungwa Game Reserve ⊥ EAT ◆ 40-41 H 3
Ruoqiang o CHN ◆ 30-31 F 4
Rupert, Rivière de ~ CDN ◆ 42-43 V 6
Rupert Coast ⊻ ARK ◆ 13 F 22
Ruqai', ar- o KSA ◆ 32-33 F 5
Rurutu, Île ⌒ F (987) ◆ 12 M 5
Rusape o ZW ◆ 40-41 H 5
Ruse o BG ◆ 14-15 R 7
Russas o BR ◆ 46-47 M 5
Russie ■ RUS ◇ 22-23 O 5 ◆ 14-15 T 4
Russkij, ostrov ⌒ RUS ◆ 28-29 Q 2
Rustavi o GE ◆ 14-15 U 7
Rustenburg o ZA ◆ 40-41 G 7
Ruston o USA ◆ 44-45 H 4
Ruvuma = Rio Rovuma ~ EAT ◆ 40-41 J 4
Ruwais, ar- o Q ◆ 32-33 G 5
Ruwenzori ▲ ZRE ◆ 40-41 G 1
Ruwi o OM ◆ 32-33 H 6

Potchefstroom — Ruwī 67

Ružomberok ○ **SK** ◇ 20-21 P 4 ◆ 14-15 P 6
Rwanda ■ **RWA** ◆ 40-41 G 2
Rybinsk ☆ **RUS** ◇ 22-23 Q 2 ◆ 14-15 T 4
Rybinsk, Réservoir de = Rybinskoe vodohranilišče < **RUS** ◇ 22-23 Q 2 ◆ 14-15 T 4
Rybinskoe vodohranilišče < **RUS** ◇ 22-23 Q 2 ◆ 14-15 T 4
Ryōtsu ○ **J** ◆ 30-31 Q 4
Ryukyu, Fosse des ≃ ◆ 30-31 O 7
Ryūkyū-shotō ⌒ **J** ◆ 30-31 O 6
Rzeszów ☆ **PL** ◇ 20-21 R 3 ◆ 14-15 Q 5
Ržev ☆ **RUS** ◇ 22-23 O 3 ◆ 14-15 S 4

S

Saale ~ **D** ◇ 20-21 L 3 ◆ 14-15 O 5
Saarbrücken ☆• **D** ◇ 20-21 J 4 ◆ 14-15 N 6
Saaremaa ⌒ **EST** ◇ 22-23 G 2 ◆ 14-15 Q 4
Saba ⌒ **NA** ◆ 44-45 O 7
Sab'ah, Qārat as ▲ **LAR** ◆ 38-39 J 3
Sabaki ~ **EAK** ◆ 40-41 J 2
Sabalana, Kepulauan ⌒ **RI** ◆ 34-35 G 8
Sabana, Archipiélago de ⌒ **C** ◆ 44-45 K 6
Sāberi, Hāmūn-e ○ **AFG** ◆ 32-33 J 4
Sabhā ☆ **LAR** ◆ 38-39 H 3
Sabḫat al-'Urūq al-Mu'tarida ∸ **KSA** ◆ 32-33 G 6
Sabinas ○ **MEX** ◆ 44-45 F 5
Sabine Peninsula ⌒ **CDN** ◆ 42-43 P 1
Sabine River ~ **USA** ◆ 44-45 G 4
Sable, Cape ▲ **CDN** ◆ 42-43 X 8
Sable, Île de ⌒ **F** ◆ 36-37 M 3
Sable Island ⌒ **CDN** ◆ 42-43 Z 8
Sables-d'Olonne, les ○ **F** ◇ 18-19 G 8 ◆ 14-15
Sablé-sur-Sarthe ○ **F** ◇ 18-19 G 8 ◆ 14-15
Sablūkah, Shallāl as-= 6th Cataract ~ **SUD** ◆ 38-39 M 5
Şabrātah ∴··· **LAR** ◆ 38-39 H 2
Sabres ○ **F** ◇ 18-19 G 9 ◆ 14-15
Sabrina Land ∸ **ARK** ◆ 13 G 12
Sabtaev ☆ **KZ** ◆ 28-29 K 8
Sabt al-'Ulyā ○ **KSA** ◆ 32-33 E 7
Sabzevār ○• **IR** ◆ 32-33 H 3
Sachs Harbour ○ **CDN** ◆ 42-43 M 2
Sacramento ☆• **USA** ◆ 44-45 B 3
Sacramento, Pampas de ∸ **PE** ◆ 46-47 D 6
Sacramento Mountains ▲ **USA** ◆ 44-45 E 4
Sacramento River ~ **USA** ◆ 44-45 B 3
Şa'da ○··· **Y** ◆ 32-33 E 7
Sadani ○ **EAT** ◆ 40-41 J 3
Şadḥ ○ **OM** ◆ 32-33 H 7
Sado-shima ⌒ **J** ◆ 30-31 Q 4
Šadrinsk ☆ **RUS** ◆ 28-29 J 6
Şafāğa ▲ **KSA** ◆ 32-33 D 5
Safīd Kūh, Selsele-ye ▲ **AFG** ◆ 32-33 J 3
Saga ○ **CHN** ◆ 30-31 F 6
Sāgar ○• **IND** (MAP) ◆ 32-33 M 6
Sagastyr ○ **RUS** ◆ 28-29 W 3
Saglek, Banc ≃ ◆ 42-43 Y 5
Sagua-Baracoa, Grupo ▲ **C** ◆ 44-45 L 6
Saguenay, Rivière ~ **CDN** ◆ 42-43 W 7
Saha, République = Iakoutie □ **RUS** ◆ 28-29 T 4
Sahalinskij zaliv ≈ ◆ 28-29 Z 7
Sahara ∸ ◆ 38-39 D 4
Saharanpur ○ **IND** ◆ 32-33 M 5
Sahara Occidental ■ **WSA** ◆ 38-39 C 4
Sahel ∸ ◆ 38-39 E 5
Sāhīwāl ○ **PK** ◆ 32-33 L 4
Şahrā' Surt ∸ **LAR** ◆ 38-39 J 2
Sāhrūd ○• **IR** ◆ 32-33 G 3
Šahtinsk ○ **KZ** ◆ 28-29 L 8
Šahty ○ **RUS** ◆ 14-15 U 6
Sahuaripa ○ **MEX** ◆ 44-45 E 5
Sahul Banks ≃ ◆ 34-35 H 9
Sahul Shelf ≃ ◆ 36-37 E 2
Saïan Occidental ▲ **RUS** ◆ 28-29 P 7
Saïan Oriental ▲ **RUS** ◆ 28-29 P 6
Saïda ○ **DZ** ◆ 38-39 F 2
Saidor ○ **PNG** ◆ 34-35 N 8
Saidpur ○ **BD** ◆ 32-33 O 5
Saïgon = Thành Phô Hô Chí Minh ☆·· **VN** ◆ 34-35 E 4
Saihūt ○ **Y** ◆ 32-33 G 7
Saikhoa Ghāt ○ **IND** ◆ 32-33 Q 5
Saimaa ○ **FIN** ◆ 14-15 R 3
Saint Albans ○ **CDN** ◆ 42-43 Z 7
Saint Anthony ○ **CDN** ◆ 42-43 Z 6
Saint Augustine ○·· **USA** (FL) ◆ 44-45 K 5
Saint-Barthélémy ⌒ **F** ◆ 44-45 O 7
Saint-Brieuc ☆ **F** ◇ 18-19 F 7 ◆ 14-15
Saint-Calais ○ **F** ◇ 18-19 H 8 ◆ 14-15
Saint-Céré ○ **F** ◇ 18-19 H 9 ◆ 14-15
Saint-Chamond ○ **F** ◇ 18-19 K 9 ◆ 14-15
Saint-Chély-d'Apcher ○ **F** ◇ 18-19 J 9 ◆ 14-15
Saint-Chinian ○ **F** ◇ 18-19 J 10 ◆ 14-15
Saint Clair, Lake ○ ◆ 42-43 U 8
Saint Cloud ○ **USA** (MN) ◆ 42-43 S 7
Saint-Dié ○• **F** ◇ 18-19 L 7 ◆ 14-15
Saint-Dizier ○ **F** ◇ 18-19 K 7 ◆ 14-15
Sainte-Foy-la-Grande ○ **F** ◇ 18-19 H 9 ◆ 14-15
Saint Elias, Cape ▲ **USA** ◆ 42-43 H 5
Saint Elias Mountains ▲ **CDN** ◆ 42-43 J 4
Saint-Élie ○ **F** ◆ 46-47 J 4
Sainte-Lucie ■ **WL** ◆ 44-45 O 8
Sainte-Marie, Nosy ⌒ **RM** ◆ 40-41 M 5
Sainte-Maure-de-Touraine ○ **F** ◇ 18-19 H 8 ◆ 14-15
Sainte-Odile, Mont ▲• **F** ◇ 18-19 L 7 ◆ 14-15
Saintes ○ **F** ◇ 18-19 G 9 ◆ 14-15 L 6
Saint-Étienne ☆ **F** ◇ 18-19 K 9 ◆ 14-15 M 6
Saint-Florentin ○ **F** ◇ 18-19 J 8 ◆ 14-15
Saint Floris, Parc National de ⊥··· **RCA** ◆ 38-39 K 7
Saint-Flour ○• **F** ◇ 18-19 J 9 ◆ 14-15
Saint-Gaudens ○ **F** ◇ 18-19 H 10 ◆ 14-15
Saint George ○ **AUS** ◆ 36-37 K 5
Saint George ○ **USA** (UT) ◆ 44-45 D 3
Saint George, Cape ▲ **USA** ◆ 44-45 J 5
Saint George Island ⌒ **USA** (AK) ◆ 42-43 C 5
Saint-Georges ○ **F** ◆ 46-47 J 4
Saint George's ★ **WG** ◆ 44-45 O 8
Saint George's Channel ≈ ◆ 34-35 O 7
Saint George's Channel ≈ ◇ 18-19 D 6 ◆ 14-15 K 5
Saint-Gilles ○ **F** ◇ 18-19 K 10 ◆ 14-15
Saint-Girons ○ **F** ◇ 18-19 H 10 ◆ 14-15
Saint Helenabaai ≈ ◆ 40-41 E 8
Saint Helens, Mount ▲ **USA** ◆ 42-43 M 7
Saint James, Cape ▲ **CDN** ◆ 42-43 K 6
Saint-Jean, Lac ○·· **CDN** ◆ 42-43 W 7
Saint-Jean-d'Angély ○ **F** ◇ 18-19 G 9 ◆ 14-15
Saint-Jean-de-Luz ○ **F** ◇ 18-19 G 10 ◆ 14-15
Saint John ○ **CDN** ◆ 42-43 X 7
Saint John River ~ **USA** ◆ 42-43 X 7
Saint John's ★ **AG** ◆ 44-45 O 7
Saint John's ☆ **CDN** ◆ 42-43 a 7
Saint Joseph ○ **USA** (MO) ◆ 44-45 H 3
Saint Joseph, Lake ○ **CDN** ◆ 42-43 S 6
Saint-Junien ○ **F** ◇ 18-19 H 9 ◆ 14-15
Saint Kilda ⌒··· **GB** ◇ 18-19 C 3 ◆ 14-15 K 4
Saint-Kitts-et-Nevis ■ **KAN** ◆ 44-45 O 7
Saint-Laurent, Fleuve = Saint Lawrence River ~ **CDN** ◆ 42-43 X 7
Saint-Laurent, Golfe du = Saint Lawrence, Gulf of ≈ ◆ 42-43 Y 7
Saint-Laurent, Île = Saint Lawrence Island ⌒ **USA** ◆ 42-43 B 4
Saint-Laurent-du-Maroni ☆ **F** ◆ 46-47 J 3
Saint Lawrence ○ **AUS** ◆ 36-37 K 4
Saint Lawrence, Gulf of ≈ ◆ 42-43 Y 7
Saint Lawrence Island ⌒ **USA** ◆ 42-43 B 4
Saint Lawrence River = Fleuve Saint-Laurent ~ **CDN** ◆ 42-43 X 7
Saint-Lô ☆ **F** ◇ 18-19 G 7 ◆ 14-15
Saint Louis ☆• **SN** ◆ 38-39 B 5
Saint Louis ○ **USA** ◆ 44-45 H 3
Saint Lucia Game Reserve ⊥ **ZA** ◆ 40-41 H 7
Saint Luciameer ○ **ZA** ◆ 40-41 H 7
Saint-Malo ○ **F** ◇ 18-19 F 7 ◆ 14-15 L 6
Saint Malo, Golfe de ≈ ◇ 18-19 F 7 ◆ 14-15 L 6
Saint Marc ○ **RH** ◆ 44-45 M 7
Saint-Marin ■ **RSM** ◇ 26-27 C 3 ◆ 14-15 O 7
Saint-Martin ⌒ **F** ◆ 44-45 O 7
Saint Marys ○ **AUS** ◆ 36-37 K 8
Saint-Mathieu ▲·· **F** ◇ 18-19 E 7 ◆ 14-15
Saint Matthew Island ⌒ **USA** ◆ 42-43 B 4
Saint Matthias Group ⌒ **PNG** ◆ 34-35 N 7
Saint Maurice, Rivière ~ **CDN** ◆ 42-43 W 7
Saint-Michel, le Mont ○··· **F** ◇ 18-19 G 7 ◆ 14-15
Saint-Nazaire ○ **F** ◇ 18-19 F 8 ◆ 14-15
Saintogne ∸ **F** ◇ 18-19 G 8 ◆ 14-15
Saint-Omer ○• **F** ◇ 18-19 J 6 ◆ 14-15
Saint Paul ☆• **USA** (MN) ◆ 42-43 S 8
Saint Paul Island ⌒ **USA** ◆ 42-43 B 5
Saint Paul River ~ **LB** ◆ 38-39 C 7
Saint-Pétersbourg = Sankt-Peterburg ☆··· **RUS** (LEN) ◇ 22-23 M 2 ◆ 14-15 S 4
Saint Petersburg ○ **USA** ◆ 44-45 K 5
Saint-Pierre et Miquelon □ **F I** ◆ 42-43 Z 7
Saint Pierre Island ⌒ **SY** ◆ 40-41 M 3
Saint-Pierre und Miquelon □ **F I** ◆ 42-43 Z 7
Saint-Pol-de-Léon ○ **F** ◇ 18-19 F 7 ◆ 14-15
Saint-Pol-sur-Ternoise ○ **F** ◇ 18-19 J 6 ◆ 14-15
Saint-Quentin ○ **F** ◇ 18-19 J 7 ◆ 14-15
Saint-Savin ○··· **F** ◇ 18-19 H 8 ◆ 14-15
Saint-Tropez ○ **F** ◇ 18-19 L 10 ◆ 14-15
Saint Vincent ○ **USA** ◆ 42-43 R 7
Saint Vincent ⌒ **WV** ◆ 44-45 O 8
Saint Vincent, Golfe de = Saint Vincent, Gulf ≈ ◆ 36-37 H 6
Saint Vincent, Gulf ≈ ◆ 36-37 H 6
Saint-Vincent-et-Grenadines ■ **WV** ◆ 44-45 O 8
Saint-Yrieix-la-Perche ○ **F** ◇ 18-19 H 9 ◆ 14-15
Saipan ⌒ **USA** ◆ 34-35 N 4
Sai'ūn ○• **Y** ◆ 32-33 F 7
Sajama, Nevado de ▲ **BOL** ◆ 46-47 F 8
Sajano-Šušenskoe, vodohranilišče ○ **RUS** ◆ 28-29 P 7
Sajnšand ☆ **MAU** ◆ 30-31 L 3
Sakāka ☆• **KSA** ◆ 32-33 E 5
Sakakawea, Lake ○ **USA** ◆ 42-43 Q 7
Sakami, Lac ○ **CDN** ◆ 42-43 V 6
Sakarya Nehri ~ **TR** ◆ 14-15 S 7
Sakata ○ **J** ◆ 30-31 Q 4
Sakata ○ **RI** ◆ 34-35 J 7
Sakhaline ⌒ **RUS** ◆ 28-29 Z 7
Sakhaline, Golfe de = Sahalinskij zaliv ≈ ◆ 28-29 Z 7
Šakı ○• **AZ** ◆ 32-33 F 2
Saki ○ **WAN** ◆ 38-39 F 7
Sakishima shotō ⌒ **J** ◆ 30-31 N 7
Sakleshpur ○ **IND** ◆ 32-33 M 8
Sakrivier ○ **ZA** (CAP) ◆ 40-41 F 8
Saladillo ○ **RA** ◆ 48 F 5
Salado, Río ~ **MEX** ◆ 44-45 G 5
Salado, Río ~ **RA** ◆ 48 D 5
Salaga ○ **GH** ◆ 38-39 E 7
Salāla ○·· **OM** ◆ 32-33 G 7
Salamanca ○··· **E** ◇ 24-25 E 4 ◆ 14-15 K 7
Salamanca ○ **MEX** ◆ 44-45 F 6
Salamanque = Salamanca ○··· **E** ◇ 24-25 E 4 ◆ 14-15 K 7
Salamat, Bahr ~ **TCH** ◆ 38-39 J 6
Salatiga ○ **RI** ◆ 34-35 F 8
Salavat ○ **RUS** ◆ 14-15 X 5
Salawati, Pulau ⌒ **RI** ◆ 34-35 K 7
Sála-y-Gomez, Dorsale de ≃ ◆ 7 B 7
Salbris ○ **F** ◇ 18-19 J 8 ◆ 14-15
Sale ○ **AUS** ◆ 36-37 K 7
Salehard ☆ **RUS** ◆ 28-29 K 4
Salem ○ **IND** ◆ 32-33 M 8
Salem ☆ **USA** (OR) ◆ 42-43 M 8
Salerne = Salerno ☆• **I** ◇ 26-27 E 4 ◆ 14-15 O 7
Salerno ☆• **I** ◇ 26-27 E 4 ◆ 14-15 O 7
Salgueiro ○ **BR** ◆ 46-47 M 6
Salḥ Haimā' ○ **OM** ◆ 32-33 H 7
Salibabu, Pulau ⌒ **RI** ◆ 34-35 J 6
Salihli ☆ **TR** ◆ 14-15 R 8
Salina ○ **USA** (KS) ◆ 44-45 G 3
Salina Cruz ○• **MEX** ◆ 44-45 G 7
Salinas ○ **BR** ◆ 46-47 L 8
Salinas ○ **EC** ◆ 46-47 C 5
Salinas ○ **USA** ◆ 44-45 B 3
Salinas, Punta ▲ **PE** ◆ 46-47 D 7
Salinas de Hidalgo ○ **MEX** ◆ 44-45 F 6
Salinas Grandes ○ **RA** (CAT) ◆ 48 D 3
Salinas River ~ **USA** ◆ 44-45 B 3
Salines Royales ○··· **F** ◇ 18-19 K 8 ◆ 14-15
Salinópolis ○ **BR** ◆ 46-47 K 5
Salisbjuri, ostrov ⌒ **RUS** ◆ 28-29 G 1
Salisbury Island ⌒ **CDN** ◆ 42-43 V 4
Salmon Gums ○ **AUS** ◆ 36-37 E 6
Salmon River ~ **USA** ◆ 42-43 N 7
Salmon River Mountains ▲ **USA** ◆ 42-43 N 8
Salomon, Îles ⌒ ◆ 34-35 O 8
Salomon, Îles ■ **SOL** ◆ 36-37 N 2
Salomon, Mer des ≈ ◆ 34-35 N 8
Salonga ~ **ZRE** ◆ 40-41 F 2
Salonga Nord, Parc National de la ⊥··· **ZRE** ◆ 40-41 F 2
Salonga Sud, Parc National de la ⊥··· **ZRE** ◆ 40-41 F 2
Salsacate ○ **RA** ◆ 48 D 4
Salta □ **RA** ◆ 48 D 3
Salta ☆·· **RA** (SAL) ◆ 48 D 2
Saltillo ☆• **MEX** ◆ 44-45 F 5
Salt Lake City ☆ **USA** ◆ 44-45 D 2
Salto ☆ **ROU** ◆ 48 F 4
Salto, El ○ **MEX** (DGO) ◆ 44-45 E 6
Salto Angel ~·· **YV** ◆ 46-47 G 3
Salto del Guaíra ☆ **PY** ◆ 48 G 2
Salton Sea ○ **USA** ◆ 44-45 C 4
Salt River ~ **USA** ◆ 44-45 D 4
Salvador ☆··· **BR** ◆ 46-47 M 7
Salvaterra ○ **BR** ◆ 46-47 K 5
Salwā, as- ○ **KSA** ◆ 32-33 G 6
Salzberger Bay ≈ ◆ 13 F 22
Salzburg ☆·· **A** ◇ 20-21 M 5 ◆ 14-15 O 6
Samar ⌒ **RP** ◆ 34-35 J 4
Samara ~ **RUS** ◆ 14-15 W 5
Samara, Réservoir de = Samarskoe vodohranilišče < **RUS** ◆ 14-15 V 5
Samarcande = Samarkand ☆·· **UZ** ◆ 32-33 K 3
Samarga ○ **RUS** ◆ 28-29 Y 8
Samarinda ☆• **RI** ◆ 34-35 G 7
Samarkand ☆·· **UZ** ◆ 32-33 K 3
Sāmarrā' ☆• **IRQ** ◆ 32-33 E 4
Samarskoe vodohranilišče < **RUS** ◆ 14-15 V 5
Samba ○ **ZRE** (KIV) ◆ 40-41 G 2
Sambalpur ○ **IND** ◆ 32-33 N 6
Sambas ○ **RI** ◆ 34-35 E 6
Sambava ○ **RM** ◆ 40-41 M 4
Samborombón, Bahía ≈ ◆ 48 F 5
Same ○ **EAT** ◆ 40-41 J 2
Samim, Umm as- ∸ **OM** ◆ 32-33 H 6
Samiṭa ○ **KSA** ◆ 32-33 E 7
Šammar, Ğabal ▲ **KSA** ◆ 32-33 D 5
Samoa ○ **ANG** ◆ 40-41 F 3
Samoa, Bassin des ≃ ◆ 12 L 4
Samoa, Îles ⌒ **WS** ◆ 12 K 4
Sámos ⌒ **GR** ◇ 26-27 L 6 ◆ 14-15 R 8
Sampit ○ **RI** ◆ 34-35 F 7
Sam Rayburn Lake < **USA** ◆ 44-45 H 4
Samsang ○ **CHN** ◆ 30-31 E 5
Samsun ☆• **TR** ◆ 14-15 T 7
Samuel, Represa de < **BR** ◆ 46-47 G 6
San ~ **PL** ◇ 20-21 R 4 ◆ 14-15 Q 6
Şan'ā' ★··· **Y** ◆ 32-33 E 7
Sanaa = Şan'ā' ★··· **Y** ◆ 32-33 E 7
Sanae ○ **ARK** ◆ 13 F 36
Sanak Island ⌒ **USA** ◆ 42-43 D 6
Sanām, as- ∸ **KSA** ◆ 32-33 G 6
Sanana, Pulau ⌒ **RI** ◆ 34-35 J 7
Sanandağ ☆• **IR** ◆ 32-33 F 3
San Andrés, Isla de ⌒ **CO** ◆ 46-47 C 2
San Andres Mountains ▲ **USA** ◆ 44-45 E 4
San Angelo ○ **USA** ◆ 44-45 F 4
San Antonio ○ **RCH** ◆ 48 C 4
San Antonio ○ **USA** (TX) ◆ 44-45 G 5
San Antonio, Cabo de ▲ **C** ◆ 44-45 K 6
San Antonio de los Cobres ○ **RA** ◆ 48 D 2
San Antonio Oeste ○ **RA** ◆ 48 E 6
San Benedicto, Isla ⌒ **MEX** ◆ 44-45 D 7
San Benito Mountain ▲ **USA** ◆ 44-45 B 3
San Bernardino ○ **USA** ◆ 44-45 C 4
San Bernardo ○ **RCH** ◆ 48 C 4
San Blas ○ **MEX** (SIN) ◆ 44-45 E 5
San Borja ○ **BOL** ◆ 46-47 F 7
San Buenaventura ○ **MEX** ◆ 44-45 F 5
San Carlos ☆ **YV** ◆ 46-47 F 3
San Carlos de Bariloche ○• **RA** ◆ 48 C 6
San Carlos de Río Negro ○ **YV** ◆ 46-47 F 4
San Carlos Indian Reservation ⚔ **USA** ◆ 44-45 D 4
San Clemente o San Valentin, Cerro ▲ **RCH** ◆ 48 C 7
San Cristobal ⌒ **SOL** ◆ 36-37 N 2
San Cristóbal ☆ **YV** ◆ 46-47 E 3
San Cristóbal, Isla ⌒ **EC** ◆ 46-47 B 5
Sancti Spíritus ☆·· **C** ◆ 44-45 L 6
Sancy, Puy de ▲·· **F** ◇ 18-19 J 9 ◆ 14-15 M 6
Sandakan ○ **MAL** ◆ 34-35 G 5
Sandfire Flat Roadhouse ○ **AUS** ◆ 36-37 E 3
Sand Hills ▲ **USA** ◆ 44-45 F 2
Šandī ○ **SUD** ◆ 38-39 M 5
Sandia ○ **PE** ◆ 46-47 F 7
San Diego ○• **USA** (CA) ◆ 44-45 C 4
San Diego, Cabo ▲ **RA** ◆ 48 D 8
Sandoa ○ **ZRE** ◆ 40-41 F 3
Sandover River ~ **AUS** ◆ 36-37 H 4
Sandoway ○ **MYA** ◆ 34-35 B 3
Sandstone ○ **AUS** ◆ 36-37 D 5
Sandy Bight ≈ ◆ 36-37 E 6
Sandy Desert ∸ **PK** ◆ 32-33 J 5
Sandy Lake ○ **CDN** (SAS) ◆ 42-43 Q 5
Sandy Lake ○ **CDN** (NFL) ◆ 42-43 Z 7
San Estanislao ○ **PY** ◆ 48 F 2
San Felipe ○• **MEX** (BCN) ◆ 44-45 D 4
San Felipe ○ **RCH** ◆ 48 C 4
San Felipe ☆ **YV** ◆ 46-47 F 2
San Fernando ○ **MEX** ◆ 44-45 G 6
San Fernando ○ **RCH** ◆ 48 C 4
San Fernando ☆ **RP** (LUN) ◆ 34-35 H 3
San Fernando ○ **TT** ◆ 44-45 O 8
San Fernando de Apure ☆ **YV** ◆ 46-47 F 3
San Fernando del Valle de Catamarca ☆• **RA** ◆ 48 D 3
San Francisco ○ **RA** ◆ 48 E 4
San Francisco ○·· **USA** ◆ 44-45 B 3
San Francisco del Oro ○ **MEX** ◆ 44-45 E 5
San Francisco de Macoris ☆ **DOM** ◆ 44-45 M 7
San Gabriel da Cachoeira ○ **BR** ◆ 46-47 F 5
Sangar ☆ **RUS** ◆ 28-29 W 5
Sangay, Volcán ▲ **EC** ◆ 46-47 D 5
Sanggau ○ **RI** ◆ 34-35 F 6
Sangha ~ **RCB** ◆ 40-41 E 1
Sānghar ○ **PK** ◆ 32-33 K 5
Sangir, Kepulauan ⌒ **RI** ◆ 34-35 J 6
Sangir, Pulau ⌒ **RI** ◆ 34-35 J 6
Sangkulirang ○ **RI** ◆ 34-35 G 6
Sāngli ○• **IND** ◆ 32-33 L 7
Sangmelima ○• **CAM** ◆ 38-39 H 8
Sangre de Cristo Mountains ▲ **USA** ◆ 44-45 E 3
Sangue, Rio do ~ **BR** ◆ 46-47 H 7
San Ignacio ○ **PY** ◆ 48 F 3
San Ignacio de Velasco ○ **BOL** ◆ 46-47 G 8
San Isidro ○ **RA** ◆ 48 F 4
San Joaquin Valley ⌣ **USA** ◆ 44-45 B 3
San José ★• **CR** ◆ 44-45 K 9
San Jose ○ **RP** (MID) ◆ 34-35 H 4
San Jose ☆ **RP** (ANT) ◆ 34-35 H 4
San Jose ○ **USA** (CA) ◆ 44-45 B 3
San José, Isla ⌒ **MEX** ◆ 44-45 D 6
San José de Chiquitos ○··· **BOL** ◆ 46-47 G 8
San José de Jáchal ○ **RA** ◆ 48 D 4
San José del Cabo ○• **MEX** ◆ 44-45 E 6
San José del Guaviare ○ **CO** ◆ 46-47 E 4
San José de Mayo ☆ **ROU** ◆ 48 F 4
San Juan ☆ **DOM** ◆ 44-45 M 7
San Juan □ **RA** ◆ 48 D 4
San Juan ☆• **RA** (SAJ) ◆ 48 D 4
San Juan ☆··· **USA** (PR) ◆ 44-45 N 7
San Juan, Cabo ▲ **GQ** ◆ 40-41 C 1
San Juan, Cabo ▲ **RA** ◆ 48 E 8
San Juan, Río ~ **NIC** ◆ 44-45 K 8
San Juan Bautista ☆ **PY** ◆ 48 F 3
San Juan de Guia, Cabo ▲ **CO** ◆ 46-47 E 2
San Juán del Norte, Bahía de ≈ ◆ 44-45 K 8
San Juan Mountains ▲ **USA** ◆ 44-45 E 3
San Juan River ~ **USA** ◆ 44-45 E 3
Sankt-Peterburg ☆··· **RUS** (LEN) ◇ 22-23 M 2 ◆ 14-15 S 4
Sankuru ~ **ZRE** ◆ 40-41 F 2
Şanlı Urfa ☆• **TR** ◆ 14-15 T 8
San Lorenzo ○ **RA** (CO) ◆ 48 F 3
San Lorenzo, Cabo ▲ **EC** ◆ 46-47 C 5
San Lucas, Cabo ▲·· **MEX** ◆ 44-45 E 6
San Luis □ **RA** ◆ 48 D 4
San Luis ☆ **RA** (SLU) ◆ 48 D 4
San Luis, Lago de ○ **BOL** ◆ 46-47 G 7
San Luis Obispo ○ **USA** ◆ 44-45 B 3
San Luis Potosí ☆·· **MEX** (SLP) ◆ 44-45 F 6
San Luis Río Colorado ○• **MEX** ◆ 44-45 D 4
San Marino ★• **RSM** ◇ 26-27 D 3 ◆ 14-15 O 7
San Martin ○ **RA** ◆ 48 D 3
San Martín, Lago ○ **RA** ◆ 48 C 7
San Martín, Río ~ **BOL** ◆ 46-47 G 7
San Matias ○ **BOL** ◆ 46-47 H 8
San Matías, Golfo ≈ ◆ 48 E 6
Sanmenxia ○• **CHN** ◆ 30-31 L 5
San Miguel ☆ **ES** ◆ 44-45 J 8
San Miguel de Tucumán ☆• **RA** ◆ 48 D 3
Sanming ○ **CHN** ◆ 30-31 M 6
San Nicolas de los Arroyos ○ **RA** ◆ 48 E 4
Sannikova, Détroit de = Sannikova, proliv ≈ ◆ 28-29 Y 3
Sannikova, proliv ≈ ◆ 28-29 Y 3
Sanniquellie ☆ **LB** ◆ 38-39 D 7
San Pablo, Río ~ **BOL** ◆ 46-47 G 7
San Pédro ○ **CI** ◆ 38-39 D 8
San Pedro ☆ **PY** ◆ 48 F 2
San Pedro ○ **RA** (JU) ◆ 48
San Pedro ○ **RA** (BUA) ◆ 48 F 4
San Pedro, Río ~ **GCA** ◆ 44-45 H 7
San Pedro, Volcán ▲ **RCH** ◆ 48 D 2
San Pedro de las Colonias ○ **MEX** ◆ 44-45 F 5
San Pedro Sula ☆ **HN** ◆ 44-45 J 7
Sanquianga, Parque Nacional ⊥ **CO** ◆ 46-47 D 4
San Quintín ○ **MEX** ◆ 44-45 C 4
San Rafael ○ **RA** ◆ 48 D 4
San Ramón ○ **PE** ◆ 46-47 D 5
San Roberto ○ **MEX** ◆ 44-45 F 6
San Salvador ⌒ **BS** ◆ 44-45 M 6
San Salvador ★• **ES** ◆ 44-45 J 8
San Salvador = Guanahani Island ⌒ **BS** ◆ 44-45 M 6
San Salvador, Isla ⌒ **EC** ◆ 46-47 A 5
San Salvador de Jujuy ☆ **RA** ◆ 48 D 2
Sansanné-Mango ○ **RT** ◆ 38-39 F 6
San Sebastián ○ **RA** ◆ 48 D 8
San Sebastián de la Gomera ○ **E** ◆ 38-39 B 3
Santa Ana ○ **BOL** (BEN) ◆ 46-47 F 7
Santa Ana ☆ **ES** ◆ 44-45 J 8
Santa Ana ○ **MEX** (SON) ◆ 44-45 D 4
Santa Ana ○ **RP** ◆ 34-35 H 3
Santa Ana ○ **USA** ◆ 44-45 C 4
Santa Barbara ○• **USA** ◆ 44-45 C 4
Santa Bárbara ○ **YV** (BAR) ◆ 46-47 E 3
Santa Catarina □ **BR** ◆ 48 G 3
Santa Catarina ○ **MEX** ◆ 44-45 F 5
Santa Catarina, Ilha de ⌒ **BR** ◆ 48 H 3
Santa Clara ☆·· **C** ◆ 44-45 L 6
Santa Cruz □ **RA** ◆ 48 C 7
Santa Cruz ○• **USA** ◆ 44-45 B 3
Santa Cruz, Isla ⌒ **EC** ◆ 46-47 A 5
Santa Cruz del Sur ○ **C** ◆ 44-45 L 6
Santa Cruz de Tenerife ☆• **E** (TEN) ◆ 38-39 B 3
Santa Cruz do Sul ○ **BR** ◆ 48 G 3
Santa Cruz Islands ⌒ **SOL** ◆ 36-37 O 2
Santa Fé □ **RA** ◆ 48 E 4
Santa Fe ☆• **USA** ◆ 44-45 E 3
Santa Fé do Sul ○ **BR** ◆ 48 G 2
Santa Inês ○ **BR** (BAH) ◆ 46-47 M 7
Santa Inés, Isla ⌒ **RCH** ◆ 48 C 8
Santa Isabel ○ **PE** ◆ 46-47 E 6
Santa Isabel ○ **RA** ◆ 48 D 5
Santa Isabel do Araguaia ○ **BR** ◆ 46-47 K 6
Santa Isabel do Rio Negro ○ **BR** ◆ 46-47 F 5
Santa Luz ○ **BR** (BAH) ◆ 46-47 M 7
Santa Margarita, Isla ⌒ **MEX** ◆ 44-45 D 6
Santa Maria ○ **BR** ◆ 48 G 3
Santa Maria ○ **USA** ◆ 44-45 B 4
Santa María, Boca ≈ ◆ 44-45 G 6
Santa Maria, Ilha de ⌒ **P** ◆ 44-45 G 8
Santa María, Isla ⌒ **EC** ◆ 46-47 A 5
Santa María, Río ~ **MEX** ◆ 44-45 F 6
Santa Maria Island = Île Gaua ⌒ **VAN** ◆ 36-37 O 2
Santa Marta ☆• **CO** ◆ 46-47 E 2
Santa Marta, Cabo de ▲ **BR** ◆ 48 H 3
Santana ○ **BR** (APA) ◆ 46-47 J 5
Santana, Ilha ⌒ **BR** ◆ 46-47 L 5
Santana do Araguaia ○ **BR** ◆ 46-47 J 6
Santana do Livramento ○ **BR** ◆ 48 F 4
Santander ○• **E** ◇ 24-25 F 3 ◆ 14-15 L 7
Santarém ○ **BR** ◆ 46-47 J 5
Santarém, Ponta de ▲ **BR** ◆ 46-47 J 4
Santaren Channel ≈ ◆ 44-45 L 6
Santa Rita ○ **BR** (AMA) ◆ 46-47 F 5
Santa Rosa ○ **BR** (RSU) ◆ 48 G 3
Santa Rosa ○ **USA** (CA) ◆ 44-45 B 3
Santa Rosalía ○• **MEX** ◆ 44-45 D 5
Šantarskie, ostrova ⌒ **RUS** ◆ 28-29 Y 6
Santa Terezinha ○ **BR** ◆ 46-47 J 7
Santiago ○ **BOL** ◆ 46-47 H 8
Santiago ○ **BR** ◆ 48 G 3
Santiago ☆ **PA** ◆ 44-45 K 9
Santiago ★·· **RCH** ◆ 48 C 4
Santiago, Río Grande de ~ **MEX** ◆ 44-45 F 6
Santiago de Chuco ○ **PE** ◆ 46-47 D 6
Santiago de Compostela ○··· **E** ◇ 24-25 C 3 ◆ 14-15 K 7
Santiago de Cuba ☆·· **C** ◆ 44-45 L 6
Santiago del Estero □ **RA** ◆ 48 E 3
Santiago del Estero ☆ **RA** (SAE) ◆ 48 E 3
Santiago de los Cabelleros ☆• **DOM** ◆ 44-45 M 7
San Tiburcio ○ **MEX** ◆ 44-45 F 6
Santo André ○ **BR** ◆ 48 H 2
Santo Ângelo ○• **BR** ◆ 48 G 3
Santo Antonio ○ **STP** ◆ 40-41 C 1
Santo Corazón ○ **BOL** ◆ 46-47 H 8
Santo Domingo ★··· **DOM** ◆ 44-45 N 7
Santo Domingo de los Colerados ○ **EC** ◆ 46-47 D 5
Santo Domingo Tehuantepec ○• **MEX** ◆ 44-45 G 7
Santos ○ **BR** ◆ 48 H 2
Santo Tomás, Punta ▲ **MEX** ◆ 44-45 C 4
Santo Tomé ○ **RA** (CO) ◆ 48 F 3
San Vito, Capo ▲ **I** ◇ 26-27 D 5 ◆ 14-15 O 8
Sanya ○• **CHN** ◆ 30-31 K 8
Sanza Pombo ○ **ANG** ◆ 40-41 E 3
São Amaro ○• **BR** ◆ 46-47 M 7
São António da Abunari ○ **BR** ◆ 46-47 G 5
São Antônio de Jesus ○ **BR** ◆ 46-47 M 7
São Borja ○ **BR** ◆ 48 F 3
São Carlos ○ **BR** (PAU) ◆ 48 H 2
São Felix do Araguaia ○ **BR** ◆ 46-47 J 7
São Felix do Xingu ○ **BR** ◆ 46-47 J 6
São Francisco, Rio ~ **BR** ◆ 46-47 M 6
São Francisco do Sul ○ **BR** ◆ 48 H 3
São Gabriel ○ **BR** (RSU) ◆ 48 G 4
São Gotardo ○ **BR** ◆ 46-47 K 8
São João, Ilha de ⌒ **BR** ◆ 46-47 L 5
São João del Rei ○• **BR** ◆ 48 J 2
São João do Piaui ○ **BR** ◆ 46-47 L 6
São Jorge, Ilha de ⌒ **P** ◆ 44-45 F 8
São José do Rio Preto ○ **BR** ◆ 48 H 2
São José dos Campos ○ **BR** ◆ 48 H 2
São José do Xingu ○ **BR** ◆ 46-47 J 7
São Lourenço, Rio ~ **BR** ◆ 46-47 H 8
São Luís ☆• **BR** ◆ 46-47 L 5
São Mateus ○ **BR** ◆ 46-47 M 8
São Miguel, Ilha de ⌒ **P** ◆ 44-45 F 8
São Miguel do Araguaia ○ **BR** ◆ 46-47 J 7
São Miguel do Tapuio ○ **BR** ◆ 46-47 L 6
Saona, Isla ⌒ **DOM** ◆ 44-45 N 7
Saône ~ **F** ◇ 18-19 L 7 ◆ 14-15 N 6
São Paulo □ **BR** ◆ 48 H 2
São Paulo ☆• **BR** (PAU) ◆ 48 H 2
São Raimundo Nonato ○ **BR** ◆ 46-47 L 6
São Sebastião, Ilha de ⌒ **BR** ◆ 48 H 2
São Sebastião, Ponta ▲ **MOC** ◆ 40-41 J 6
São Tomé ★ **STP** ◆ 40-41 C 1
São Tomé ⌒ **STP** ◆ 40-41 C 1
São Tomé, Cabo de ▲ **BR** ◆ 48 J 2
São Tomé e Príncipe ■ **STP** ◆ 40-41 C 1
Saoura, Oued ~ **DZ** ◆ 38-39 E 3
São Vicente ○ **BR** (PAU) ◆ 48 H 2
São Vicente, Cabo de ▲ **P** ◇ 24-25 C 6 ◆ 14-15 K 8
Sape ○ **RI** ◆ 34-35 G 8
Sapele ○ **WAN** ◆ 38-39 G 7
Sapporo ☆ **J** ◆ 30-31 R 3
Sapri ○ **I** ◇ 26-27 E 4 ◆ 14-15 P 7
Sapulut ○ **MAL** ◆ 34-35 G 6
Šaqqat al-Ḥarīṭa ∸ **KSA** ◆ 32-33 F 7
Saqqez ○ **IR** ◆ 32-33 F 3
Šaqrā' ○ **KSA** ◆ 32-33 E 5
Šaqrā' ○ **Y** ◆ 32-33 F 8
Saraar, Bannaanka ∸ **SP** ◆ 38-39 P 7
Saraburi ○ **THA** ◆ 34-35 D 4
Saragosse = Zaragoza ○• **E** ◇ 24-25 G 4 ◆ 14-15 L 7
Sarajevo ★ **BIH** ◇ 26-27 G 3 ◆ 14-15 P 7
Saransk ○ **RUS** ◆ 14-15 V 5
Sarapul ☆ **RUS** ◆ 14-15 W 4
Sarasota ○ **USA** ◆ 44-45 K 5
Saratov ☆ **RUS** ◆ 14-15 V 5
Saratov, Réservoir de = Saratovskoe vodohranilišče < **RUS** ◆ 14-15 V 5
Saratovskoe vodohranilišče < **RUS** ◆ 14-15 V 5
Šaraura, aš- ○ **KSA** ◆ 32-33 F 7
Saravan ○ **LAO** ◆ 34-35 E 3
Sarawak □ **MAL** ◆ 34-35 F 6
Šarbakty ○ **KZ** ◆ 28-29 M 7
Šarbiṭāt, Ra's ▲ **OM** ◆ 32-33 H 7
Sardaigne ⌒ **I** (SA) ◇ 26-27 A 4 ◆ 14-15 N 7
Sardanga ○ **RUS** ◆ 28-29 U 5
Sar-e Pol-e Ẕahāb ○• **IR** ◆ 32-33 F 4
Sargasses, Mer des ≈ ◆ 44-45 M 4
Sargodha ○ **PK** ◆ 32-33 L 4
Sarh ☆ **TCH** ◆ 38-39 J 7
Sarḥād ∸ **IR** ◆ 32-33 J 5
Sārī ☆• **IR** ◆ 32-33 G 3
Šarifa, Ğazirat ⌒ **KSA** ◆ 32-33 E 6
Sarigan ⌒ **USA** ◆ 34-35 N 3
Sarina ○ **AUS** ◆ 36-37 K 4
Šāriqa, aš- ○ **UAE** ◆ 32-33 H 5
Sarir Kalanshiyū ∸ **LAR** ◆ 38-39 K 3
Sariwon ○ **KOR** ◆ 30-31 O 4
Šar'ja ○ **RUS** ◆ 14-15 V 4
Sarlat-la-Canéda ○ **F** ◇ 18-19 H 9 ◆ 14-15
Šarm aš-Šaiḫ ○• **ET** ◆ 38-39 M 3
Sarmette ○ **VAN** ◆ 36-37 O 3
Sarmi ○ **RI** ◆ 34-35 L 7
Sarmiento ○ **RA** (CHU) ◆ 48 D 7
Sarnia ○ **CDN** ◆ 42-43 U 8
Sarny ○ **UA** ◆ 14-15 R 5
Sarre ~ **F** ◇ 18-19 L 7 ◆ 14-15
Sarrebourg ○ **F** ◇ 18-19 L 7 ◆ 14-15
Sarrebruck = Saarbrücken ☆• **D** ◇ 20-21 J 4 ◆ 14-15 N 6
Sartang ~ **RUS** ◆ 28-29 X 4
Sarthe ~ **F** ◇ 18-19 G 8 ◆ 14-15
Saryesik Atyrau ∸ **KZ** ◆ 28-29 M 8
Sarygamyš köli ○ **TM** ◆ 32-33 H 2
Saryözek ○ **KZ** ◆ 28-29 M 9
Saryšağan ○ **KZ** ◆ 28-29 L 8
Sarysu ~ **KZ** ◆ 28-29 K 8
Sary-Taš ○ **KS** ◆ 32-33 L 3
Sasarām ○ **IND** ◆ 32-33 N 6
Sasebo ○ **J** ◆ 30-31 O 5
Saskatchewan □ **CDN** ◆ 42-43 P 6
Saskatchewan River ~ **CDN** ◆ 42-43 Q 6
Saskatoon ○ **CDN** ◆ 42-43 P 6
Saskylah ○ **RUS** ◆ 28-29 T 3
Sassandra ☆• **CI** (SAS) ◆ 38-39 D 8
Sassandra ~ **CI** ◆ 38-39 D 7
Sàssari ☆• **I** ◇ 26-27 B 4 ◆ 14-15 N 7
Satadougou-Tintiba ○ **RMM** ◆ 38-39 C 6
Satagaj ○ **RUS** ◆ 28-29 V 5
Satawal Island ~ **FSM** ◆ 34-35 N 5
Satengar, Kepulauan ⌒ **RI** ◆ 34-35 G 8
Satipo ○ **PE** ◆ 46-47 E 7
Sato ○ **J** ◆ 30-31 O 5
Sātpura Range ▲ **IND** ◆ 32-33 L 6
Satsuma-hantō ⌣ **J** ◆ 30-31 P 5
Satsunan-shotō ⌒ **J** ◆ 30-31 O 6
Sauce ○ **RA** ◆ 48 F 4
Saül ○ **F** ◆ 46-47 J 4
Sauldre ~ **F** ◇ 18-19 J 8 ◆ 14-15
Saulieu ○ **F** ◇ 18-19 K 8 ◆ 14-15
Sault Sainte-Marie ○ **CDN** ◆ 42-43 U 7
Saumarez Reef ⌒ **AUS** ◆ 36-37 L 4
Saumlakki ○• **RI** ◆ 34-35 K 8
Saumur ○• **F** ◇ 18-19 G 8 ◆ 14-15
Sauqira ○ **OM** ◆ 32-33 H 7
Sauqira Bay ≈ ◆ 32-33 H 7
Saurimo ☆ **ANG** ◆ 40-41 F 3
Sava ~ **BIH** ◇ 26-27 G 2 ◆ 14-15 P 6
Savannah ○·· **USA** (GA) ◆ 44-45 K 4
Savannah River ~ **USA** ◆ 44-45 K 4
Savannakhét ○·· **LAO** ◆ 34-35 D 3
Savanna-la-Mar ○ **JA** ◆ 44-45 L 7
Savant Lake ○ **CDN** (ONT) ◆ 42-43 S 6
Savè ○ **DY** ◆ 38-39 F 7
Save ~ **F** ◇ 18-19 H 10 ◆ 14-15
Save, Rio ~ **MOC** ◆ 40-41 H 6
Savoie ∸ **F** ◇ 18-19 L 9 ◆ 14-15
Savona ☆• **I** ◇ 26-27 B 2 ◆ 14-15 N 7
Savu, Mer de ≈ ◆ 34-35 H 8
Sawai Mādhopur ○ **IND** ◆ 32-33 M 5
Sawqirah, Baie de = Sauqira Bay ≈ ◆ 32-33 H 7
Sawu, Pulau ⌒ **RI** ◆ 34-35 H 9
Scaër ○ **F** ◇ 18-19 F 7 ◆ 14-15
Scandinavie ⌣ ◆ 14-15 O 3
Scarborough ○ **TT** ◆ 44-45 O 8
Sceccai Reba ▲ **ER** ◆ 38-39 N 5
Schefferville ○ **CDN** ◆ 42-43 X 6
Schenectady ○ **USA** ◆ 42-43 W 8
Schwaner, Monts = Schwaner, Pegunungan ▲ **RI** ◆ 34-35 F 7
Schwaner, Pegunungan ▲ **RI** ◆ 34-35 F 7
Schwarzwald ▲ **D** ◇ 20-21 K 4 ◆ 14-15 N 6
Schwatka Mountains ▲ **USA** ◆ 42-43 E 3
Schweitzergletscher ⊂ **ARK** ◆ 13 F 33
Schweizerland ∸ **GRØ** ◆ 42-43 d 3
Schwerin ☆• **D** ◇ 20-21 L 2 ◆ 14-15 O 5
Scott ○ **ARK** ◆ 13 F 17
Scott, Cape ▲ **CDN** ◆ 42-43 L 6
Scott Glacier ⊂ **ARK** ◆ 13 E 0
Scott Range ▲ **ARK** ◆ 13 G 6
Scott Reef ⌒ **AUS** ◆ 36-37 E 2
Scottsbluff ○ **USA** ◆ 44-45 F 2
Scranton ○ **USA** ◆ 44-45 L 2
Ščučij hrebet ▲ **RUS** ◆ 28-29 e 4
Ščucinsk ☆ **KZ** ◆ 28-29 L 7
Sea Islands ⌒ **USA** ◆ 44-45 K 4
Seal River ~ **CDN** ◆ 42-43 R 5
Searcy ○ **USA** ◆ 44-45 H 3
Seattle ○• **USA** ◆ 42-43 M 7
Sebastián Vizcaíno, Bahía de ≈ ◆ 44-45 D 5
Sébastopol = Sevastopol' ○·· **UA** ◆ 14-15 S 7
Sebayan, Gunung ▲ **RI** ◆ 34-35 F 7
Sebta = Ceuta ○ **E** ◇ 24-25 E 7 ◆ 14-15 L 8
Sebuku, Teluk ≈ ◆ 34-35 G 6
Seca, Pampa ∸ **RA** ◆ 48 D 5
Sechura ○ **PE** ◆ 46-47 C 6
Sechura, Desierto de ∸ **PE** ◆ 46-47 C 6
Secunderābād ○ **IND** ◆ 32-33 M 7
Sedan ○ **AUS** ◆ 36-37 H 6
Sedan ○ **F** ◇ 18-19 K 7 ◆ 14-15
Sedov, Fosse ≃ ◆ 13 A 0
Seeheim ○ **NAM** ◆ 40-41 E 7
Segamat ○ **MAL** ◆ 34-35 D 6
Ségou ☆ **RMM** (SÉ) ◆ 38-39 D 6
Segré ○ **F** ◇ 18-19 G 8 ◆ 14-15
Seguam Island ⌒ **USA** ◆ 42-43 B 6
Seguedine ○ **RN** ◆ 38-39 H 4
Séguéla ☆ **CI** ◆ 38-39 D 7
Seguin ○ **USA** ◆ 44-45 G 5
Sehwān ○·· **PK** ◆ 32-33 K 5
Seikan Tunnel ·· **J** ◆ 30-31 R 3
Seille ~ **F** ◇ 18-19 K 8 ◆ 14-15
Seine ~ **F** ◇ 18-19 H 7 ◆ 14-15 M 6
Sejmčan ☆• **RUS** ◆ 28-29 b 5
Sekondi-Takoradi ☆• **GH** ◆ 38-39 E 8
Šelagskij, mys ▲ **RUS** ◆ 28-29 f 3
Selaru, Pulau ⌒ **RI** ◆ 34-35 K 8
Selawik Lake ○ **USA** ◆ 42-43 D 3
Selayar, Pulau ⌒ **RI** ◆ 34-35 H 8
Selebi-Phikwe ○ **RB** ◆ 40-41 G 6
Šelek ○ **KZ** ◆ 32-33 M 2
Selemdža ~ **RUS** ◆ 28-29 X 7
Selenga ~ **RUS** ◆ 28-29 S 7
Sèlèngè mörön ~ **MAU** ◆ 30-31 J 2
Selenginsk ○ **RUS** ◆ 28-29 S 7
Sélestat ○• **F** ◇ 18-19 L 7 ◆ 14-15
Sélibabi ☆ **RIM** ◆ 38-39 C 5
Šelihova, zaliv ≈ ◆ 28-29 c 5
Sélingue, Lac de < **RMM** ◆ 38-39 D 6
Selles-sur-Cher ○ **F** ◇ 18-19 H 8 ◆ 14-15
Selma ○ **USA** (AL) ◆ 44-45 J 4
Selous Game Reserve ⊥··· **EAT** ◆ 40-41 J 3
Selvagens, Ilhas ⌒ **P** (Ma) ◆ 38-39 B 2
Selvas ∸ **BR** ◆ 46-47 F 5
Selwyn Mountains ▲ **CDN** ◆ 42-43 K 3
Semarang ☆ **RI** ◆ 34-35 F 8
Semej ○ **KZ** ◆ 28-29 N 7
Semidi Islands ⌒ **USA** ◆ 42-43 E 5
Semitau ○ **RI** ◆ 34-35 F 6
Semnān ☆• **IR** ◆ 32-33 G 3
Senador José Porfírio ○ **BR** ◆ 46-47 J 5
Senador Pompeu ○ **BR** ◆ 46-47 M 6
Sena Madureira ○ **BR** ◆ 46-47 F 6
Sendai ○ **J** (KGA) ◆ 30-31 P 5
Sénégal ■ **SN** ◆ 38-39 B 6
Sénégal ~ **SN** ◆ 38-39 C 5
Senhor do Bonfim ○ **BR** ◆ 46-47 L 7
Sennār ☆• **SUD** ◆ 38-39 M 6
Sens ○ **F** ◇ 18-19 J 7 ◆ 14-15
Sentarum, Danau ○ **RI** ◆ 34-35 F 6
Sentinel Range ▲ **ARK** ◆ 13 F 28
Seoni ○ **IND** ◆ 32-33 M 6
Séoul = Sŏul ★ **ROK** ◆ 30-31 O 4
Sepik River ~ **PNG** ◆ 34-35 M 7
Sept-Îles ○ **CDN** ◆ 42-43 X 6
Sequoia National Park ⊥ **USA** ◆ 44-45 C 3
Seram, Pulau ⌒ **RI** ◆ 34-35 J 7
Serang ○ **RI** (JBA) ◆ 34-35 E 8

68 **Ružomberok — Serang**

Serasan, Pulau ⌒ RI ◆ 34-35 E 6
Serasan, Selat ≈ ◆ 34-35 E 6
Serein ∼ F ◆ 18-19 K 8 ◆ 14-15
Seremban ☆• MAL ◆ 34-35 D 6
Serena, La ☆• RCH ◆ 48 C 3
Serengeti National Park ⊥ ••• EAT ◆ 40-41 H 2
Serengeti Plain ∸ EAT ◆ 40-41 H 2
Sergeja Kirova, ostrova ⌒ RUS ◆ 28-29 O 2
Sergiev Posad ☆••• RUS ◆ 22-23 Q 3 ◆ 14-15 T 4
Sergipe □ BR ◆ 46-47 M 7
Sermata, Pulau ⌒ RI ◆ 34-35 J 8
Serov ☆ RUS ◆ 28-29 J 6
Serowe ☆ RB ◆ 40-41 G 6
Serpuhov ☆• RUS ◆ 22-23 P 4 ◆ 14-15 T 5
Serra da Canastra, Parque Nacional da ⊥ BR ◆ 48 H 2
Serra do Divisor, Parque Nacional da ⊥ BR ◆ 46-47 E 6
Serra do Navio o BR ◆ 46-47 J 4
Serrana, Banco de ≃ ◆ 44-45 K 8
Serranilla, Banco de ≃ ◆ 44-45 L 7
Serranópolis o BR ◆ 46-47 J 8
Serres o F ◆ 18-19 K 9 ◆ 14-15
Serrinha o BR ◆ 46-47 M 7
Sertânia o BR ◆ 46-47 M 6
Sertão ∸ BR ◆ 46-47 L 7
Sertão de Camapuã ∸ BR ◆ 46-47 J 8
Serule o RB ◆ 40-41 G 6
Seruyan ∼ RI ◆ 34-35 F 7
Sese Islands ⌒ EAU ◆ 40-41 H 2
Sesepe o RI ◆ 34-35 J 7
Sesfontein o NAM ◆ 40-41 D 5
Se Tchouen = Sichuan □ CHN ◆ 30-31 J 5
Sète o F ◆ 18-19 J 10 ◆ 14-15
Sete Lagoas o BR ◆ 46-47 L 8
Sétif ☆ DZ ◆ 38-39 G 1
Settat ☆ MA ◆ 38-39 D 2
Sette-Daban, hrebet ▲ RUS ◆ 28-29 Y 5
Setúbal o P ◆ 24-25 C 5 ◆ 14-15 K 8
Setúbal, Baía de ≈ ◆ 24-25 C 5 ◆ 14-15 K 8
Setúbal, Baie de = Setúbal, Baía de ≈ ◆ 24-25 C 5 ◆ 14-15 K 8
Seuil Norfolk ≃ ◆ 36-37 O 5
Seul, Lac o CDN ◆ 42-43 S 6
Sevan, ozero o AR ◆ 14-15 V 7
Sevastopol' o•• UA ◆ 14-15 S 7
Severnaja Dvina ∼ RUS ◆ 14-15 U 0
Severnaja Sos'va ∼ RUS ◆ 28-29 J 5
Severnaja Zemlja ⌒ RUS ◆ 28-29 Q 1
Severn River ∼ CDN ◆ 42-43 T 6
Severobajkal'sk ☆ RUS ◆ 28-29 S 6
Severodvinsk o RUS ◆ 14-15 T 3
Severo-Enisejsk ☆ RUS ◆ 28-29 P 5
Severo-Kuril'sk o RUS ◆ 28-29 c 7
Sevier Lake o USA ◆ 44-45 D 3
Sevier River ∼ USA ◆ 44-45 D 3
Sevilla o••• E ◆ 24-25 E 6 ◆ 14-15 K 8
Séville = Sevilla o••• E ◆ 24-25 E 6 ◆ 14-15 K 8
Sèvre Niortaise ∼ F ◆ 18-19 G 8 ◆ 14-15
Sewa ∼ WAL ◆ 38-39 C 7
Seward o USA (AK) ◆ 42-43 G 4
Seward Peninsula ∸ USA ◆ 42-43 C 3
Seychelles ■ SY ◆ 40-41 L 4
Seyðisfjörður ☆ IS ◆ 16-17 f 2 ◆ 14-15 J 2
Sézanne o F ◆ 18-19 J 7 ◆ 14-15
Sfax ☆ TN ◆ 38-39 H 2
's-Gravenhage = Den Haag o•• NL ◆ 20-21 H 2 ◆ 14-15 M 5
Shaanxi □ CHN ◆ 30-31 K 5
Shaba, Plateau du ∸ ZRE ◆ 9 F 6
Shabeelle, Webi ∼ SP ◆ 38-39 P 8
Shabunda o ZRE ◆ 40-41 G 2
Shache o CHN ◆ 30-31 D 4
Shackleton Ice Shelf ⊂ ARK ◆ 13 G 10
Shackleton Inlet ≈ ◆ 13 E 0
Shackleton Range ▲ ARK ◆ 13 E 0
Shagein ▲ EAT ◆ 40-41 J 2
Shahdol o IND ◆ 32-33 N 6
Shahhāt ∴••• LAR ◆ 38-39 K 2
Shakawe o RB ◆ 40-41 F 5
Shaluli Shan ▲ CHN ◆ 30-31 H 5
Shambe o SUD ◆ 38-39 M 7
Shandong □ CHN ◆ 30-31 M 4
Shandong, Péninsule du = Shandong Bandao ∸ CHN ◆ 30-31 N 4
Shandong Bandao ∸ CHN ◆ 30-31 N 4
Shanghai ☆•• CHN ◆ 30-31 N 5
Shanghai Shi □ CHN ◆ 30-31 N 5
Shangqiu o CHN ◆ 30-31 M 5
Shangrao o CHN ◆ 30-31 M 6
Shangzhi o CHN ◆ 30-31 O 2
Shanngaw Taungdan ▲ MYA ◆ 30-31 H 6
Shantou o CHN ◆ 30-31 M 7
Shanxi □ CHN ◆ 30-31 L 4
Shaoguan o• CHN ◆ 30-31 L 7
Shaowu o CHN ◆ 30-31 M 6
Shaoxing o CHN ◆ 30-31 N 5
Shaoyang o CHN ◆ 30-31 L 6
Shark Bay ⊥••• AUS ◆ 36-37 C 5
Shashemenē o ETH ◆ 38-39 N 7
Shashi o CHN ◆ 30-31 L 5
Shasta, Mount ▲ USA (CA) ◆ 42-43 M 8
Shaykh Gok o SUD ◆ 38-39 M 6
Shea o GUY ◆ 46-47 H 4
Sheboygan o USA ◆ 42-43 T 8
Sheffield o GB ◆ 18-19 G 5 ◆ 14-15 L 5
Sheffield o USA (AL) ◆ 44-45 J 4
Shelburne Bay ≈ ◆ 36-37 J 2
Shelikof Strait ≈ ◆ 42-43 E 5
Shenandoah National Park ⊥ USA ◆ 44-45 L 3
Shendam o WAN ◆ 38-39 G 7
Shenyang ☆ CHN ◆ 30-31 N 3
Shenzhen o• CHN ◆ 30-31 L 7
Shepahua o PE ◆ 46-47 E 7
Shepherd Islands = Îles Shepherd ⌒ VAN ◆ 36-37 O 3
Shepparton-Mooroopna o AUS ◆ 36-37 J 7
Sherard, Cape ▲ CDN ◆ 42-43 V 2
Sherbo Island ⌒ WAL ◆ 38-39 C 7
Sherbrooke o CDN ◆ 42-43 W 7
Sheridan o USA (WY) ◆ 42-43 P 8
Sherman o USA ◆ 44-45 G 4
Sherman Basin ≈ ◆ 42-43 R 3
Shetland ⌒ GB ◆ 18-19 G 1 ◆ 14-15 L 3
Shihezi o CHN ◆ 30-31 F 3
Shijiazhuang o CHN ◆ 30-31 L 4
Shikārpur o PK ◆ 32-33 K 5
Shikoku ⌒ J ◆ 30-31 P 5
Shikoku, Bassin ≃ ◆ 30-31 Q 5
Shiliburi o IND ◆ 32-33 O 5
Shillong ☆••• IND ◆ 32-33 P 5
Shimizu o J (SHI) ◆ 30-31 Q 4
Shimoga o IND ◆ 32-33 M 8
Shimono-shima ⌒ J ◆ 30-31 O 5
Shinyanga ☆ EAT (SHI) ◆ 40-41 H 2
Shirazehyōga ▲ ARK ◆ 13 F 4
Shishaldin Volcano ▲ USA ◆ 42-43 D 6
Shivpuri o• IND ◆ 32-33 M 5
Shiyan o CHN ◆ 30-31 L 5
Shizuishan o CHN ◆ 30-31 K 4
Shkodër ☆•• AL ◆ 26-27 G 3 ◆ 14-15 P 7
Shoshone Mountains ▲ USA ◆ 44-45 C 3
Shreveport o USA ◆ 44-45 H 4
Shuangliao o CHN ◆ 30-31 N 3
Shuangyashan o CHN ◆ 30-31 P 2
Shumagin Islands ⌒ USA ◆ 42-43 D 5
Shurayk, ash- o SUD ◆ 38-39 M 5
Siāhān Range ▲ PK ◆ 32-33 J 5
Sian Ka'an Biosphere Reserve X••• MEX ◆ 44-45 J 7
Šiaškotan, ostrov ⌒ RUS ◆ 28-29 b 8
Siau, Pulau ⌒ RI ◆ 34-35 J 6
Šibam o••• Y ◆ 32-33 F 7
Sibari o I ◆ 26-27 F 5 ◆ 14-15 P 8
Sibérie □ RUS ◆ 28-29 O 5
Sibérie Centrale, Plateau de ∸ RUS ◆ 28-29 P 4
Sibérie Occidentale, Plaine de ∸ RUS ◆ 28-29 K 5
Sibérie Orientale, Mer de ≈ ◆ 28-29 c 3
Sibérie Orientale, Seuil ≃ ◆ 13 B 36
Sibérie Septentrionale, Plaine de ∸ RUS ◆ 28-29 O 3
Sibi o PK ◆ 32-33 K 5
Šibiloi National Park ⊥ EAK ◆ 38-39 N 8
Sibirjakova, ostrov ⌒ RUS ◆ 28-29 M 3
Sibiti ∼ EAT ◆ 40-41 H 2
Sibiti ☆ RCB ◆ 40-41 D 2
Sibolga o RI ◆ 34-35 C 6
Siborongborong o RI ◆ 34-35 C 6
Sibu o MAL ◆ 34-35 F 6
Sibut ☆ RCA ◆ 38-39 J 7
Sibuyan Island ⌒ RP ◆ 34-35 H 4
Sibuyan Sea ≈ ◆ 34-35 H 4
Sichuan □ CHN ◆ 30-31 J 5
Sicile = Sicilia ⌒ I ◆ 26-27 E 6 ◆ 14-15 O 7
Sicilia ⌒ I ◆ 26-27 E 6 ◆ 14-15 O 7
Sicuani o PE ◆ 46-47 E 7
Siddhapur o IND ◆ 32-33 L 6
Sidi Barrâni o ET ◆ 38-39 L 2
Sidi Bel Abbès ☆ DZ ◆ 38-39 E 1
Sidi Ifni o MA ◆ 38-39 C 3
Sidley, Mount ▲ ARK ◆ 13 F 24
Sidrolândia o BR ◆ 48 G 2
Siĕmréab o K ◆ 34-35 D 4
Siena o•• I ◆ 26-27 C 3 ◆ 14-15 O 7
Sierra Colorada o RA ◆ 48 D 6
Sierra de Lacandón, Parque Nacional ⊥• GCA ◆ 44-45 H 7
Sierra Grande o RA ◆ 48 D 6
Sierra Leone ■ WAL ◆ 38-39 C 7
Sierra Leone, Bassin de ≃ ◆ 38-39 B 8
Sierra Madre ▲ RP ◆ 34-35 H 3
Sierra Madre del Sur ▲ MEX ◆ 44-45 F 7
Sierra Madre Occidental ▲ MEX ◆ 44-45 E 5
Sierra Madre Oriental ▲ MEX ◆ 44-45 F 5
Sierra Morena ▲ E ◆ 24-25 D 6 ◆ 14-15 K 8
Sierra Nevada ▲ E ◆ 24-25 F 6 ◆ 14-15 L 8
Sierra Nevada de Santa Marta ▲ CO ◆ 46-47 E 2
Sigli o RI ◆ 34-35 C 5
Signy o ARK ◆ 13 G 32
Sigsbee, Fosse de ≃ ◆ 44-45 H 6
Siguiri o RG ◆ 38-39 D 6
Sihotè-Alin' ▲ RUS ◆ 28-29 X 9
Sikasso ☆ RMM (SIK) ◆ 38-39 D 6
Sikhotè-Alin = Sihotè-Alin' ▲ RUS ◆ 28-29 X 9
Sikkim □ IND ◆ 32-33 O 5
Sikonge o EAT ◆ 40-41 H 3
Sikongo o Z ◆ 40-41 F 5
Siktjah o RUS ◆ 28-29 V 4
Silchar o IND ◆ 32-33 P 6
Silhouette Island ⌒ SY ◆ 40-41 N 2
Silifke o TR ◆ 14-15 S 8
Siling Co o CHN ◆ 30-31 F 5
Silistra o BG ◆ 14-15 R 7
Šilka o RUS ◆ 28-29 U 7
Šilka ∼ RUS ◆ 28-29 U 7
Silvassa ☆ IND ◆ 32-33 L 6
Silver Bank ≃ ◆ 44-45 N 6
Silver Plains o AUS ◆ 36-37 J 2
Šimanovsk ☆ RUS ◆ 28-29 W 7
Simao o CHN ◆ 30-31 J 7
Simbirsk ☆ RUS ◆ 14-15 V 5
Simcoe, Lake o CDN ◆ 42-43 V 8
Simdega o IND ◆ 32-33 N 6
Simēn ▲ ETH ◆ 38-39 N 6
Simēn National Park ⊥••• ETH ◆ 38-39 N 6
Simeulue, Pulau ⌒ RI ◆ 34-35 C 6
Simferopol' ☆•• UA ◆ 14-15 S 7
Simikot o NEP ◆ 32-33 N 5
Simi Valley o USA ◆ 44-45 C 4
Simla ☆• IND ◆ 32-33 M 4
Simlipal National Park ⊥ IND ◆ 32-33 O 6
Simpang o RI ◆ 34-35 D 7
Simplício Mendes o BR ◆ 46-47 L 6
Simpson Desert ∸ AUS ◆ 36-37 H 5
Simpson Desert National Park ⊥ AUS ◆ 36-37 H 5
Simpson Peninsula ∸ CDN ◆ 42-43 T 3
Simušir, ostrov ⌒ RUS ◆ 28-29 b 8
Sinā' ∸ ET ◆ 38-39 M 3
Sinaï = Sinā' ∸ ET ◆ 38-39 M 3
Sināwin o LAR ◆ 38-39 H 2
Sincelejo ☆ CO ◆ 46-47 D 3
Šindand o• AFG ◆ 32-33 J 4
Sindangbarang o RI ◆ 34-35 E 8
Sines o P ◆ 24-25 C 6 ◆ 14-15 K 8
Siné-Saloum, Parc National du ⊥ SN ◆ 38-39 B 6
Singa o• SUD ◆ 38-39 M 6
Singapour ■ SGP ◆ 34-35 D 6
Singapour ☆• SGP ◆ 34-35 D 6
Singaraja o RI ◆ 34-35 G 8
Singida ☆ EAT ◆ 40-41 H 2
Singkawang o RI ◆ 34-35 E 6
Singkep, Pulau ⌒ RI ◆ 34-35 D 7
Singleton o AUS ◆ 36-37 L 6
Sinjaja ∼ RUS ◆ 28-29 W 5
Sinkāt o• SUD ◆ 38-39 N 5
Sinop o BR ◆ 46-47 H 7
Sinop ☆• TR ◆ 14-15 T 7
Sintang o RI ◆ 34-35 F 6
Sint Eustatius ⌒ NA ◆ 44-45 O 7
Sint Maarten ⌒ NA ◆ 44-45 O 7
Sinuiju ☆ KOR ◆ 30-31 N 3
Sioma Ngwezi National Park ⊥ Z ◆ 40-41 F 5
Sioux City o USA ◆ 44-45 G 2
Sioux Falls o• USA ◆ 44-45 G 2
Siping o CHN ◆ 30-31 N 3
Siple, Mount ▲ ARK ◆ 13 F 24
Siquijor Island ⌒ RP ◆ 34-35 H 5
Šira ☆ RUS ◆ 28-29 P 7
Širāz ☆•• IR ◆ 32-33 G 5
Siracusa o I ◆ 26-27 E 6 ◆ 14-15 P 8
Sir Edward Pellew Group ⌒ AUS ◆ 36-37 H 3
Siret ∼ RO ◆ 14-15 R 6
Sirğān o IR ◆ 32-33 H 5
Şırnak ☆ TR ◆ 14-15 U 8
Sironj o IND ◆ 32-33 M 6
Sirsova Ridge ≃ ◆ 28-29 f 6
Sir Thomas, Mount ▲ AUS ◆ 36-37 F 5
Sisimiut = Holsteinsborg o GRØ ◆ 42-43 a 3
Sisŏphŏn o K ◆ 34-35 D 4
Sisteron o F ◆ 18-19 K 9 ◆ 14-15
Sītāpur o IND ◆ 32-33 N 5
Sitía o GR ◆ 26-27 L 7 ◆ 14-15 R 8
Sitidgi Lake o CDN ◆ 42-43 K 3
Sitio da Abadia o BR ◆ 46-47 K 7
Sitka o• USA (AK) ◆ 42-43 J 5
Sitoti o Z ◆ 40-41 F 5
Sivas ☆• TR ◆ 14-15 T 8
Sivers'kyj Donec' ∼ UA ◆ 14-15 T 6
Sivučij, mys ▲ RUS ◆ 28-29 d 6
Siwa o• ET ◆ 38-39 L 3
Siziwang Qi o CHN ◆ 30-31 L 3
Sizun o F ◆ 18-19 E 7 ◆ 14-15
Sjælland ∸ DK ◆ 16-17 E 9 ◆ 14-15 O 4
Skadarsko jezero o YU ◆ 26-27 G 3 ◆ 14-15 P 7
Skagerrak ≈ ◆ 16-17 D 8 ◆ 14-15 N 4
Skagway o• USA ◆ 42-43 J 5
Skalistyj Golec, gora ▲ RUS ◆ 28-29 U 6
Skandinavia ⌒ ◆ 8 E 2
Skärgårdshavets nationalpark ⊥ FIN ◆ 14-15 Q 4
Skeena Mountains ▲ CDN ◆ 42-43 L 5
Skeena River ∼ CDN ◆ 42-43 L 6
Skeldon o GUY ◆ 46-47 H 3
Skeleton Coast Park ⊥ NAM ◆ 40-41 D 5
Skellefteälven ∼ S ◆ 16-17 J 4 ◆ 14-15 P 2
Skikda ☆ DZ ◆ 38-39 G 1
Skopje ☆• MK ◆ 26-27 H 3 ◆ 14-15 Q 7
Skovorodino ☆ RUS ◆ 28-29 V 7
Skye ⌒ GB ◆ 18-19 D 3 ◆ 14-15 K 4
Slamet, Gunung ▲ RI ◆ 34-35 E 8
Slave River ∼ CDN ◆ 42-43 O 4
Sleeper Islands ⌒ CDN ◆ 42-43 V 5
Sligeach = Sligo ☆• IRL ◆ 18-19 C 4 ◆ 14-15 K 5
Sligo = Sligeach ☆• IRL ◆ 18-19 C 4 ◆ 14-15 K 5
Sliven o BG ◆ 14-15 R 7
Slovénie ■ SLO ◆ 26-27 D 2 ◆ 14-15 O 6
Slovjans'k o UA ◆ 14-15 T 6
Słupsk ☆• PL ◆ 20-21 O 1 ◆ 14-15 P 5
Smallwood Reservoir ⊂ CDN ◆ 42-43 Y 6
Smara o WSA ◆ 38-39 C 3
Smila o UA ◆ 14-15 S 6
Smith Arm o CDN ◆ 42-43 M 3
Smith Bay ≈ ◆ 42-43 V 1
Smith Island ⌒ CDN ◆ 42-43 V 4
Smithton o AUS ◆ 36-37 K 8
Smoky Cape ▲ AUS ◆ 36-37 L 6
Smoky Hill River ∼ USA ◆ 44-45 F 3
Smoky River ∼ CDN ◆ 42-43 N 6
Smolensk ☆• RUS ◆ 22-23 N 4 ◆ 14-15 S 5
Snake River ∼ USA ◆ 42-43 N 7
Snake River Plains ∸ USA ◆ 44-45 D 2
Snowdonia National Park ⊥ GB ◆ 44-45 L 5
Snow Hill Island ⌒ ARK ◆ 13 G 31
Soalala o RM ◆ 40-41 L 5
Soanierana-Ivongo o RM ◆ 40-41 L 5
Soa-Siu o RI ◆ 34-35 J 6
Sobāt ∼ SUD ◆ 38-39 M 7
Sobradinho, Represa de ⊂ BR ◆ 46-47 L 7
Sobral o BR ◆ 46-47 L 5
Soči o•• RUS ◆ 14-15 T 7
Socorro o CO ◆ 46-47 E 3
Socorro, Isla ⌒ MEX ◆ 44-45 D 7
Socotra = Suquṭrā ⌒ Y ◆ 32-33 G 8
Sodankylä o FIN ◆ 14-15 R 2
Sōdiri o SUD ◆ 38-39 L 6
Sofala o MOC (Sof) ◆ 40-41 H 6
Sofala = Beira ☆ MOC ◆ 40-41 H 5
Sofia ∼ RM ◆ 40-41 L 5
Sofija ☆••• BG ◆ 14-15 Q 7
Sofijsk o RUS ◆ 28-29 Y 7
Sognefjorden ≈ ◆ 16-17 B 6 ◆ 14-15 N 3
Sog Xian o CHN ◆ 30-31 G 5
Šojna o RUS ◆ 28-29 E 4
Šokal'skogo, proliv ≈ ◆ 28-29 R 2
Sokodé ☆ RT ◆ 38-39 F 7
Sokol o RUS (MAG) ◆ 28-29 b 6
Sokoto ☆ WAN (SOK) ◆ 38-39 G 6
Sokoto, River ∼ WAN ◆ 38-39 F 6
Solander Island ⌒ NZ ◆ 36-37 O 9
Solāpur o• IND ◆ 32-33 M 7
Soledad o CO ◆ 46-47 E 2
Soledad o YV ◆ 46-47 G 3
Soleiman, Monts = Sulaiman Range ▲ PK ◆ 32-33 K 5
Solikamsk ☆ RUS ◆ 14-15 X 4
Solomon River ∼ USA ◆ 44-45 G 3
Soloveckie ostrova ⌒••• RUS ◆ 14-15 T 2
Solwezi ☆ Z ◆ 40-41 G 4
Somalie ■ SP ◆ 40-41 K 1
Somalie, Bassin de ▲ ◆ 40-41 L 1
Sombrero, El o YV ◆ 46-47 F 3
Somerset o USA (KY) ◆ 44-45 K 3
Somerset-Oos o• ZA ◆ 40-41 G 8
Somme ∼ F ◆ 18-19 H 6 ◆ 14-15
Sompeta o IND ◆ 32-33 N 7
Sonde, Grandes Îles de la ⌒ RI ◆ 34-35 D 6
Sonde, Petites Îles de la ⌒ RI ◆ 34-35 G 8
Sonde, Plate-Forme de la ≃ ◆ 34-35 E 6
Song o MAL ◆ 34-35 F 6
Songea ☆ EAT ◆ 40-41 J 4
Songhua Jiang ∼ CHN ◆ 30-31 O 3
Songkhla ☆ THA ◆ 34-35 D 5
Songnim o KOR ◆ 30-31 O 4
Songo o ANG ◆ 40-41 D 3
Songo Mnara ∴••• EAT ◆ 40-41 J 3
Songpan o CHN ◆ 30-31 J 5
Sonjol, Gunung ▲ RI ◆ 34-35 H 6
Sonmiani, Baie de = Sonmiāni Bay ≈ ◆ 32-33 K 5
Sonmiāni Bay ≈ ◆ 32-33 K 5
Sono, Rio do ∼ BR ◆ 46-47 K 6
Sonora, Río ∼ MEX ◆ 44-45 D 5
Sonora Desert ∸ USA ◆ 44-45 C 4
Sonoyta o MEX ◆ 44-45 D 4
Sonsón o CO ◆ 46-47 D 3
Sonsonate ☆ ES ◆ 44-45 J 8
Sonsorol Islands ⌒ USA ◆ 34-35 K 5
So'n Tây, Thi Xã ☆ VN ◆ 34-35 E 2
Sopi o RI ◆ 34-35 J 6
Sore o F ◆ 18-19 G 9 ◆ 14-15
Sorell-Midway Point o AUS ◆ 36-37 K 8
Soria o• E ◆ 24-25 F 4 ◆ 14-15 L 7
Sorocaba o BR ◆ 48 H 2
Sorol Atoll ⌒ FSM ◆ 34-35 M 5
Sorong o RI ◆ 34-35 K 7
Soroti o EAU ◆ 40-41 H 1
Sør-Rondane ▲ ARK ◆ 13 F 3
Sorsogon ☆ RP ◆ 34-35 H 4
Sosnowiec o PL ◆ 20-21 P 3 ◆ 14-15 P 5
Sotchi = Soči o•• RUS ◆ 14-15 T 7
Soto la Marina o MEX ◆ 44-45 G 6
Souanké o RCB ◆ 38-39 H 8
Soubré ☆ CI ◆ 38-39 D 7
Soudan ∸ ◆ 38-39 D 6
Soudan ■ SUD ◆ 38-39 L 6
Souf ∸ DZ ◆ 38-39 G 2
Souk Ahras ☆ DZ ◆ 38-39 G 1
Soukhoumi = Suchumi ☆ GE ◆ 14-15 U 7
Sŏul ★ ROK ◆ 30-31 O 4
Sources, Mont aux ▲•• LS ◆ 40-41 G 7
Sourgout = Surgut ☆ RUS ◆ 28-29 L 5
Souris River ∼ USA ◆ 42-43 Q 7
Sousa o BR ◆ 46-47 M 6
Sous-le-Vent, Îles ∸ ◆ 44-45 N 8
Sousse ☆••• TN ◆ 38-39 H 1
Souterraine, la o F ◆ 18-19 H 8 ◆ 14-15
South, Tanjung ▲ RI ◆ 34-35 F 7
South Alligator River ∼ AUS ◆ 36-37 G 2
Southampton o• GB ◆ 18-19 G 6 ◆ 14-15 L 5
Southampton Island ⌒ CDN ◆ 42-43 T 4
South Andaman ⌒ IND ◆ 34-35 B 4
South Andros Island ⌒ BS ◆ 44-45 L 6
South Aulatsivik Island ⌒ CDN ◆ 42-43 Y 5
South Australia □ AUS ◆ 36-37 H 5
South Bend o USA ◆ 44-45 J 2
South Carolina □ USA ◆ 44-45 K 4
South Dakota □ USA ◆ 42-43 Q 8
South East Cape ▲ AUS ◆ 36-37 K 8
South East Point ▲ AUS ◆ 36-37 K 7
Southend o CDN ◆ 42-43 Q 5
Southern Alps ▲ NZ ◆ 36-37 O 8
Southern Cross o AUS ◆ 36-37 D 6
Southern Indian Lake o CDN ◆ 42-43 R 5
Southern National Park ⊥ SUD ◆ 38-39 L 7
South Henik Lake o CDN ◆ 42-43 R 4
South Island ⌒ NZ ◆ 36-37 P 8
South Luangwa National Park ⊥•• Z ◆ 40-41 H 4
South Malosmadulu Atoll ⌒ MV ◆ 32-33 L 9
South Moresby National Park Reserve ⊥•• CDN ◆ 42-43 K 6
South Nahanni River ∼ CDN ◆ 42-43 L 4
South Orkneys ∸ GB ◆ 13 G 32
South Platte River ∼ USA ◆ 44-45 F 2
Southport o AUS ◆ 36-37 K 6
South Saskatchewan River ∼ CDN ◆ 42-43 P 6
South Shetlands ∸ GB ◆ 13 G 30
South Solomon Trench ≃ ◆ 36-37 N 2
South Taranaki Bight ≈ ◆ 36-37 P 8
South Turkana National Reservoir ⊥ EAK ◆ 40-41 J 1
South West Cape ▲ AUS ◆ 36-37 K 8
Southwest Cape ▲ NZ ◆ 36-37 O 9
Soutpansberg ▲ ZA ◆ 40-41 G 6
Sovetskaja Gavan' o RUS ◆ 28-29 Z 8
Sowa Pan o RB ◆ 40-41 G 6
Soweto o ZA ◆ 40-41 G 7
Sōya-kaikyō ≈ ◆ 28-29 Z 8
Soyo o ANG ◆ 40-41 D 3
Spanish Town o•• JA ◆ 44-45 L 7
Spartanburg o USA ◆ 44-45 K 4
Spárti o• GR ◆ 26-27 J 6 ◆ 14-15 Q 8
Spassk-Dal'nij o RUS ◆ 28-29 X 9
Speke Gulf o EAT ◆ 40-41 H 2
Spence Bay ≈ ◆ 42-43 S 3
Spencer, Cape ▲ AUS ◆ 36-37 H 7
Spencer, Golfe de = Spencer Gulf ≈ ◆ 36-37 H 6
Spencer Gulf ≈ ◆ 36-37 H 6
Spicer Islands ⌒ CDN ◆ 42-43 V 3
Spitzberg = Svalbard ⌒ N ◆ 13 B 17
Spitzkoppe ▲•• NAM ◆ 40-41 E 6
Split o••• HR ◆ 26-27 F 3 ◆ 14-15 P 7
Spokane o• USA ◆ 42-43 N 7
Sporades ⌒ GR ◆ 26-27 K 6 ◆ 14-15 R 8
Spratly Islands ⌒ ◆ 34-35 F 4
Springbok o ZA ◆ 40-41 E 7
Springfield o USA (MA) ◆ 42-43 W 8
Springfield o USA (IL) ◆ 44-45 J 3
Springfield o USA (MO) ◆ 44-45 H 3
Springs o ZA ◆ 40-41 G 7
Springsure o AUS ◆ 36-37 K 4
Spruce Knob ▲ USA ◆ 44-45 L 3
Squires, Mount ▲ AUS ◆ 36-37 F 5
Sredinnyj hrebet ▲ RUS ◆ 28-29 c 7
Srednerusskaâ vozvyšennost' ∸ RUS ◆ 8 G 3
Sredne russkaja vozvyšennost' ▲ RUS ◆ 22-23 Q 5 ◆ 14-15 T 5
Sretensk ☆ RUS ◆ 28-29 U 7
Sri Dungargarh o IND ◆ 32-33 L 5
Srīkākulam o IND ◆ 32-33 N 7
Sri Lanka ■ CL ◆ 32-33 N 9
Srinagar ☆• IND ◆ 32-33 L 4
Staaten River ∼ AUS ◆ 36-37 J 3
Staaten River National Park ⊥ AUS ◆ 36-37 J 3
Stampriet o NAM ◆ 40-41 E 6
Standing Rock Indian Reservation X USA ◆ 42-43 Q 7
Stanley ☆ GB ◆ 48 F 8
Stanovoe nagor'e ▲ RUS ◆ 28-29 T 6
Stanovoj, Monts = Stanovoj hrebet ▲ RUS ◆ 28-29 V 6
Stanovoi, Plateau de = Stanovoe nagor'e ▲ RUS ◆ 28-29 T 6
Stanovoj hrebet ▲ RUS ◆ 28-29 V 6
Stara Zagora o BG ◆ 14-15 R 7
Starbuck Island ⌒ KIB ◆ 12 M 3
Starokostjantyniv ☆ UA ◆ 14-15 R 6
Statue de la Liberté = Statue of Liberty ••• USA ◆ 44-45 M 2
Statue of Liberty ••• USA ◆ 44-45 M 2
Staunton o USA ◆ 44-45 L 3
Stavanger ☆• N ◆ 16-17 B 7 ◆ 14-15 N 4
Stavropol' ☆ RUS ◆ 14-15 U 6
Stavropol'-na-Volgi ☆ RUS ◆ 44-45 V 5
Steele Island ⌒ ARK ◆ 13 F 30
Steenstrup Gletscher ⊂ GRØ ◆ 42-43 Z 1
Steep Point ▲ AUS ◆ 36-37 C 5
Stefansson Island ⌒ CDN ◆ 42-43 P 2
Steinen, Rio ∼ BR ◆ 46-47 J 7
Steinkjer ☆ N ◆ 16-17 E 4 ◆ 14-15 O 3
Stéphanie, Lac = Che'w Bahir o ETH ◆ 38-39 N 8
Stephanie Wildlife Reserve ⊥ ETH ◆ 38-39 N 7
Stephenville o CDN ◆ 42-43 Z 7
Steppe Masaï ∸ EAT ◆ 40-41 J 2
Sterling o USA (CO) ◆ 44-45 F 2
Sterlitamak ☆ RUS ◆ 14-15 X 5
Stevensons Peak ▲ AUS ◆ 36-37 G 5
Stewart Island ⌒ NZ ◆ 36-37 O 9
Stewart River ∼ CDN ◆ 42-43 J 4
Stikine Plateau ▲ CDN ◆ 42-43 K 5
Stikine River ∼ CDN ◆ 42-43 K 5
Stinear Nunataks ▲ ARK ◆ 13 F 7
Stirling North o AUS ◆ 36-37 H 6
Stirling Range National Park ⊥ AUS ◆ 36-37 D 6
Stockholm ★•• S ◆ 16-17 J 7 ◆ 14-15 P 4
Stockton o USA (CA) ◆ 44-45 B 3
Stœng Trêng o K ◆ 34-35 E 4
Stolbovoj, ostrov ⌒ RUS ◆ 28-29 Y 3
Stonington o ARK ◆ 13 G 30
Stony River o USA (AK) ◆ 42-43 E 4
Storkerson Peninsula ∸ CDN ◆ 42-43 P 2
Storm Bay ≈ ◆ 36-37 K 8
Storsjön o• S ◆ 16-17 G 5 ◆ 14-15 O 3
St-Pétersbourg = Sankt-Peterburg ☆••• RUS (LEN) ◆ 22-23 M 2 ◆ 14-15 S 4
Strait of Dover = Pas de Calais ≈ ◆ 44-45 M 5
Stralsund o•• D ◆ 20-21 M 1 ◆ 14-15 O 5
Strand o ZA ◆ 40-41 E 8
Stranraer o GB ◆ 18-19 E 4 ◆ 14-15 K 5
Strasbourg ☆••• F ◆ 18-19 L 7 ◆ 14-15 N 6
Stratford o USA (TX) ◆ 44-45 F 3
Streaky Bay o AUS (SA) ◆ 36-37 G 6
Stroeder o RA ◆ 48 E 6
Stryj ☆ UA ◆ 14-15 Q 6
Stuart Island ⌒ USA ◆ 42-43 D 4
Stuart Lake o CDN ◆ 42-43 M 6
Sturt Creek ∼ AUS ◆ 36-37 F 3
Sturt Stony Desert ∸ AUS ◆ 36-37 H 5
Stuttgart ☆• D ◆ 20-21 K 4 ◆ 14-15 N 6
Stykkishólmsbær ☆ IS ◆ 16-17 b 2 ◆ 14-15 G 2
Šu o KZ ◆ 28-29 L 9
Šu ∼ KZ ◆ 28-29 L 9
Suakin o• SUD ◆ 38-39 N 5
Suay Riĕng o K ◆ 34-35 E 4
Subi, Pulau ⌒ RI ◆ 34-35 E 6
Šubrā al-Ḫaima o ET ◆ 38-39 M 2
Suceava ☆ RO ◆ 14-15 R 6
Suchumi ☆ GE ◆ 14-15 U 7
Sucre ☆••• BOL ◆ 46-47 F 8
Sud, Île du = South Island ⌒ NZ ◆ 36-37 P 8
Sudbury o• CDN ◆ 42-43 U 7
Sud-Chinois, Bassin ≃ ◆ 34-35 G 4
Sudd ∸ SUD ◆ 38-39 M 7
Suddie o GUY ◆ 46-47 H 3
Sud-Est, Cap du = South East Cape ▲ AUS ◆ 36-37 K 8
Sud-Est, Cap du = South East Point ▲ AUS ◆ 36-37 K 7
Sud-Est Indienne, Dorsale ≃ ◆ 40-41 O 7
Sudety ▲ CZ ◆ 20-21 N 3 ◆ 14-15 O 5
Südpol ∸ ARK ◆ 13 E 0
Sue ∼ SUD ◆ 38-39 L 7
Sueco, El o MEX ◆ 44-45 E 5
Suède ■ S ◆ 16-17 G 7 ◆ 14-15 O 4
Suez, Golfe de = Suwais, Ḫalīǧ as- ≈ ◆ 38-39 M 3
Sugaing o• MYA ◆ 30-31 H 7
Sugoj ∼ RUS ◆ 28-29 c 5
Sūhāg ☆• ET ◆ 38-39 M 3
Şuḥār o• OM ◆ 32-33 H 6
Sühbaatar ☆ MAU ◆ 30-31 K 1
Suhona ∼ RUS ◆ 22-23 S 1 ◆ 14-15 U 3
Suide o CHN ◆ 30-31 L 4
Suihua o CHN ◆ 30-31 O 2
Suining o CHN (SIC) ◆ 30-31 K 5
Suisse ■ CH ◆ 20-21 J 5 ◆ 14-15 N 6
Suizhou o CHN ◆ 30-31 L 5
Sukabumi o RI ◆ 34-35 E 8
Sukadana o RI ◆ 34-35 E 7
Sukhothai o••• THA ◆ 34-35 C 3
Sukkur o•• PK ◆ 32-33 K 5
Sukses o NAM ◆ 40-41 E 6
Sula, Kepulauan ⌒ RI ◆ 34-35 J 7
Sulaimāniya, as- ☆ IRQ ◆ 32-33 F 3
Sulaiman Range ▲ PK ◆ 32-33 K 5
Sulawesi ⌒ RI ◆ 34-35 G 7
Sulawesi, Laut ≈ ◆ 34-35 G 6
Sulayyil, as- o KSA ◆ 32-33 F 6
Sulima o WAL ◆ 38-39 C 7
Sullana ☆ PE ◆ 46-47 C 5
Sullorsuaq Vaigat ≈ ◆ 42-43 Z 2
Sully-sur-Loire o F ◆ 18-19 J 8 ◆ 14-15
Sulphur Bank ≃ ◆ 46-47 M 8
Sultānpur o IND ◆ 32-33 N 5
Sulu, Laut = Sulu Sea ≈ ◆ 34-35 G 5
Sulu, Mer de ≈ ◆ 34-35 G 5
Sulu Archipelago ⌒ RP ◆ 34-35 H 6
Sulu Basin ≃ ◆ 34-35 H 5
Sumatra ⌒ RI ◆ 34-35 C 6
Šumava ▲ CZ ◆ 20-21 M 4 ◆ 14-15 O 6
Sumba ⌒ RI ◆ 34-35 H 8
Sumba, Détroit de = Sumba, Selat ≈ ◆ 34-35 G 8
Sumba, Selat ≈ ◆ 34-35 G 8
Sumbawa ⌒ RI ◆ 34-35 G 8
Sumbawa Besar o RI ◆ 34-35 G 8
Sumbawanga ☆ EAT ◆ 40-41 H 3
Sumbe ☆ ANG ◆ 40-41 D 4
Sumbu National Park ⊥ Z ◆ 40-41 H 3
Šumen o BG ◆ 14-15 R 7
Sumenep o RI ◆ 34-35 F 8
Sumisu-shima ⌒ J ◆ 30-31 R 5
Summān, as- ▲ KSA ◆ 32-33 F 5
Sumpa, Danau o RI ◆ 34-35 F 6
Šumšu, ostrov ⌒ RUS ◆ 28-29 c 7
Sumy ☆ UA ◆ 14-15 S 5
Sunbury o AUS ◆ 36-37 J 7
Suncho Corral o RA ◆ 48 E 3
Sundarbans ∸ ◆ 32-33 O 6
Sunday Strait ≈ ◆ 36-37 E 3
Sunderland o GB ◆ 18-19 G 4 ◆ 14-15 L 5
Sundsvall o S ◆ 16-17 H 5 ◆ 14-15 P 3
Sungaigerung o RI ◆ 34-35 D 7
Sungai Penuh o RI ◆ 34-35 D 7
Suntar-Hajata, hrebet ▲ RUS ◆ 28-29 Y 5
Sunyani ☆ GH ◆ 38-39 E 7
Supérieur, Lac = Superior, Lake o ◆ 42-43 S 7
Superior o USA (WI) ◆ 42-43 S 7
Superior, Lake o ◆ 42-43 S 7
Supiori, Pulau ⌒ RI ◆ 34-35 L 7
Suqian o CHN ◆ 30-31 M 5
Suquṭrā ⌒ Y ◆ 32-33 G 8
Şūr o• OM ◆ 32-33 H 6
Sura ∼ RUS ◆ 14-15 V 5
Surabaya ☆ RI ◆ 34-35 F 8
Surakarta o RI ◆ 34-35 F 8
Surat o AUS ◆ 36-37 K 5
Surat o• IND ◆ 32-33 L 6
Suratthani o THA ◆ 34-35 C 5
Surfers Paradise o AUS ◆ 36-37 L 5
Surgut ☆ RUS ◆ 28-29 L 5
Surigao ☆ RP ◆ 34-35 J 5
Surin o THA ◆ 34-35 D 4
Surinam ■ SME ◆ 46-47 H 4
Surinda o RUS ◆ 28-29 Q 5
Surt ☆ LAR ◆ 38-39 J 2
Susitna River ∼ USA ◆ 42-43 G 4
Susuman ☆ RUS ◆ 28-29 a 5
Sutherland o ZA ◆ 40-41 F 8
Suwais, Ḫalīǧ as- ≈ ◆ 38-39 M 3
Suwałki ☆ PL ◆ 20-21 R 1 ◆ 14-15 Q 5
Suzdal' ☆••• RUS ◆ 22-23 R 3 ◆ 14-15 U 4
Suzhou o CHN (ANH) ◆ 30-31 M 5
Suzhou o• CHN (JIA) ◆ 30-31 N 5
Svalbard ⌒ N ◆ 13 B 17
Svealand ∸ S ◆ 16-17 F 7 ◆ 14-15 O 4
Svendsen Peninsula ∸ CDN ◆ 42-43 U 1
Sverdrup, ostrov ⌒ RUS ◆ 28-29 M 3
Sverdrup Islands ⌒ CDN ◆ 42-43 Q 1
Svetlogorsk o RUS (KRN) ◆ 28-29 O 4
Svetlograd o RUS ◆ 14-15 U 6
Svir' ∼ RUS ◆ 22-23 N 1 ◆ 14-15 S 3
Svitlovods'k o UA ◆ 14-15 S 6
Svjatoj Nos, mys ▲ RUS (SAH) ◆ 28-29 Z 3
Svobodnyj ☆ RUS ◆ 28-29 W 7
Svolvær o N ◆ 16-17 G 2 ◆ 14-15 O 2
Swain Reefs ⌒ AUS ◆ 36-37 L 4
Swain's Atoll ⌒ USA ◆ 12 K 4
Swakopmund ☆• NAM ◆ 40-41 D 6
Swan Hill o AUS ◆ 36-37 J 7
Swan River o CDN (MAN) ◆ 42-43 Q 6
Swansea o GB ◆ 18-19 F 6 ◆ 14-15 L 5
Swaziland ■ SD ◆ 40-41 H 7
Swellendam o• ZA ◆ 40-41 F 8
Swift Current o CDN ◆ 42-43 P 6
Sydney ☆•• AUS ◆ 36-37 L 6
Syktyvkar ☆ RUS ◆ 28-29 G 5
Sylhet o• BD ◆ 32-33 P 6
Symkent ☆• KZ ◆ 32-33 K 2
Syowa o ARK ◆ 13 G 4
Syracuse o USA (NY) ◆ 42-43 V 8
Syracuse = Siracusa o I ◆ 26-27 E 6 ◆ 14-15 P 8
Syrdarija ∼ KZ ◆ 28-29 J 8
Syrdar'ja ∼ KZ ◆ 32-33 K 2
Syrianovsk = Zyrjanovsk o KZ ◆ 28-29 N 8
Syrie ■ SYR ◆ 32-33 D 3
Syrie, Désert de ∸ SYR ◆ 32-33 D 4
Syrte, Golfe de ≈ ◆ 38-39 J 2
Syzran' ☆ RUS ◆ 14-15 V 5
Szczecin ☆ PL (SZC) ◆ 20-21 N 2 ◆ 14-15 O 5
Szeged o H ◆ 20-21 Q 5 ◆ 14-15 Q 6
Szekszárd o H ◆ 20-21 P 5 ◆ 14-15 P 6
Szolnok o H ◆ 20-21 Q 5 ◆ 14-15 Q 6

T

Tabar Islands ⌒ PNG ◆ 34-35 O 7
Tabas o• IR ◆ 32-33 H 4
Tabatinga o BR ◆ 46-47 F 5
Tabelbala o DZ (BEC) ◆ 38-39 E 3
Tablas Island ⌒ RP ◆ 34-35 H 4
Tabora ☆• EAT (TAB) ◆ 40-41 H 3
Tabou o• CI ◆ 38-39 D 8
Tabriz ☆•• IR ◆ 32-33 F 3
Tabuaeran ⌒ KIB ◆ 12 L 2
Tabudarat o RI ◆ 34-35 G 7
Tabūk ☆ KSA ◆ 32-33 D 5
Tabuk ☆ RP ◆ 34-35 H 3
Tabwemasana ▲ VAN ◆ 36-37 O 3
Tachaouz = Dažhovuz ☆ TM ◆ 32-33 I 2
Tacheng o CHN ◆ 30-31 E 2
Tachkent = Toškent ☆•• UZ ◆ 32-33 K 2
Tacinskij o RUS ◆ 14-15 U 6
Tacloban ☆ RP ◆ 34-35 J 4
Tacna ☆ PE ◆ 46-47 E 8
Tacoma o USA ◆ 42-43 M 7
Tacora, Volcán ▲ RCH ◆ 46-47 F 8
Tacuarembo ☆ ROU ◆ 48 F 4
Tadant, Oued ∼ DZ ◆ 38-39 G 4
Tademaït, Plateau du ▲ DZ ◆ 38-39 F 3
Tadjikistan ■ TJ ◆ 32-33 K 3
Tadjoura o DJI ◆ 38-39 O 6
Tadmur Palmyra ☆••• SYR ◆ 32-33 D 4
Taegu o ROK ◆ 30-31 O 4
Taejŏn o ROK ◆ 30-31 O 4
Tafassasset, Oued ∼ DZ ◆ 38-39 G 4
Tafilalt ∸ MA ◆ 38-39 E 2
Tafraoute o• MA ◆ 38-39 D 3
Taftān, Kūh-e ▲ IR ◆ 32-33 J 5
Taganrog o• RUS ◆ 14-15 T 6
Taguatinga o BR (FED) ◆ 46-47 K 8
Taguatinga o BR (TOC) ◆ 46-47 K 7
Tagula Island ⌒ PNG ◆ 34-35 O 9
Tagum ☆ RP ◆ 34-35 J 5
Tahat ▲ DZ ◆ 38-39 G 4
Tahoe, Lake o USA ◆ 44-45 B 3
Tahoua ☆ RN ◆ 38-39 G 6
Tahtakùpir ☆ UZ ◆ 32-33 J 2
Tahtalı Dağları ▲ TR ◆ 14-15 T 8
Tahulandang, Pulau ⌒ RI ◆ 34-35 J 6
Tahuna o RI ◆ 34-35 J 6
Tai o CI ◆ 38-39 D 7
Tai'an o CHN ◆ 30-31 M 4
Taichung o RC ◆ 30-31 N 7
Tā'if, aṭ- o• KSA ◆ 32-33 E 6
Tai Hu o CHN (JIA) ◆ 30-31 N 5
Tailai o CHN ◆ 30-31 N 2
Tailem Bend o AUS ◆ 36-37 H 7
Taim o BR ◆ 48 G 4
Taimā' o• KSA ◆ 32-33 D 5
Taïmyr, Lac de = Tajmyr, ozero o RUS ◆ 28-29 R 3
Taïmyr, Péninsule de ∸ RUS ◆ 28-29 P 2
Tainan o RC ◆ 30-31 N 7
Taipei ☆•• RC ◆ 30-31 N 6
Taitao, Peninsula de ∸ RCH ◆ 48 B 7

Serasan, Pulau — Taitao, Península de 69

Taitung o RC ◆ 30-31 N 7
Taiwan ■ RC ◆ 30-31 N 7
Taiwan, Détroit de ≈ ◆ 30-31 M 7
Taiyuan ☆• CHN ◆ 30-31 L 4
Taizhou o CHN ◆ 30-31 M 5
Ta'izz o Y ◆ 32-33 E 8
Tajgonos, poluostrov ⌣ RUS ◆ 28-29 d 5
Tajmura ~ RUS ◆ 28-29 Q 5
Tajmyr, ozero ⬭ RUS ◆ 28-29 R 3
Tajo, Río ~ E ◇ 24-25 F 4 ◆ 14-15 L 7
Tajšet ☆ RUS ◆ 28-29 Q 6
Tajumulco, Volcán ▲ GCA ◆ 44-45 H 7
Tak o THA ◆ 34-35 C 3
Takahe, Mount ▲ ARK ◆ 13 F 26
Takengon (Takingeun) o RI ◆ 34-35 C 6
Tākestān o• IR ◆ 32-33 F 3
Takht-i-Bahi ∴••• PK ◆ 32-33 L 4
Takikawa o J ◆ 30-31 R 3
Takiyuak Lake ⬭ CDN ◆ 42-43 O 3
Takla Lake ⬭ CDN ◆ 42-43 L 5
Takla-Makan, Désert du = Taklimakan Shamo ∸ CHN ◆ 30-31 E 4
Taklimakan Shamo ∸ CHN ◆ 30-31 E 4
Taksimo o RUS ◆ 28-29 T 6
Takuapa o THA ◆ 34-35 C 5
Talacasto o RA ◆ 48 D 4
Talara o PE ◆ 46-47 C 5
Talas ☆ KS ◆ 32-33 L 2
Talasea o PNG ◆ 34-35 O 8
Talata Mafara o WAN ◆ 38-39 G 6
Talaud, Kepulauan ⌒ RI ◆ 34-35 J 6
Talawe, Mount ▲ PNG ◆ 34-35 N 8
Talbot, Mount ▲ AUS ◆ 36-37 F 5
Talca ☆• RCH ◆ 48 C 5
Talcahuano o RCH ◆ 48 C 5
Talcho o RN ◆ 38-39 F 6
Taldyķorġan ☆ KZ ◆ 28-29 M 8
Taldy-Kourgan = Taldyķorġan ☆ KZ ◆ 28-29 M 8
Talence o F ◇ 18-19 G 9 ◆ 14-15
Taliabu, Pulau ⌒ RI ◆ 34-35 H 7
Talibon o RP ◆ 34-35 H 4
Taliwang o RI ◆ 34-35 G 8
Talkeetna Mountains ⛰ USA ◆ 42-43 G 4
Tallahassee ☆ USA ◆ 44-45 K 4
Tallin = Tallinn ★•• EST ◇ 22-23 J 2 ◆ 14-15 Q 4
Tallinn ★•• EST ◇ 22-23 J 2 ◆ 14-15 Q 4
Talnah o RUS ◆ 28-29 O 4
Talon o RUS ◆ 28-29 a 6
Taltal o RCH ◆ 48 C 3
Taltson River ~ CDN ◆ 42-43 O 4
Tamala ☆ GH ◆ 38-39 E 7
Tamanrasset ☆•• DZ ◆ 38-39 G 4
Tamanrasset, Oued ~ DZ ◆ 38-39 F 4
Tamarugal, Pampa del ∸ RCH ◆ 48 D 2
Tama Wildlife Reserve ⊥ ETH ◆ 38-39 N 7
Tamazunchale o• MEX ◆ 44-45 G 6
Tambacounda ☆ SN ◆ 38-39 C 6
Tambej o RUS ◆ 28-29 L 3
Tambelan, Kepulauan ⌒ RI ◆ 34-35 E 6
Tambo o AUS ◆ 36-37 K 4
Tambohorano o RM ◆ 40-41 K 5
Tambora, Gunung ▲ RI ◆ 34-35 G 8
Tambov o RUS ◇ 22-23 R 5 ◆ 14-15 U 5
Tambura o SUD ◆ 38-39 L 7
Tamdytov toglari ⛰ UZ ◆ 32-33 J 2
Tamiahua, Laguna de ⬭ MEX ◆ 44-45 G 6
Tamil Nādu □ IND ◆ 32-33 M 8
Tammū, Jabal ⛰ LAR ◆ 38-39 H 4
Tampa o USA ◆ 44-45 K 5
Tampa Bay ≈ ◆ 44-45 K 5
Tampere o• FIN ◆ 14-15 Q 3
Tampico o• MEX ◆ 44-45 G 6
Tamworth o AUS ◆ 36-37 L 6
Tana ~ EAK ◆ 40-41 J 2
Tana = Île Tanna ⌒ VAN ◆ 36-37 O 3
Tanabe o J ◆ 30-31 Q 5
T'ana Hayk' ⬭ ETH ◆ 38-39 N 6
Tanahgrogot o RI ◆ 34-35 G 7
Tanami, Désert de = Tanami Desert ∸ AUS ◆ 36-37 G 3
Tanami Desert ∸ AUS ◆ 36-37 G 3
Tanana River ~ USA ◆ 42-43 G 4
Tandil o RA ◆ 48 F 5
Tanega-shima ⌒ J ◆ 30-31 P 5
Tanezrouft ∸ DZ ◆ 38-39 E 4
Tanezrouft-Tan-Ahenet ∸ DZ ◆ 38-39 F 4
Tanga ☆ EAT (TAN) ◆ 40-41 J 3
Tanga Islands ⌒ PNG ◆ 34-35 O 7
Tanganijika, Lac = Lake Tanganijika ⬭ ZRE ◆ 40-41 G 2
Tanganijika, Lake ⬭ BU ◆ 40-41 G 2
Tanggu o CHN ◆ 30-31 M 4
Tanggula (Dangla) Shan ⛰ CHN ◆ 30-31 F 5
Tangra Yumco ⬭ CHN ◆ 30-31 F 5
Tangshan o CHN ◆ 30-31 M 4
Taniantaweng Shan ⛰ CHN ◆ 30-31 H 5
Tanimbar, Kepulauan ⌒ RI ◆ 34-35 K 8
Taninthari o MYA ◆ 34-35 C 4
Tanjah ☆• MA ◆ 38-39 D 1
Tanjay o RP ◆ 34-35 H 5
Tanjung o RI (KSE) ◆ 34-35 G 7
Tanjungbalai o RI ◆ 34-35 C 6
Tanjungpandan o RI ◆ 34-35 E 7
Tanjungpinang o RI ◆ 34-35 D 6
Tanjungredeb o RI ◆ 34-35 G 6
Tanjungselor o RI ◆ 34-35 G 6
Tanjurer ~ RUS ◆ 28-29 f 5
Tankwa-Karoo National Park ⊥ ZA ◆ 40-41 E 8
Tanna, Île = Tana ⌒ VAN ◆ 36-37 O 3
Tannou Orientaux, Monts = Zapadnyj Tannu-Ola, hrebet ⛰ RUS ◆ 28-29 O 7
Tanougou, Cascades de ~•• DY ◆ 38-39 F 6
Tanout o RN ◆ 38-39 G 6
Tanṭā ☆ ET ◆ 38-39 M 2
Tan-Tan ☆ MA ◆ 38-39 C 3
Tanzanie ■ EAT ◆ 40-41 H 3
Taolanaro o• RM ◆ 40-41 L 7
Taonan o CHN ◆ 30-31 N 2
Taos o••• USA ◆ 44-45 E 3
Taoudenni o RMM ◆ 38-39 E 4
Tapachula o MEX ◆ 44-45 H 8
Tapaktuan o RI ◆ 34-35 C 6
Tapauá o BR ◆ 46-47 G 6
Tapini o PNG ◆ 34-35 N 8
Tapirapecó, Sierra ⛰ YV ◆ 46-47 F 4
Tapul Group ⌒ RP ◆ 34-35 H 5
Taquari, Pantanal do ⬭ BR ◆ 46-47 H 8
Taquari, Rio ~ BR ◆ 46-47 H 8
Tara ☆ RUS ◆ 28-29 L 6
Tarābulus ★• LAR (Tab) ◆ 38-39 H 2
Tarābulus o• RL ◆ 32-33 D 4
Ṭarābulus ☆• RL ◆ 32-33 D 4
Tarahumara, Sierra ⛰ MEX ◆ 44-45 E 5
Tarakan o RI ◆ 34-35 G 6
Tarangire National Park ⊥ EAT ◆ 40-41 J 2
Tarante, Golfe de = Táranto, Golfo di ≈ ◇ 26-27 F 4 ◆ 14-15 P 7
Tarante = Táranto ☆• I ◇ 26-27 F 4 ◆ 14-15 P 7
Táranto ☆• I ◇ 26-27 F 4 ◆ 14-15 P 7
Táranto, Golfo di ≈ ◇ 26-27 F 4 ◆ 14-15 P 7
Tarapoto o PE ◆ 46-47 D 6
Tarare o F ◇ 18-19 K 9 ◆ 14-15
Tarasa Dwip Island ⌒ IND ◆ 34-35 B 5
Tarascon o•• F ◇ 18-19 K 10 ◆ 14-15
Tarbagataĭ = Tarbaġataj žotasy ⛰ KZ ◆ 28-29 N 8
Tarbaġataj žotasy ⛰ KZ ◆ 28-29 N 8
Tarbes ☆ F ◇ 18-19 H 10 ◆ 14-15 M 7
Tarcoola o AUS ◆ 36-37 G 6
Tardoki-Jani, gora ▲ RUS ◆ 28-29 Y 8
Tarfaya o MA ◆ 38-39 C 3
Tarija o BOL ◆ 48 E 2
Tariku ~ RI ◆ 34-35 L 7
Tarim o• Y ◆ 32-33 F 7
Tarim, Bassin du = Tarim Pendi ∸ CHN ◆ 30-31 E 4
Tarim He ~ CHN ◆ 30-31 E 3
Tarim Pendi ∸ CHN ◆ 30-31 E 4
Taritatu ~ RI ◆ 34-35 M 7
Tarko-Sale ☆ RUS ◆ 28-29 M 5
Tarlac ☆ RP ◆ 34-35 H 3
Tarn ~ F ◇ 18-19 H 10 ◆ 14-15
Tarn, Gorges du ⌣•• F ◇ 18-19 J 9 ◆ 14-15
Tarnów ☆• PL ◇ 20-21 Q 3 ◆ 14-15 Q 5
Taroom o AUS ◆ 36-37 K 5
Taroudannt ☆• MA ◆ 38-39 D 2
Tarragona o•• E ◇ 24-25 H 4 ◆ 14-15 M 7
Tarso Emissi ⛰ TCH ◆ 38-39 J 4
Tarsus ☆• TR ◆ 14-15 S 8
Tartagal o RA ◆ 48 E 2
Tartarie, Manche de = Tatarskij proliv ≈ ◆ 28-29 Z 7
Ṭarṭūs ☆•• SYR ◆ 32-33 D 4
Tashigang o BHT ◆ 32-33 P 5
Tasikmalaya o RI ◆ 34-35 E 8
Tasman, Bassin de ≃ ◆ 36-37 M 7
Tasman, Mer de ≈ ◆ 36-37 M 7
Tasman Abyssal Plain ≃ ◆ 36-37 L 7
Tasman Bay ≈ ◆ 36-37 P 8
Tasmanie □ AUS ◆ 36-37 K 8
Tasmanie ⌒ AUS (TAS) ◆ 36-37 J 8
Tasmanie, Crête de ≃ ◆ 12 F 7
Tasman Peninsula ⌒•• AUS ◆ 36-37 K 8
Tataba o RI ◆ 34-35 H 7
Tatabánya o H ◇ 20-21 P 5 ◆ 14-15 P 6
Tata Mailau, Gunung ▲ RI ◆ 34-35 J 8
Tatarsk ☆ RUS ◆ 28-29 M 6
Tatarskij proliv ≈ ◆ 28-29 Z 7
Tatarstan □ RUS ◆ 14-15 V 5
Tateyama o J ◆ 30-31 Q 5
Tathlina Lake ⬭ CDN ◆ 42-43 N 4
Tathra o AUS ◆ 36-37 K 7
Tatnam, Cape ▲ CDN ◆ 42-43 S 5
Tatry ⛰ SK ◇ 20-21 P 4 ◆ 14-15 P 6
Tatshenshini-Alsek Kluane National Park ⊥••• CDN ◆ 42-43 H 4
Tatvan ☆• TR ◆ 14-15 U 8
Tauá o BR ◆ 46-47 L 6
Taubaté o BR ◆ 48 H 2
Taujskaja guba ≈ ◆ 28-29 a 6
Taumaturgo o BR ◆ 46-47 E 6
Taunggyí ☆ MYA ◆ 30-31 H 7
Taupo o NZ ◆ 36-37 Q 7
Taupo, Lake ⬭ NZ ◆ 36-37 Q 7
Tauranga o NZ ◆ 36-37 Q 7
Taurus, Chaîne du ⛰ TR ◆ 14-15 S 8
Tavda ~ RUS ◆ 28-29 K 6
Taveta o EAK ◆ 40-41 J 2
Tavoy o MYA ◆ 34-35 C 4
Tawau o MAL ◆ 34-35 G 6
Tawitawi Island ⌒ RP ◆ 34-35 G 5
Taxco de Alarcon o• MEX ◆ 44-45 G 7
Taxkorgan o CHN ◆ 30-31 D 4
Tayabamba o PE ◆ 46-47 D 6
Tāyebād o• IR ◆ 32-33 J 4
Tây Ninh o• VN ◆ 34-35 E 4
Taytay o RP ◆ 34-35 G 4
Taz ~ RUS ◆ 28-29 N 4
Taza ☆ MA ◆ 38-39 E 2
Tāzirbū o LAR ◆ 38-39 K 3
Tazovskaja guba ≈ ◆ 28-29 L 4
Tazovskij ☆ RUS ◆ 28-29 M 4
Tazovskij poluostrov ⌣ RUS ◆ 28-29 L 4
Tazrouk o DZ ◆ 38-39 G 4
Tbilisi ★• GE ◆ 14-15 U 7
Tbilissi = Tbilisi ★• GE ◆ 14-15 U 7
Tchad ■ TCH ◆ 38-39 J 5
Tchad, Lac ⬭ ◆ 38-39 H 6
Tchaoun, Baie de la = Čaunskaja guba ≈ ◆ 28-29 e 4
Tchechskaïa, Baie = Čëšskaja guba ≈ ◆ 28-29 F 4
Tchéliabinsk = Čeljabinsk ☆ RUS ◆ 28-29 J 6
Tchèque, République ■ CZ ◇ 20-21 M 4 ◆ 14-15 O 6
Tchernobyl = Čornobyl' o UA ◆ 14-15 S 5
Tcherski, Monts = Čerskogo, hrebet ⛰ RUS ◆ 28-29 Y 4
Tchétchénie □ RUS ◆ 14-15 V 7
Tchibanga ☆ G ◆ 40-41 D 2
Tchibemba o ANG ◆ 40-41 D 5
Tchimkent = Šymkent ☆• KZ ◆ 32-33 K 2
Tchin-Tabaradene o RN ◆ 38-39 G 5
Tchita = Čita ☆• RUS ◆ 28-29 T 7
Tcholliré o CAM ◆ 38-39 H 7
Tchoudes, Lac des = Čudskoe ozero ⬭ RUS ◇ 22-23 K 2 ◆ 14-15 R 4
Tchouktches, Presqu'île des = Čukotskij poluostrov ⌣ RUS ◆ 28-29 h 4
Tchouktches, Seuil des ≃ ◆ 42-43 C 1
Tchouvachie, République de □ RUS ◆ 14-15 V 4
Te Anau o NZ ◆ 36-37 O 9
Te Araroa o NZ ◆ 36-37 Q 7
Tebingtinggi o RI (SUU) ◆ 34-35 C 6
Techia o WSA ◆ 38-39 C 4
Tecka o RA ◆ 48 C 6
Tecoman o MEX ◆ 44-45 F 7
Tedžen o TM ◆ 32-33 J 3
Tegal o RI ◆ 34-35 E 8
Tégouma ~ RN ◆ 38-39 H 5
Tegua = Île Teguan ⌒ VAN ◆ 36-37 O 2
Tegucigalpa ★•• HN ◆ 44-45 J 8
Te Hapua o NZ ◆ 36-37 P 6
Tehek Lake ⬭ CDN ◆ 42-43 R 4
Téhéran = Tehrān ★•• IR ◆ 32-33 G 3
Tehrān ★•• IR ◆ 32-33 G 3
Tehuacan o• MEX ◆ 44-45 G 7
Tehuantepec, Dorsale de ≃ ◆ 44-45 G 8
Tehuantepec, Golfo de ≈ ◆ 44-45 G 7
Tehuantepec, Istmo de ∸ MEX ◆ 44-45 H 7
Teide, Parque Nacional del- ⊥ E ◆ 38-39 B 3
Tekezē Wenz ~ ETH ◆ 38-39 N 6
Tekirdağ ☆ TR ◆ 14-15 R 7
Tekouiat, Oued ~ DZ ◆ 38-39 F 4
Te Kuiti o NZ ◆ 36-37 Q 7
Tel Aviv-Yafo ☆ IL ◆ 32-33 C 4
Telefomin o PNG ◆ 34-35 M 8
Teles Pires ou São Manuel, Rio ~ BR ◆ 46-47 H 7
Telfer o• AUS ◆ 36-37 E 4
Télimélé o RG ◆ 38-39 C 6
Teller o USA ◆ 42-43 C 3
Telpoziz, gora ▲ RUS ◆ 28-29 H 5
Telsen o RA ◆ 48 D 6
Telukbetung = Bandar Lampung ☆ RI ◆ 34-35 E 8
Tembe Elefant Reserve ⊥ ZA ◆ 40-41 H 7
Tembenči ~ RUS ◆ 28-29 Q 5
Temblador o YV ◆ 46-47 G 3
Tembo, Chutes ~ ZRE ◆ 40-41 E 3
Temírtau o KZ ◆ 28-29 L 7
Temple o USA ◆ 44-45 G 4
Temple Bay ≈ ◆ 36-37 J 2
Tempoal de Sánchez o MEX ◆ 44-45 G 6
Temuco ☆ RCH ◆ 48 C 5
Tenāli o IND ◆ 32-33 N 7
Ten Degree Channel ≈ ◆ 34-35 B 5
Tendrara o MA ◆ 38-39 E 2
Ténéré ∸ RN ◆ 38-39 H 5
Ténéré du Tafassasset ∸ RN ◆ 38-39 H 4
Tenerife ⌒ E ◆ 38-39 B 3
Ténès o DZ ◆ 38-39 F 1
Tenggarong o• RI ◆ 34-35 G 7
Tengréla ☆ CI ◆ 38-39 D 6
Tenguiz, Lac de = Teņiz kölí ⬭ KZ ◆ 28-29 K 7
Tenharim/Transamazônica, Área Indígena X BR ◆ 46-47 G 6
Teniente Matienzo o ARK ◆ 13 G 31
Tenika • RM ◆ 40-41 L 6
Teņiz kölí ⬭ KZ ◆ 28-29 K 7
Tenke o ZRE ◆ 40-41 G 4
Tenkodogo ☆• BF ◆ 38-39 E 6
Tennant Creek o• AUS ◆ 36-37 G 3
Tennessee □ USA ◆ 44-45 J 3
Tennessee River ~ USA ◆ 44-45 J 3
Tentolotianan, Gunung ▲ RI ◆ 34-35 H 6
Teófilo Otoni o BR ◆ 46-47 L 8
Tepic ☆ MEX ◆ 44-45 F 6
Teplice o CZ ◇ 20-21 M 3 ◆ 14-15 O 5
Teques, Los ☆ YV ◆ 46-47 F 2
Téra o RN ◆ 38-39 F 6
Terceira, Ilha ⌒ P ◆ 44-45 F 8
Tercero, Río ~ RA ◆ 48 E 4
Teresina ☆ BR ◆ 46-47 L 6
Termez ☆• UZ ◆ 32-33 K 3
Términos, Laguna de ≈ ◆ 44-45 H 7
Ternate o• RI ◆ 34-35 J 6
Ternej o RUS ◆ 28-29 Y 9
Terni ☆ I ◇ 26-27 D 3 ◆ 14-15 O 7
Ternopil' ☆ UA ◆ 14-15 R 6
Ternopol' = Ternopil' ☆ UA ◆ 14-15 R 6
Terpenia, Baie = Terpenija, zaliv ≈ ◆ 28-29 Z 8
Terpenija, mys ▲ RUS ◆ 28-29 Z 8
Terpenija, zaliv ≈ ◆ 28-29 Z 8
Terrace o CDN ◆ 42-43 L 6
Terre du Nord = Severnaja Zemlja ⌒ RUS ◆ 28-29 Q 1
Terre Haute o USA ◆ 44-45 J 3
Terre-Neuve, Grands Bancs de ≃ ◆ 44-45 P 2
Terre-Neuve = Newfoundland, Island of ⌒ CDN ◆ 42-43 Z 7
Territoire de la capitale d'Australie = Australian Capital T □ AUS ◆ 36-37 K 7
Territoire-du-Nord = Northern Territory □ AUS ◆ 36-37 G 4
Territoire du Yukon = Yukon Territory □ CDN ◆ 42-43 J 3
Territoires du Nord-Ouest = Northwest Territories □ CDN ◆ 42-43 L 3
Teruel o••• E ◇ 24-25 G 4 ◆ 14-15 L 7
Teseny o ER ◆ 38-39 N 5
Teshekpuk Lake ⬭ USA ◆ 42-43 F 2
Tes-Hem ~ MAU ◆ 28-29 Q 8
Teslin River ~ CDN ◆ 42-43 K 4
Tessalit o RMM ◆ 38-39 F 4
Tessaoua o RN ◆ 38-39 G 6
Teste, la o F ◇ 18-19 G 9 ◆ 14-15
Têt ~ F ◇ 18-19 J 10 ◆ 14-15
Tetas, Punta ▲ RCH ◆ 48 C 2
Tete ☆ MOC (Tet) ◆ 40-41 H 5
Tétouan = Titwān ☆• MA ◆ 38-39 D 1
Teuco, Río ~ RA ◆ 48 E 2
Teulada, Capo ▲ I ◇ 26-27 B 5 ◆ 14-15 N 8
Tévere ~ I ◇ 26-27 D 3 ◆ 14-15 O 7
Tevriz ☆ RUS ◆ 28-29 L 6
Texarkana o USA ◆ 44-45 H 4
Texas o AUS ◆ 36-37 L 5
Texas □ USA ◆ 44-45 F 4
Texoma, Lake ⬭ USA ◆ 44-45 G 4
Thabazimbi o ZA ◆ 40-41 G 6
Thaïlande ■ THA ◆ 34-35 C 4
Thaïlande, Golfe de ≈ ◆ 34-35 D 4
Thái Nguyên ☆ VN ◆ 34-35 E 2
Thalang o THA ◆ 34-35 C 5
Thale Luang ≈ ◆ 34-35 D 5
Thames ~ GB ◇ 18-19 G 6 ◆ 14-15 M 5
Thana o IND ◆ 32-33 L 7
Thanh Hóa ☆ VN ◆ 34-35 E 3
Thành Phố Hồ Chí Minh ☆•• VN ◆ 34-35 E 4
Thanjavur o••• IND ◆ 32-33 M 8
Thanlwin Myit ~ MYA ◆ 34-35 C 3
Thar, Désert de = Thār Desert ∸ PK ◆ 32-33 K 5
Tharād o IND ◆ 32-33 L 6
Thār Desert ∸ PK ◆ 32-33 K 5
Thargomindah o AUS ◆ 36-37 J 5
Thássos ⌒ GR ◇ 26-27 K 4 ◆ 14-15 Q 7
Thaton o MYA ◆ 34-35 C 3
Thatta o••• PK ◆ 32-33 K 6
Thayetmyo o MYA ◆ 34-35 C 3
Thebes ∴••• ET ◆ 38-39 M 3
The Calvados Chain ⌒ PNG ◆ 34-35 O 9
The Johnston Lakes ⬭ AUS ◆ 36-37 E 6
Thelon River ~ CDN ◆ 42-43 Q 4
Theodore Roosevelt National Park North Unit ⊥ USA ◆ 42-43 Q 7
Theron Range ⛰ ARK ◆ 13 E 0
Thessaloníki ☆••• GR ◇ 26-27 J 4 ◆ 14-15 Q 7
Thessalonique = Thessaloníki ☆••• GR ◇ 26-27 J 4 ◆ 14-15 Q 7
The Wash ≈ ◇ 18-19 H 5 ◆ 14-15 M 5
Thiel Mountains ⛰ ARK ◆ 13 E 0
Thiès ☆• SN ◆ 38-39 B 6
Thika o EAK ◆ 40-41 J 2
Thimphu ★• BHT ◆ 32-33 O 5
Thio o F ◆ 36-37 O 4
Thionville o F ◇ 18-19 L 7 ◆ 14-15
Thlewiaza River ~ CDN ◆ 42-43 R 4
Thomasville o USA (GA) ◆ 44-45 K 4
Thompson o CDN ◆ 42-43 R 5
Thomson River ~ AUS ◆ 36-37 J 4
Thonon-les-Bains o• F ◇ 18-19 L 8 ◆ 14-15
Thorshavn = Tórshavn ☆ FR ◇ 18-19 D 1 ◆ 14-15 K 3
Thouars o F ◇ 18-19 G 8 ◆ 14-15
Thouet ~ F ◇ 18-19 G 8 ◆ 14-15
Three Kings Islands ⌒ NZ ◆ 36-37 P 6
Three Kings Ridge ≃ ◆ 36-37 P 6
Three Points, Cape ▲ GH ◆ 38-39 E 8
Throssel, Lake ⬭ AUS ◆ 36-37 E 5
Thụ Dầu Một o VN ◆ 34-35 E 4
Thua ~ EAK ◆ 40-41 J 2
Thule = Qaanaaq ☆ GRØ ◆ 42-43 X 1
Thuli o ZW (Mas) ◆ 40-41 G 6
Thunder Bay o CDN (ONT) ◆ 42-43 T 7
Thung Song o THA ◆ 34-35 C 5
Thurso o GB ◇ 18-19 F 2 ◆ 14-15 L 4
Thurston Island ⌒ ARK ◆ 13 F 27
Thury-Harcourt o F ◇ 18-19 G 7 ◆ 14-15
Tianjin ☆ CHN ◆ 30-31 M 4
Tianjin Shi □ CHN ◆ 30-31 M 4
Tianjun o CHN ◆ 30-31 H 4
Tian Shan ⛰ CHN ◆ 30-31 E 3
Tianshui o CHN ◆ 30-31 K 5
Tianyang o CHN ◆ 30-31 K 7
Tiaret ☆• DZ ◆ 38-39 F 1
Tibaji o BR ◆ 48 G 2
Tibati o CAM ◆ 38-39 H 7
Tibbobura o AUS ◆ 36-37 J 5
Tibesti ⛰ TCH ◆ 38-39 J 4
Tibesti, Sarīr ∸ LAR ◆ 38-39 J 4
Tibet □ VRC ◆ 10-11 H 5
Tiburon o•• RH ◆ 44-45 M 7
Tiburón, Isla ⌒ MEX ◆ 44-45 D 5
Tichît o RIM ◆ 38-39 D 5
Tichkatine, Oued ~ DZ ◆ 38-39 F 4
Tidikelt, Plain du ∸ DZ ◆ 38-39 F 3
Tidjikja ☆ RIM ◆ 38-39 C 5
Tieli o CHN ◆ 30-31 O 2
Tieling o CHN ◆ 30-31 N 3
Tielong o ◆ 32-33 M 3
Tierra del Fuego □ RA ◆ 48 D 8
Tifu o RI ◆ 34-35 J 7
Tigre = Diğla ~ IRQ ◆ 32-33 F 4
Tigre, El o YV ◆ 46-47 G 3
Tigre, Río ~ PE ◆ 46-47 E 5
Tiguent o RIM ◆ 38-39 B 5
Tih, Ğabal at- ⛰ ET ◆ 38-39 M 3
Tih, Ṣaḥrā' at- ∸ ET ◆ 38-39 M 2
Tihāma ∸ Y ◆ 32-33 E 7
Tihoreck o RUS ◆ 14-15 U 6
Tihvin ☆ RUS ◇ 22-23 N 2 ◆ 14-15 S 4
Tijuana o• MEX ◆ 44-45 C 4
Tikal, Parque Nacional ⊥••• GCA ◆ 44-45 J 7
Tikamgarh o IND ◆ 32-33 M 6
Tiki, Bassin ≃ ◆ 12 O 4
Tikopia ⌒ SOL ◆ 36-37 O 2
Tiksi ☆ RUS ◆ 28-29 W 3
Tiladummati Atoll ⌒ MV ◆ 32-33 L 9
Tilāl an-Nūba ⛰ SUD ◆ 38-39 M 6
Tilemsi ~ RMM ◆ 38-39 F 5
Tiličiki ☆ RUS ◆ 28-29 e 5
Tillabéri ☆ RN ◆ 38-39 F 6
Timan, Monts = Timanskij krjaž ⛰ RUS ◆ 28-29 G 5
Timanskij krjaž ⛰ RUS ◆ 28-29 G 5
Timaru o NZ ◆ 36-37 P 8
Timbedgha o RIM ◆ 38-39 D 5
Timber Creek o AUS ◆ 36-37 G 3
Timbunke o PNG ◆ 34-35 M 7
Timétrine, Djebel ⛰ RMM ◆ 38-39 E 5
Timgad o••• DZ ◆ 38-39 G 1
Timimoun o• DZ ◆ 38-39 F 3
Timmins o CDN ◆ 42-43 U 7
Timor ⌒ RI ◆ 34-35 H 8
Timor, Fosse de ≃ ◆ 34-35 H 9
Timor, Mer de ≈ ◆ 34-35 J 9
Timoudi o DZ ◆ 38-39 E 3
Timpton ~ RUS ◆ 28-29 W 6
Tindouf ☆• DZ ◆ 38-39 D 3
Tindouf, Sebkha de ⬭ DZ ◆ 38-39 D 3
Tinfouchy o DZ ◆ 38-39 D 3
Tingal ▲ SUD ◆ 38-39 M 6
Tinhert, Hamada de ∸ DZ ◆ 38-39 G 3
Tinian ⌒ USA ◆ 34-35 N 4
Tinkisso ~ RG ◆ 38-39 D 6
Tintina o RA ◆ 48 E 3
Tioman, Pulau ⌒ MAL ◆ 34-35 D 6
Tioumen = Tjumen' ☆ RUS ◆ 28-29 K 6
Tipaza ☆••• DZ ◆ 38-39 F 1
Tiracambu, Serra do ⛰ BR ◆ 46-47 K 5
Tirahart, Oued ~ DZ ◆ 38-39 F 4
Tirana = Tiranë ★• AL ◇ 26-27 G 4 ◆ 14-15 P 7
Tiranë ★• AL ◇ 26-27 G 4 ◆ 14-15 P 7
Tiraspol ☆ MD ◆ 14-15 R 6
Tirband-e Torkestān, Selsele-ye Kūh-e ⛰ AFG ◆ 32-33 J 3
Tîrgovişte ☆• RO ◆ 14-15 R 7
Tirich Mir ▲ PK ◆ 32-33 L 3
Tiruchchirāppalli o• IND ◆ 32-33 M 8
Tirunelveli o• IND ◆ 32-33 M 9
Tirupati o• IND ◆ 32-33 M 8
Tiruppur o IND ◆ 32-33 M 8
T'is Isat Fwafwatē = Blue Nile Falls ~•• ETH ◆ 38-39 N 6
Tisza ~ H ◇ 20-21 Q 5 ◆ 14-15 Q 6
Titicaca, Lago ⬭ PE ◆ 46-47 F 8
Titishima-rettō ⌒ J ◆ 30-31 R 6
Titiwaifuru o RI ◆ 34-35 L 7
Titov Veles o• MK ◇ 26-27 H 4 ◆ 14-15 Q 7
Titule o ZRE ◆ 38-39 L 8
Titwān ☆• MA ◆ 38-39 D 1
Tivoli o I ◇ 26-27 D 4 ◆ 14-15 O 7
Tiya ••• ETH ◆ 38-39 N 7
Tizimín o MEX ◆ 44-45 J 6
Tizi Ouzou ☆ DZ ◆ 38-39 F 1
Tiznit ☆ MA ◆ 38-39 D 3
Tjan'-Šan' ⛰ KS ◆ 32-33 L 2
Tjukalinsk ☆ RUS ◆ 28-29 L 6
Tjukjan ~ RUS ◆ 28-29 U 4
Tjumen' ☆ RUS ◆ 28-29 K 6
Tjung ~ RUS ◆ 28-29 U 4
Tlacotalpan o• MEX ◆ 44-45 G 7
Tlemcen ☆•• DZ ◆ 38-39 E 2
Tmassah o LAR ◆ 38-39 J 3
Toamasina ☆ RM (TMA) ◆ 40-41 L 5
Tobago ⌒ TT ◆ 44-45 O 8
Toba Kākar Range ⛰ PK ◆ 32-33 K 4
Tobelo o RI ◆ 34-35 J 6
Toboali o RI ◆ 34-35 E 7
Tobol ~ RUS ◆ 28-29 K 6
Tobol'sk ☆• RUS ◆ 28-29 K 6
Tobyl ~ KZ ◆ 28-29 J 7
Tocantins □ BR ◆ 46-47 K 7
Toco o RCH ◆ 48 D 2
Tocopilla o RCH ◆ 48 C 2
Todeli o RI ◆ 34-35 H 7
Todos Santos o MEX ◆ 44-45 D 6
Toekornstig-stuwmeer ⬭ SME ◆ 46-47 H 4
Toga = Île Toga ⌒ VAN ◆ 36-37 O 2
Togian, Kepulauan ⌒ RI ◆ 34-35 H 7
Togo ■ RT ◆ 38-39 F 7
Togtoh o CHN ◆ 30-31 L 3
Tōkar o SUD ◆ 38-39 N 5
Tokara-kaikyō ≈ ◆ 30-31 O 5
Tokara-rettō ⌒ J ◆ 30-31 O 6
Tokat ☆• TR ◆ 14-15 T 7
Tokelau Islands ⌒ NZ ◆ 12 K 3
Tok Junction o USA ◆ 42-43 H 4
Tokoroa o NZ ◆ 36-37 Q 7
Tokuno-shima ⌒ J ◆ 30-31 O 6
Tokushima ☆ J ◆ 30-31 P 5
Tōkyō ★• J ◆ 30-31 Q 4
Tokyo = Tōkyō ★• J ◆ 30-31 Q 4
Tol ⌒ FSM ◆ 34-35 O 5
Tolède = Toledo o••• E ◇ 24-25 E 5 ◆ 14-15 L 8
Toledo o••• E ◇ 24-25 E 5 ◆ 14-15 L 8
Toledo o USA (OH) ◆ 44-45 K 2
Toledo Bend Reservoir < USA ◆ 44-45 H 4
Toliara ☆• RM (Tla) ◆ 40-41 K 6
Tolitoli o RI ◆ 34-35 H 6
Tol'jatti = Stavropol'-na-Volgi ☆ RUS ◆ 14-15 V 5
Tollja, zaliv ≈ ◆ 28-29 R 2
Tolo, Golfe de = Tolo, Teluk ≈ ◆ 34-35 H 7
Tolo, Teluk ≈ ◆ 34-35 H 7
Toltén o RCH ◆ 48 C 5
Toluca ☆• MEX ◆ 44-45 G 7
Tom' ~ RUS ◆ 28-29 O 7
Tomakomai o J ◆ 30-31 R 3
Tomaniivi ▲ FJI ◆ 36-37 Q 3
Tomar o••• P ◇ 24-25 C 5 ◆ 14-15 K 8
Tomaszów Mazowiecki o PL ◇ 20-21 P 3 ◆ 14-15 P 5
Tomat o SUD ◆ 38-39 N 6
Tombador, Serra do ⛰ BR ◆ 46-47 H 7
Tombigbee River ~ USA ◆ 44-45 J 4
Tombouctou o••• RMM ◆ 38-39 E 5
Tombua o ANG ◆ 40-41 D 5
Tomini, Golfe de = Tomini, Teluk ≈ ◆ 34-35 H 7
Tomini, Teluk ≈ ◆ 34-35 H 7
Tomkinson Ranges ⛰ AUS ◆ 36-37 F 5
Tommot o RUS ◆ 28-29 W 6
Tomsk ☆• RUS ◆ 28-29 O 6
Tonantins o BR ◆ 46-47 F 5
Tondano o RI ◆ 34-35 H 6
Tonga, Fosse des ≃ ◆ 12 K 4
Tonga, Îles ⌒ TON ◆ 12 K 4
Tongariro National Park ⊥••• NZ ◆ 36-37 Q 7
Tongatapu ⌒ TON ◆ 12 K 5
Tongchuan o CHN ◆ 30-31 K 4
Tonghua o CHN ◆ 30-31 O 3
Tongjosŏn Man ≈ ◆ 30-31 O 4
Tongling o CHN ◆ 30-31 M 5
Tongren o CHN (GZH) ◆ 30-31 K 6
Tonk o IND ◆ 32-33 M 5
Tonkin, Golfe du ≈ ◆ 34-35 E 2
Tônlé Sab ⬭ K ◆ 34-35 D 4
Tonnerre o F ◇ 18-19 J 8 ◆ 14-15
Tonopah o USA ◆ 44-45 C 3
Toompine o AUS ◆ 36-37 J 5
Toowoomba o AUS ◆ 36-37 L 5
Topeka ☆ USA ◆ 44-45 G 3
Topolovka o RUS ◆ 28-29 d 5
Top Springs o AUS ◆ 36-37 G 3
Tor o ETH ◆ 38-39 M 7
Torbat-e Ḥeidariye o• IR ◆ 32-33 H 3
Torġaj o KZ (KST) ◆ 28-29 J 8
Torġaj ~ KZ ◆ 28-29 J 7
Torġaj ķolaty ⌣ KZ ◆ 28-29 J 7
Torġaj üstírtí ⛰ KZ ◆ 28-29 J 7
Torino ☆• I ◇ 26-27 A 2 ◆ 14-15 N 6
Tori-shima ⌒ J ◆ 30-31 R 5
Torit o SUD ◆ 38-39 M 8
Torneälven ~ S ◇ 16-17 L 3 ◆ 14-15 Q 2
Torngat Mountains ⛰ CDN ◆ 42-43 Y 5
Tornquist o RA ◆ 48 E 5
Toro, Cerro del ▲ RA ◆ 48 D 3
Toro, Isla del ⌒ MEX ◆ 44-45 G 6
Toronto ☆• CDN ◆ 42-43 V 8
Tororo o EAU ◆ 40-41 H 1
Torrabaai o NAM ◆ 40-41 D 6
Torrens, Lake ⬭ AUS ◆ 36-37 H 6
Torrens Creek o AUS ◆ 36-37 K 4
Torreón o MEX ◆ 44-45 F 5
Torres o• BR ◆ 48 H 3
Torrès, Détroit de = Torres Strait ≈ ◆ 34-35 M 8
Torres Islands = Îles Torres ⌒ VAN ◆ 36-37 O 2
Torres Strait ≈ ◆ 34-35 M 8
Torres Trench ≃ ◆ 36-37 O 2
Tórshavn ☆ FR ◇ 18-19 D 1 ◆ 14-15 K 3
Tortuga, Isla La ⌒ YV ◆ 46-47 F 2
Toržok ☆ RUS ◇ 22-23 O 3 ◆ 14-15 S 4
Toškent ★•• UZ ◆ 32-33 K 2
Toškent ☆•• UZ ◆ 32-33 K 2
Tostado o RA ◆ 48 E 3
Toteng o RB ◆ 40-41 F 6
Tôtes o F ◇ 18-19 H 7 ◆ 14-15
Totness ☆ SME ◆ 46-47 H 3
Tottan Range ⛰ ARK ◆ 13 F 35
Totten Glacier ⊂ ARK ◆ 13 G 12
Tottori ☆ J ◆ 30-31 P 4
Touapse = Tuapse o RUS ◆ 14-15 T 7
Touba o CI ◆ 38-39 D 7
Touba o• SN ◆ 38-39 B 6
Toubkal, Jbel ▲ MA ◆ 38-39 D 2
Toucy o F ◇ 18-19 J 8 ◆ 14-15
Tougan o BF ◆ 38-39 E 6
Touggourt o• DZ ◆ 38-39 G 2
Touho o F ◆ 36-37 O 4
Toul o F ◇ 18-19 K 7 ◆ 14-15
Toulépleu o CI ◆ 38-39 D 7
Toulon ☆ F ◇ 18-19 K 10 ◆ 14-15 N 7
Toulouse ☆•• F ◇ 18-19 H 10 ◆ 14-15 M 7
Toungoo o MYA ◆ 34-35 C 3
Toungouska Inférieure = Nižnjaja Tunguska ~ RUS ◆ 28-29 R 5
Toungouska Pierreuse = Podkamennaja Tunguska ~ RUS ◆ 28-29 P 5
Touran, Dépression de ⌣ ◆ 32-33 H 4
Tourcoing o F ◇ 18-19 J 6 ◆ 14-15
Tournus o F ◇ 18-19 K 8 ◆ 14-15
Tours o F ◇ 18-19 H 8 ◆ 14-15 M 6
Touside, Pic ▲ TCH ◆ 38-39 J 4
Touva, République de □ RUS ◆ 28-29 Q 7
Tower Peak ▲ AUS ◆ 36-37 E 6
Townsville o•• AUS ◆ 36-37 K 3
Towot o SUD ◆ 38-39 M 7
Towuti, Danau ⬭ RI ◆ 34-35 H 7
Toxkan He ~ CHN ◆ 30-31 D 3
Toyama ☆ J ◆ 30-31 Q 4
Toyohashi o J ◆ 30-31 Q 5
Tozeur ☆• TN ◆ 38-39 G 2
Trabzon ☆•• TR ◆ 14-15 T 7
Trail o CDN ◆ 42-43 N 7
Trá Li = Tralee ☆ IRL ◇ 18-19 C 5 ◆ 14-15 K 5
Tranche-sur-Mer, la o F ◇ 18-19 G 8 ◆ 14-15
Trang o THA ◆ 34-35 C 5
Trangan, Pulau ⌒ RI ◆ 34-35 K 8
Trans-Himalaya ⛰ ◆ 32-33 M 4
Transylvanie, Alpes de ⛰ RO ◆ 14-15 Q 6
Tranzitnyj o RUS ◆ 28-29 h 4
Trápani o I ◇ 26-27 D 5 ◆ 14-15 O 8
Traralgon o AUS ◆ 36-37 K 7
Trârza ∸ RIM ◆ 38-39 B 5
Traverse City o USA ◆ 42-43 T 8
Treinta y Tres ☆ ROU ◆ 48 G 4
Trelew o RA ◆ 48 D 6
Trenque Lauquen o RA ◆ 48 E 5
Trente = Trento ☆• I ◇ 26-27 C 1 ◆ 14-15 O 6
Trento ☆• I ◇ 26-27 C 1 ◆ 14-15 O 6
Trenton ☆ USA (NJ) ◆ 44-45 M 2
Tréport, Le o F ◇ 18-19 H 6 ◆ 14-15
Tres Arroyos o RA ◆ 48 E 5
Tres Esquinas o CO ◆ 46-47 D 4
Três Ilhas, Cachoeira das ~ BR ◆ 46-47 H 6
Três Lagoas o BR ◆ 48 G 2
Tres Lagos o RA ◆ 48 C 7
Três Marias, Represa < BR ◆ 46-47 K 8
Tres Montes, Cabo ▲ RCH ◆ 48 B 7
Tres Puntas, Cabo ▲ RA ◆ 48 D 7
Três Rios o BR ◆ 48 J 2
Trêves = Trier o••• D ◇ 20-21 J 4 ◆ 14-15 N 6
Trhâza ∴• RMM ◆ 38-39 D 4
Trichur o• IND ◆ 32-33 M 8
Trier o••• D ◇ 20-21 J 4 ◆ 14-15 N 6
Trieste ☆• I ◇ 26-27 D 2 ◆ 14-15 O 6
Trincomalee o• CL ◆ 32-33 N 9
Trinidad ☆ BOL ◆ 46-47 G 7
Trinidad o••• C ◆ 44-45 K 6
Trinidad ☆ ROU ◆ 48 F 4
Trinidad ⌒ TT ◆ 44-45 O 8
Trinidad o USA ◆ 44-45 F 3
Trinidad, Isla ⌒ RA ◆ 48 E 5
Trinidad-et-Tobago ■ TT ◆ 44-45 O 8
Trinity Bay ≈ ◆ 42-43 a 7
Trinity Islands ⌒ USA ◆ 42-43 F 5
Trinity River ~ USA ◆ 44-45 G 4
Trinkat Island ⌒ IND ◆ 34-35 B 5
Trípoli o GR ◇ 26-27 J 6 ◆ 14-15 Q 8
Tripoli = Tarābulus ★• LAR (Tab) ◆ 38-39 H 2
Tripoli = Tarābulus o• RL ◆ 32-33 D 4
Tripolitaine ∸ LAR ◆ 38-39 H 2
Tripura □ IND ◆ 32-33 P 6
Triste, Golfo ≈ ◆ 46-47 F 2
Trivandrum = Thiruvananthapuram ☆• IND ◆ 32-33 M 9
Trobriand Islands ⌒ PNG ◆ 34-35 O 8
Trocatá, Área Indígena X BR ◆ 46-47 K 5
Troick ☆ RUS ◆ 28-29 J 7
Troicko-Pečorsk ☆ RUS ◆ 28-29 H 5
Trois-Rivières o CDN ◆ 42-43 W 7
Trombetas, Rio ~ BR ◆ 46-47 H 4
Tromsø ☆• N ◇ 16-17 J 2 ◆ 14-15 P 2
Tronador, Cerro ▲ RCH ◆ 48 C 6
Trondheim ☆•• N ◇ 16-17 E 5 ◆ 14-15 O 3
Trondheimsfjorden ≈ ◇ 16-17 D 5 ◆ 14-15 N 3
Trout Lake ⬭ CDN (NWT) ◆ 42-43 M 4
Trout Lake ⬭ CDN (ONT) ◆ 42-43 S 6
Troyes ☆•• F ◇ 18-19 K 7 ◆ 14-15 M 6
Truck Island ⌒ FSM ◆ 34-35 O 5
Trujillo ☆ HN ◆ 44-45 J 7
Trujillo ☆• PE ◆ 46-47 D 6
Truk Islands ⌒ FSM ◆ 34-35 O 5
Truro o CDN ◆ 42-43 Y 7
Tsaratanana o RM (MJG) ◆ 40-41 L 5
Tsaratanana ⛰ RM ◆ 40-41 L 4
Tsau o RB ◆ 40-41 F 6
Tsavo o EAK (COA) ◆ 40-41 J 2
Tsavo National Park ⊥ EAK ◆ 40-41 J 2
Tshabong ☆ RB ◆ 40-41 F 7
Tshela o ZRE ◆ 40-41 D 2
Tshikapa o ZRE ◆ 40-41 F 3
Tshimbulu o ZRE ◆ 40-41 F 3
Tshuapa ~ ZRE ◆ 40-41 F 2
Tsiafajavona ▲ RM ◆ 40-41 L 5
Tsimliansk, Réservoir de = Cimljanskoe vodohranilišče < RUS ◆ 14-15 U 6
Tsingy de Bamaraha Strict Nature Reserve ⊥••• RM ◆ 40-41 K 5
Tsiombe o RM ◆ 40-41 L 7
Tsiroanomandidy o RM ◆ 40-41 L 5
Tsitsikamma National Park ⊥ ZA ◆ 40-41 F 8
Tsugaru, Détroit de ≈ ◆ 30-31 R 3
Tsumeb ☆ NAM ◆ 40-41 E 5
Tsumkwe ☆ NAM ◆ 40-41 F 5
Tsuruga o J ◆ 30-31 Q 4
Tsushima ⌒ J ◆ 30-31 O 5
Tswaane o RB (GHA) ◆ 40-41 F 6
Tuamotu, Île ⌒ F (987) ◆ 12 N 4
Tuapse o RUS ◆ 14-15 T 7
Tubai, Îles ⌒ F (987) ◆ 12 M 5
Tuban o RI ◆ 34-35 F 8
Tubarão o BR ◆ 48 H 3
Tubmanburg o LB ◆ 38-39 C 7
Tubruq ☆ LAR ◆ 38-39 K 2
Tucacas o YV ◆ 46-47 F 2
Tucano o BR ◆ 46-47 M 7
Tucker Bay ≈ ◆ 13 F 18
Tucson o USA ◆ 44-45 D 4
Tucumán □ RA ◆ 48 D 3
Tucumcari o USA ◆ 44-45 F 3
Tucupita ☆ YV ◆ 46-47 G 3
Tucuruí o BR ◆ 46-47 K 5
Tufi o PNG ◆ 34-35 N 8
Tuguegarao ☆ RP ◆ 34-35 H 3
Tugur o RUS ◆ 28-29 Y 7
Tukangbesi, Kepulauan ⌒ RI ◆ 34-35 H 8
Tuktoyaktuk o CDN ◆ 42-43 K 3
Tukuyu o EAT ◆ 40-41 H 3
Tula ☆•• RUS ◇ 22-23 P 4 ◆ 14-15 T 5
Tulancingo o MEX ◆ 44-45 G 6
Tulare o USA ◆ 44-45 C 3
Tulcan ☆ EC ◆ 46-47 D 4
Tulle ☆• F ◇ 18-19 H 9 ◆ 14-15
Tully o AUS ◆ 36-37 K 3
Tulsa o• USA ◆ 44-45 G 3
Tulua o CO ◆ 46-47 D 4

Whewell, Mount ▲ **ARK** ◆ 13 F 17
White, Lake ○ **AUS** ◆ 36-37 F 4
White Bay ≈ ◆ 42-43 Z 6
White Cliffs ○ **AUS** ◆ 36-37 J 6
White Earth Indian Reservation Ⅹ **USA** ◆ 42-43 R 7
Whitehorse ☆· **CDN** ◆ 42-43 J 4
White Island ⌒ **CDN** ◆ 42-43 T 3
Whitemark ○ **AUS** ◆ 36-37 K 8
White Mountains ▲ **USA** ◆ 42-43 G 3
White River ~ **USA** ◆ 44-45 H 3
White River ~ **USA** ◆ 44-45 G 2
Whiteshell Provincial Park ⊥·· **CDN** ◆ 42-43 R 6
White Volta ~ **GH** ◆ 38-39 E 7
Whitewater Baldy ▲ **USA** ◆ 44-45 E 4
Whitewood ○ **AUS** ◆ 36-37 J 4
Whitmore Mountains ▲ **ARK** ◆ 13 E 0
Whitney, Mount ▲ **USA** ◆ 44-45 C 3
Wholdaia Lake ○ **CDN** ◆ 42-43 Q 4
Whyalla ○ **AUS** ◆ 36-37 H 6
Wichaway Nunataks ▲ **ARK** ◆ 13 E 0
Wichita ○ **USA** ◆ 44-45 G 3
Wichita Falls ○ **USA** ◆ 44-45 G 4
Wickham, Cape ▲ **AUS** ◆ 36-37 J 7
Widyān, al- ∸ **IRQ** ◆ 32-33 E 4
Wien ★·· **A** ◇ 20-21 O 4 ◆ 14-15 P 6
Wiesbaden ☆· **D** ◇ 20-21 K 3 ◆ 14-15 N 5
Wilcannia ○ **AUS** ◆ 36-37 J 6
Wilderness National Park ⊥ **ZA** ◆ 40-41 F 8
Wilhelm, Mount ▲·· **PNG** ◆ 34-35 N 8
Wilhelmshaven ○ **D** ◇ 20-21 K 2 ◆ 14-15 N 5
Wilkes ○ **ARK** ◆ 13 G 12
Wilkes-Barre ○ **USA** ◆ 44-45 L 2
Wilkes Land ∸ **ARK** ◆ 13 F 12
Wilkins Strait ≈ ◆ 42-43 O 1
Willandra Lakes Region ⊥··· **AUS** ◆ 36-37 J 6
Willemstad ☆ **NA** ◆ 44-45 N 8
Willeroo ○ **AUS** ◆ 36-37 G 3
Williams ○ **AUS** ◆ 36-37 D 6
Williams Lake ○ **CDN** ◆ 42-43 M 6
Williston ○ **USA** (ND) ◆ 42-43 Q 7
Williston ○ **ZA** ◆ 40-41 F 8
Williston Lake ○ **CDN** ◆ 42-43 M 5
Willmar ○ **USA** ◆ 42-43 R 7
Wilmington ○ **USA** (DE) ◆ 44-45 L 3
Wilmington ○· **USA** (NC) ◆ 44-45 L 4
Wiluna ○ **AUS** ◆ 36-37 E 5
Wimmera ⌣ **AUS** ◆ 36-37 J 7
Winburg ○ **ZA** ◆ 40-41 G 7
Windhoek ★· **NAM** ◆ 40-41 E 6
Windorah ○ **AUS** ◆ 36-37 J 5
Wind River Indian Reservation Ⅹ **USA** ◆ 42-43 P 8
Wind River Range ▲ **USA** ◆ 42-43 P 8
Windsor ○ **CDN** (NFL) ◆ 42-43 Z 7
Windsor ○ **CDN** (ONT) ◆ 42-43 U 8
Windward Islands ⌒ ◆ 44-45 P 7
Winfield ○ **USA** (KS) ◆ 44-45 G 3
Winisk ○ **CDN** ◆ 42-43 T 5
Winisk Lake ○ **CDN** ◆ 42-43 T 6
Winisk River ~ **CDN** ◆ 42-43 T 6
Winnipeg ☆ **CDN** ◆ 42-43 R 7
Winnipeg, Lake ○ **CDN** ◆ 42-43 R 6
Winnipegosis, Lake ○ **CDN** ◆ 42-43 Q 6
Winona ○ **USA** (MN) ◆ 42-43 S 8
Winston-Salem ○ **USA** ◆ 44-45 K 3
Winton ○ **AUS** ◆ 36-37 J 4
Wirrulla ○ **AUS** ◆ 36-37 G 6
Wisconsin □ **USA** ◆ 42-43 S 7
Wisconsin River ~ **USA** ◆ 44-45 H 2
Wisemen ○ **USA** ◆ 42-43 F 3
Wisła ~ **PL** ◇ 20-21 P 1 ◆ 14-15 P 5
Wittenoom ○ **AUS** ◆ 36-37 D 4
Witu Islands ⌒ **PNG** ◆ 34-35 N 7
Witvlei ○ **NAM** ◆ 40-41 E 6
Witwatersrand ▲ **ZA** ◆ 40-41 G 7
W.J. van Blommesteinmeer ○ **SME** ◆ 46-47 H 4
Woëvre ∸ **F** ◇ 18-19 K 7 ◆ 14-15
Wohlthatmassivet ▲ **ARK** ◆ 13 F 2
Wokam, Pulau ⌒ **RI** ◆ 34-35 K 8
Woleai Atoll ⌒ **FSM** ◆ 34-35 M 5
Woleai Island ⌒ **FSM** ◆ 12 F 2
Wollaston, Islas ⌒ **RCH** ◆ 48 D 9
Wollaston Lake ○ **CDN** ◆ 42-43 Q 5
Wollaston Peninsula ⌣ **CDN** ◆ 42-43 N 3
Wollemi National Park ⊥ **AUS** ◆ 36-37 L 6
Wollongong ○ **AUS** ◆ 36-37 L 6
Wolstenholme, Cap ▲ **CDN** ◆ 42-43 V 4
Wonga-Wongué, Parc National du ⊥ **G** ◆ 40-41 C 2
Wŏnju ○ **ROK** ◆ 30-31 O 4
Wonsan ○ **KOR** ◆ 30-31 O 4
Wonthaggi ○ **AUS** ◆ 36-37 K 7
Wood Bay ≈ ◆ 13 F 17
Wood Buffalo National Park ⊥··· **CDN** ◆ 42-43 O 5
Woodlark Island = Murua Island ⌒ **PNG** ◆ 34-35 O 8
Woodroffe, Mount ▲ **AUS** ◆ 36-37 G 5
Woods, Lake of the ○ **CDN** ◆ 42-43 S 7
Woodville ○ **NZ** ◆ 36-37 Q 8
Woodward ○ **USA** ◆ 44-45 G 3
Woomera Prohibited Area Ⅹ **AUS** ◆ 36-37 G 6
Wooramel Roadhouse ○ **AUS** ◆ 36-37 C 5
Worcester ○ **USA** ◆ 42-43 W 8
Worcester ○ **ZA** ◆ 40-41 E 8
Worcester Range ▲ **ARK** ◆ 13 F 17
Worthington ○ **USA** ◆ 44-45 G 2
Wour ○ **TCH** ◆ 38-39 J 4
Wrangel, Île = Vrangelja, ostrov ⌒ **RUS** ◆ 28-29 g 3
Wrangell Mountains ▲ **USA** ◆ 42-43 H 4
Wrangell-Saint Elias N.P. & Preserve & Glacier Bay N.P. ⊥··· **USA** ◆ 42-43 H 4
Wreck Reef ⌒ **AUS** ◆ 36-37 M 4
Wrigley ○ **CDN** ◆ 42-43 M 4
Wrigley Gulf ≈ ◆ 13 F 24
Wrocław ☆·· **PL** ◇ 20-21 O 3 ◆ 14-15 P 5
Wubin ○ **AUS** ◆ 36-37 D 6
Wudu ○ **CHN** ◆ 30-31 J 5
Wuhai ○ **CHN** ◆ 30-31 K 4
Wuhan ☆· **CHN** ◆ 30-31 L 5
Wuhu ○ **CHN** ◆ 30-31 M 5
Wu Jiang ~ **CHN** ◆ 30-31 K 6
Wukari ○ **WAN** ◆ 38-39 G 7
Wum ○ **CAM** ◆ 38-39 H 7
Wurzbourg = Würzburg ○··· **D** ◇ 20-21 K 4 ◆ 14-15 N 6
Würzburg ○··· **D** ◇ 20-21 K 4 ◆ 14-15 N 6
Wushan ○ **CHN** (GAN) ◆ 30-31 J 5
Wuvulu Island ⌒ **PNG** ◆ 34-35 M 7
Wuwei ○ **CHN** (GAN) ◆ 30-31 J 4
Wuxi ○ **CHN** (JIA) ◆ 30-31 N 5
Wuyi Shan ▲ **CHN** ◆ 30-31 M 6
Wuyunan ○ **CHN** ◆ 30-31 K 3
Wuzhong ○ **CHN** ◆ 30-31 K 4
Wuzhou ○ **CHN** ◆ 30-31 L 7
Wyandra ○ **AUS** ◆ 36-37 K 5
Wynbring ○ **AUS** ◆ 36-37 G 6
Wyndham ○ **AUS** ◆ 36-37 F 3
Wynniatt Bay ≈ ◆ 42-43 O 2
Wyoming □ **USA** ◆ 44-45 E 2
Wyperfeld National Park ⊥ **AUS** ◆ 36-37 J 7

X

Xaafuun, Raas ▲ **SP** ◆ 38-39 Q 6
Xai-Xai ☆ **MOC** ◆ 40-41 H 7
Xalin ○ **SP** ◆ 38-39 P 7
Xam Hua ○ **LAO** ◆ 34-35 D 2
Xandel ○ **ANG** ◆ 40-41 E 3
Xangongo ○ **ANG** ◆ 40-41 D 5
Xankandı ☆ **AZ** ◆ 32-33 F 3
Xapuri ○ **BR** ◆ 46-47 F 7
Xau, Lake ○ **RB** ◆ 40-41 F 6
Xerente, Área Indígena Ⅹ **BR** ◆ 46-47 K 6
Xiahe ○ **CHN** ◆ 30-31 J 4
Xiamen ○· **CHN** ◆ 30-31 M 7
Xi'an ☆·· **CHN** ◆ 30-31 K 5
Xiangfan ○ **CHN** ◆ 30-31 L 5
Xiang Jiang ~ **CHN** ◆ 30-31 L 6
Xiangkhoang ○ **LAO** ◆ 34-35 D 3
Xianning ○ **CHN** ◆ 30-31 L 6
Xiantao ○ **CHN** ◆ 30-31 L 5
Xianyang ○ **CHN** ◆ 30-31 K 5
Xiaogan ○ **CHN** ◆ 30-31 L 5
Xiaoshan ○ **CHN** ◆ 30-31 N 5
Xichang ○ **CHN** (SIC) ◆ 30-31 J 6
Xigazê ○·· **CHN** ◆ 30-31 F 6
Xi Jiang ~ **CHN** ◆ 30-31 L 7
Xi Liao He ~ **CHN** ◆ 30-31 N 3
Xilinhot ○ **CHN** ◆ 30-31 M 3
Xingcheng ○ **CHN** ◆ 30-31 N 3
Xingu, Parque Indígena do Ⅹ **BR** ◆ 46-47 J 7
Xinguara ○ **BR** ◆ 46-47 K 6
Xingyi ○ **CHN** ◆ 30-31 J 6
Xining ☆ **CHN** ◆ 30-31 J 4
Xinjiang □ **CHN** ◆ 30-31 E 3
Xintai ○ **CHN** ◆ 30-31 M 4
Xinxiang ○ **CHN** ◆ 30-31 L 4
Xinxu ○ **CHN** ◆ 30-31 K 7
Xinyu ○ **CHN** ◆ 30-31 L 6
Xinzhou ○ **CHN** ◆ 30-31 L 4
Xique-Xique ○ **BR** ◆ 46-47 L 7
Xishaqundao = Paracel Islands ⌒ ◆ 34-35 F 3
Xi Ujimqin Qi ○ **CHN** ◆ 30-31 M 3
Xixón = Gijón ○ **E** ◇ 24-25 E 3 ◆ 14-15 K 7
Xizang □ **CHN** ◆ 30-31 E 5
Xuanhua ○ **CHN** ◆ 30-31 M 3
Xuanzhou ○ **CHN** ◆ 30-31 M 5
Xuchang ○ **CHN** ◆ 30-31 L 5
Xuddur ☆ **SP** ◆ 38-39 O 8
Xuwen ○ **CHN** ◆ 30-31 L 7
Xuzhou ○ **CHN** ◆ 30-31 M 5

Y

Ya'an ○ **CHN** ◆ 30-31 J 6
Yabelo ○ **ETH** ◆ 38-39 N 8
Yabelo Wildlife Sanctuary ⊥ **ETH** ◆ 38-39 N 7
Yacuiba ○ **BOL** ◆ 48 E 2
Yakeshi ○ **CHN** ◆ 30-31 N 2
Yakima ○ **USA** ◆ 42-43 M 7
Yakima Indian Reservation Ⅹ **USA** ◆ 42-43 M 7
Yako ○ **BF** ◆ 38-39 E 6
Yaku-shima ⌒ **J** ◆ 30-31 P 5
Yakutat ○ **USA** ◆ 42-43 J 5
Yala ○ **THA** ◆ 34-35 D 5
Yalaki ○ **ZRE** ◆ 40-41 F 1
Yalata Aboriginal Lands Ⅹ **AUS** ◆ 36-37 G 6
Yalgoo ○ **AUS** ◆ 36-37 D 5
Yaloké ○ **RCA** ◆ 38-39 J 7
Yalong Jiang ~ **CHN** ◆ 30-31 J 6
Yalta = Jalta ☆·· **UA** ◆ 14-15 S 7
Yamagata ☆· **J** ◆ 30-31 R 4
Yamaguchi ☆ **J** ◆ 30-31 P 5
Yamato, Banc de ≃ ◆ 30-31 P 4
Yamato Basin ≃ ◆ 30-31 P 4
Yamatosammyaku ▲ **ARK** ◆ 13 F 4
Yambio ○ **SUD** ◆ 38-39 L 8
Yamdena, Pulau ⌒ **RI** ◆ 34-35 K 8
Yamma Yamma, Lake ○ **AUS** ◆ 36-37 J 5
Yamousoukro ★· **CI** ◆ 38-39 D 7
Yamuna ~ **IND** ◆ 32-33 M 5
Yan'an ○ **CHN** ◆ 30-31 K 4
Yandeearra Aboriginal Land Ⅹ **AUS** ◆ 36-37 D 4
Yangambi ○ **ZRE** ◆ 40-41 F 1
Yangbajain ○ **CHN** ◆ 30-31 G 5
Yangjiang ○ **CHN** ◆ 30-31 L 7
Yangon ★·· **MYA** ◆ 34-35 C 3
Yangquan ○ **CHN** ◆ 30-31 L 4
Yangshuo ○· **CHN** ◆ 30-31 L 7
Yangyuan ○ **CHN** ◆ 30-31 L 3
Yangzhou ○· **CHN** ◆ 30-31 M 5
Yangzi Jiang = Chang Jiang ~ **CHN** ◆ 30-31 K 5
Yanhu ○ **CHN** ◆ 30-31 E 5
Yanji ○ **CHN** ◆ 30-31 O 3
Yankari Game Reserve ⊥ **WAN** ◆ 38-39 H 7
Yankton ○ **USA** ◆ 44-45 G 2
Yanomami, Parque Indígena Ⅹ **BR** ◆ 46-47 G 4
Yantai ○ **CHN** ◆ 30-31 N 4
Yaoundé ★· **CAM** ◆ 38-39 H 8
Yapacana, Parque Nacional ⊥ **YV** ◆ 46-47 F 4
Yapen, Pulau ⌒ **RI** ◆ 34-35 L 7
Yap Islands ⌒ **FSM** ◆ 34-35 L 5
Yaqui, Río ~ **MEX** ◆ 44-45 E 5
Yaren ★ **NAU** ◆ 12 H 3
Yarí, Río ~ **CO** ◆ 46-47 E 4
Yarkant He ~ **CHN** ◆ 30-31 D 4
Yarlung Zangbo Jiang ~ **CHN** ◆ 30-31 G 6
Yarmouth ○ **CDN** ◆ 42-43 X 8
Yarraman ○ **AUS** ◆ 36-37 L 5
Yarrowitch ○ **AUS** ◆ 36-37 L 6
Yarumal ○ **CO** ◆ 46-47 D 3
Yasawa Group ⌒ **FJI** ◆ 36-37 Q 3
Yasothon ○ **THA** ◆ 34-35 D 3
Yass ○ **AUS** ◆ 36-37 K 6
Yāsūğ ☆· **IR** ◆ 32-33 G 4
Yasuni, Parque Nacional ⊥ **EC** ◆ 46-47 D 5
Yathkyed Lake ○ **CDN** ◆ 42-43 R 4
Yavari, Río ~ **PE** ◆ 46-47 E 5
Yavatmāl ○ **IND** ◆ 32-33 M 6
Yaviza ○ **PA** ◆ 44-45 L 9
Yazd ☆· **IR** (YAZ) ◆ 32-33 G 4
Yazoo River ~ **USA** ◆ 44-45 H 4
Ye ○ **MYA** ◆ 34-35 C 3
Yebbi Souma ○ **TCH** ◆ 38-39 J 4
Yecheng ○ **CHN** ◆ 30-31 D 4
Yei ○ **SUD** ◆ 38-39 M 8
Yela Island ⌒ **PNG** ◆ 36-37 L 2
Yellowknife ☆· **CDN** ◆ 42-43 O 4
Yellowstone Lake ○ **USA** ◆ 42-43 O 8
Yellowstone National Park ⊥··· **USA** ◆ 42-43 O 8
Yellowstone River ~ **USA** ◆ 42-43 P 7
Yelwa ○ **WAN** (SOK) ◆ 38-39 F 6
Yémen ■ **Y** ◆ 32-33 F 7
Yên Bái ☆ **VN** ◆ 34-35 D 2
Yendi ○ **GH** ◆ 38-39 E 7
Yengisar ○ **CHN** ◆ 30-31 D 4
Yeo Lake ○ **AUS** ◆ 36-37 E 5
Yeppoon ○ **AUS** ◆ 36-37 L 4
Yerīḥo = Arīḥā ☆·· **AUT** ◆ 32-33 D 4
Yetti ∸ **RIM** ◆ 38-39 D 3
Yeu, Île d' ⌒ **F** ◇ 18-19 F 8 ◆ 14-15
Yibin ○ **CHN** ◆ 30-31 J 6
Yichang ○ **CHN** ◆ 30-31 L 5
Yichun ○ **CHN** (HEI) ◆ 30-31 O 2
Yichun ○ **CHN** (JXI) ◆ 30-31 L 6
Yıldızeli ☆ **TR** ◆ 14-15 T 8
Yinchuan ☆· **CHN** ◆ 30-31 K 4
Yingkou ○ **CHN** ◆ 30-31 N 3
Yining ○ **CHN** ◆ 30-31 E 3
Yixing ○ **CHN** ◆ 30-31 M 5
Yiyang ○ **CHN** (HUN) ◆ 30-31 L 6
Yogyakarta ☆ **RI** ◆ 34-35 F 8
Yoho National Park ⊥··· **CDN** ◆ 42-43 N 6
Yoko ○ **CAM** ◆ 38-39 H 7
Yokohama ☆· **J** (KAN) ◆ 30-31 Q 4
Yola ☆ **WAN** ◆ 38-39 H 7
Yong'an ○ **CHN** ◆ 30-31 M 6
Yonne ~ **F** ◇ 18-19 J 7 ◆ 14-15
Yopal ○ **CO** ◆ 46-47 E 3
York ○ **GB** ◇ 18-19 G 5 ◆ 14-15 L 5
York, Cape ▲ **AUS** ◆ 36-37 J 2
York, Kap ▲ **GRØ** ◆ 42-43 X 1
Yorke Peninsula ⌣ **AUS** ◆ 36-37 H 7
Yorketown ○ **AUS** ◆ 36-37 H 7
York Factory (abandoned) ○ **CDN** ◆ 42-43 S 5
York Sound ≈ ◆ 36-37 F 2
Yorkton ○ **CDN** ◆ 42-43 Q 6
Yoron-shima ⌒ **J** ◆ 30-31 O 6
Yosemite National Park ⊥··· **USA** ◆ 44-45 C 3
Yŏsu ○ **ROK** ◆ 30-31 O 5
Youdunzi ○ **CHN** ◆ 30-31 G 4
Yougoslavie ■ **YU** ◇ 26-27 G 3 ◆ 14-15 P 6
Young ○ **AUS** ◆ 36-37 K 6
Youngstown ○ **USA** (OH) ◆ 44-45 K 2
Yozgat ☆ **TR** ◆ 14-15 S 8
Ysabel Channel ≈ ◆ 34-35 N 7
Ystannah-Hočo ○ **RUS** ◆ 28-29 V 3
Ysyk-Köl, ozero ○ **KS** ◆ 32-33 M 2
Yuanjiang ○ **CHN** (YUN) ◆ 30-31 J 7
Yuan Jiang ~ **CHN** ◆ 30-31 L 6
Yuan Jiang ~ **CHN** ◆ 30-31 J 7
Yuat River ~ **PNG** ◆ 34-35 M 7
Yucatán, Bassin du ≃ ◆ 44-45 J 7
YucatÃan, DÃetroit de ≈ ◆ 44-45 J 6
Yucatán, Péninsule du ⌣ **MEX** ◆ 44-45 J 7
Yuci ○ **CHN** ◆ 30-31 L 4
Yuendumu Ⅹ **AUS** ◆ 36-37 G 4
Yueyang ○ **CHN** ◆ 30-31 L 6
Yukon-Charley-Rivers National Preserve ⊥ **USA** ◆ 42-43 H 4
Yukon Delta ∸ **USA** ◆ 42-43 D 4
Yukon Delta National Wildlife Refuge ⊥ **USA** ◆ 42-43 D 4
Yukon Flats ⊥ **USA** ◆ 42-43 G 3
Yukon Plateau ▲ **CDN** ◆ 42-43 J 4
Yukon River ~ **USA** ◆ 42-43 F 3
Yukon Territory □ **CDN** ◆ 42-43 J 3
Yulara ○ **AUS** ◆ 36-37 G 5
Yuli ○ **CHN** ◆ 30-31 F 3
Yulin ○ **CHN** (SHA) ◆ 30-31 K 4
Yulin ○ **CHN** (GXI) ◆ 30-31 L 7
Yuma ○ **USA** (AZ) ◆ 44-45 D 4
Yumen ○ **CHN** ◆ 30-31 H 4
Yuna ○ **AUS** ◆ 36-37 D 5
Yunaska Island ⌒ **USA** ◆ 42-43 B 6
Yuncheng ○ **CHN** (SHA) ◆ 30-31 L 4
Yungas ∸ **BOL** ◆ 46-47 F 8
Yungui Gaoyuan ∸ **CHN** ◆ 30-31 J 7
Yunnan □ **CHN** ◆ 30-31 H 7
Yurimaguas ○ **PE** ◆ 46-47 D 6
Yushu ○ **CHN** (QIN) ◆ 30-31 H 5
Yushu ○ **CHN** (JIL) ◆ 30-31 O 3
Yutian ○ **CHN** ◆ 30-31 E 4
Yuxi ○ **CHN** ◆ 30-31 J 7
Yvetot ○ **F** ◇ 18-19 H 7 ◆ 14-15

Z

Zabid ○··· **Y** ◆ 32-33 E 8
Zābol ○· **IR** ◆ 32-33 J 4
Zabūt ○ **Y** ◆ 32-33 G 7
Zacatecas ☆· **MEX** (ZAC) ◆ 44-45 F 6
Zacualtipán ○ **MEX** ◆ 44-45 G 6
Zadar ○· **HR** ◇ 26-27 E 2 ◆ 14-15 P 7
Zafār ∴· **Y** ◆ 32-33 E 8
Za'farāna ○ **ET** ◆ 38-39 M 3
Zagaoua ∸ **TCH** ◆ 38-39 K 6
Zagora ○ **MA** ◆ 38-39 D 2
Zagreb ★· **HR** ◇ 26-27 E 2 ◆ 14-15 P 6
Zagreb ☆· **HR** (Hrv) ◇ 26-27 E 2 ◆ 14-15 P 6
Zagros, Monts du ▲ **IR** ◆ 32-33 G 4
Zāhedān ☆ **IR** (SIS) ◆ 32-33 J 5
Zahrān, az- ○ **KSA** ◆ 32-33 G 5
Zahrān al-Ğanūb ○ **KSA** ◆ 32-33 E 7
Zaïre ~ **ZRE** ◆ 40-41 D 3
Zaïre, Cône du ≃ ◆ 40-41 C 3
Zajsan ○ **KZ** ◆ 28-29 N 8
Zajsan kölí ○ **KZ** ◆ 28-29 N 8
Zákinthos ⌒ **GR** ◇ 26-27 H 6 ◆ 14-15 Q 8
Zakouma, Parc National de ⊥ **TCH** ◆ 38-39 J 6
Zalim ○ **KSA** ◆ 32-33 E 6
Zalingei ○ **SUD** ◆ 38-39 K 6
Zaltan, Bi'r ○ **LAR** ◆ 38-39 J 3
Zambeze, Rio ~ **MOC** ◆ 40-41 H 5
Zambezi ○ **Z** (NTW) ◆ 40-41 F 4
Zambezi ~ **Z** ◆ 40-41 F 5
Zambezi Escarpment ∸ **ZW** ◆ 40-41 G 5
Zambie ■ **Z** ◆ 40-41 F 5
Zamboanga City ○· **RP** ◆ 34-35 H 5
Žambyl ☆ **KZ** ◆ 28-29 L 9
Zamora ○·· **E** ◇ 24-25 E 4 ◆ 14-15 K 7
Zamora ☆ **EC** ◆ 46-47 D 5
Zamość ☆··· **PL** ◇ 20-21 R 3 ◆ 14-15 Q 5
Zanaga ○ **RCB** ◆ 40-41 D 2
Žaņakazaly ☆ **KZ** ◆ 28-29 J 8
Žaņakorgan ☆ **KZ** ◆ 28-29 K 9
Žaņatas ○ **KZ** ◆ 32-33 K 2
Zanderij ○ **SME** ◆ 46-47 H 3
Zanesville ○ **USA** ◆ 44-45 K 3
Zanğān ☆· **IR** (ZAN) ◆ 32-33 F 3
Zanthus ○ **AUS** ◆ 36-37 E 6
Zanzibar ☆·· **EAT** ◆ 40-41 J 3
Zanzibar Channel ≈ ◆ 40-41 J 3
Zanzibar Island ⌒ **EAT** ◆ 40-41 J 3
Zaouatanlaz ○ **DZ** ◆ 38-39 G 4
Zaozhuang ○ **CHN** ◆ 30-31 M 5
Zapadnoe ○ **KZ** ◆ 28-29 K 7
Zapadnyj Tannu-Ola, hrebet ▲ **RUS** ◆ 28-29 O 7
Zapala ○ **RA** ◆ 48 C 5
Zapopan ○· **MEX** ◆ 44-45 F 6
Zaporižžja ☆· **UA** ◆ 14-15 T 6
Zaragoza ○· **E** ◇ 24-25 G 4 ◆ 14-15 L 7
Zarde, Kūh-e ▲ **IR** ◆ 32-33 G 4
Zare Šaran ☆ **AFG** ◆ 32-33 K 4
Zarghūn ▲ **PK** ◆ 32-33 K 4
Zaria ○· **WAN** ◆ 38-39 G 6
Zarizyn = Volgograd ☆· **RUS** ◆ 14-15 U 6
Zarqā', az ☆ **JOR** ◆ 32-33 D 4
Zarzis ○ **TN** ◆ 38-39 H 2
Zavhan gol ~ **MAU** ◆ 30-31 G 2
Zavitinsk ○ **RUS** ◆ 28-29 W 7
Zazamt, Wādī ~ **LAR** ◆ 38-39 J 2
Zazir, Oued ~ **DZ** ◆ 38-39 G 4
Zeehan ○ **AUS** ◆ 36-37 K 8
Zeerust ○ **ZA** ◆ 40-41 G 7
Zegher, Hamādat ∸ **LAR** ◆ 38-39 H 3
Zeil, Mount ▲ **AUS** ◆ 36-37 G 4
Zeja ☆ **RUS** (AMR) ◆ 28-29 W 7
Zeja ~ **RUS** ◆ 28-29 X 6
Zejskoe vodohranilišče ○ **RUS** ◆ 28-29 W 7
Želanija, mys ▲ **RUS** ◆ 28-29 K 2
Železnogorsk ○ **RUS** ◇ 22-23 O 5 ◆ 14-15 T 5
Zemio ○· **RCA** ◆ 38-39 L 7
Zemlja Bunge, ostrov ⌒ **RUS** ◆ 28-29 Z 2
Zémongo, Réserve de faune de ⊥ **RCA** ◆ 38-39 K 7
Zenica ○ **BIH** ◇ 26-27 F 2 ◆ 14-15 P 7
Zeravšanskij hrebet ▲ **UZ** ◆ 32-33 K 3
Zere, Gōd-e ○ **AFG** ◆ 32-33 J 5
Žeskazgan ☆ **KZ** ◆ 28-29 K 8
Zhalantun ○ **CHN** ◆ 30-31 N 2
Zhangbei ○ **CHN** ◆ 30-31 L 3
Zhangguangcai Ling ▲ **CHN** ◆ 30-31 O 3
Zhangjiagang ○ **CHN** ◆ 30-31 N 5
Zhangjiakou ○ **CHN** ◆ 30-31 L 3
Zhangye ○ **CHN** ◆ 30-31 J 4
Zhangzhou ○ **CHN** ◆ 30-31 M 7
Zhanjiang ○ **CHN** ◆ 30-31 L 7
Zhaojue ○ **CHN** ◆ 30-31 J 6
Zhaoqing ○· **CHN** ◆ 30-31 L 7
Zhaotong ○ **CHN** ◆ 30-31 J 6
Zharkent ○ **KZ** ◆ 32-33 N 2
Zhaxigang ○ **CHN** ◆ 30-31 D 5
Zhejiang □ **CHN** ◆ 30-31 M 6
Zhengzhou ☆· **CHN** ◆ 30-31 L 5
Zhenjiang ○· **CHN** ◆ 30-31 M 5
Zhob ○ **PK** (BEL) ◆ 32-33 K 4
Zhob ~ **PK** ◆ 32-33 K 4
Zhongba ○ **CHN** (XIZ) ◆ 30-31 E 6
Zhongdian ○ **CHN** ◆ 30-31 H 6
Zhongning ○ **CHN** ◆ 30-31 K 4
Zhongshan ○ **CHN** (GDG) ◆ 30-31 L 7
Zhoukou ○ **CHN** ◆ 30-31 L 5
Zhoushan Dao ⌒ **CHN** ◆ 30-31 N 5
Zhucheng ○ **CHN** ◆ 30-31 M 4
Zhumadian ○ **CHN** ◆ 30-31 L 5
Zhuozhou ○ **CHN** ◆ 30-31 M 4
Zhuzhou ○ **CHN** ◆ 30-31 L 6
Zibo ○ **CHN** ◆ 30-31 M 4
Zichang ○ **CHN** ◆ 30-31 K 4
Žigalovo ☆ **RUS** ◆ 28-29 S 7
Žigansk ○ **RUS** ◆ 28-29 V 4
Zighan ○ **LAR** ◆ 38-39 K 3
Zigong ○ **CHN** ◆ 30-31 J 6
Ziguinchor ☆ **SN** ◆ 38-39 B 6
Zihuatanejo ○· **MEX** ◆ 44-45 F 7
Žilina ○ **SK** ◇ 20-21 P 4 ◆ 14-15 P 6
Žilinda ○ **RUS** ◆ 28-29 T 3
Zillah ○ **LAR** ◆ 38-39 J 3
Zima ☆ **RUS** ◆ 28-29 R 7
Zimbabwe ■ **ZW** ◆ 40-41 G 5
Zimnij bereg ⌣ **RUS** ◆ 14-15 T 2
Zinave, Parque Nacional de ⊥ **MOC** ◆ 40-41 H 6
Zinder ☆· **RN** ◆ 38-39 G 6
Zion National Park ⊥ **USA** ◆ 44-45 D 3
Zipaquirá ○ **CO** ◆ 46-47 E 3
Ziya He ~ **CHN** ◆ 30-31 M 4
Ziyang ○ **CHN** (SIC) ◆ 30-31 J 5
Žizah ☆· **UZ** ◆ 30-31 K 2
Zlatoust ☆ **RUS** ◆ 14-15 X 4
Zlín ○ **CZ** ◇ 20-21 O 4 ◆ 14-15 P 6
Zóbuè ○ **MOC** ◆ 40-41 H 5
Zohlaguna, Meseta de ▲ **MEX** ◆ 44-45 J 7
Žohova, ostrov ⌒ **RUS** ◆ 28-29 b 2
Zomba ○· **MW** ◆ 40-41 J 5
Zongo ○ **ZRE** ◆ 38-39 J 8
Zonguldak ☆ **TR** ◆ 14-15 S 7
Zoró, Área Indígena Ⅹ **BR** ◆ 46-47 G 7
Žosaly ☆ **KZ** ◆ 28-29 J 8
Zouar ○· **TCH** ◆ 38-39 J 4
Zouérat ○ **RIM** ◆ 38-39 C 4
Zrenjanin ○· **YU** ◇ 26-27 H 2 ◆ 14-15 Q 6
Zufār ∸ **Y** ◆ 32-33 G 7
Zugspitze ▲·· **D** ◇ 20-21 L 5 ◆ 14-15 O 6
Zumba ○ **EC** ◆ 46-47 D 5
Zumbo ○ **MOC** ◆ 40-41 H 5
Zuni Indian Reservation Ⅹ **USA** ◆ 44-45 E 3
Zunyi ○ **CHN** ◆ 30-31 K 6
Zuqur, az- ⌒ **Y** ◆ 32-33 E 8
Zur ○ **MAU** ◆ 30-31 H 2
Zürich ☆· **CH** ◇ 20-21 K 5 ◆ 14-15 N 6
Zuruahā, Área Indígena Ⅹ **BR** ◆ 46-47 F 6
Zuunharaa ○ **MAU** ◆ 30-31 K 2
Zuurberg National Park ⊥ **ZA** ◆ 40-41 G 8
Zuwārah ☆ **LAR** ◆ 38-39 H 2
Zuytdorp Cliffs ∸ **AUS** ◆ 36-37 C 5
Zvishavane ○ **ZW** ◆ 40-41 H 6
Zwedru ☆ **LB** ◆ 38-39 D 7
Zwickau ○ **D** ◇ 20-21 M 3 ◆ 14-15 O 5
Zyrjanka ☆· **RUS** ◆ 28-29 b 4
Zyrjanovsk ○ **KZ** ◆ 28-29 N 8
Žytomyr ○ **UA** ◆ 14-15 R 5

© Falk Verlag, Hambourg 1996
© Cartographie : GeoData, Werder 1996

Edition du Club France Loisirs, Paris, avec l'autorisation de Falk Verlag

ISBN : 2-7441-1026-4
N° Editeur : 28874
Dépôt légal : juillet 1997

Cartographie
Directeurs de la rédaction / Directeurs de projet
Dieter Meinhardt et Eberhard Schäfer
Stuttgart

Coordination éditoriale
Rüdiger Werr, Stuttgart

Cartographie assistée par ordinateur
Jörg Wagner, Stuttgart

Technique
Bernd Hlawatsch, Stuttgart

Composition et index
Directeurs : Gabriele Stuke et Jörg Wulfes, Stuttgart

Contrôle final
Bernd Hilberer, Stuttgart

Estompages
Kai Gründler, Leipzig
Eberhard von Harsdorf, Siegsdorf
Prof. Dr. Christian Herrmann, Karlsruhe
Bruno Witzky, Stuttgart

72 **Whewell, Mount — Žytomyr**

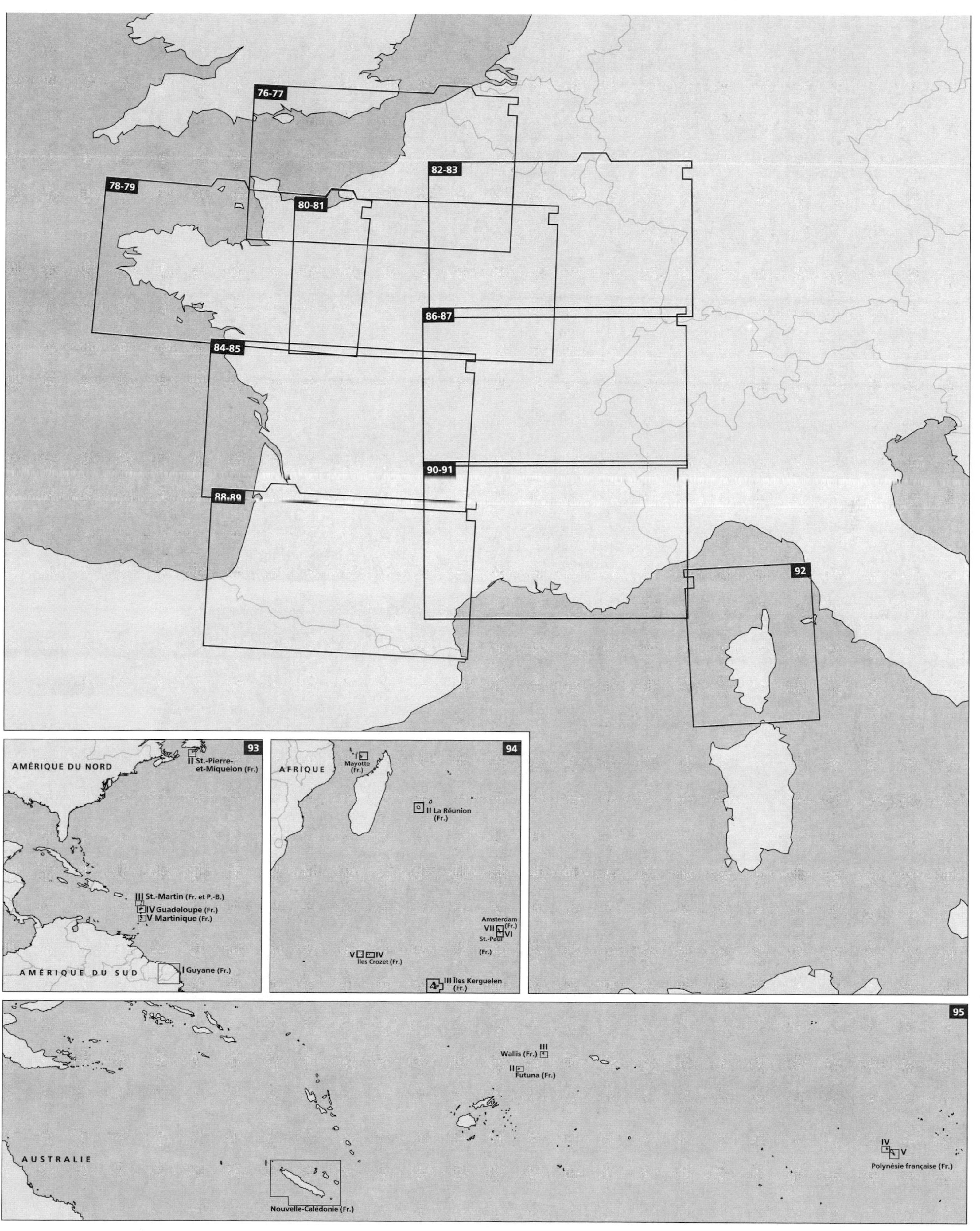

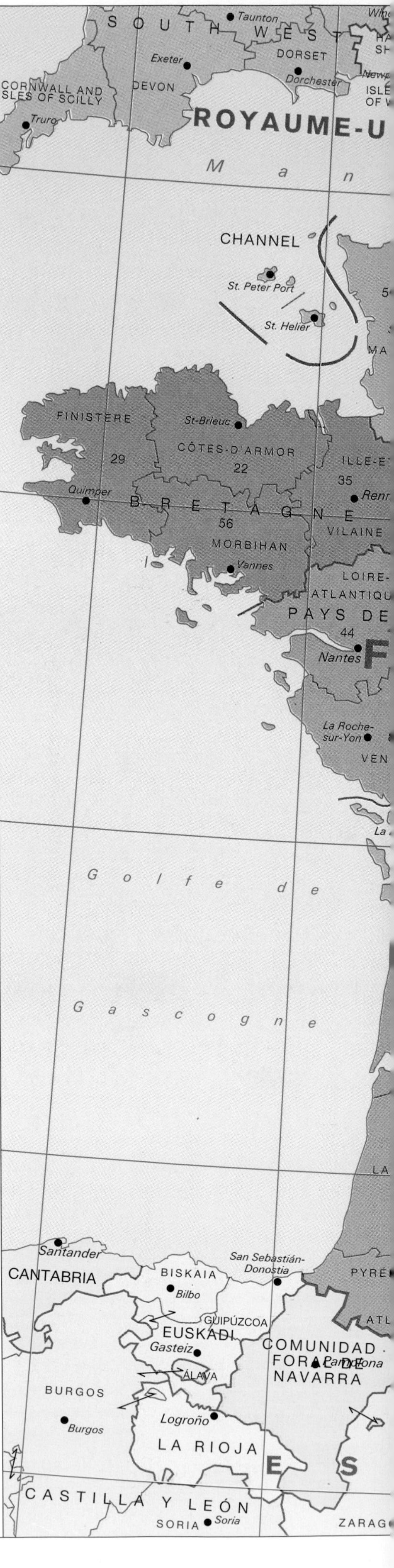

1. Départements de la France métropolitaine

01	Ain	60	Oise
02	Aisne	61	Orne
03	Allier	62	Pas-de-Calais
04	Alpes-de-Haute-Provence	63	Puy-de-Dôme
05	Hautes-Alpes	64	Pyrénées-Atlantiques
06	Alpes-Maritimes	65	Hautes-Pyrénées
07	Ardèche	66	Pyrénées-Orientales
08	Ardennes	67	Bas-Rhin
09	Ariège	68	Haut-Rhin
10	Aube	69	Rhône
11	Aude	70	Haute-Saône
12	Aveyron	71	Saône-et-Loire
13	Bouches-du-Rhône	72	Sarthe
14	Calvados	73	Savoie
15	Cantal	74	Haute-Savoie
16	Charente	75	Paris
17	Charente-Maritime	76	Seine-Maritime
18	Cher	77	Seine-et-Marne
19	Corrèze	78	Yvelines
2A	Corse-du-Sud	79	Deux-Sèvres
2B	Haute-Corse	80	Somme
21	Côte-d'Or	81	Tarn
22	Côtes-d'Armor	82	Tarn-et-Garonne
23	Creuse	83	Var
24	Dordogne	84	Vaucluse
25	Doubs	85	Vendée
26	Drôme	86	Vienne
27	Eure	87	Haute-Vienne
28	Eure-et-Loir	88	Vosges
29	Finistère	89	Yonne
30	Gard	90	Territoire-de-Belfort
31	Haute-Garonne	91	Essonne
32	Gers	92	Hauts-de-Seine
33	Gironde	93	Seine-Saint-Denis
34	Hérault	94	Val-de-Marne
35	Ille-et-Vilaine	95	Val-d'Oise
36	Indre		
37	Indre-et-Loire		
38	Isère		
39	Jura		
40	Landes		
41	Loir-et-Cher		
42	Loire		
43	Haute-Loire		
44	Loire-Atlantique		
45	Loiret		
46	Lot		
47	Lot-et-Garonne		
48	Lozère		
49	Maine-et-Loire		
50	Manche		
51	Marne		
52	Haute-Marne		
53	Mayenne		
54	Meurthe-et-Moselle		
55	Meuse		
56	Morbihan		
57	Moselle		
58	Nièvre		
59	Nord		

2. Départements d'outre-mer

971	Guadeloupe
972	Martinique
973	Guyane
974	Réunion

3. Collectivités territoriales

975	Saint-Pierre-et-Miquelon
985	Mayotte

4. Territoires d'outre-mer

984	Polynésie française, Nouvelle-Calédonie, Terres australes et antarctiques françaises et diverses îles
986	Wallis-et-Futuna

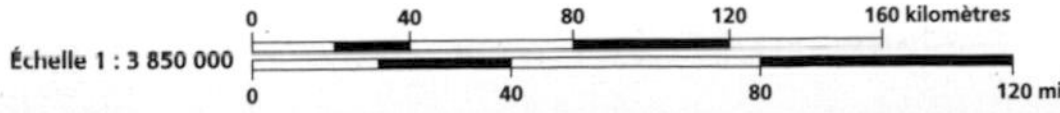

Échelle 1 : 3 850 000

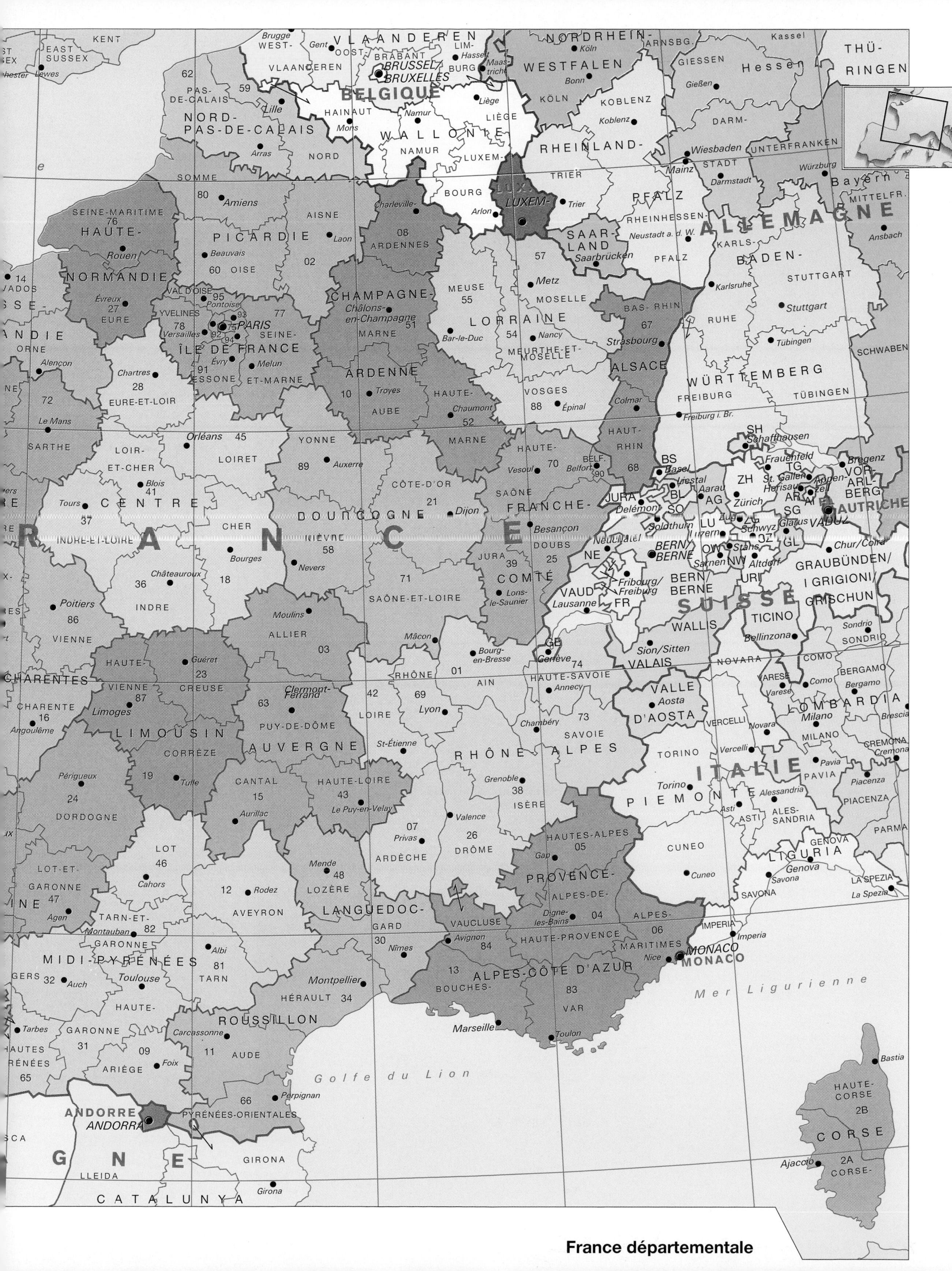

France départementale

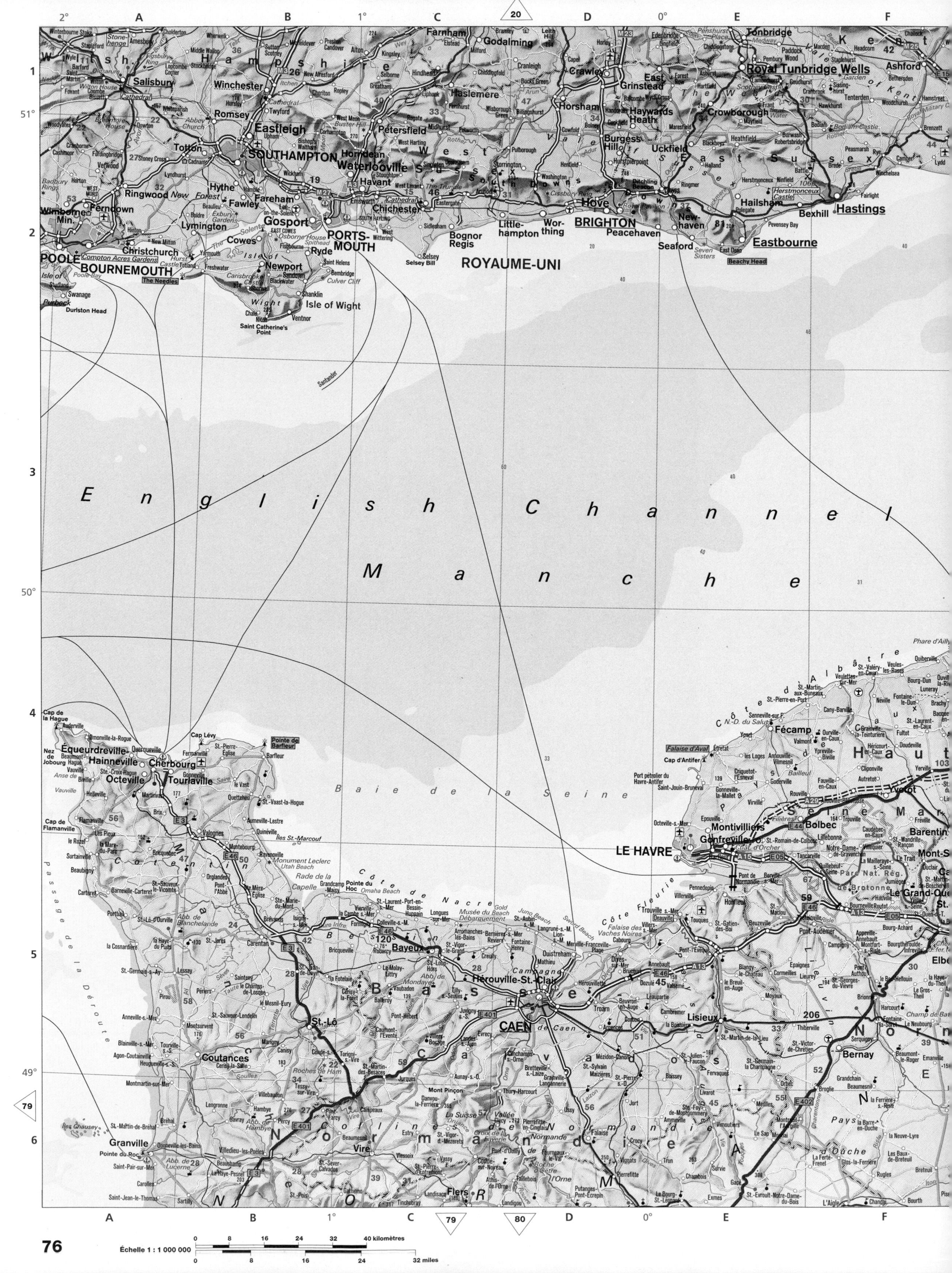

20
Farnham
Godalming
Tonbridge
Royal Tunbridge Wells
Ashford
Salisbury
Winchester
Crawley
East Grinstead
Haslemere
Horsham
Haywards Heath
Romsey
Eastleigh
Petersfield
Crowborough
SOUTHAMPTON
Totton
Horndean
Waterlooville
Burgess Hill
Uckfield
Havant
Ringwood
Hythe
Fawley
Fareham
Gosport
Chichester
PORTS-MOUTH
Ferndown
Wimborne Min.
Lymington
Cowes
Ryde
Christchurch
POOLE
BOURNEMOUTH
Newport
Bognor Regis
Little-hampton
Wor-thing
Hove
BRIGHTON
Peacehaven
New-haven
Seaford
Hailsham
Bexhill
Hastings
Eastbourne
Beachy Head
Isle of Wight
ROYAUME-UNI
Swanage
Durlston Head
Saint Catherine's Point
Selsey Bill
Ventnor
Shanklin
Sandown
The Needles
Compton Acres Gardens
Santander
English Channel
Manche
Cap de la Hague
Équeurdreville-Hainneville
Cherbourg
Tourlaville
Octeville
Pointe de Barfleur
Barfleur
Cap de Flamanville
Valognes
St.-Vaast-la-Hogue
Baie de la Seine
Côte d'Albâtre
Fécamp
Étretat
Falaise d'Aval
Cap d'Antifer
Montivilliers
Gonfreville-l'O.
Bolbec
LE HAVRE
Yvetot
Barentin
Honfleur
Deauville
Trouville-s.-Mer
Côte Fleurie
Côte de Nacre
Bayeux
Hérouville-St.-Clair
CAEN
Lisieux
Pont-l'Évêque
Pont-Audemer
Bernay
Carentan
St.-Lô
Coutances
Granville
Vire
Flers
Falaise
Ouistreham
Passage de la Déroute
Îles Chausey
Pointe du Roc
Pays d'Ouche
Elbeuf
Bourgtheroulde
Parc Nat. Rég. de Brotonne
79
80
Échelle 1 : 1 000 000
0 8 16 24 32 40 kilomètres
0 8 16 24 32 miles

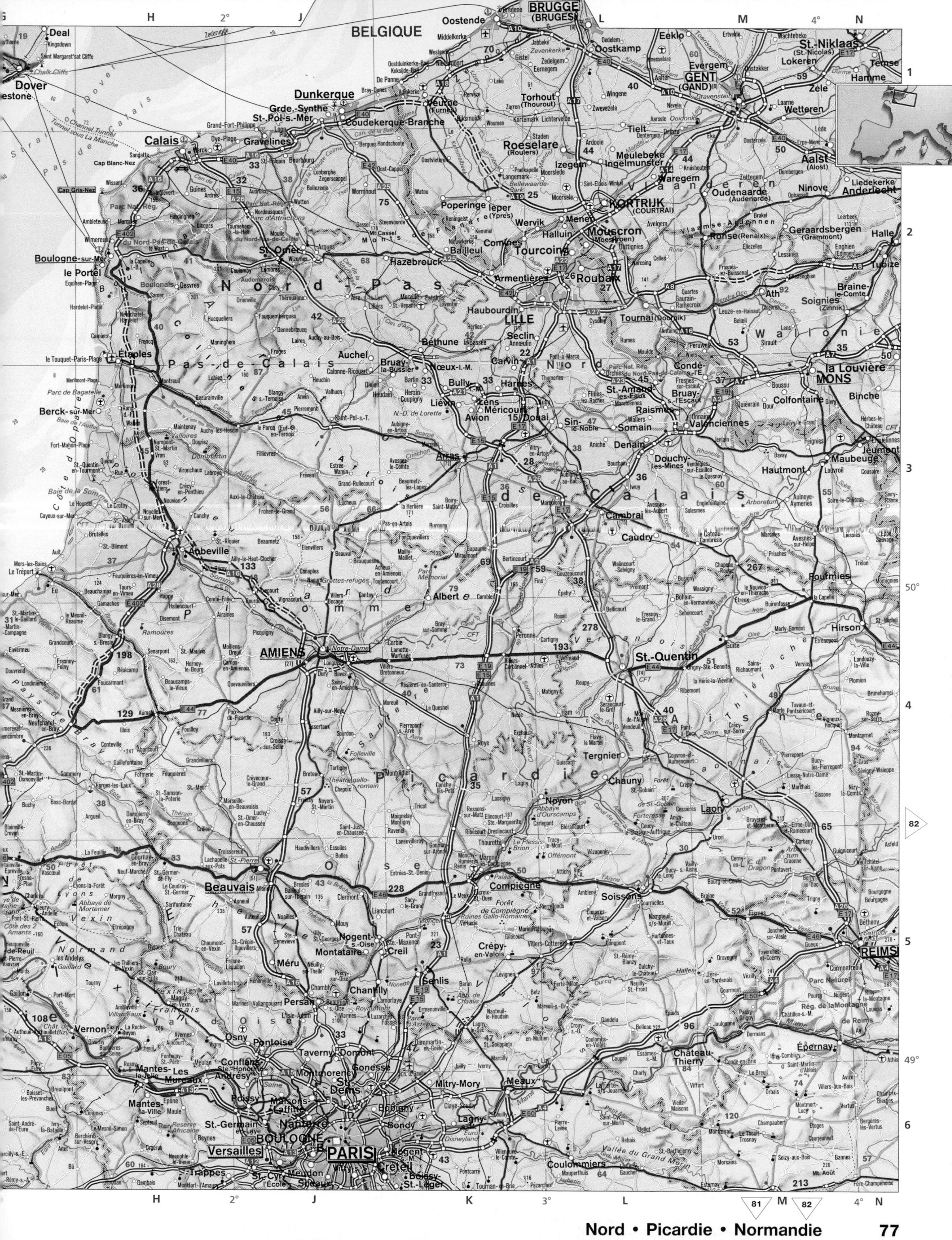

BELGIQUE
Brugge (Bruges)
Oostende
Dover
Deal
Dunkerque
Grde.-Synthe
St.-Pol-s.-Mer
Coudekerque-Branche
Calais
Gravelines
Veurne (Furnes)
Torhout (Thourout)
Roeselare (Roulers)
Tielt
Oostkamp
Eeklo
Evergem
Gent (Gand)
St.-Niklaas (St.-Nicolas)
Lokeren
Zele
Hamme
Temse
Wetteren
Aalst (Alost)
Meulebeke
Ingelmunster
Izegem
Waregem
Oudenaarde (Audenarde)
Ninove
Liedekerke
Anderlecht
Poperinge
Ieper (Ypres)
Wervik
Menen
Kortrijk (Courtrai)
Mouscron (Moeskroen)
Halluin
Comines
Tourcoing
Roubaix
Geraardsbergen (Grammont)
Halle
Ronse (Renaix)
Tubize
Bailleul
Hazebrouck
St.-Omer
Boulogne-sur-Mer
le Portel
Armentières
Hauboudin
Lille
Seclin
Tournai (Doornik)
Ath
Braine-le-Comte
Soignies (Zinnik)
Wallonie
Nord-Pas-de-Calais
Étaples
le Touquet-Paris-Plage
Berck-sur-Mer
Béthune
Auchel
Bruay-la-Bussière
Nœux-l.-M.
Carvin
Bully
Hénin
Lens
Liévin
Avion
Méricourt
Douai
Sin-le-Noble
Somain
St.-Amand-les-Eaux
Raismes
Condé
Bruay-s.-l'Escaut
Valenciennes
Denain
Mons
la Louvière
Colfontaine
Binche
Maubeuge
Jeumont
Hautmont
Douchy-les-Mines
Arras
Cambrai
Caudry
Fourmies
Hirson
Abbeville
Le Tréport
Albert
Amiens
St.-Quentin
Tergnier
Chauny
Noyon
Laon
Picardie
Somme
Aisne
Oise
Beauvais
Compiègne
Soissons
Reims
Épernay
Château-Thierry
Crépy-en-Valois
Senlis
Chantilly
Creil
Nogent-s.-Oise
Montataire
Méru
Persan
Pontoise
Osny
Vernon
Mantes-la-Jolie
Mantes-la-Ville
Les Mureaux
Conflans-Ste.-Honorine
Andrésy
Poissy
Maisons-Laffitte
St.-Germain-en-Laye
Nanterre
St.-Denis
Montmorency
Gonesse
Taverny
Domont
Mitry-Mory
Meaux
Bobigny
Bondy
Lagny
Paris
Boulogne
Versailles
Trappes
St.-Cyr-l'École
Meudon
Sceaux
Vitry-s.-S.
Créteil
Nogent-s.-M.
Boissy-St.-Léger
Coulommiers
Pas de Calais
Strait of Dover
Channel Tunnel

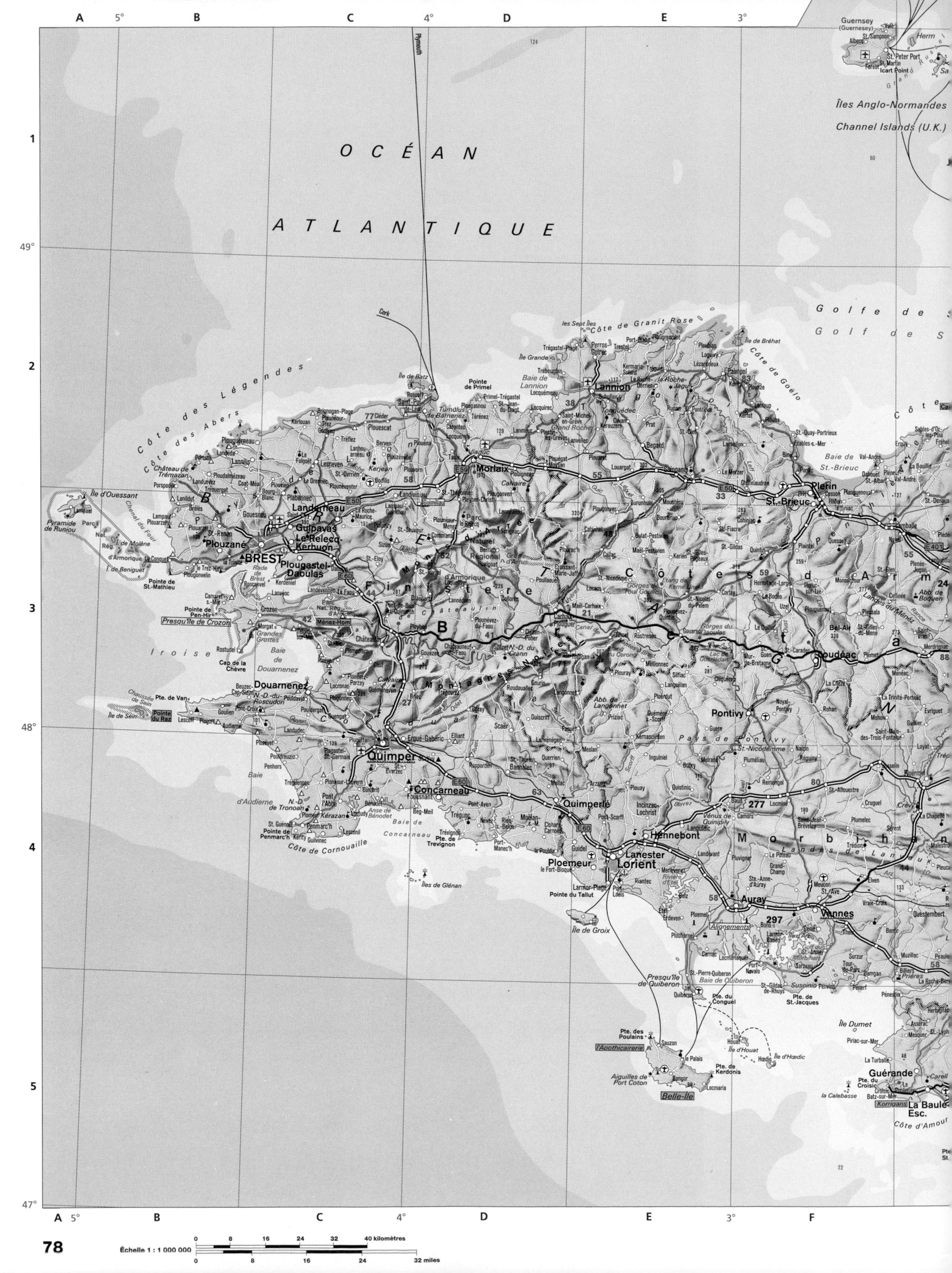

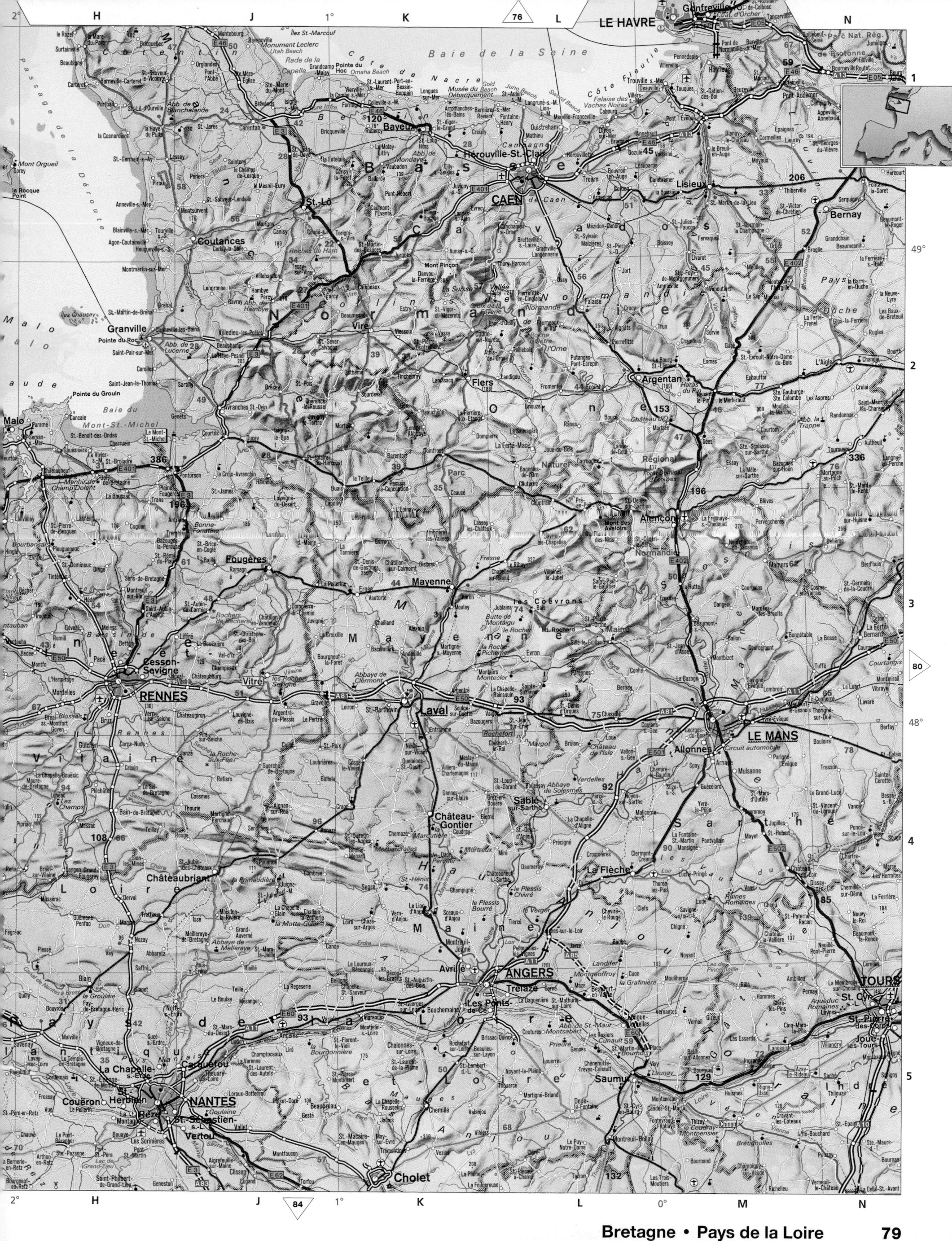

LE HAVRE
Baie de la Seine
Côte de Nacre
Côte Fleurie
Basse Normandie
Collines de Normandie
CAEN
Bayeux
St.-Lô
Coutances
Granville
Lisieux
Bernay
Vire
Flers
Argentan
Alençon
Baie du Mont-St.-Michel
Fougères
Mayenne
Laval
RENNES
Cesson-Sévigné
Vitré
LE MANS
Allonnes
La Flèche
Sablé-sur-Sarthe
Château-Gontier
Châteaubriant
ANGERS
Avrillé
Trélazé
Les Ponts-de-Cé
Saumur
TOURS
St.-Pierre-des-Corps
Joué-lès-Tours
NANTES
Rezé
St.-Herblain
Saint-Sébastien
Carquefou
La Chapelle-s.-Erdre
Couëron
Vertou
Cholet
Ille-et-Vilaine
Mayenne
Maine-et-Loire
Loire-Atlantique
Sarthe
Anjou
Parc Naturel Régional
H
J
K
L
M
N
1
2
3
4
5
76
80
84
49°
48°
2°
1°
0°

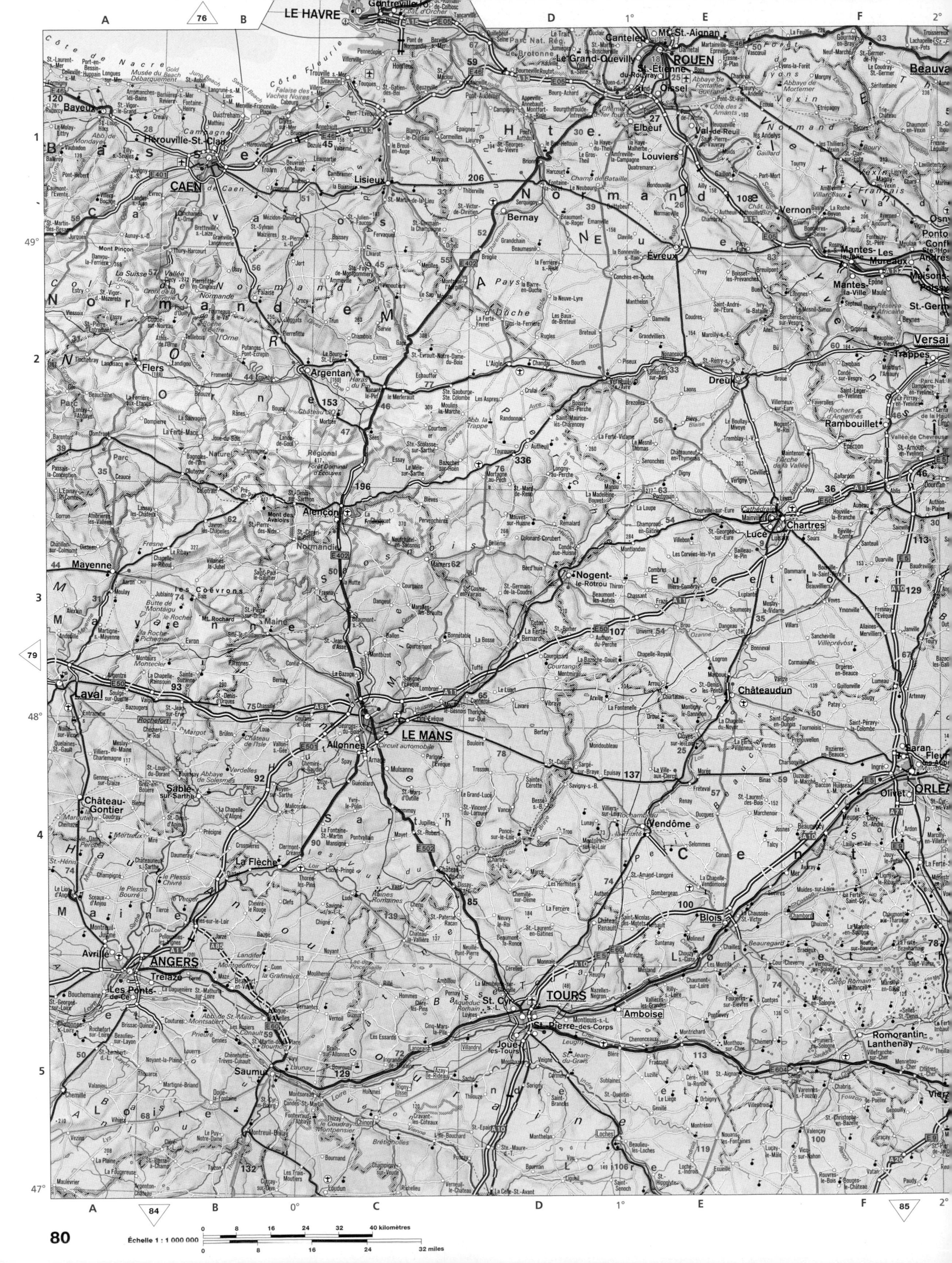
LE HAVRE
76
ROUEN
CAEN
Bayeux
Lisieux
Bernay
Évreux
Elbeuf
Louviers
Vernon
Mantes-la-Jolie
Flers
Argentan
Alençon
Dreux
Chartres
Rambouillet
Mayenne
Laval
LE MANS
Nogent-le-Rotrou
Châteaudun
Château-Gontier
Sablé-sur-Sarthe
La Flèche
Vendôme
Blois
ANGERS
Saumur
TOURS
Amboise
Chinon
Loches
Romorantin-Lanthenay
Orléans
Trappes
79
84
85
A
B
C
D
E
F
1°
2°
0°
49°
48°
47°
Échelle 1 : 1 000 000
0
8
16
24
32
40 kilomètres
32 miles

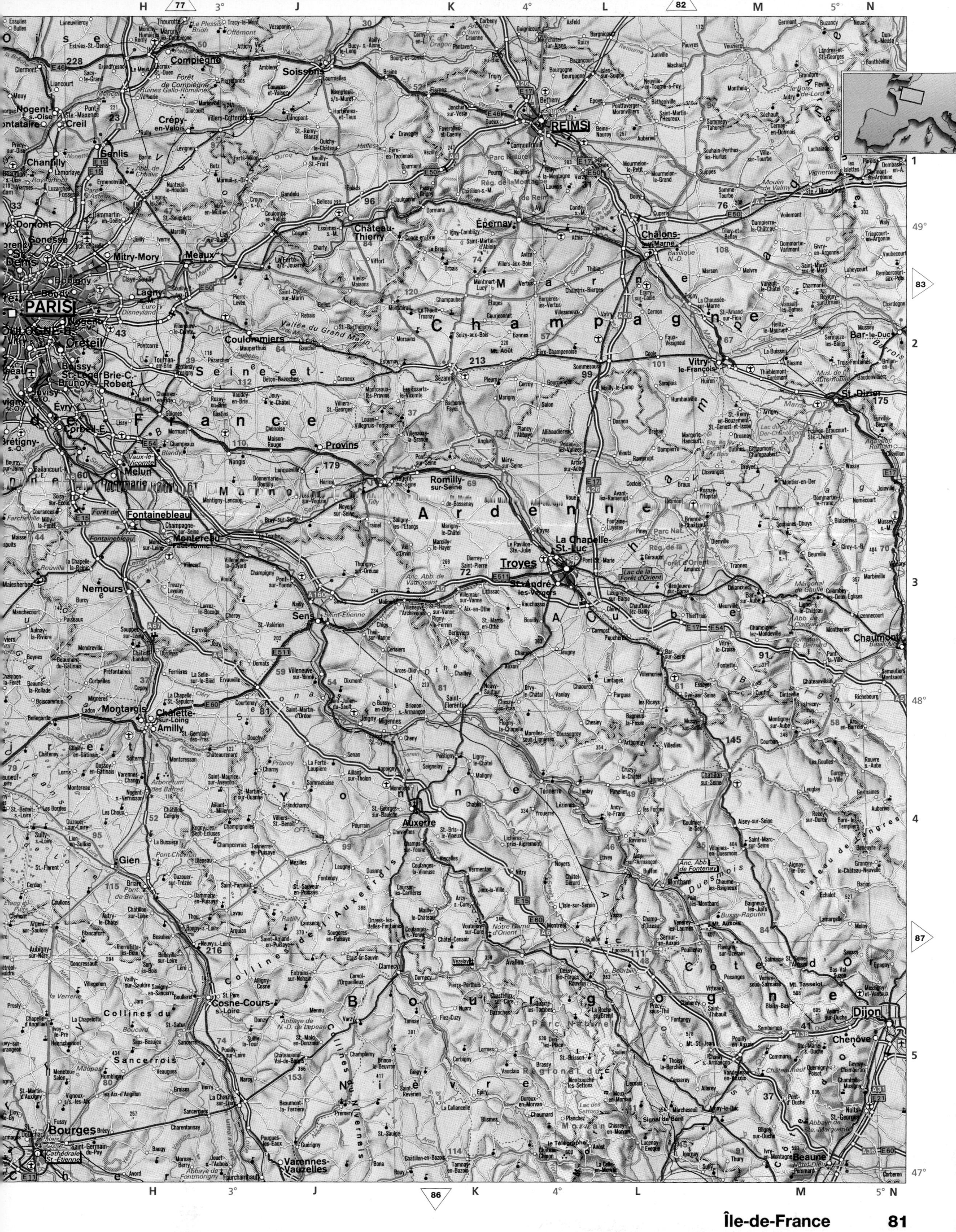

H
3°
J
K
4°
L
M
5°
N
77
82
83
87
86
1
2
3
4
5
49°
48°
47°
Champagne
Seine-et-Marne
Île-de-France
Ardenne
Marne
Aube
Yonne
Côte-d'Or
Bourgogne
Nièvre
Collines du Sancerrois
Compiègne
Soissons
REIMS
Creil
Senlis
Crépy-en-Valois
Chantilly
Château-Thierry
Épernay
Châlons-sur-Marne
Meaux
Mitry-Mory
PARIS
Lagny
Créteil
Coulommiers
Vitry-le-François
St-Dizier
Bar-le-Duc
Provins
Melun
Évry
Fontainebleau
Montereau-Faut-Yonne
Romilly-sur-Seine
Troyes
La Chapelle-St-Luc
St-André-les-Vergers
Nemours
Sens
Montargis
Châlette-sur-Loing
Amilly
Chaumont
Auxerre
Gien
Tonnerre
Châtillon-sur-Seine
Cosne-Cours-s-Loire
Bourges
Varennes-Vauzelles
Dijon
Chenôve
Beaune

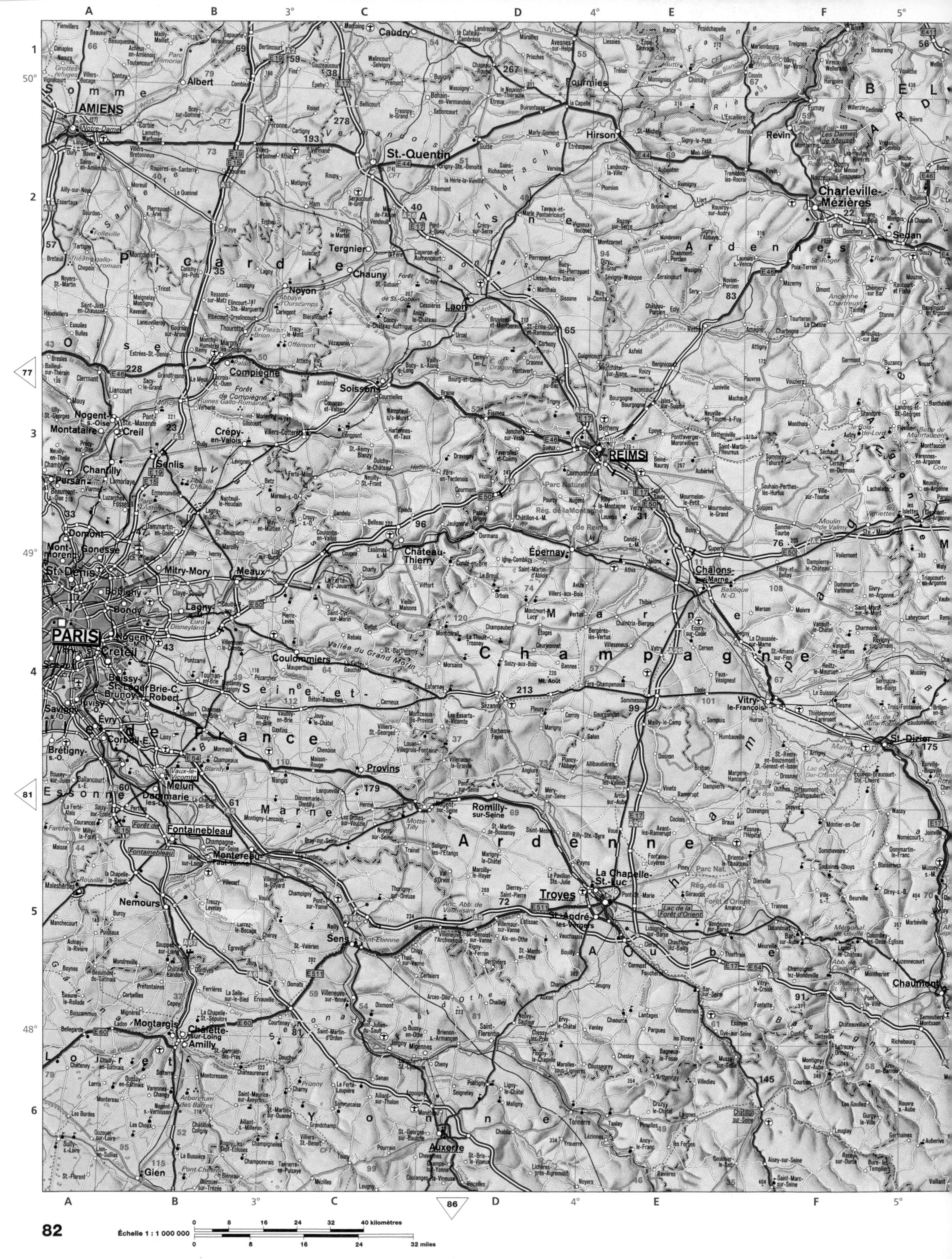

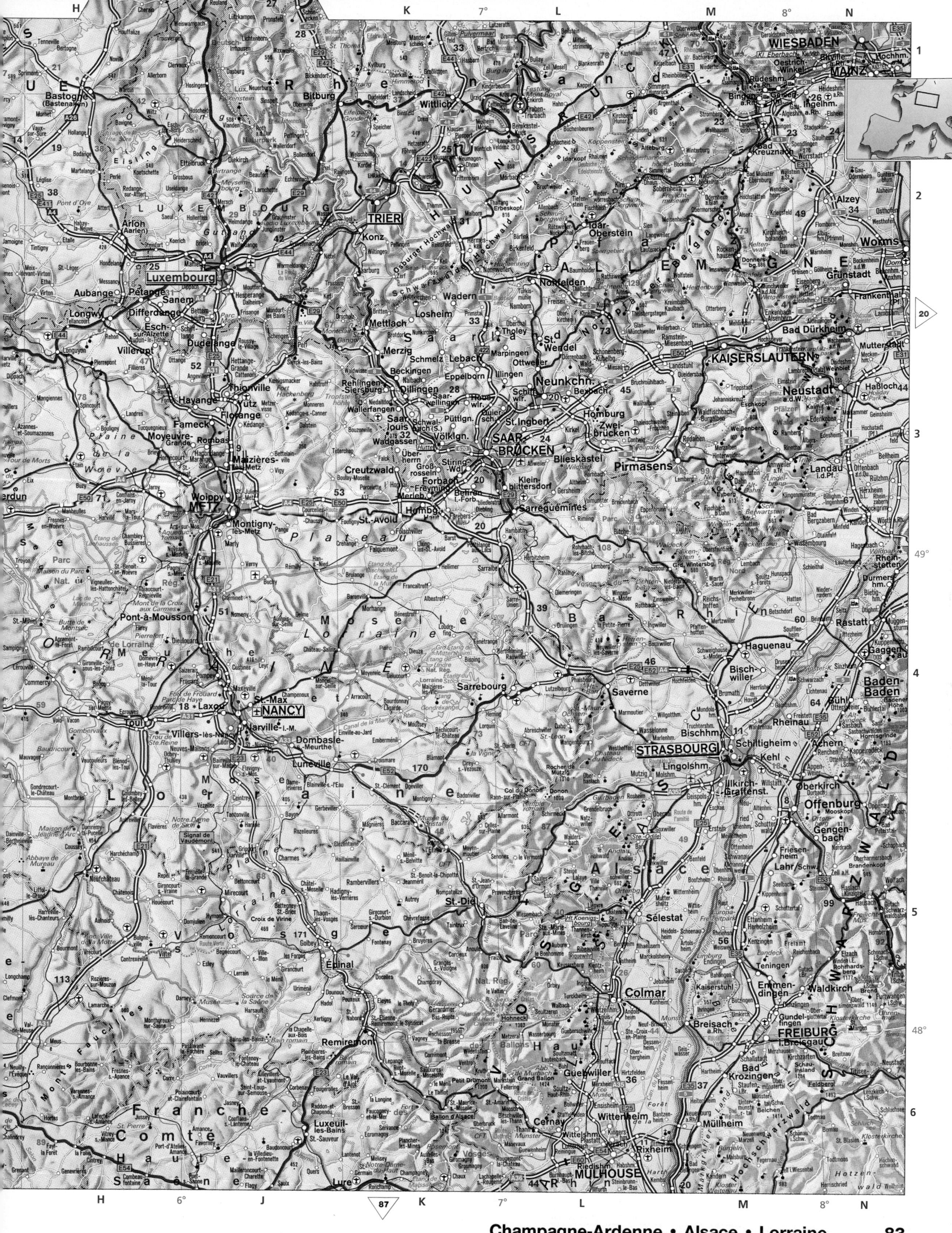

H
K
7°
L
M
8°
N
1
2
3
4
5
6
49°
48°
20
87
6°
J
WIESBADEN
MAINZ
Worms
Bastogne
(Bastenaken)
Bitburg
Wittlich
TRIER
Arlon
(Aarlen)
Luxembourg
Aubange
Pétange
Sanem
Differdange
Longwy
Esch-sur-Alzette
Dudelange
Villerupt
Thionville
Hayange
Yutz
Florange
Fameck
Moyeuvre-Grande
Rombas
Maizières-lès-Metz
Woippy
METZ
Montigny-lès-Metz
Konz
Mettlach
Losheim
Wadern
Merzig
Dillingen
Saarlouis
Völklgn.
SAARBRÜCKEN
Forbach
Creutzwald
St.-Avold
Sarreguemines
Neunkchn.
Homburg
Zweibrücken
Pirmasens
KAISERSLAUTERN
Idar-Oberstein
Bad Kreuznach
Alzey
Grünstadt
Frankenthal (Pf.)
Bad Dürkheim
Neustadt a.d.W.
Landau i.d.Pf.
Rastatt
Baden-Baden
Haguenau
Bischwiller
Saverne
Sarrebourg
STRASBOURG
Schiltigheim
Kehl
Illkirch-Graffenst.
Offenburg
Lahr/Schw.
Sélestat
Colmar
Breisach a.Rh.
FREIBURG i.Breisgau
Emmendingen
Waldkirch
Guebwiller
Cernay
Wittenheim
MULHOUSE
Rixheim
Müllheim
Bad Krozingen
Pont-à-Mousson
NANCY
St.-Max
Laxou
Toul
Villers-lès-Nancy
Jarville-l.-M.
Dombasle-s.-Meurthe
Lunéville
St.-Dié
Épinal
Remiremont
Luxeuil-les-Bains
Lure
Plateau Lorrain
Moselle
Lorraine
Vosges
Alsace
Franche-Comté
Haute-Saône
SCHWARZWALD
PFÄLZER WALD
HUNSRÜCK

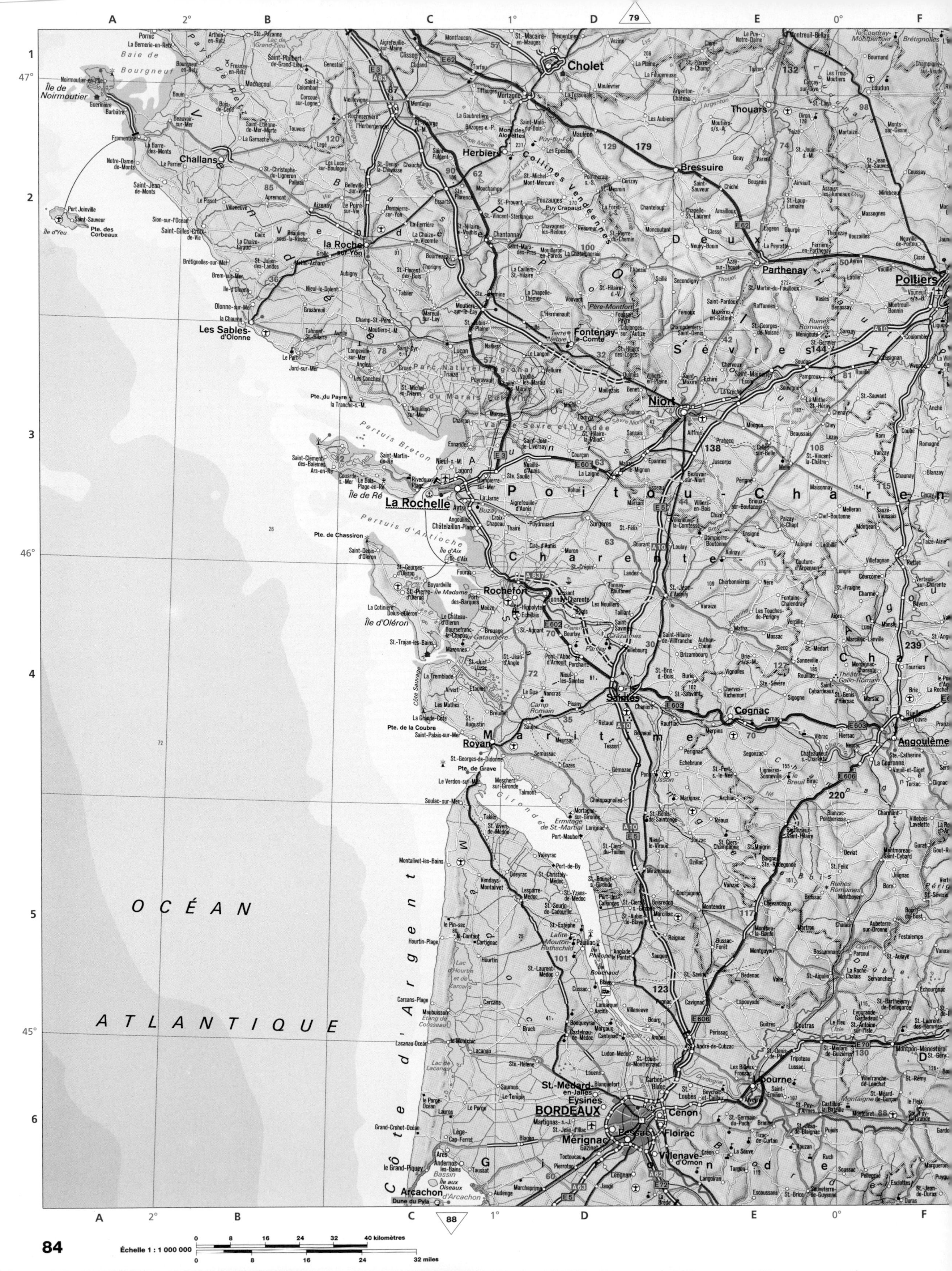

A 2° B C 1° D 79 E 0° F
1
47°
2
3
46°
4
5
45°
6
A 2° B C 88 1° D E 0° F
OCÉAN
ATLANTIQUE
Île de Noirmoutier
Baie de Bourgneuf
Pays de Retz
Challans
Cholet
Herbiers
Collines vendéennes
Bressuire
Thouars
Parthenay
Poitiers
la Roche-sur-Yon
Les Sables-d'Olonne
Île d'Yeu
Port Joinville
Fontenay-le-Comte
Niort
Deux-Sèvres
Vendée
Parc Naturel Régional du Marais Poitevin
Pertuis Breton
Île de Ré
La Rochelle
Pertuis d'Antioche
Île d'Aix
Rochefort
Île d'Oléron
Poitou-Charentes
Charente
Charente-Maritime
Saintes
Cognac
Angoulême
Royan
Pte. de la Coubre
Pte. de Grave
Gironde
Médoc
Côte d'Argent
Lac d'Hourtin et de Carcans
Lac de Lacanau
St.-Médard-en-Jalles
Eysines
BORDEAUX
Cenon
Mérignac
Pessac
Floirac
Libourne
Bassin d'Arcachon
Arcachon
Dune du Pyla
Échelle 1 : 1 000 000
0 8 16 24 32 40 kilomètres
0 8 16 24 32 miles

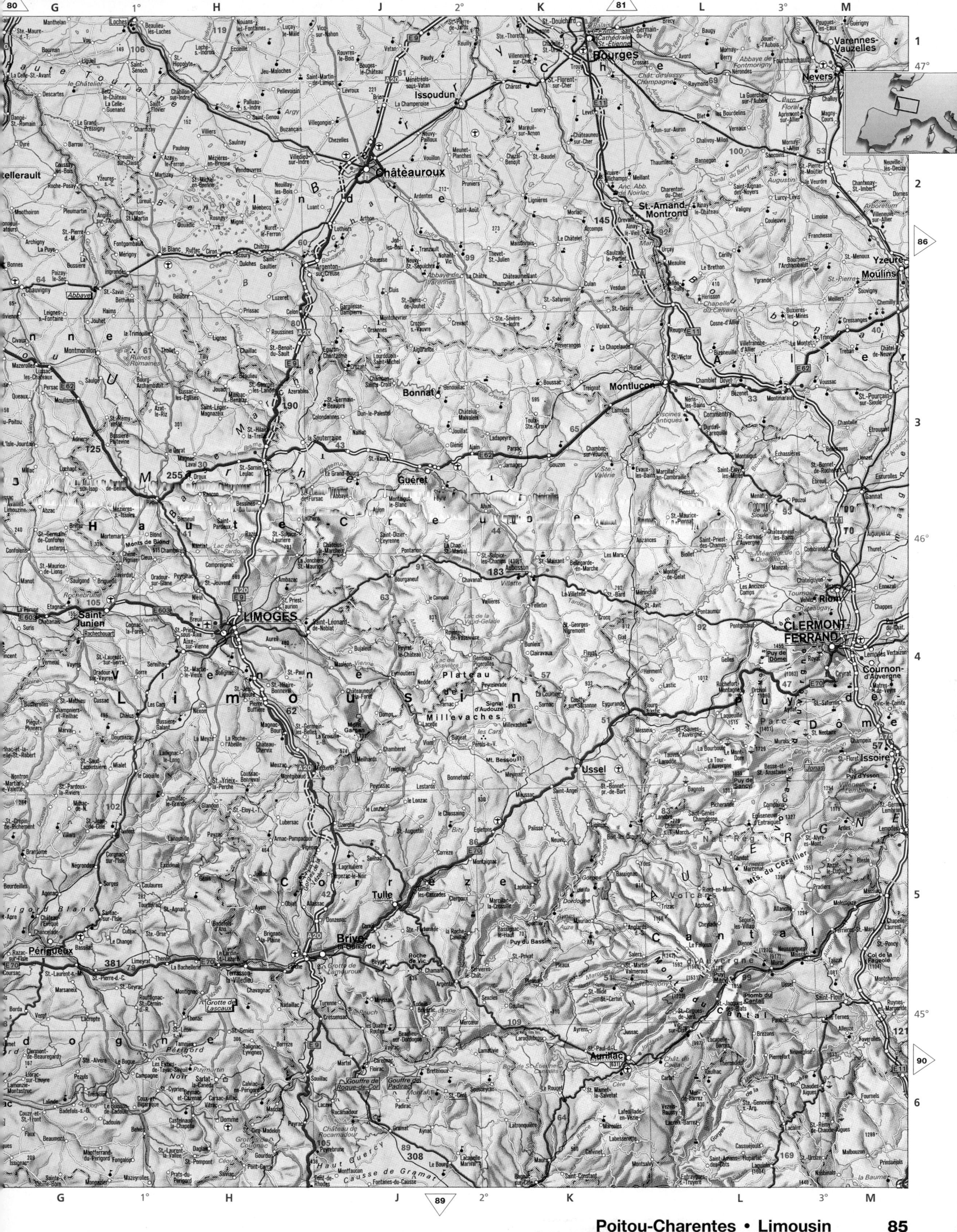
80
81
86
89
90
G
H
J
K
L
M
1°
2°
3°
47°
46°
45°
1
2
3
4
5
6
Bourges
Cathédrale St-Étienne
Nevers
Varennes-Vauzelles
Issoudun
Châteauroux
Loches
St.-Amand-Montrond
Montluçon
Moulins
Yzeure
Guéret
Bonnat
LIMOGES
Saint-Junien
Aubusson
CLERMONT-FERRAND
Riom
Cournon-d'Auvergne
Issoire
Ussel
Tulle
Brive-la-Gaillarde
Périgueux
Aurillac
Saint-Flour
Argenton-sur-Creuse
Le Blanc
Chauvigny
Montmorillon
La Souterraine
Rochechouart
Plateau de Millevaches
Puy de Dôme
Puy de Sancy
Plomb du Cantal
Puy Mary
Mt. Bessou
Grotte de Lascaux
Gouffre de Padirac
Gouffre de Rogue-de-Cor
Abbaye
Bourbon-l'Archambault
Gannat
Vichy
Sarlat-la-Canéda
Haute Touraine
Brenne
Indre
Creuse
Corrèze
Cantal
Auvergne
Allier
Limousin
Haute Vienne
Périgord Blanc
Dordogne
Marche
Haut Quercy
Causse de Gramat
Monts du Cantal
Mts. du Cézallier
Monts de Blond
Ruines Romaines
E9
E11
E62
E70
A20
A71
E603

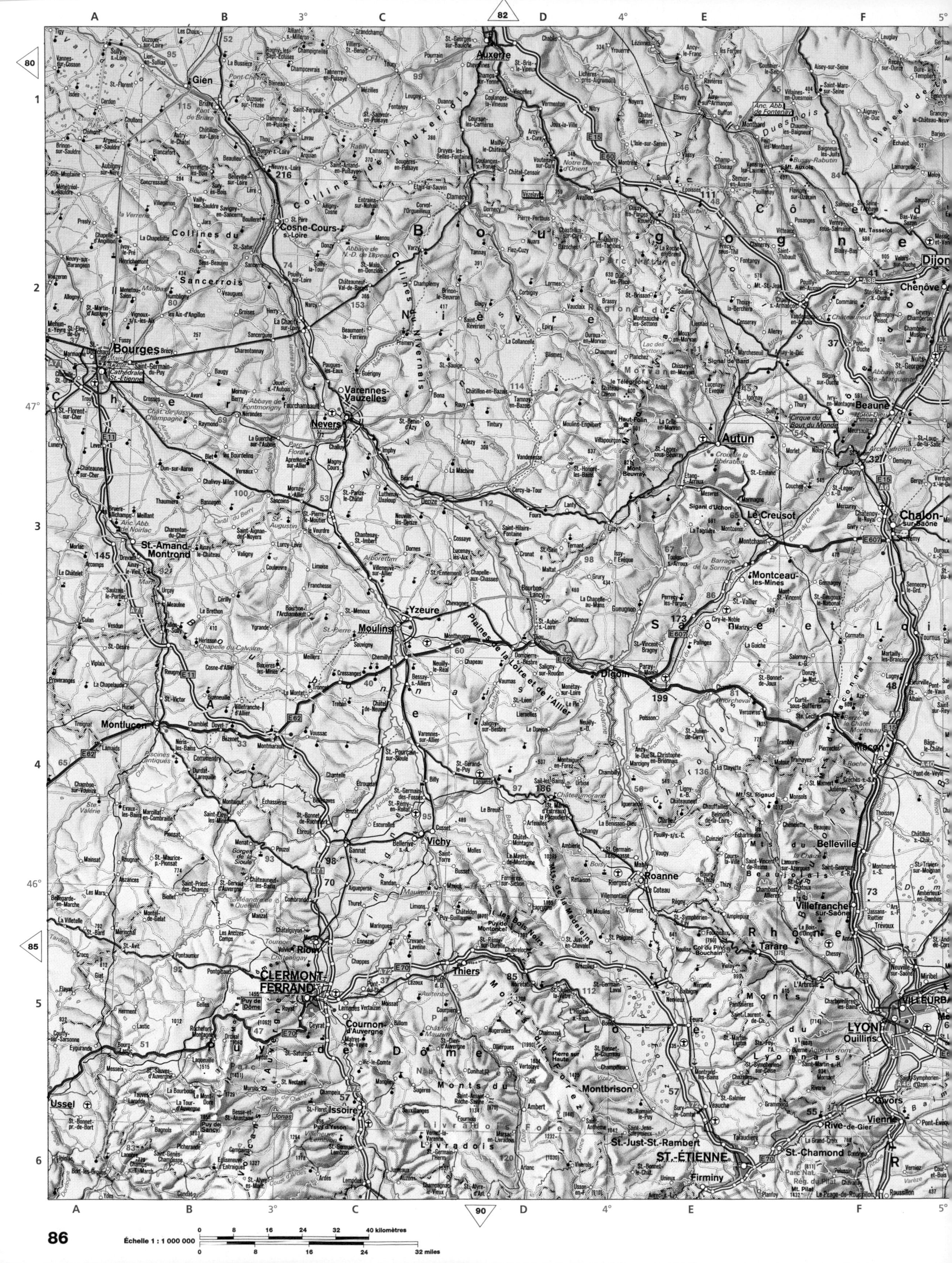

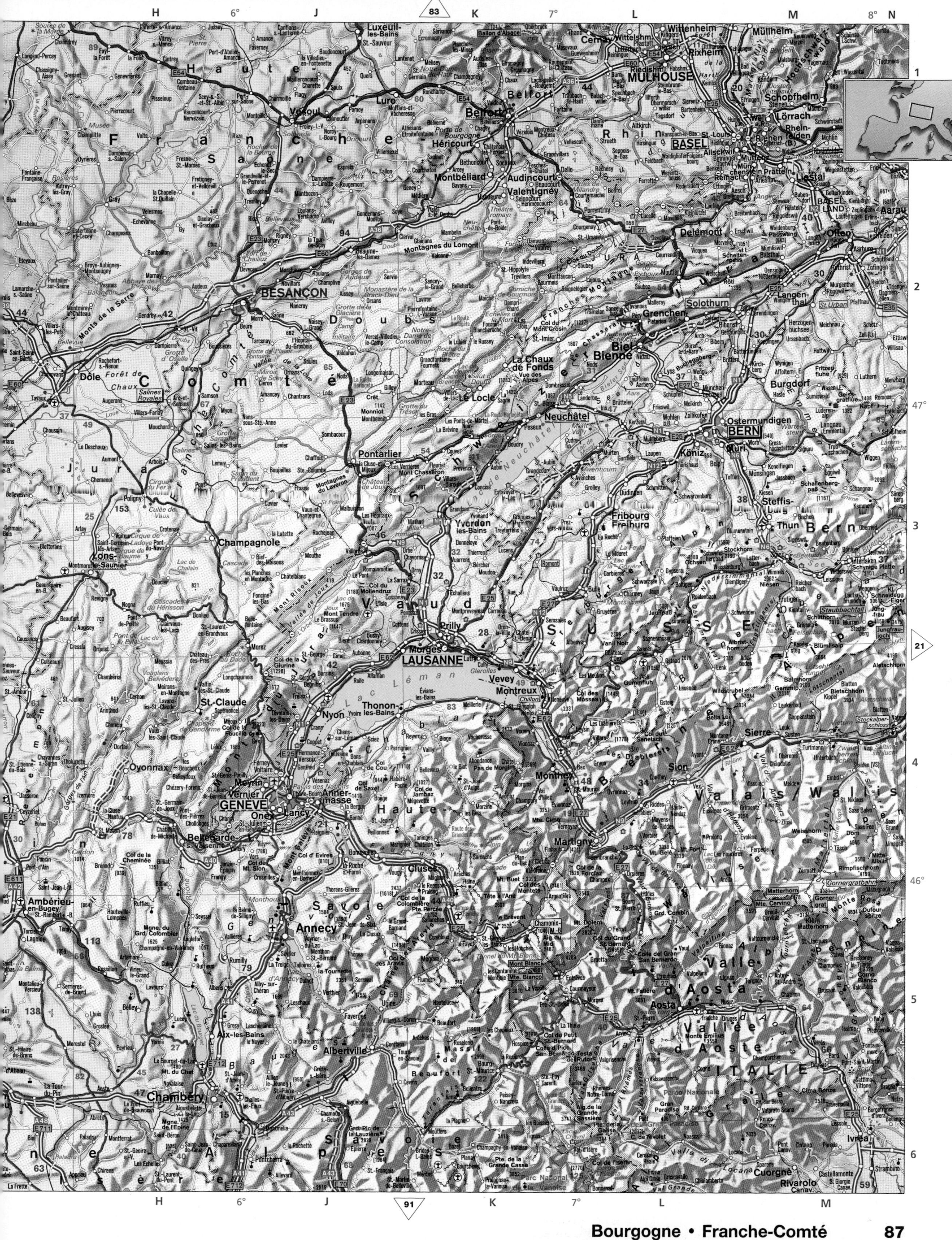
H
6°
J
83
K
7°
L
M
8°
N
Vesoul
Lure
Luxeuil-les-Bains
Belfort
Héricourt
Montbéliard
Audincourt
Valentigney
Mulhouse
Basel
Lörrach
Schopfheim
Müllheim
Liestal
Delémont
Olten
Aarau
Solothurn
Grenchen
Biel
Bienne
Langenthal
Burgdorf
Bern
Ostermundigen
Köniz
Thun
Fribourg
Freiburg
Neuchâtel
La Chaux de Fonds
Le Locle
Pontarlier
Besançon
Dole
Champagnole
Lons-le-Saunier
St-Claude
Oyonnax
Yverdon les-Bains
Lausanne
Morges
Prilly
Vevey
Montreux
Monthey
Martigny
Sion
Sierre
Nyon
Thonon-les-Bains
Genève
Meyrin
Vernier
Onex
Lancy
Annemasse
Bellegarde
Cluses
Annecy
Aix-les-Bains
Chambéry
Albertville
Aosta
Ivrea
Cuorgnè
Rivarolo Canav.
F r a n c h e - C o m t é
H a u t e - S a ô n e
D o u b s
J u r a
V a u d
S U I S S E
B e r n
V a l a i s / W a l l i s
Valle d'Aosta
Vallée d'Aoste
ITALIE
S a v o i e
H a u t e - S a v o i e
Lac Léman
Lac de Neuchâtel
Mont Blanc
Monte Rosa
Matterhorn
Mte. Cervino
1
2
3
4
5
6
47°
46°
21
91

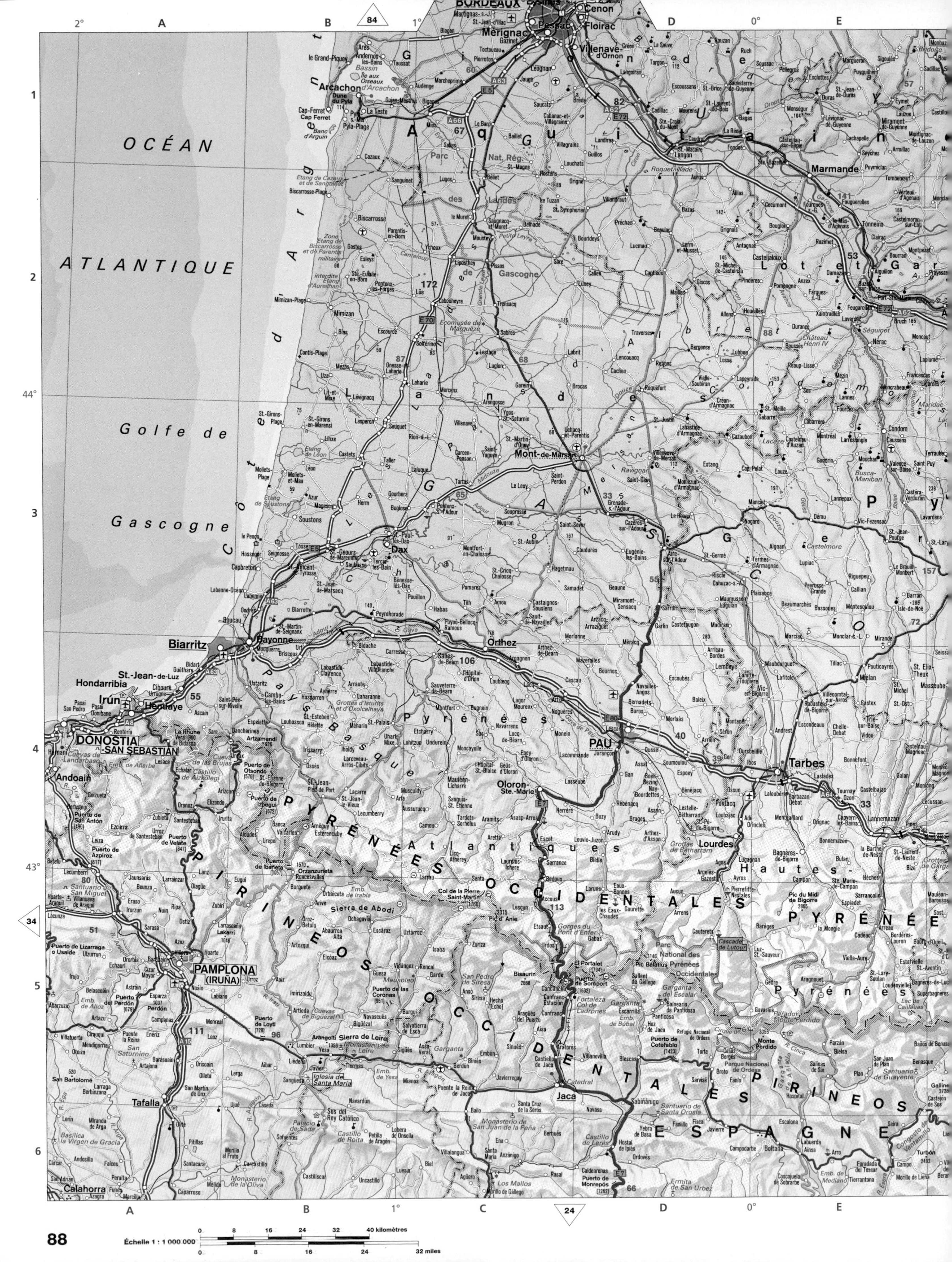

2°
A
B
84
1°
C
D
0°
E
BORDEAUX
Mérignac
Pessac
Cenon
Floirac
Villenave-d'Ornon
Arcachon
Dune du Pyla
La Teste
Cap-Ferret
Bassin d'Arcachon
OCÉAN
ATLANTIQUE
Golfe de
Gascogne
Côte d'Argent
Aquitaine
Parc Nat. Rég. des Landes de Gascogne
Marmande
Lot-et-Garonne
Biscarrosse
Mimizan
Landes
Mont-de-Marsan
Dax
St.-Paul-lès-Dax
Gers
Capbreton
Bayonne
Biarritz
St.-Jean-de-Luz
Hondarribia
Irún
Hendaye
Orthez
Pays Basque
Pyrénées Atlantiques
PAU
Tarbes
Lourdes
Oloron-Ste.-Marie
Hautes-Pyrénées
Pic du Midi de Bigorre
Parc National des Pyrénées Occidentales
DONOSTIA-SAN SEBASTIÁN
Andoain
PAMPLONA (IRUÑA)
Tafalla
Calahorra
PIRINEOS OCCIDENTALES
PYRÉNÉES OCCIDENTALES
PYRÉNÉES
PIRINEOS
Jaca
Sabiñánigo
Monte Perdido
Sierra de Abodi
Sierra de Leire
ESPAGNE
34
24
1
2
3
4
5
6
44°
43°
Échelle 1 : 1 000 000
0
8
16
24
32
40 kilomètres
32 miles

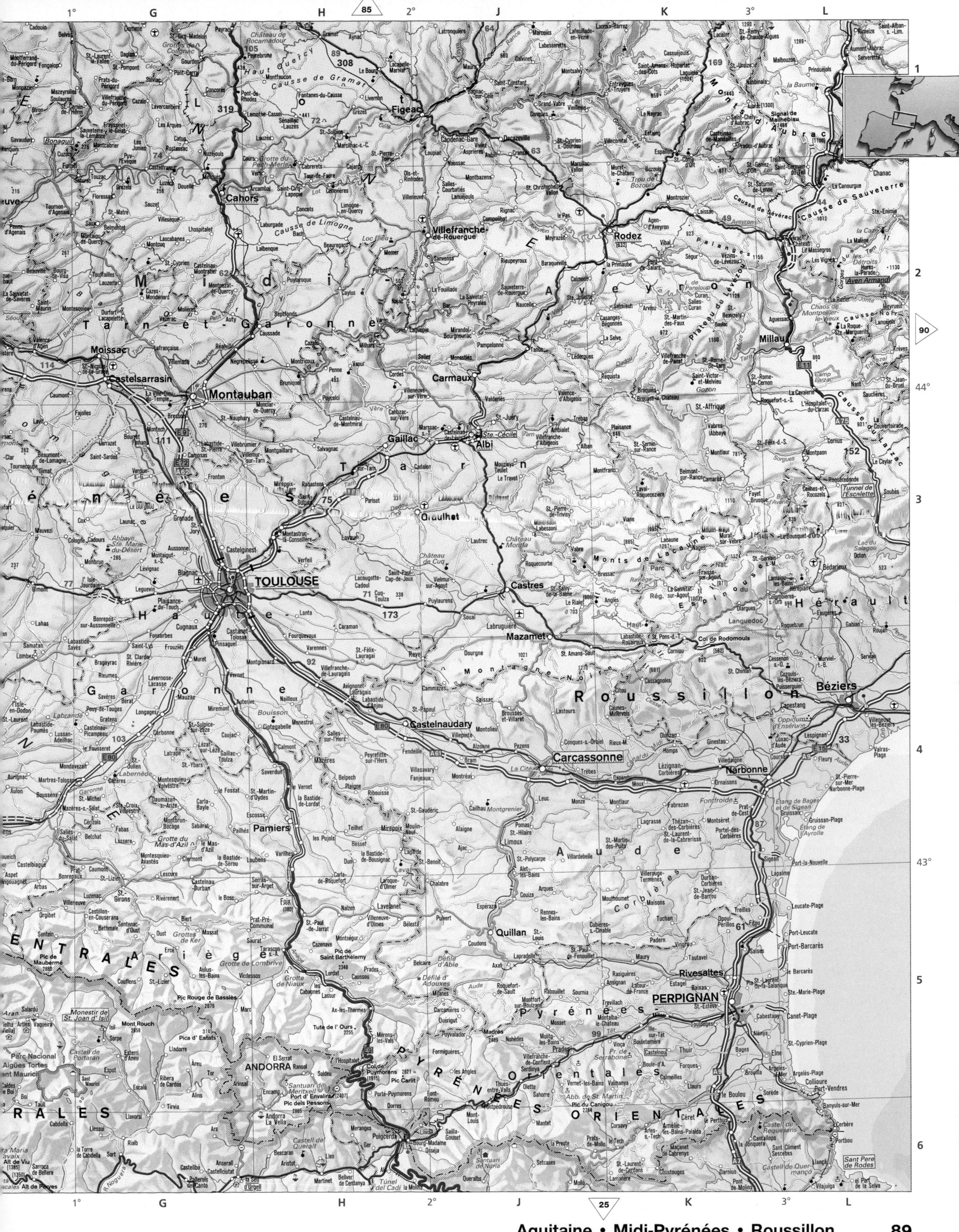

1°
G
H
85
2°
J
K
3°
L
1
2
3
4
5
6
44°
43°
90
25
Cahors
Figeac
Rodez
Millau
Villefranche-de-Rouergue
Moissac
Castelsarrasin
Montauban
Carmaux
Albi
Gaillac
Graulhet
TOULOUSE
Castres
Mazamet
Castelnaudary
Carcassonne
Narbonne
Béziers
Pamiers
Quillan
Rivesaltes
PERPIGNAN
ANDORRA
Tarn-et-Garonne
Midi
Tarn
Aveyron
Haute-Garonne
Aude
Ariège
Hérault
Roussillon
Causse de Gramat
Causse de Limogne
Causse de Sauveterre
Monts d'Aubrac
Plateau du Lévézou
Monts de Lacaune
Montagne Noire
Corbières
Pyrénées-Orientales
PYRÉNÉES ORIENTALES
Pic Carlit
Pic du Canigou

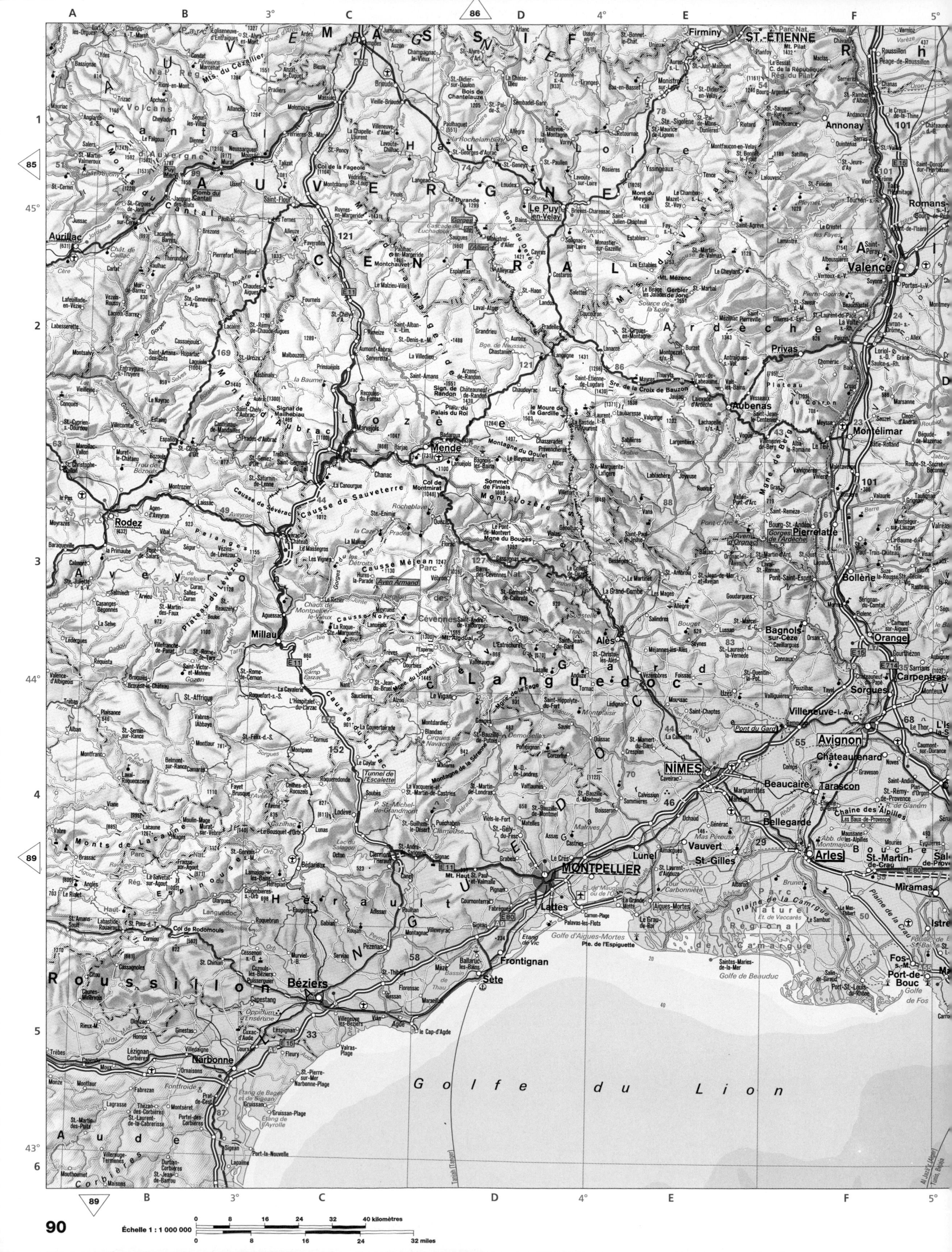

A
B
3°
C
86
D
4°
E
F
5°
1
2
3
4
5
6
45°
44°
43°
85
89
Firminy
ST.-ÉTIENNE
Annonay
Aurillac
St.-Flour
Le Puy-en-Velay
Valence
Privas
Aubenas
Montélimar
Mende
Marvejols
Rodez
Millau
Pierrelatte
Bollène
Orange
Bagnols-sur-Cèze
Alès
Carpentras
Sorgues
Villeneuve-l.-Av.
Avignon
Châteaurenard
Nîmes
Beaucaire
Tarascon
Bellegarde
Arles
Lunel
Vauvert
St.-Gilles
Montpellier
Lattes
Frontignan
Sète
Béziers
Agde
Narbonne
Miramas
Fos-s.-M.
Port-de-Bouc
Aigues-Mortes
Plomb du Cantal
Mts. du Cézallier
Monts du Cantal
Monts d'Aubrac
Mts. Mézenc
Mont Lozère
Mt. Aigoual
Causse de Sauveterre
Causse Méjean
Causse de Sévérac
Causse du Larzac
Plateau du Lévézou
Monts de Lacaune
Aven Armand
Tunnel de l'Escalette
Pont du Gard
Gorges de l'Ardèche
Chaîne des Alpilles
Les Baux-de-Provence
Montagne de la Séranne
Cévennes
Plaine de la Camargue
Parc Naturel Régional de Camargue
Golfe d'Aigues-Mortes
Golfe de Beauduc
Golfe de Fos
Golfe du Lion
M A S S I F
C E N T R A L
A U V E R G N E
Cantal
Aveyron
Lozère
Haute-Loire
Loire
Ardèche
Gard
Hérault
Aude
Rhône
Languedoc-
Roussillon
90
Échelle 1 : 1 000 000
0
8
16
24
32
40 kilomètres
0
8
16
24
32 miles

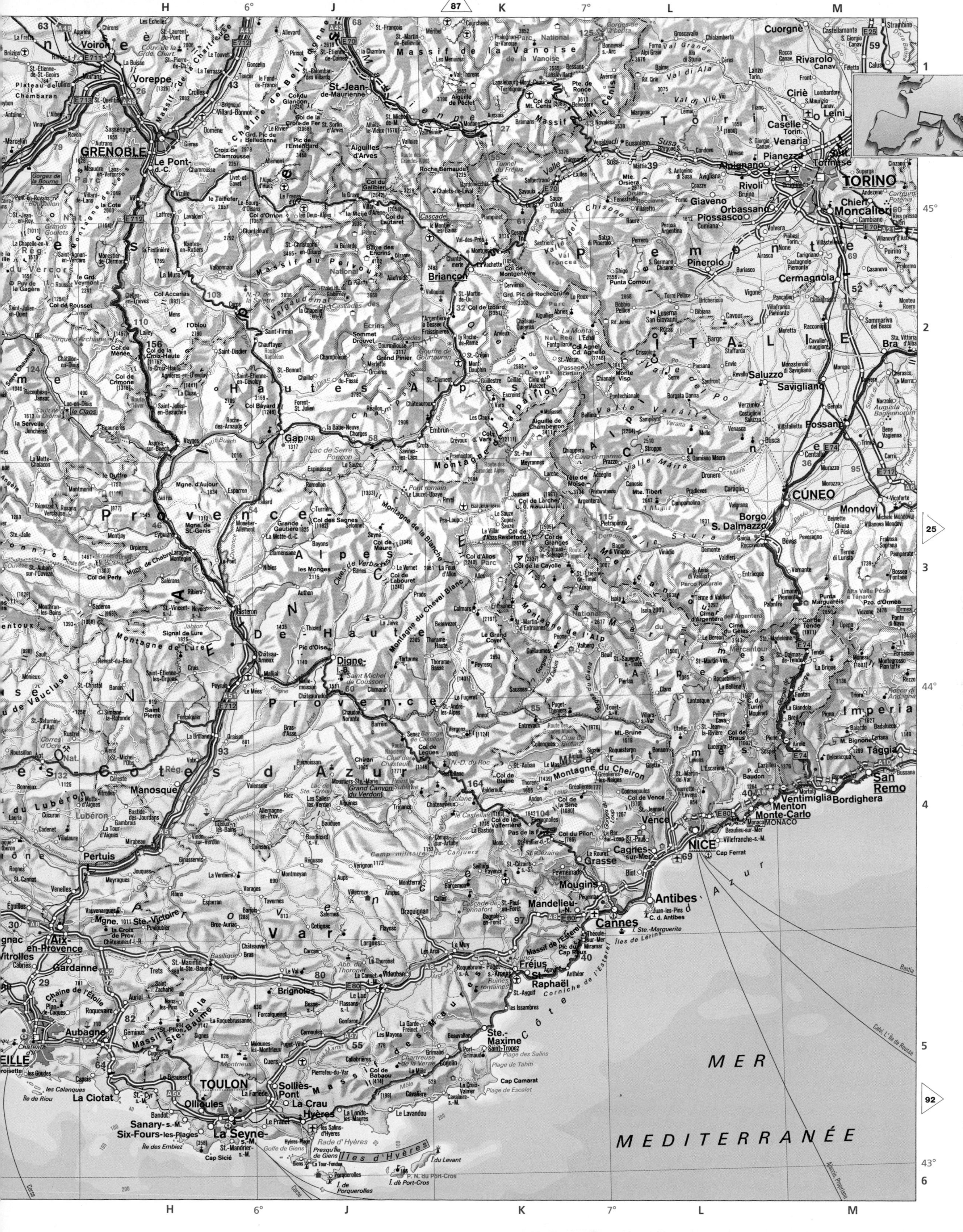

H
6°
J
87
K
7°
L
M
1
2
3
4
5
6
45°
44°
43°
25
92
GRENOBLE
Voiron
Voreppe
Le Pont-d.-C.
Massif de la Chartreuse
Chaîne de Belledonne
Massif de la Vanoise
St.-Jean-de-Maurienne
Aiguilles d'Arves
Massif du Pelvoux
Briançon
Valgaudemar
Hautes-Alpes
Gap
Sisteron
Alpes de Haute-Provence
Digne-l.-B.
Manosque
Pertuis
Aix-en-Provence
Gardanne
Aubagne
La Ciotat
TOULON
Ollioules
La Seyne-s.-M.
Sanary-s.-M.
Six-Fours-les-Plages
Solliès-Pont
La Crau
Hyères
Îles d'Hyères
Brignoles
Var
Fréjus
St.-Raphaël
Ste.-Maxime
Cannes
Mandelieu-l.-N.
Antibes
Grasse
Vence
Cagnes-sur-Mer
NICE
Monte-Carlo
Menton
Ventimiglia
Bordighera
San Remo
Imperia
Tàggia
CÚNEO
Borgo S. Dalmazzo
Mondovì
Fossano
Saluzzo
Savigliano
Pinerolo
TORINO
Moncalieri
Rivoli
Venaria
Ciriè
Cuorgnè
Rivarolo Canav.
Caselle Torin.
Orbassano
Piossasco
Cermagnola
Bra
Provence
Côtes d'Azur
Montagne du Cheiron
Grand Canyon du Verdon
Côte d'Azur
MER
MEDITERRANÉE

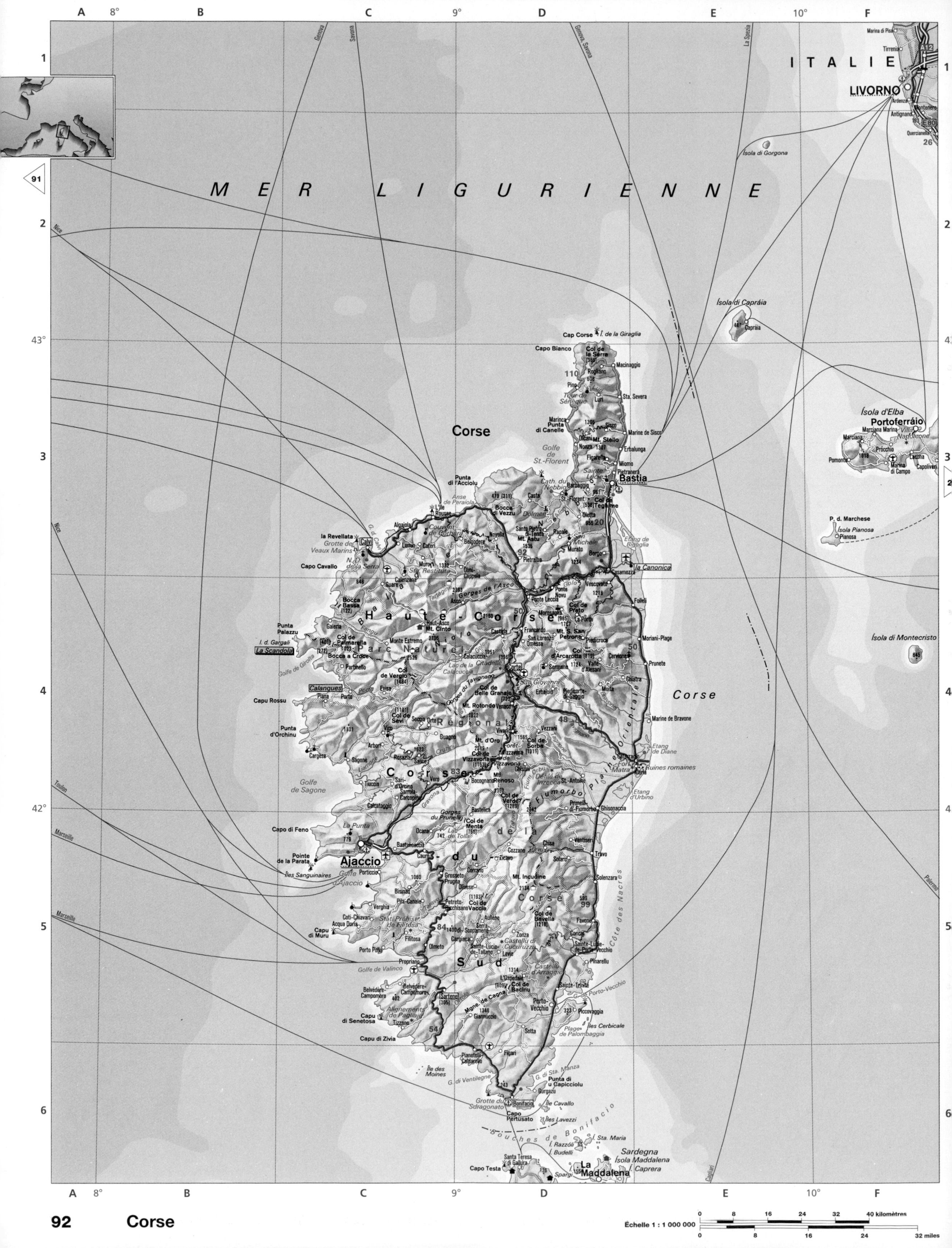

A 8° · B · C 9° · D · E 10° · F

1

ITALIE

LIVORNO

Marina di Pisa
Tirrenia
112
Montenero
Ardenza
Antignano
Quercianella
26

Ísola di Gorgona

MER LIGURIENNE

2

Ísola di Capráia
447 Capráia

Ísola d'Elba
Portoferráio
Marciana Marina
Villa Napoleone
Marciana
Pròcchio
1018
Pomonte
Marina di Campo
Pianosa
Capoliveri

43°

Cap Corse ★ I. de la Giraglia
Capo Bianco Col de la Serra
Rogliano Macinaggio
110
Pino
Sta. Severa
Corse
Tour de Séneque
Luri
Golfe de St-Florent
Marina 1305
Punta Gico
di Canelle Olcani Mt. Stello Marine de Sisco
Nonza 1311
Figarella Erbalunga
Sainte Miomo
Lucia Pietranera
Punta di l'Acciolu Cath. du Nebbio **Bastia**
Anse de Peraiola St-Florent Barbaggio Col de
l'Île 479 (311) Casta Teghime
Rousse Bocca Dolmen Oletta
Algajola di Vezzu 955
Couvent Novella Santa Pietro 20
de Corbara di Tenda Papale Biguglia
la Revellata Lumio Cateri Belgodere Murato Bergo
Calvi Olmi- Etang de
Grotte de Cappella Pietralba Casamozza Biguglia
Veaux Marins N. D. Muro 1332 1234 **la Canonica**
della Serta Speloncato Vescovato P. d. Marchese
Capo Cavallo 646 Quara Ponte Golo Ísola Pianosa
Calenzana Leccia Ponte Pianosa
Asco Novu
Bocca Tartagine Gorges de l'Asco Col de Folelli
Bassa Haut-Asco Prato 1213
(122) Asco Morosaglia
Haute-Corse Castello Francardo Mt. S. San Mariani-Plage
Punta 2393 Petrone
Palazzu Mt. Cinto San Lorenzo Piedicroce Prunete
Col de 2706 Omessa Col Carcheto
Galeria Palmarella Monte Estremo d'Arcarotta 50 Corse
I. d. Gargali 1023 Calacuccia Valle Cervione
(277) d'Alesani
La Scandola Bocca a Croce Lac de la Citadella Ghisoni Moïta
Bocca a Croce Calacuccia Corte Chiatra
Golfe de Girolata Col de San Giovanni
Parthello Vergio Erbajolo Marine de Bravone
Col 1484 Gorges du Tavignano Piedicorte-
Capu Rossu de Vergio de-Gaggio
Piana Porto Col de Belle Granaje 48 Plaine Orientale
Calanques 725 Forêt Vezzani
Col de Mt. Rotondo Venaco Marine de Bravone
Sevi 2622 Forêt Etang
Punta 1101 de Diane
d'Orchinu 1531 Soccia Orto Serra- Fort Ruines romaines
di-Scopamène Matra
Vico Guagno Mt. d'Oro Col de Etang
2389 Sorba d'Urbino
Arbori Col de 1311
Cargese Rosazia Vizzavona Défilé de
1623 1115 l'Inzecca St-Antoine
Sagone Col de Ghisoni
Régional Verde Prunelli-
Golfe de Sari- 1289 di-Fiumorbo
Sagone d'Orcino Col de Forêt Ghisonaccia
Tuccia Vero Bocognano Renoso 2342
Calcatoggio Bastelica Cozzano Vivario Chisa
Capo di Feno Gorges Col de Solaro
Ocana du Prunelli Menta Cuttoli- Véntiseri
La Punta 1250
772 Bastelicaccia 742 del Tolla Travo
Pointe Bocca Corrano
de la Parata 1040 Mt. Incudine Solenzara
Ajaccio Cauro 2134
Iles Sanguinaires Grosseto-Prugna Corse
Golfe Porticcio Divese Favone
d'Ajaccio Bisinao Petreto- Col de Conca
Bicchisano Vaccia Bavella Côte des Nacres
Coti-Chiavari 1060 1163 1218 Ste-Lucie-
Acqua Doria Serra- de-Porto-Vecchio
Stat. Préhist. di-Scopamène Zonza
Capu de Filitosa Aullène Castellu di Pinarellu
di Muru 84 Carbini Cucuruzzu
Porto Pollo Filitosa Levie
Olmeto 1314 Castellu d'Arraggio
Propriano L'Ospedale Sotte-Trinité
Sud 1620 Plage de Palombaggia
Golfe de Valinco Col de
Belvédère- Bacinu Porto-
Campomoro 1305 Mone de Cagna Vecchio G. de Porto-Vecchio
Sartène Piccovaggia
Alignement de 1340 323 Iles Cerbicale
Capu Paddaju Giannuccio
di Senetosa Tizzano Sotta Plage de Palombaggia
54
Capu di Zivia
Pianottoli- Figari
Caldarello
Île des G. di Sta. Manza
Moines Punta di
G. di Ventilegne u Capicciolu
Burgazu
Grotte du **Bonifacio** Île Cavallo
Sdragonato Capo Iles Lavezzi
Pertusato
Bouches de Bonifacio Sta. Maria
I Razzóli Sardegna
I Budelli Ísola Maddalena
Santa Teresa I Caprera
Capo Testa di Gallura **La Maddalena**
Spargi

4

42°

5

6

Échelle 1 : 1 000 000

0 · 8 · 16 · 24 · 32 · 40 kilomètres
0 · 8 · 16 · 24 · 32 miles

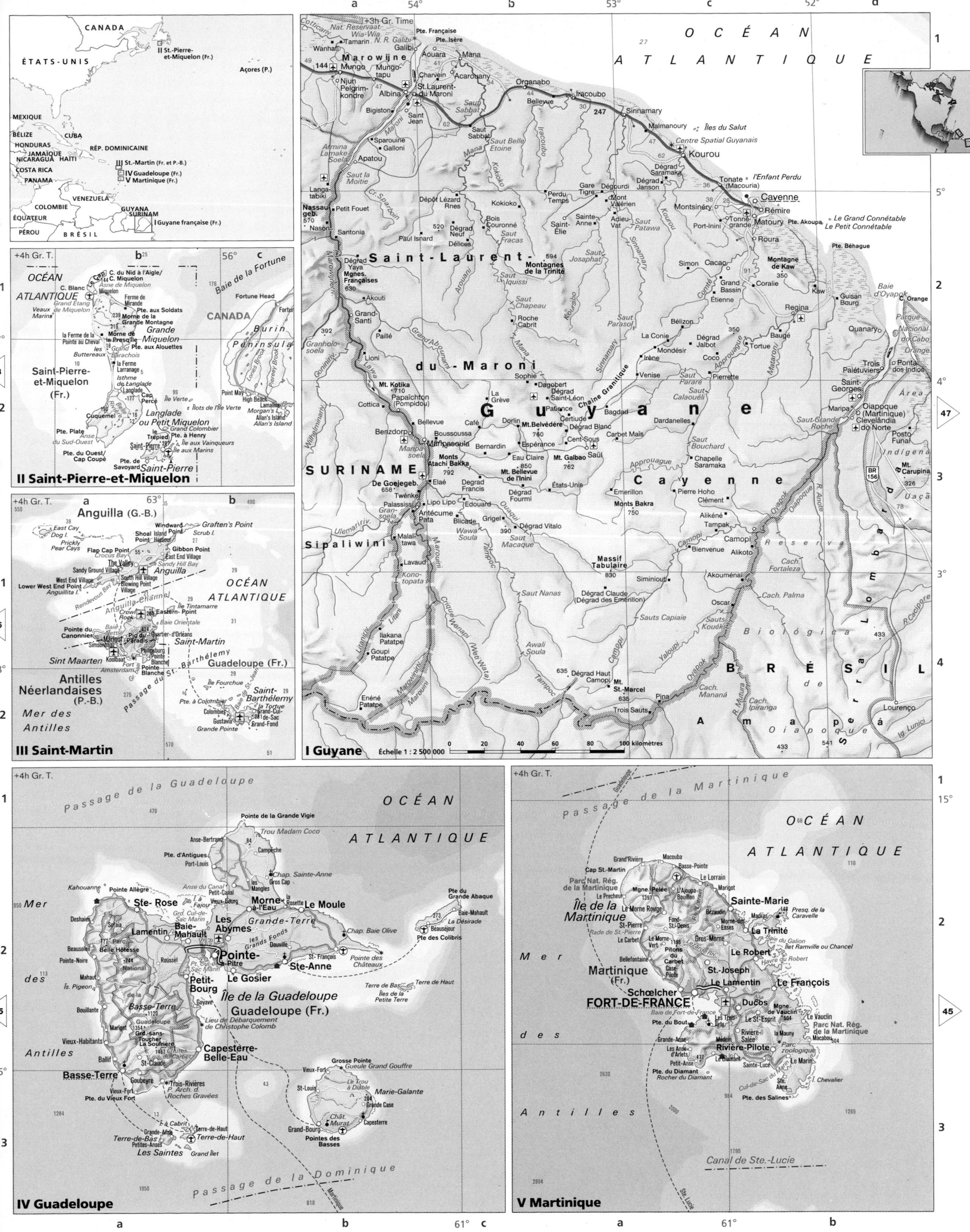

Inset map (top left): North America / Caribbean locator

ÉTATS-UNIS
CANADA
II St.-Pierre-et-Miquelon (Fr.)
Açores (P.)
MEXIQUE
BÉLIZE
HONDURAS
CUBA
JAMAÏQUE
HAÏTI
RÉP. DOMINICAINE
NICARAGUA
GUATEMALA
COSTA RICA
PANAMA
III St.-Martin (Fr. et P.-B.)
IV Guadeloupe (Fr.)
V Martinique (Fr.)
COLOMBIE
VENEZUELA
ÉQUATEUR
PÉROU
GUYANA
SURINAM
I Guyane française (Fr.)
BRÉSIL

II Saint-Pierre-et-Miquelon

+4h Gr. T.
OCÉAN ATLANTIQUE
C. du Nid à l'Aigle / C. Miquelon
C. Blanc
Asne de Miquelon
Veaux de Miquelon
Grand Étang
Ferme de Mirande
Pte. aux Soldats
Morne de la Grande Montagne
Grande Miquelon
Morne de Brescule
Ptes. aux Alouettes
Baie de la Fortune
Fortune Head
CANADA
Burin Péninsula
les Butteureaux
la Ferme de la Pointe au Cheval
la Ferme Larrange
Isthme de Langlade / Langlade
Cap Percé
Île Verte
Îlots de l'Île Verte
Langlade ou Petit Miquelon (Fr.)
Point May
Lamaline
Morgan's I.
Allan's Island
Saint-Pierre-et-Miquelon (Fr.)
Cuquemel
Pte. Plate
le Trépied
Anse du Sud-Ouest
Pte. du Ouest / Cap Coupé
Grand Colombier
Pte. à Henry
Saint-Pierre
Île aux Vainqueurs
Île aux Marins
Pte. de Savoyard
Saint-Pierre

III Saint-Martin

+4h Gr. T.
Anguilla (G.-B.)
East Cay
Dog I.
Prickly Pear Cays
Windward Point
Shoal Island
Scrub I.
Graften's Point
Crocus Bay
Flap Cap Point
East End Village
Gibbon Point
Sandy Hill Bay
The Valley
Anguilla
West End Village
South Hill Village
Blowing Point Village
Lower West End Point
Anguillita I.
OCÉAN ATLANTIQUE
Anguilla-Channel
Rendezvous Bay
Crow Rock
Pointe du Canonnier
Baie
Pic du Paradis
le Tintamarre
Eastern Point
Baie Orientale
Marigot
Sint Maarten
Philipsburg
Pointe Blanche
Pointe Blanche
Saint-Martin
Ile Pinel
la Baie du Quartier d'Orléans
Pte. à Colombier
Ile Fourchue
Saint-Barthélemy
Guadeloupe (Fr.)
Antilles Néerlandaises (P.-B.)
Amsterdam I.
Passage du St-Barthélemy
la Tortue
Pte. de Colombier
Grand-Cul-de-Sac
Gustavia
Grand-Fond
Grande Pointe
Mer des Antilles

I Guyane

+3h Gr. Time
OCÉAN ATLANTIQUE
Coticata
Nat. Reservaat Wia-Wia, N. R. Galibi
Tamarin
Pte. Française
Pte. Isère
Wanham
Mungo
Mungo tapu
Charvein
Acarouany
Mana
Aouara
Organabo
Iracoubo
Njun Pelgrim-kondre
St.-Laurent du Maroni
Albina
Saint Jean
Saut Sabbat
Bellevue
Sinnamary
Bigiston
Îles du Salut
Malmanoury
Sparouine
Galloni
Saut Sabbat
Saut Belle Etoine
Centre Spatial Guyanais
Apatou
Langa-tabiki
Armina, Lamake, Soela
Saut la Moitie
Perdu Temps
Kokioko
Dégrad Saramaka
Tonate
l'Enfant Perdu (Macouria)
Kourou
Nassau geb.
Petit Fouet
Bois Couronné
Saut Fracas
Mont Valérien
Dégourdi
Dégrad Janson
Cayenne
Nasoni
Santonia
Paul Isnard
Dégrad Neuf
Délices
Saut Patawa
Sainte-Anne
Adieu-Vat
Port-Inini
Rémire
Montsinéry
Matoury
Pte. Akoupa
Le Grand Connétable
Le Petit Connétable
Saint-Élie
Roura
Pte. Béhague
Dégrad Yaya
Mgnes. Françaises
Saint-Laurent-
Montagnes de la Trinité
Akouti
Simon
Cacao
Montagne de Kaw
Grand-Santi
Saut Chapeau
Roche Cabrit
Bélizon
Grand Bassin
Étienne
Coralie
Kaw
Guisan Bourg
Baie d'Oyapok
Orange
Paillé
Saut Parasol
La Conie
Dégrad Jalbot
Baugé
Tortue
Quanaryo
Lioni
du - Maroni
Mondésir
Coco
Parc National do Cabo Orange
Mt. Kotika
Papaïchton (Pompidou)
Sophie
Dagobert
Dégrad Saint-Léon
Irène
Venise
Saut Pararé
Pierrette
Trois Palétuviers
Saint-Georges
Ponta dos Indios
Cottica
Bellevue
Café
La Grève
Dorlin
Mt. Belvédère
Patience
Dégrad Blanc
Dardanelles
Saut-Grande Roche
Maripa
Oiapoque (Martinique)
Clevelândia do Norte
Guyane
Benzdorp
Boussoussa
Gertiude
Carbet Mais
Saut Calaouli
Posto Funal
Área Indígena
Espérance
Eau Claire
Cent-Sous
Saut Bouchard
Mt. Carupina
Mariposoela
Bernardin
SURINAME
Monts Atachi Bakka
Mt. Galbao
Saül
Chapelle Saramaka
BR 156
Mont Macaque
Cayenne
Monts Bakra
Aliké
De Goejegeb.
Elaé
Dégrad Francis
États-Unis
Emerillon
Pierre Hoho
Tampak
Twenké
Dégrad Fourmi
Clément
Palassissi
Lipo Lipo
Édouard
Réserve
Gran-soela
Antécume Pata
Blicade
Grigel
Dégrad Vitalo
Wawa Soula
Alikoto
Camopi
Malali-tawa
Saut Macaque
Bienvenue
Akouméni
Biológica
Sipaliwini
Lavaud
Massif Tabulaire
Siminiout
Cach. Fortaleza
Cach. Palma
Konotopata
Saut Nanas
Dégrad Claude (Dégrad des Emérillon)
Oscar
Cach. Mananá
Ilakana Patatpe
Awali Soula
Sauts Capiaie
Sauts Kouéki
Goupi Patatpe
Dégrad Haut Camopi
Mt. St-Marcel
Pina
Cach. Ipiranga
Lourenço
Enéné Patatpe
Mt. St-Marcel
Trois Sauts
BRÉSIL
Serra de Tumucumaque
A m a p á
Oiapoque
Échelle 1 : 2 500 000
0 20 40 60 80 100 kilomètres

IV Guadeloupe

+4h Gr. T.
Passage de la Guadeloupe
OCÉAN ATLANTIQUE
Pointe de la Grande Vigie
Trou Madam Coco
Anse-Bertrand
Campêche
Pte. d'Antigues
Chap. Sainte-Anne
Port-Louis
Anse du Canal
Petit-Canal
Vieux-Bourg
Mangles
Kahouanne
Gros Cap
Rosette
Le Moule
Pointe Allègre
Morne-à-l'Eau
Ste-Rose
Grande-Terre
Mer des Antilles
Deshaies
Sofaia
Lamentin
Les Abymes
les Grands Fonds
Baie-Mahault
Baie Olive
Pte. des Colibris
Belle Hôtesse
Baie-Mahault
Douville
La Désirade
Pointe-Noire
Roussel
Pointe-à-Pitre
St-François
Pointe des Châteaux
Mahaut
Parc National de la Guadeloupe
Le Gosier
Ste-Anne
Îs. Pigeon
Basse-Terre
Petit-Bourg
Goyave
Terre de Bas
Îles de la Petite Terre
Bouillante
Guadeloupe
Grd. Soufrière
Île de la Guadeloupe
Guadeloupe (Fr.)
Vieux-Habitants
La Soufrière
Lieu de Débarquement de Christophe Colomb
Marigot
Capesterre-Belle-Eau
Ballif
St-Claude
Basse-Terre
Grosse Pointe
Gueule Grand Gouffre
Vieux-Fort
Pte. du Vieux Fort
Trois-Rivières
St-Louis
Le Trou à Diable
Marie-Galante
Goubeyre
P. Arch. d. Roches Gravées
La Cabrit
Grande-Anse
Terre-de-Haut
Terre-de-Bas
Petites-Anses
Les Saintes
Grand Îlet
Grand-Case
Chât. Murat
Grand-Bourg
Capesterre
Pointes des Basses
Passage de la Dominique

V Martinique

+4h Gr. T.
Passage de la Martinique
OCÉAN ATLANTIQUE
Cap St-Martin
Grand'Rivière
Macouba
Basse-Pointe
Parc Nat. Rég. de la Martinique
Le Lorrain
Le Prêcheur
Mgne. Pelée
Marigot
Sainte-Marie
L'Ajoupa-Bouillon
St-Pierre
Île de la Martinique
Le Morne Rouge
Bezaudin
Madras
Presq. de la Caravelle
Morne-Vert
Morne-des-Esses
Fond-St-Denis
La Trinité
Le Carbet
Gros-Morne
Îlet Ramville ou Chancel
Bellefontaine
Pitons du Carbet
Le Robert
Havre du Robert
Martinique (Fr.)
Case-Pilote
St-Joseph
Schœlcher
Le Lamentin
Le François
FORT-DE-FRANCE
Baie de Fort-de-France
Ducos
Mne. de Vauclin
Le Vauclin
Pte. du Bout
Les Trois-Îlets
Le St-Esprit
Parc Nat. Rég. de la Martinique
Mer des Antilles
Grande-Anse
Médin
Rivière-Pilote
Macabou
Les Anses d'Arlets
Parc zoologique
Sainte-Luce
Le Marin
Petit-Anse
Pte. du Diamant
Rocher du Diamant
I. Chevalier
Ste-Anne
Pte. des Salines
Canal de Ste.-Lucie

Guyane • Guadeloupe • Martinique • Saint-Martin • Saint-Pierre-et-Miquelon

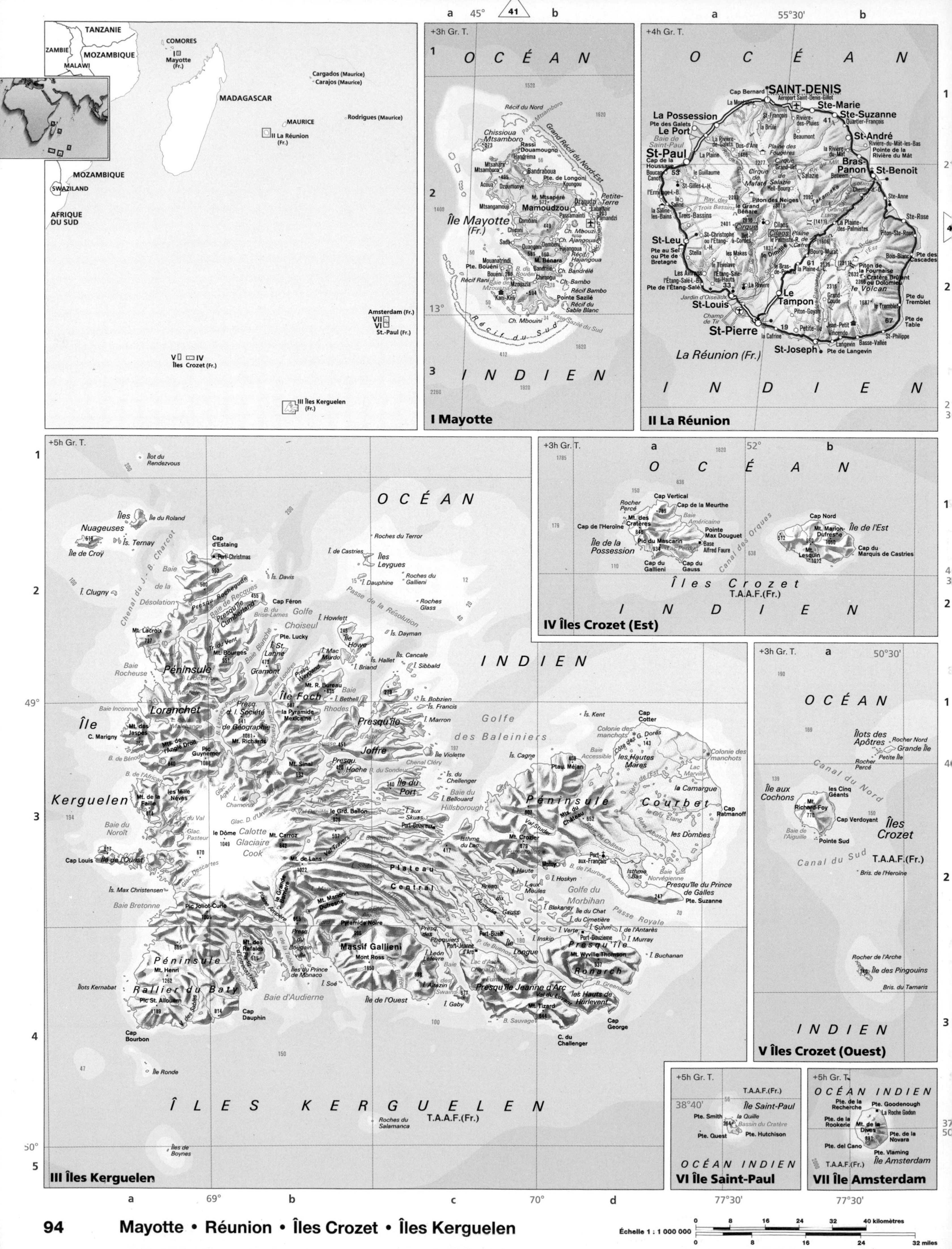

TANZANIE
ZAMBIE
MOZAMBIQUE
MALAWI
COMORES
Mayotte (Fr.)
MADAGASCAR
Cargados (Maurice)
Carajos (Maurice)
MAURICE
Rodrigues (Maurice)
II La Réunion (Fr.)
SWAZILAND
AFRIQUE DU SUD
Amsterdam (Fr.)
St.-Paul (Fr.)
Îles Crozet (Fr.)
III Îles Kerguelen (Fr.)
+3h Gr. T.
OCÉAN INDIEN
Île Mayotte (Fr.)
Mamoudzou
Dzaoudzi
Pamandzi
Grand Récif du Nord-Est
Récif du Sud
I Mayotte
+4h Gr. T.
SAINT-DENIS
Ste-Marie
Ste-Suzanne
St-André
Bras-Panon
St-Benoit
Ste-Rose
La Possession
Le Port
St-Paul
Piton des Neiges
Cilaos
St-Leu
Piton de la Fournaise
St-Louis
St-Pierre
Le Tampon
St-Joseph
St-Philippe
La Réunion (Fr.)
II La Réunion
+5h Gr. T.
OCÉAN INDIEN
Îles Nuageuses
Île de Croÿ
Port-Christmas
Baie de la Désolation
Golfe Choiseul
Péninsule Loranchet
Île Foch
Presqu'île Joffre
Golfe des Baleiniers
Port-aux-Français
Péninsule Courbet
Calotte Glaciaire Cook
Plateau Central
Mt. Ross
Massif Gallieni
Péninsule Rallier du Baty
Presqu'île Jeanne d'Arc
Presqu'île Ronarch
Golfe du Morbihan
Île Kerguelen
ÎLES KERGUELEN
T.A.A.F.(Fr.)
III Îles Kerguelen
OCÉAN INDIEN
Île de la Possession
Île de l'Est
Îles Crozet
T.A.A.F.(Fr.)
IV Îles Crozet (Est)
OCÉAN INDIEN
Île aux Cochons
Îles Crozet
T.A.A.F.(Fr.)
Île des Pingouins
V Îles Crozet (Ouest)
Île Saint-Paul
OCÉAN INDIEN
VI Île Saint-Paul
Île Amsterdam
VII Île Amsterdam
Échelle 1 : 1 000 000
40 kilomètres
32 miles

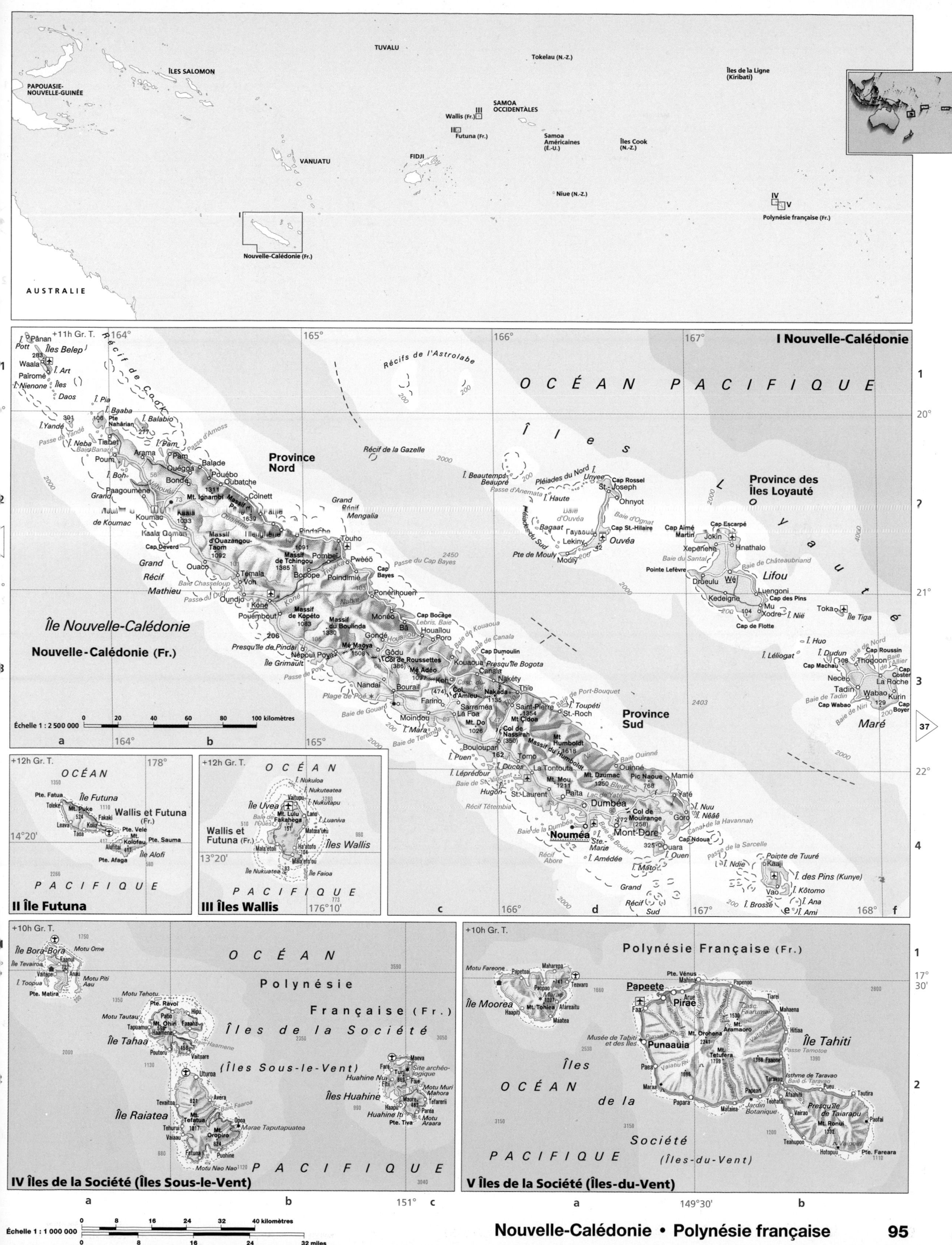

TUVALU
Tokelau (N.-Z.)
Îles de la Ligne (Kiribati)
ÎLES SALOMON
PAPOUASIE-NOUVELLE-GUINÉE
SAMOA OCCIDENTALES
Wallis (Fr.)
Futuna (Fr.)
Samoa Américaines (É.-U.)
Îles Cook (N.-Z.)
FIDJI
VANUATU
Niue (N.-Z.)
Polynésie française (Fr.)
Nouvelle-Calédonie (Fr.)
AUSTRALIE
I Nouvelle-Calédonie
OCÉAN PACIFIQUE
Îles Loyauté
Province Nord
Province des Îles Loyauté
Province Sud
Île Nouvelle-Calédonie
Nouvelle-Calédonie (Fr.)
Îles Belep
Récif de Cook
Récifs de l'Astrolabe
Récif de la Gazelle
Ouvéa
Lifou
Maré
Nouméa
Mont-Dore
Dumbéa
Païta
Koné
Koumac
Bourail
Canala
Poindimié
Houaïlou
Thio
Yaté
Mt. Panié 1639
Mt. Humboldt 1618
Île des Pins (Kunye)
Échelle 1 : 2 500 000
100 kilomètres
37
II Île Futuna
Île Futuna
Wallis et Futuna (Fr.)
Île Alofi
III Îles Wallis
Île Uvea
Îles Wallis
Wallis et Futuna (Fr.)
IV Îles de la Société (Îles Sous-le-Vent)
Île Bora-Bora
Île Tahaa
Île Raiatea
Îles Huahine
Polynésie Française (Fr.)
Îles de la Société (Îles Sous-le-Vent)
V Îles de la Société (Îles-du-Vent)
Polynésie Française (Fr.)
Île Moorea
Île Tahiti
Papeete
Pirae
Punaauia
Presqu'île de Taiarapu
Îles de la Société (Îles-du-Vent)
Échelle 1 : 1 000 000
40 kilomètres
32 miles

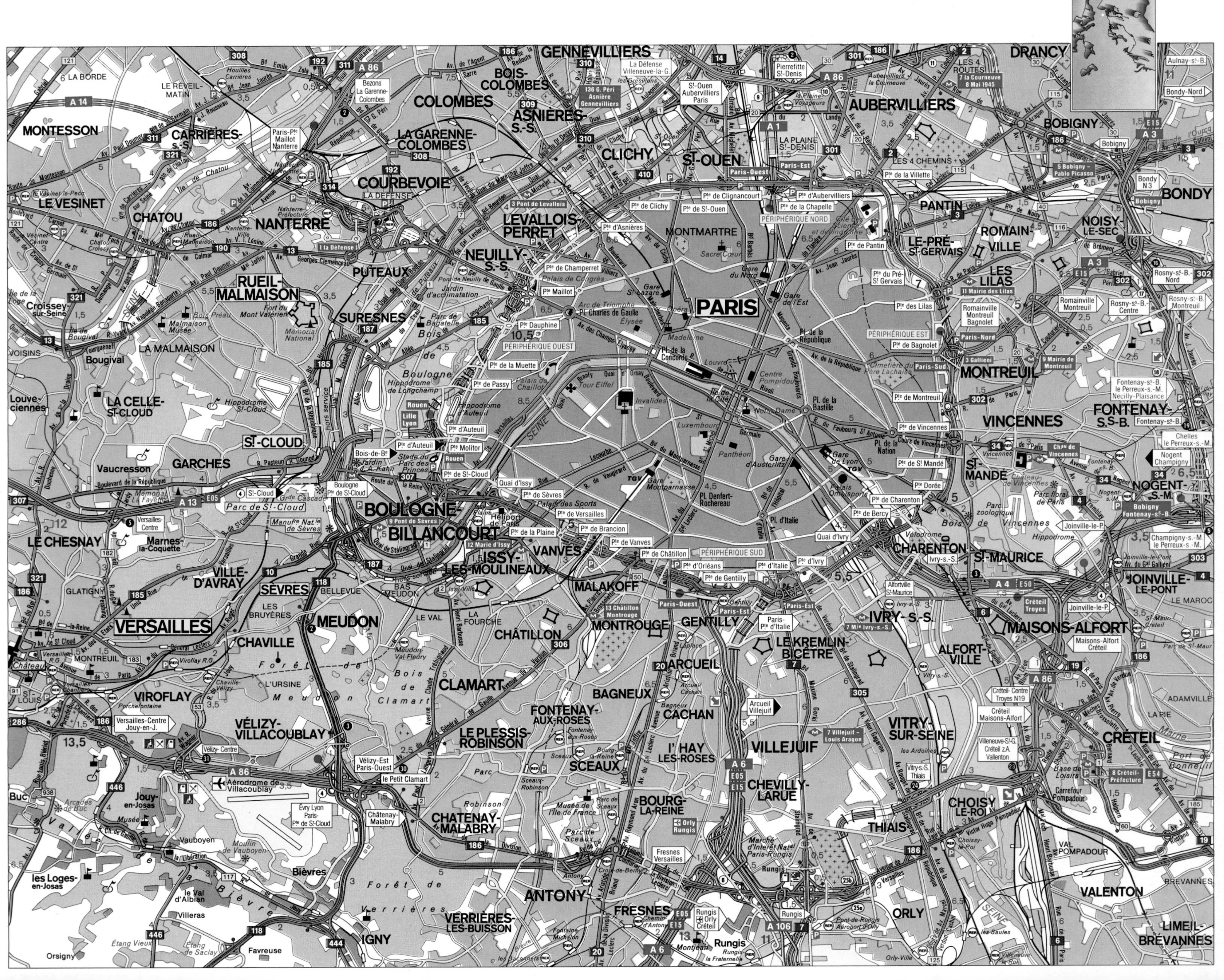